中国古典文学读本丛书

三國演義

下

罗贯中 著

人 民 文 学 出 版 社

第五十七回

柴桑口卧龙吊丧　耒阳县凤雏理事

却说周瑜怒气填胸，坠于马下，左右急救归船。军士传说："玄德、孔明在前山顶上饮酒取乐。"瑜大怒，咬牙切齿曰："你道我取不得西川，吾誓取之！"正恨间，人报吴侯遣弟孙瑜到。周瑜接入，具言其事。孙瑜曰："吾奉兄命来助都督。"遂令催军前行。行至巴丘，人报上流有刘封、关平二人领军截住水路。周瑜愈怒。忽又报孔明遣人送书至。周瑜拆封视之。书曰：

> 汉军师中郎将诸葛亮，致书于东吴大都督公瑾先生麾下：亮自柴桑一别，至今恋恋不忘。闻足下欲取西川，亮窃以为不可。益州民强地险，刘璋虽闇弱，足以自守。今劳师远征，转运万里，欲收全功，虽吴起不能定其规，孙武不能善其后也。曹操失利于赤壁，志岂须臾忘报仇哉？今足下兴兵远征，倘操乘虚而至，江南齑粉矣！亮不忍坐视，特此告知。幸垂照鉴。

周瑜览毕，长叹一声，唤左右取纸笔作书上吴侯。乃聚众将曰："吾非不欲尽忠报国，奈天命已绝矣。汝等善事吴侯，共成大业。"言讫，昏绝。徐徐又醒，仰天长叹曰："既生瑜，何生亮！"连叫数声而亡。寿三十六岁。后人有诗叹曰：

> 赤壁遗雄烈，青年有俊声。弦歌知雅意，杯酒谢良朋。
> 曾谒三千斛，常驱十万兵。巴丘终命处，凭吊欲伤情。

周瑜停丧于巴丘。众将将所遗书缄,遣人飞报孙权。权闻瑜死,放声大哭。拆视其书,乃荐鲁肃以自代也。书略曰:

瑜以凡才,荷蒙殊遇,委任腹心,统御兵马,敢不竭股肱之力,以图报效。奈死生不测,修短有命;愚志未展,微躯已殒,遗恨何极! 方今曹操在北,疆场未静;刘备寄寓,有似养虎;天下之事,尚未可知。此正朝士旰食[①]之秋,至尊垂虑之日也。鲁肃忠烈,临事不苟,可以代瑜之任。“人之将死,其言也善”。倘蒙垂鉴,瑜死不朽矣。

孙权览毕,哭曰:“公瑾有王佐之才,今忽短命而死,孤何赖哉? 既遗书特荐子敬,孤敢不从之。”即日便命鲁肃为都督,总统兵马;一面教发周瑜灵柩回葬。

却说孔明在荆州,夜观天文,见将星坠地,乃笑曰:“周瑜死矣。”至晓,告于玄德。玄德使人探之,果然死了。玄德问孔明曰:“周瑜既死,还当如何?”孔明曰:“代瑜领兵者,必鲁肃也。亮观天象,将星聚于东方。亮当以吊丧为由,往江东走一遭,就寻贤士佐助主公。”玄德曰:“只恐吴中将士加害于先生。”孔明曰:“瑜在之日,亮犹不惧;今瑜已死,又何患乎?”乃与赵云引五百军,具祭礼,下船赴巴丘吊丧。于路探听得孙权已令鲁肃为都督,周瑜灵柩已回柴桑。孔明径至柴桑,鲁肃以礼迎接。周瑜部将皆欲杀孔明,因见赵云带剑相随,不敢下手。孔明教设祭物于灵前,亲自奠酒,跪于地下,读祭文曰:

呜呼公瑾,不幸夭亡! 修短故天,人岂不伤? 我心实痛,酹酒一觞;君其有灵,享我烝尝! 吊君幼学,以交伯符;仗义疏财,让舍以居。吊君弱冠,万里鹏抟;定建霸业,割据

---

① 旰(gàn)食——旰,晚的意思;旰食,因为公务繁忙,很晚才能吃饭。

江南。吊君壮力，远镇巴丘；景升怀虑，讨逆无忧。吊君丰度，佳配小乔；汉臣之婿，不愧当朝。吊君气概，谏阻纳质；始不垂翅，终能奋翼。吊君鄱阳，蒋干来说；挥洒自如，雅量高志。吊君弘才，文武筹略；火攻破敌，挽强为弱。想君当年，雄姿英发；哭君早逝，俯地流血。忠义之心，英灵之气；命终三纪，名垂百世。哀君情切，愁肠千结；惟我肝胆，悲无断绝。昊天昏暗，三军怆然；主为哀泣，友为泪涟。

亮也不才，丐计求谋；助吴拒曹，辅汉安刘；掎角之援，首尾相俦；若存若亡，何虑何忧？呜呼公瑾！生死永别！朴守其贞，冥冥灭灭。魂如有灵，以鉴我心：从此天下，更无知音！呜呼痛哉！伏惟尚飨。

孔明祭毕，伏地大哭，泪如涌泉，哀恸不已。众将相谓曰："人尽道公瑾与孔明不睦，今观其祭奠之情，人皆虚言也。"鲁肃见孔明如此悲切，亦为感伤，自思曰："孔明自是多情，乃公瑾量窄，自取死耳。"后人有诗叹曰：

> 卧龙南阳睡未醒，又添列曜下舒城。苍天既已生公瑾，尘世何须出孔明！

鲁肃设宴款待孔明。宴罢，孔明辞回。方欲下船，只见江边一人道袍竹冠，皂绦素履，一手揪住孔明大笑曰："汝气死周郎，却又来吊孝，明欺东吴无人耶！"孔明急视其人，乃凤雏先生庞统也。孔明亦大笑。两人携手登舟，各诉心事。孔明乃留书一封与统，嘱曰："吾料孙仲谋必不能重用足下。稍有不如意，可来荆州共扶玄德。此人宽仁厚德，必不负公平生之所学。"统允诺而别。孔明自回荆州。

却说鲁肃送周瑜灵柩至芜湖，孙权接着，哭祭于前，命厚葬于本乡。瑜有两男一女，长男循，次男胤，权皆厚恤之。鲁肃曰："肃碌碌庸才，误蒙公瑾重荐，其实不称所职。愿举一人以助主公。此人上通天文，下晓地理；谋略不减于管、乐，枢机可并于孙、吴。往日周公瑾多用其言，孔明亦深服其智。现在江南，何不重用？"权闻言大喜，便问此人姓名。肃曰："此人乃襄阳人，姓庞，名统，字士元，道号凤雏先生。"权曰："孤亦闻其名久矣。今既在此，可即请来相见。"于是鲁肃邀请庞统入见孙权。施礼毕。权见其人浓眉掀鼻，黑面短髯，形容古怪，心中不喜。乃问曰："公平生所学，以何为主？"统曰："不必拘执，随机应变。"权曰："公之才学，比公瑾如何？"统笑曰："某之所学，与公瑾大不相同。"权平生最喜周瑜，见统轻之，心中愈不乐，乃谓统曰："公且退。待有用公之时，却来相请。"统长叹一声而出。鲁肃曰："主公何不用庞士元？"权曰："狂士也，用之何益！"肃曰："赤壁鏖兵之时，此人曾献连环策，成第一功。——主公想必知之。"权曰："此时乃曹操自欲钉船，未必此人之功也。吾誓不用之。"鲁肃出谓庞统曰："非肃不荐足下，奈吴侯不肯用公。公且耐心。"统低头长叹不语。肃曰："公莫非无意于吴中乎？"统不答。肃曰："公抱匡济之才，何往不利？可实对肃言，将欲何往？"统曰："吾欲投曹操去也。"肃曰："此明珠暗投矣。可往荆州投刘皇叔，必然重用。"统曰："统意实欲如此，前言戏耳。"肃曰："某当作书奉荐。公辅玄德，必令孙、刘两家，无相攻击，同力破曹。"统曰："此某平生之素志也。"乃求肃书，径往荆州来见玄德。

此时孔明按察四郡未回。门吏传报："江南名士庞统，特来相投。"玄德久闻统名，便教请入相见。统见玄德，长揖不拜。玄德见统貌陋，心中亦不悦，乃问统曰："足下远来不易？"统不拿出鲁肃、孔明书投呈，但答曰："闻皇叔招贤纳士，特来相投。"玄德曰:"荆楚稍定,苦无闲职。此去东北一百三十里,有一县名耒阳县,缺一县宰,屈公任之。如后有缺,却当重用。"统思:"玄德待我何薄!"欲以才学动之,见孔明不在,只得勉强相辞而去。统到耒阳县,不理政事,终日饮酒为乐;一应钱粮词讼,并不理会。有人报知玄德,言庞统将耒阳县事尽废。玄德怒曰:"竖儒焉敢乱吾法度!"遂唤张飞分付,引从人去荆南诸县巡视:"如有不公不法者,就便究问。恐于事有不明处,可与孙乾同去。"

张飞领了言语,与孙乾前至耒阳县。军民官吏,皆出郭迎接,独不见县令。飞问曰:"县令何在?"同僚覆曰:"庞县令自到任及今将百馀日,县中之事,并不理问,每日饮酒,自旦及夜,只在醉乡。今日宿酒未醒,犹卧不起。"张飞大怒,欲擒之。孙乾曰:"庞士元乃高明之人,未可轻忽。且到县问之。如果于理不当,治罪未晚。"飞乃入县,正厅上坐定,教县令来见。统衣冠不整,扶醉而出。飞怒曰:"吾兄以汝为人,令作县宰,汝焉敢尽废县事!"统笑曰:"将军以吾废了县中何事?"飞曰:"汝到任百馀日,终日在醉乡,安得不废政事?"统曰:"量百里小县,些小公事,何难决断! 将军少坐,待我发落。"随即唤公吏,将百馀日所积公务,都取来剖断。吏皆纷然赍抱案卷上厅,诉词被告人等,环跪阶下。统手中批判,口中发落,耳内听词,曲直分明,并无分毫差错。民皆叩首拜伏。不到半日,将百馀日之事,尽断毕了,投笔于地而对张飞曰:"所废之事何在? 曹操、孙权,吾视之若掌上观文,量此小县,何足介意!"飞大惊,下席谢曰:"先生大才,小子失敬。吾当于兄长处极力举荐。"统乃将出鲁肃荐书。飞曰:"先生初见吾兄,何不将出?"统曰:"若便将出,似乎专藉荐书来干谒矣。"飞顾谓孙乾曰:"非公则失一大贤也。"遂辞统回荆州见玄德,具说庞统之才。玄德大惊曰:"屈待大贤,吾之过也!"飞将鲁

肃荐书呈上。玄德拆视之。书略曰:

> 庞士元非百里之才,使处治中、别驾之任,始当展其骥足。如以貌取之,恐负所学,终为他人所用,实可惜也!

玄德看毕,正在嗟叹,忽报孔明回。玄德接入,礼毕,孔明先问曰:“庞军师近日无恙否?”玄德曰:“近治耒阳县,好酒废事。”孔明笑曰:“士元非百里之才,胸中之学,胜亮十倍。亮曾有荐书在士元处,曾达主公否?”玄德曰:“今日方得子敬书,却未见先生之书。”孔明曰:“大贤若处小任,往往以酒糊涂,倦于视事。”玄德曰:“若非吾弟所言,险失大贤。”随即令张飞往耒阳县敬请庞统到荆州。玄德下阶请罪。统方将出孔明所荐之书。玄德看书中之意,言凤雏到日,宜即重用。玄德喜曰:“昔司马德操言:‘伏龙、凤雏,两人得一,可安天下。’今吾二人皆得,汉室可兴矣。”遂拜庞统为副军师中郎将,与孔明共赞方略,教练军士,听候征伐。

早有人报到许昌,言刘备有诸葛亮、庞统为谋士,招军买马,积草屯粮,连结东吴,早晚必兴兵北伐。曹操闻之,遂聚众谋士商议南征。荀攸进曰:“周瑜新死,可先取孙权,次攻刘备。”操曰:“我若远征,恐马腾来袭许都。前在赤壁之时,军中有讹言,亦传西凉入寇之事,今不可不防也。”荀攸曰:“以愚所见,不若降诏加马腾为征南将军,使讨孙权,诱入京师,先除此人,则南征无患矣。”操大喜,即日遣人赍诏至西凉召马腾。

却说腾字寿成,汉伏波将军马援之后。父名肃,字子硕,桓帝时为天水兰干县尉;后失官流落陇西,与羌人杂处,遂取羌女生腾。腾身长八尺,体貌雄异,禀性温良,人多敬之。灵帝末年,羌人多叛,腾招募民兵破之。初平中年,因讨贼有功,拜征西将军,与镇西将军韩遂为弟兄。当日奉诏,乃与长子马超商议曰:

"吾自与董承受衣带诏以来,与刘玄德约共讨贼,不幸董承已死,玄德屡败。我又僻处西凉,未能协助玄德。今闻玄德已得荆州,我正欲展昔日之志,而曹操反来召我,当是如何?"马超曰:"操奉天子之命以召父亲,今若不往,彼必以'逆命'责我矣。当乘其来召,竟往京师,于中取事,则昔日之志可展也。"马腾兄子马岱谏曰:"曹操心怀叵测,叔父若往,恐遭其害。"超曰:"儿愿尽起西凉之兵,随父亲杀入许昌,为天下除害,有何不可?"腾曰:"汝自统羌兵保守西凉,只教次子马休、马铁并侄马岱随我同往。曹操见有汝在西凉,又有韩遂相助,谅不敢加害于我也。"超曰:"父亲欲往,切不可轻入京师。当随机应变,观其动静。"腾曰:"吾自有处①,不必多虑。"于是马腾乃引西凉兵五千,先教马休、马铁为前部,留马岱在后接应,迤逦望许昌而来。离许昌二十里屯住军马。

曹操听知马腾已到,唤门下侍郎黄奎分付曰:"目今马腾南征,吾命汝为行军参谋,先至马腾寨中劳军,可对马腾说:西凉路远,运粮甚难,不能多带人马。我当更遣大兵,协同前进。来日教他入城面君,吾就应付粮草与之。"奎领命,来见马腾。腾置酒相待。奎酒半酣而言曰:"吾父黄琬死于李傕、郭汜之难,尝怀痛恨。不想今日又遇欺君之贼!"腾曰:"谁为欺君之贼?"奎曰:"欺君者操贼也。公岂不知之,而问我耶?"腾恐是操使来相探,急止之曰:"耳目较近,休得乱言。"奎叱曰:"公竟忘却衣带诏乎!"腾见他说出心事,乃密以实情告之。奎曰:"操欲公入城面君,必非好意。公不可轻入。来日当勒兵城下。待曹操出城点军,就点军处杀之,大事济矣。"二人商议已定。黄奎回家,恨气未息。其

① 吾自有处(chǔ)——我自有办法对付。处,处理,处置。

妻再三问之，奎不肯言。不料其妾李春香，与奎妻弟苗泽私通。泽欲得春香，正无计可施。妾见黄奎愤恨，遂对泽曰："黄侍郎今日商议军情回，意甚愤恨，不知为谁？"泽曰："汝可以言挑之曰：'人皆说刘皇叔仁德，曹操奸雄，何也？'看他说甚言语。"是夜黄奎果到春香房中。妾以言挑之。奎乘醉言曰："汝乃妇人，尚知邪正，何况我乎？吾所恨者，欲杀曹操也！"妾曰："若欲杀之，如何下手？"奎曰："吾已约定马将军，明日在城外点兵时杀之。"妾告于苗泽，泽报知曹操。操便密唤曹洪、许褚分付如此如此；又唤夏侯渊、徐晃分付如此如此。各人领命去了，一面先将黄奎一家老小拿下。

次日，马腾领着西凉兵马，将次近城，只见前面一簇红旗，打着丞相旗号。马腾只道曹操自来点军，拍马向前。忽听得一声炮响，红旗开处，弓弩齐发。一将当先，乃曹洪也。马腾急拨马回时，两下喊声又起：左边许褚杀来，右边夏侯渊杀来，后面又是徐晃领兵杀至，截断西凉军马，将马腾父子三人困在垓心。马腾见不是头，奋力冲杀。马铁早被乱箭射死。马休随着马腾，左冲右突，不能得出。二人身带重伤，坐下马又被箭射倒，父子二人俱被执。曹操教将黄奎与马腾父子，一齐绑至。黄奎大叫："无罪！"操教苗泽对证。马腾大骂曰："竖儒误我大事！我不能为国杀贼，是乃天也！"操命牵出。马腾骂不绝口，与其子马休，及黄奎，一同遇害。后人有诗叹马腾曰：

父子齐芳烈，忠贞著一门。捐生图国难，誓死答君恩。

嚼血盟言在，诛奸义状存。西凉推世胄，不愧伏波孙！

苗泽告操曰："不愿加赏，只求李春香为妻。"操笑曰："你为了一妇人，害了你姐夫一家，留此不义之人何用！"便教将苗泽、李春香与黄奎一家老小并斩于市。观者无不叹息。后人有诗叹曰：

苗泽因私害荩臣，春香未得反伤身。奸雄亦不相容恕，

枉自图谋作小人。

曹操教招安西凉兵马，谕之曰：“马腾父子谋反，不干众人之事。”一面使人分付把住关隘，休教走了马岱。

且说马岱自引一千兵在后。早有许昌城外逃回军士，报知马岱。岱大惊，只得弃了兵马，扮作客商，连夜逃遁去了。曹操杀了马腾等，便决意南征。忽人报曰：“刘备调练军马，收拾器械，将欲取川。”操惊曰：“若刘备收川，则羽翼成矣。将何以图之？”言未毕，阶下一人进言曰：“某有一计，使刘备、孙权不能相顾，江南、西川皆归丞相。”正是：西州豪杰方遭戮，南国英雄又受殃。未知献计者是谁，且看下文分解。

第五十八回

马孟起兴兵雪恨 曹阿瞒割须弃袍

却说献策之人,乃治书侍御史陈群,字长文。操问曰:"陈长文有何良策?"群曰:"今刘备、孙权结为唇齿,若刘备欲取西川,丞相可命上将提兵,会合淝之众,径取江南,则孙权必求救于刘备;备意在西川,必无心救权;权无救则力乏兵衰,江东之地,必为丞相所得。——若得江东,则荆州一鼓可平也;荆州既平,然后徐图西川:天下定矣。"操曰:"长文之言,正合吾意。"即时起大兵三十万,径下江南;令合淝张辽,准备粮草,以为供给。

早有细作报知孙权。权聚众将商议。张昭曰:"可差人往鲁子敬处,教急发书到荆州,使玄德同力拒曹。子敬有恩于玄德,其言必从;且玄德既为东吴之婿,亦义不容辞。若玄德来相助,江南可无患矣。"权从其言,即遣人谕鲁肃,使求救于玄德。肃领命,随即修书使人送玄德。玄德看了书中之意,留使者于馆舍,差人往南郡请孔明。孔明到荆州,玄德将鲁肃书与孔明看毕,孔明曰:"也不消动江南之兵,也不必动荆州之兵,自使曹操不敢正觑东南。"便回书与鲁肃,教:"高枕无忧。若但有北兵侵犯,皇叔自有退兵之策。"使者去了。玄德问曰:"今操起三十万大军,会合淝之众,一拥而来,先生有何妙计,可以退之?"孔明曰:"操平生所虑者,乃西凉之兵也。今操杀马腾,其子马超,现统西凉之众,必切齿操贼。主公可作一书,往结马超,使超兴兵入关,则操又何暇下江南乎?"玄德大喜,即时作书,遣一心腹人,径往西凉州投下。

却说马超在西凉州,夜感一梦:梦见身卧雪地,群虎来咬。惊惧而觉,心中疑惑,聚帐下将佐,告说梦中之事。帐下一人应声曰:"此梦乃不祥之兆也。"众视其人,乃帐前心腹校尉,姓庞,名德,字令明。超问:"令明所见若何?"德曰:"雪地遇虎,梦兆殊恶。莫非老将军在许昌有事否?"言未毕,一人踉跄而入,哭拜于地曰:"叔父与弟皆死矣!"超视之,乃马岱也。超惊问何为。岱曰:"叔父与侍郎黄奎同谋杀操,不幸事泄,皆被斩于市。二弟亦遇害。惟岱扮作客商,星夜走脱。"超闻言,哭倒于地。众将救起。超咬牙切齿,痛恨操贼。忽报荆州刘皇叔遣人赍书至。超拆视之。书略曰:

伏念汉室不幸,操贼专权,欺君罔上,黎民凋残。备昔与令先君同受密诏,誓诛此贼。今令先君被操所害,此将军不共天地、不同日月之仇也。若能率西凉之兵,以攻操之右,备当举荆襄之众,以遏操之前:则逆操可擒,奸党可灭,仇辱可报,汉室可兴矣。书不尽言,立待回音。

马超看毕,即时挥涕回书,发使者先回,随后便起西凉军马。正欲进发,忽西凉太守韩遂使人请马超往见。超至遂府,遂将出曹操书示之。内云:"若将马超擒赴许都,即封汝为西凉侯。"超拜伏于地曰:"请叔父就缚俺兄弟二人,解赴许昌,免叔父戈戟之劳。"韩遂扶起曰:"吾与汝父结为兄弟,安忍害汝?汝若兴兵,吾当相助。"马超拜谢。韩遂便将操使者推出斩之,乃点手下八部军马,一同进发。那八部?乃侯选、程银、李堪、张横、梁兴、成宜、马玩、杨秋也。八将随着韩遂,合马超手下庞德、马岱,共起二十万大兵,杀奔长安来。长安郡守钟繇,飞报曹操;一面引军拒敌,布阵于野。西凉州前部先锋马岱,引军一万五千,浩浩荡荡,漫山遍野而来。钟繇出马答话。岱使宝刀一口,与繇交战。不一合,繇大败奔走。岱提刀赶来。马超、韩遂引大军都到,围住长安。钟繇上城守护。长安乃西汉建都之处,城郭坚固,壕堑险深,急切攻打不下。一连围了十日,不能攻破。庞德进计曰:"长安城中土硬水碱,甚不堪食,更兼无柴。今围十日,军民饥荒。不如暂且收军,只须如此如此,长安唾手可得。"马超曰:"此计大妙!"即时差"令"字旗传与各部,尽教退军,马超亲自断后。各部军马渐渐退去。钟繇次日登城看时,军皆退了,只恐有计;令人哨探,果然远去,方才放心。纵令军民出城打柴取水,大开城门,放人出入。至第五日,人报马超兵又到,军民竞奔入城,钟繇仍复闭城坚守。

却说钟繇弟钟进,守把西门。约近三更,城门里一把火起。钟进急来救时,城边转过一人,举刀纵马大喝曰:"庞德在此!"钟进措手不及,被庞德一刀斩于马下,杀散军校,斩关断锁,放马超、韩遂军马入城。钟繇从东门弃城而走。马超、韩遂得了城池,赏劳三军。钟繇退守潼关,飞报曹操。操知失了长安,不敢复议南征。遂唤曹洪、徐晃分付:"先带一万人马,替钟繇紧守潼关。如十日内失了关隘,皆斩;十日外,不干汝二人之事。我统大军随后便至。"二人领了将令,星夜便行。曹仁谏曰:"洪性躁,诚恐误事。"操曰:"你与我押送粮草,便随后接应。"

却说曹洪、徐晃到潼关,替钟繇坚守关隘,并不出战。马超领军来关下,把曹操三代毁骂。曹洪大怒,要提兵下关厮杀。徐晃谏曰:"此是马超要激将军厮杀,切不可与战。待丞相大军来,必有主画。"马超军日夜轮流来骂。曹洪只要厮杀,徐晃苦苦挡住。至第九日，在关上看时，西凉军都弃马在于关前草地上坐；多半困乏，就于地上睡卧。曹洪便教备马，点起三千兵杀下关来。西凉兵弃马抛戈而走。洪迤逦追赶。时徐晃正在关上点视粮车，闻曹洪下关厮杀，大惊，急引兵随后赶来，大叫曹洪回马。忽然背后喊声大震，马岱引军杀至。曹洪、徐晃急回走时，一棒鼓响，山背后两军截出：左是马超，右是庞德，混杀一阵。曹洪抵挡不住，折军大半，撞出重围，奔到关上。西凉兵随后赶来，洪等弃关而走。庞德直追过潼关，撞见曹仁军马，救了曹洪等一军。马超接应庞德上关。曹洪失了潼关，奔见曹操。操曰："与你十日限，如何九日失了潼关？"洪曰："西凉军兵，百般辱骂。因见彼军懈怠，乘势赶去，不想中贼奸计。"操曰："洪年幼躁暴，徐晃你须晓事！"晃曰："累谏不从。当日晃在关上点粮车，比及知道，小将军已下关了。晃恐有失，连忙赶去，已中贼奸计矣。"操大怒，喝斩曹洪。众官告免。曹洪服罪而退。

操进兵直叩潼关。曹仁曰："可先下定寨栅，然后打关未迟。"操令砍伐树木，起立排栅，分作三寨：左寨曹仁，右寨夏侯渊，操自居中寨。次日，操引三寨大小将校，杀奔关隘前去，正遇西凉军马。两边各布阵势。操出马于门旗下，看西凉之兵，人人勇健，个个英雄。又见马超生得面如傅粉，唇若抹朱，腰细膀宽，声雄力猛，白袍银铠，手执长枪，立马阵前；上首庞德，下首马岱。操暗暗称奇，自纵马谓超曰："汝乃汉朝名将子孙，何故背反耶？"超咬牙切齿，大骂："操贼！欺君罔上，罪不容诛！害我父弟，不共戴天之仇！吾当活捉生啖汝肉！"说罢，挺枪直杀过来。曹操背后于禁出迎。两马交战，斗得八九合，于禁败走。张郃出迎，战二十合亦败走。李通出迎，超奋威交战，数合之中，一枪刺李通于马下。超把枪望后一招，西凉兵一齐冲杀过来。操兵大败。

西凉兵来得势猛，左右将佐，皆抵当不住。马超、庞德、马岱引百馀骑，直入中军来捉曹操。操在乱军中，只听得西凉军大叫："穿红袍的是曹操！"操就马上急脱下红袍。又听得大叫："长髯者是曹操！"操惊慌，掣所佩刀断其髯。军中有人将曹操割髯之事，告知马超，超遂令人叫拿："短髯者是曹操！"操闻知，即扯旗角包颈而逃。后人有诗曰：

潼关战败望风逃，孟德怆惶脱锦袍。剑割髭髯应丧胆，
马超声价盖天高。

曹操正走之间，背后一骑赶来，回头视之，正是马超。操大惊。左右将校见超赶来，各自逃命，只撇下曹操。超厉声大叫曰："曹操休走！"操惊得马鞭坠地。看看赶上，马超从后使枪搠来。操绕树而走，超一枪搠在树上；——急拔下时，操已走远。超纵马赶来，山坡边转过一将，大叫："勿伤吾主！曹洪在此！"轮刀纵马，拦住马超。操得命走脱。洪与马超战到四五十合，渐渐刀法散乱，气力不加。夏侯渊引数十骑随到。马超独自一人，恐被所算，乃拨马而回。夏侯渊也不来赶。

曹操回寨，却得曹仁死据定了寨栅，因此不曾多折军马。操入帐叹曰："吾若杀了曹洪，今日必死于马超之手也！"遂唤曹洪，重加赏赐。收拾败军，坚守寨栅，深沟高垒，不许出战。超每日引兵来寨前辱骂搦战。操传令教军士坚守，如乱动者斩。诸将曰："西凉之兵，尽使长枪，当选弓弩迎之。"操曰："战与不战，皆在于我，非在贼也。贼虽有长枪，安能便刺？诸公但坚壁观之，贼自退矣。"诸将皆私相议曰："丞相自来征战，一身当先；今败于马超，何如此之弱也？"过了几日，细作报来："马超又添二万生力兵来助战，乃是羌人部落。"操闻知大喜。诸将曰："马超添兵，丞相反喜，何也？"操曰："待吾胜了，却对汝等说。"三日后又报关上

又添军马。操又大喜,就于帐中设宴作贺。诸将皆暗笑。操曰:“诸公笑我无破马超之谋,公等有何良策?”徐晃进曰:“今丞相盛兵在此,贼亦全部现屯关上,此去河西,必无准备;若得一军暗渡蒲阪津,先截贼归路,丞相径发河北击之,贼两不相应,势必危矣。”操曰:“公明之言,正合吾意。”便教徐晃引精兵四千,和朱灵同去径袭河西,伏于山谷之中,“待我渡河北同时击之。”徐晃、朱灵领命,先引四千军暗暗去了。操下令,先教曹洪于蒲阪津,安排船筏。留曹仁守寨,操自领兵渡渭河。早有细作报知马超。超曰:“今操不攻潼关,而使人准备船筏,欲渡河北,必将遏吾之后也。吾当引一军循河拒住岸北。操兵不得渡,不消二十日,河东粮尽,操兵必乱,却循河南而击之,操可擒矣。”韩遂曰:“不必如此。岂不闻‘兵法’有云:‘兵半渡可击。’待操兵渡至一半,汝却于南岸击之,操兵皆死于河内矣。”超曰:“叔父之言甚善。”即使人探听曹操几时渡河。

却说曹操整兵已毕,分三停军,前渡渭河。比及人马到河口时,日光初起。操先发精兵渡过北岸,开创营寨。操自引亲随护卫军将百人,按剑坐于南岸,看军渡河。忽然人报:“后边白袍将军到了!”众皆认得是马超,一拥下船。河边军争上船者,声喧不止。操犹坐而不动;按剑指约休闹。只听得人喊马嘶,蜂拥而来,船上一将跃身上岸,呼曰:“贼至矣! 请丞相下船!”操视之,乃许褚也。操口内犹言:“贼至何妨?”回头视之,马超已离不得百馀步。许褚拖操下船时,船已离岸一丈有馀,褚负操一跃上船。随行将士尽皆下水,扳住船边,争欲上船逃命。船小将翻,褚掣刀乱砍,傍船手尽折,倒于水中,急将船望下水棹去。许褚立于梢上,忙用木篙撑之。操伏在许褚脚边。马超赶到河岸,见船已流在半河,遂拈弓搭箭,喝令骁将绕河射之,矢如雨急。褚恐伤曹操,以左手举马鞍遮之。马超箭不虚发,船上驾舟之人,应弦落水;船中数十人皆被射倒。其船反撑不定,于急水中旋转。许褚独奋神威,将两腿夹舵摇撼,一手使篙撑船,一手举鞍遮护曹操。

时有渭南县令丁斐,在南山之上,见马超追操甚急,恐伤操命,遂将寨内牛只马匹,尽驱于外,漫山遍野,皆是牛马。西凉兵见之,都回身争取牛马,无心追赶,曹操因此得脱。方到北岸,便把船筏凿沉。诸将听得曹操在河中逃难,急来救时,操已登岸。许褚身披重铠,箭皆嵌在甲上。众将保操至野寨中,皆拜于地而问安。操大笑曰:“我今日几为小贼所困!”褚曰:“若非有人纵马放牛以诱贼,贼必努力渡河矣。”操问曰:“诱贼者谁也?”有知者答曰:“渭南县令丁斐也。”少顷,斐入见。操谢曰:“若非公之良谋,则吾被贼所擒矣。”遂命为典军校尉。斐曰:“贼虽暂去,明日必复来。须以良策拒之。”操曰:“吾已准备了也。”遂唤诸将各分头循河筑起甬道,暂为寨脚。贼若来时,陈兵于甬道外,内虚立旌旗,以为疑兵;更沿河掘下壕堑,虚土棚盖,河内以兵诱之:“贼急来必陷,贼陷便可击矣。”

却说马超回见韩遂,说:“几乎捉住曹操!有一将奋勇负操下船去了,不知何人。”遂曰:“吾闻曹操选极精壮之人,为帐前侍卫,名曰‘虎卫军’,以骁将典韦、许褚领之。典韦已死,今救曹操者,必许褚也。此人勇力过人,人皆称为‘虎痴’;如遇之,不可轻敌。”超曰:“吾亦闻其名久矣。”遂曰:“今操渡河,将袭我后,可速攻之,不可令他创立营寨。若立营寨,急难剿除。”超曰:“以侄愚意,还只拒住北岸,使彼不得渡河,乃为上策。”遂曰:“贤侄守寨,吾引军循河战操,若何?”超曰:“令庞德为先锋,跟叔父前去。”于是韩遂与庞德将兵五万,直抵渭南。操令众将于甬道两旁诱之。

庞德先引铁骑千馀，冲突而来。喊声起处，人马俱落于陷马坑内。庞德踊身一跳，跃出土坑，立于平地，立杀数人，步行砍出重围。韩遂已被困在垓心，庞德步行救之。正遇着曹仁部将曹永，被庞德一刀砍于马下，夺其马，杀开一条血路，救出韩遂，投东南而走。背后曹兵赶来，马超引军接应，杀败曹兵，复救出大半军马。战至日暮方回。计点人马，折了将佐程银、张横，陷坑中死者二百馀人。超与韩遂商议："若迁延日久，操于河北立了营寨，难以退敌；不若乘今夜引轻骑去劫野营。"遂曰："须分兵前后相救。"于是超自为前部，令庞德、马岱为后应，当夜便行。

却说曹操收兵屯渭北，唤诸将曰："贼欺我未立寨栅，必来劫野营。可四散伏兵，虚其中军。号炮响时，伏兵尽起，一鼓可擒也。"众将依令，伏兵已毕。当夜，马超却先使成宜引三十骑往前哨探。成宜见无人马，径入中军。操军见西凉兵到，遂放号炮。四面伏兵皆出，只围得三十骑。成宜被夏侯渊所杀。马超却自从背后与庞德、马岱兵分三路蜂拥杀来。正是：纵有伏兵能候敌，怎当健将共争先？未知胜负若何，且看下文分解。

第五十九回

许褚裸衣斗马超　曹操抹书间韩遂

却说当夜两兵混战,直到天明,各自收兵。马超屯兵渭口,日夜分兵,前后攻击。曹操在渭河内将船筏锁链作浮桥三条,接连南岸。曹仁引军夹河立寨,将粮草车辆穿连,以为屏障。马超闻之,教军士各挟草一束,带着火种,与韩遂引军并力杀到寨前,堆积草把,放起烈火。操兵抵敌不住,弃寨而走。车乘、浮桥,尽被烧毁。西凉兵大胜,截住渭河。曹操立不起营寨,心中忧惧。荀攸曰:"可取渭河沙土筑起土城,可以坚守。"操拨三万军担土筑城。马超又差庞德、马岱各引五百马军,往来冲突;更兼沙土不实,筑起便倒,操无计可施。时当九月尽,天气暴冷,彤云密布,连日不开。曹操在寨中纳闷。忽人报曰:"有一老人来见丞相,欲陈说方略。"操请入。见其人鹤骨松姿,形貌苍古。问之,乃京兆人也,隐居终南山,姓娄,名子伯,道号"梦梅居士"。操以客礼待之。子伯曰:"丞相欲跨渭安营久矣,今何不乘时筑之?"操曰:"沙土之地,筑垒不成。隐士有何良策赐教?"子伯曰:"丞相用兵如神,岂不知天时乎?连日阴云布合,朔风一起,必大冻矣。风起之后,驱兵士运土泼水,比及天明,土城已就。"操大悟,厚赏子伯。子伯不受而去。

是夜北风大作。操尽驱兵士担土泼水;为无盛水之具,作缣① 囊盛水浇之，随筑随冻。比及天明，沙水冻紧，土城已筑完。细作报知马超。超领兵观之，大惊，疑有神助。次日，集大军鸣鼓而进。操自乘马出营，止有许褚一人随后。操扬鞭大呼曰："孟德单骑至此，请马超出来答话。"超乘马挺枪而出。操曰："汝欺我营寨不成，今一夜天已筑就，汝何不早降！"马超大怒，意欲突前擒之，见操背后一人，睁圆怪眼，手提钢刀，勒马而立。超疑是许褚，乃扬鞭问曰："闻汝军中有虎侯，安在哉？"许褚提刀大叫曰："吾即谯郡许褚也！"目射神光，威风抖擞。超不敢动，乃勒马回。操亦引许褚回寨。两军观之，无不骇然。操谓诸将曰："贼亦知仲康乃虎侯也！"自此军中皆称褚为虎侯。许褚曰："某来日必擒马超。"操曰："马超英勇，不可轻敌。"褚曰："某誓与死战！"即使人下战书，说虎侯单搦马超来日决战。超接书大怒曰："何敢如此相欺耶！"即批次日誓杀"虎痴"。

次日，两军出营布成阵势。超分庞德为左翼，马岱为右翼，韩遂押中军。超挺枪纵马，立于阵前，高叫："虎痴快出！"曹操在门旗下回顾众将曰："马超不减吕布之勇！"言未绝，许褚拍马舞刀而出。马超挺枪接战。斗了一百馀合，胜负不分。马匹困乏，各回军中，换了马匹，又出阵前。又斗一百馀合，不分胜负。许褚性起，飞回阵中，卸了盔甲，浑身筋突，赤体提刀，翻身上马，来与马超决战。两军大骇。两个又斗到三十馀合，褚奋威举刀便砍马超。超闪过，一枪望褚心窝刺来。褚弃刀将枪挟住。两个在马上夺枪。许褚力大，一声响，拗断枪杆，各拿半节在马上乱打。操恐褚有失，遂令夏侯渊、曹洪两将齐出夹攻。庞德、马岱见操将齐出，麾两翼铁骑，横冲直撞，混杀将来。操兵大乱。许

---

① 缣（jiān）——一种很细密、不易透水的丝织物。

褚臂中两箭。诸将慌退入寨。马超直杀到壕边,操兵折伤大半。操令坚闭休出。马超回至渭口,谓韩遂曰:"吾见恶战者莫如许褚,真'虎痴'也!"

却说曹操料马超可以计破,乃密令徐晃、朱灵尽渡河西结营,前后夹攻。一日,操于城上见马超引数百骑,直临寨前,往来如飞。操观良久,掷兜鍪于地曰:"马儿不死,吾无葬地矣!"夏侯渊听了,心中气忿,厉声曰:"吾宁死于此地,誓灭马贼!"遂引本部千馀人,大开寨门,直赶去。操急止不住,恐其有失,慌自上马前来接应。马超见曹兵至,乃将前军作后队,后队作先锋,一字儿摆开。夏侯渊到,马超接住厮杀。超于乱军中遥见曹操,就撇了夏侯渊,直取曹操。操大惊,拨马而走。曹兵大乱。正追之际,忽报操有一军,已在河西下了营寨。超大惊,无心追赶,急收军回寨,与韩遂商议,言:"操兵乘虚已渡河西,吾军前后受敌,如之奈何?"部将李堪曰:"不如割地请和,两家且各罢兵。捱过冬天,到春暖别作计议。"韩遂曰:"李堪之言最善,可从之。"

超犹豫未决。杨秋、侯选皆劝求和。于是韩遂遣杨秋为使,直往操寨下书,言割地请和之事。操曰:"汝且回寨。吾来日使人回报。"杨秋辞去。贾诩入见操曰:"丞相主意若何?"操曰:"公所见若何?"诩曰:"兵不厌诈,可伪许之;然后用反间计,令韩、马相疑,则一鼓可破也。"操抚掌大喜曰:"天下高见,多有相合。文和之谋,正吾心中之事也。"于是遣人回书,言:"待我徐徐退兵,还汝河西之地。"一面教搭起浮桥,作退军之意。马超得书,谓韩遂曰:"曹操虽然许和,奸雄难测。倘不准备,反受其制。超与叔父轮流调兵,今日叔向操,超向徐晃;明日超向操,叔向徐晃;分头提备，以防其诈。”韩遂依计而行。

早有人报知曹操。操顾贾诩曰：“吾事济矣！”问：“来日是谁合向我这边？”人报曰：“韩遂。”次日，操引众将出营，左右围绕，操独显一骑于中央。韩遂部卒多有不识操者，出阵观看。操高叫曰：“汝诸军欲观曹公耶？吾亦犹人也，非有四目两口，——但多智谋耳。”诸军皆有惧色。操使人过阵谓韩遂曰：“丞相谨请韩将军会话。”韩遂即出阵；见操并无甲仗，亦弃衣甲，轻服匹马而出。二人马头相交，各按辔对语。操曰：“吾与将军之父，同举孝廉，吾尝以叔事之。吾亦与公同登仕路，不觉有年矣。将军今年妙龄几何？”韩遂答曰：“四十岁矣。”操曰：“往日在京师，皆青春年少，何期又中旬矣！安得天下清平共乐耶！”只把旧事细说，并不提起军情。说罢大笑。相谈有一个时辰，方回马而别，各自归寨。早有人将此事报知马超。超忙来问韩遂曰：“今日曹操阵前所言何事？”遂曰：“只诉京师旧事耳。”超曰：“安得不言军务乎？”遂曰：“曹操不言，吾何独言之？”超心甚疑，不言而退。

却说曹操回寨，谓贾诩曰：“公知吾阵前对语之意否？”诩曰：“此意虽妙，尚未足间二人。某有一策，令韩、马自相仇杀。”操问其计。贾诩曰：“马超乃一勇之夫，不识机密。丞相亲笔作一书，单与韩遂，中间朦胧字样，于要害处，自行涂抹改易，然后封送与韩遂，故意使马超知之。超必索书来看。若看见上面要紧去处，尽皆改抹，只猜是韩遂恐超知甚机密事，自行改抹，正合着单骑会语之疑；疑则必生乱。我更暗结韩遂部下诸将，使互相离间，超可图矣。”操曰：“此计甚妙。”随写书一封，将紧要处尽皆改抹，然后实封，故意多遣从人送过寨去，下了书自回。果然有人报知马超。超心愈疑，径来韩遂处索书看。韩遂将书与超。超见上面有改抹字样,问遂曰:“书上如何都改抹糊涂?”遂曰:“原书如此,不知何故。”超曰:“岂有以草稿送与人耶?必是叔父怕我知了详细,先改抹了。”遂曰:“莫非曹操错将草稿误封来了。”超曰:“吾又不信。曹操是精细之人,岂有差错?吾与叔父并力杀贼,奈何忽生异心?”遂曰:“汝若不信吾心,来日吾在阵前赚操说话,汝从阵内突出,一枪刺杀便了。”超曰:“若如此,方见叔父真心。”

两人约定。次日,韩遂引侯选、李堪、梁兴、马玩、杨秋五将出阵。马超藏在门影里。韩遂使人到操寨前,高叫:“韩将军请丞相攀话。”操乃令曹洪引数十骑径出阵前与韩遂相见。马离数步,洪马上欠身言曰:“夜来丞相拜意将军之言,切莫有误。”言讫便回马。超听得大怒,挺枪骤马,便刺韩遂。五将拦住,劝解回寨。遂曰:“贤侄休疑,我无歹心。”马超那里肯信,恨怨而去。韩遂与五将商议曰:“这事如何解释?”杨秋曰:“马超倚仗武勇,常有欺凌主公之心,便胜得曹操,怎肯相让?以某愚见,不如暗投曹公,他日不失封侯之位。”遂曰:“吾与马腾结为兄弟,安忍背之?”杨秋曰:“事已至此,不得不然。”遂曰:“谁可以通消息?”杨秋曰:“某愿往。”遂乃写密书,遣杨秋径来操寨,说投降之事。操大喜,许封韩遂为西凉侯、杨秋为西凉太守,其馀皆有官爵。约定放火为号,共谋马超。杨秋拜辞,回见韩遂,备言其事:“约定今夜放火,里应外合。”遂大喜,就令军士于中军帐后堆积干柴,五将各悬刀剑听候。韩遂商议,欲设宴赚请马超,就席图之,犹豫未去。

不想马超早已探知备细,便带亲随数人,仗剑先行,令庞德、马岱为后应。超潜步入韩遂帐中,只见五将与韩遂密语,只听得杨秋口中说道:“事不宜迟,可速行之!”超大怒,挥剑直入,大喝曰:“群贼焉敢谋害我!”众皆大惊。超一剑望韩遂面门剁去,遂慌以手迎之,左手早被砍落。五将挥刀齐出。超纵步出帐外,五将围绕混杀。超独挥宝剑,力敌五将。剑光明处,鲜血溅飞:砍翻马玩,剁倒梁兴,三将各自逃生。超复入帐中来杀韩遂时,已被左右救去。帐后一把火起,各寨兵皆动。超连忙上马。庞德、马岱亦至,互相混战。超领军杀出时,操兵四至:前有许褚,后有徐晃,左有夏侯渊,右有曹洪。西凉之兵,自相并杀。超不见了庞德、马岱,乃引百馀骑,截于渭桥之上。天色微明,只见李堪领一军从桥下过,超挺枪纵马逐之。李堪拖枪而走。恰好于禁从马超背后赶来,禁开弓射马超。超听得背后弦响,急闪过,却射中前面李堪,落马而死。超回马来杀于禁,禁拍马走了。超回桥上住扎。操兵前后大至,虎卫军当先,乱箭夹射马超。超以枪拨之,矢皆纷纷落地。超令从骑往来突杀。争奈曹兵围裹坚厚,不能冲出。超于桥上大喝一声,杀入河北,从骑皆被截断。超独在阵中冲突,却被暗弩射倒坐下马,马超堕于地上,操军逼合。正在危急,忽西北角上一彪军杀来,乃庞德、马岱也。二人救了马超,将军中战马与马超骑了,翻身杀条血路,望西北而走。曹操闻马超走脱,传令诸将:“无分晓夜,务要赶到马儿。如得首级者,千金赏,万户侯;生获者封大将军。”众将得令,各要争功,迤逦追袭。马超顾不得人马困乏,只顾奔走。从骑渐渐皆散。步兵走不上者,多被擒去。止剩得三十馀骑,与庞德、马岱望陇西临洮而去。

曹操亲自追至安定,知马超去远,方收兵回长安。众将毕集,韩遂已无左手,做了残疾之人,操教就于长安歇马,授西凉侯之职。杨秋、侯选皆封列侯,令守渭口。下令班师回许都。凉州参军杨阜,字义山,径来长安见操。操问之,杨阜曰:“马超有吕布之勇，深得羌人之心。今丞相若不乘势剿绝，他日养成气力，陇上诸郡，非复国家之有也。望丞相且休回兵。”操曰：“吾本欲留兵征之，奈中原多事，南方未定，不可久留。君当为孤保之。”阜领诺，又保荐韦康为凉州刺史，同领兵屯冀城，以防马超。阜临行，请于操曰：“长安必留重兵以为后援。”操曰：“吾已定下，汝但放心。”阜辞而去。众将皆问曰：“初贼据潼关，渭北道缺，丞相不从河东击冯翊，而反守潼关，迁延日久，而后北渡，立营固守，何也？”操曰：“初贼守潼关，若吾初到，便取河东，贼必以各寨分守诸渡口，则河西不可渡矣。吾故盛兵皆聚于潼关前，使贼尽南守，而河西不准备，故徐晃、朱灵得渡也。吾然后引兵北渡，连车树栅为甬道，筑冰城，欲贼知吾弱，以骄其心，使不准备。吾乃巧用反间，畜士卒之力，一旦击破之。正所谓‘疾雷不及掩耳’。兵之变化，固非一道也。”众将又请问曰：“丞相每闻贼加兵添众，则有喜色，何也？”操曰：“关中边远，若群贼各依险阻，征之非一二年不可平复；今皆来聚一处，其众虽多，人心不一，易于离间，一举可灭：吾故喜也。”众将拜曰：“丞相神谋，众不及也！”操曰：“亦赖汝众文武之力。”遂重赏诸军。留夏侯渊屯兵长安，所得降兵，分拨各部。夏侯渊保举冯翊高陵人，姓张，名既，字德容，为京兆尹，与渊同守长安。操班师回都。献帝排銮驾出郭迎接。诏操“赞拜不名，入朝不趋，剑履上殿”：如汉相萧何故事。自此威震中外。

这消息播入汉中，早惊动了汉宁太守张鲁。原来张鲁乃沛国丰人。其祖张陵在西川鹄鸣山中造作道书以惑人，人皆敬之。陵死之后，其子张衡行之。百姓但有学道者，助米五斗，世号“米贼”。张衡死，张鲁行之。鲁在汉中自号为“师君”；其来学道者皆号为“鬼卒”；为首者号为“祭酒”；领众多者号为“治头大祭酒”。务以诚信为主，不许欺诈。如有病者，即设坛使病人居于静室之中，自思己过，当面陈首①，然后为之祈祷；主祈祷之事者，号为“奸令祭酒”。祈祷之法，书病人姓名，说服罪之意，作文三通，名为“三官手书”：一通放于山顶以奏天，一通埋于地以奏地，一通沉于水以申水官。如此之后，但病痊可，将米五斗为谢。又盖义舍：舍内饭米、柴火、肉食齐备，许过往人量食多少，自取而食；多取者受天诛。境内有犯法者，必恕三次；不改者，然后施刑。所在并无官长，尽属祭酒所管。如此雄据汉中之地已三十年。国家以为地远不能征伐，就命鲁为镇南中郎将，领汉宁太守，通进贡而已。当年闻操破西凉之众，威震天下，乃聚众商议曰：“西凉马腾遭戮，马超新败，曹操必将侵我汉中。我欲自称汉宁王，督兵拒曹操，诸君以为何如？”阎圃曰：“汉川之民，户出十万馀众，财富粮足，四面险固；今马超新败，西凉之民，从子午谷奔入汉中者，不下数万。愚意益州刘璋昏弱，不如先取西川四十一州为本，然后称王未迟。”张鲁大喜，遂与弟张卫商议起兵。早有细作报入川中。

却说益州刘璋，字季玉，即刘焉之子，汉鲁恭王之后。章帝元和中，徙封竟陵，支庶因居于此。后焉官至益州牧，兴平元年患病疽而死，州大吏赵韪等，共保璋为益州牧。璋曾杀张鲁母及弟，因此有仇。璋使庞羲为巴西太守，以拒张鲁。时庞羲探知张鲁欲兴兵取川，急报知刘璋。璋平生懦弱，闻得此信，心中大忧，急聚众官商议。急一人昂然而出曰：“主公放心。某虽不才，凭

① 陈首——自己供认自己的罪过。

三寸不烂之舌，使张鲁不敢正眼来觑西川。”正是：只因蜀地谋臣进，致引荆州豪杰来。未知此人是谁，且看下文分解。

第六十回

张永年反难杨修　庞士元议取西蜀

却说那进计于刘璋者，乃益州别驾，姓张，名松，字永年。其人生得额钁头尖，鼻偃齿露，身短不满五尺，言语有若铜钟。刘璋问曰："别驾有何高见，可解张鲁之危？"松曰："某闻许都曹操，扫荡中原，吕布、二袁皆为所灭，近又破马超，天下无敌矣。主公可备进献之物，松亲往许都，说曹操兴兵取汉中，以图张鲁。则鲁拒敌不暇，何敢复窥蜀中耶？"刘璋大喜，收拾金珠锦绮，为进献之物，遣张松为使。松乃暗画西川地理图本藏之，带从人数骑，取路赴许都。早有人报入荆州。孔明便使人入许都打探消息。

却说张松到了许都馆驿中住定，每日去相府伺候，求见曹操。原来曹操自破马超回，傲睨得志，每日饮宴，无事少出，国政皆在相府商议。张松候了三日，方得通姓名。左右近侍先要贿赂，却才引入。操坐于堂上，松拜毕，操问曰："汝主刘璋连年不进贡，何也？"松曰："为路途艰难，贼寇窃发，不能通进。"操叱曰："吾扫清中原，有何盗贼？"松曰："南有孙权，北有张鲁，西有刘备，至少者亦带甲十馀万，岂得为太平耶？"操先见张松人物猥琐，五分不喜；又闻语言冲撞，遂拂袖而起，转入后堂。左右责松曰："汝为使命，何不知礼，一味冲撞？幸得丞相看汝远来之面，不见罪责。汝可急急回去！"松笑曰："吾川中无谄佞之人也。"忽然阶下一人大喝曰:“汝川中不会谄佞,吾中原岂有谄佞者乎?”

松观其人,单眉细眼,貌白神清。问其姓名,乃太尉杨彪之子杨修,字德祖,现为丞相门下掌库主簿。此人博学能言,智识过人。松知修是个舌辩之士,有心难之。修亦自恃其才,小觑天下之士。当时见张松言语讥讽,遂邀出外面书院中,分宾主而坐,谓松曰:“蜀道崎岖,远来劳苦。”松曰:“奉主之命,虽赴汤蹈火,弗敢辞也。”修问:“蜀中风土何如?”松曰:“蜀为西郡,古号益州。路有锦江之险,地连剑阁之雄。回还二百八程,纵横三万馀里。鸡鸣犬吠相闻,市井闾阎不断。田肥地茂,岁无水旱之忧;国富民丰,时有管弦之乐。所产之物,阜如山积。天下莫可及也!”修又问曰:“蜀中人物如何?”松曰:“文有相如[①]之赋,武有伏波之才;医有仲景[②]之能,卜有君平[③]之隐。九流三教,‘出乎其类,拔乎其萃’者,不可胜记,岂能尽数!”修又问曰:“方今刘季玉手下,如公者还有几人?”松曰:“文武全才,智勇足备,忠义慷慨之士,动以百数。如松不才之辈,车载斗量,不可胜记。”修曰:“公近居何职?”松曰:“滥充别驾之任,甚不称职。敢问公为朝廷何官?”修曰:“现为丞相府主簿。”松曰:“久闻公世代簪缨[④],何不立于庙堂,辅佐天子,乃区区作相府门下一吏乎?”杨修闻言,满面羞惭,强颜而答曰:“某虽居下寮,丞相委以军政钱粮之重,早晚多蒙丞相教诲,极有开发,故就此职耳。”松笑曰:“松闻曹丞相文不明孔、孟之道,武不达孙、吴之机,专务强霸而

① 相如——司马相如,西汉时的文学家。
② 仲景——张机,字仲景,东汉时有名的医学家。
③ 君平——严遵,字君平,西汉时著名的卜者。
④ 簪缨——簪,簪子,结发戴冠用的;缨,冠系,系帽子用的:官僚贵族身分的标志。

居大位，安能有所教诲，以开发明公耶？”修曰：“公居边隅，安知丞相大才乎？吾试令公观之。”呼左右于箧中取书一卷，以示张松。松观其题曰：“孟德新书”。从头至尾，看了一遍，共一十三篇，皆用兵之要法。松看毕，问曰：“公以此为何书耶？”修曰：“此是丞相酌古准今，仿《孙子十三篇》而作。公欺丞相无才，此堪以传后世否？”松大笑曰：“此书吾蜀中三尺小童，亦能暗诵，何为‘新书’？此是战国时无名氏所作，曹丞相盗窃以为己能，止好瞒足下耳！”修曰：“丞相秘藏之书，虽已成帙，未传于世。公言蜀中小儿暗诵如流，何相欺乎？”松曰：“公如不信，吾试诵之。”遂将《孟德新书》，从头至尾，朗诵一遍，并无一字差错。修大惊曰：“公过目不忘，真天下奇才也！”后人有诗赞曰：

古怪形容异，清高体貌疏。语倾三峡水，目视十行书。

胆量魁西蜀，文章贯太虚。百家并诸子，一览更无馀。

当下张松欲辞回。修曰：“公且暂居馆舍，容某再禀丞相，令公面君。”松谢而退。

修入见操曰：“适来丞相何慢张松乎？”操曰：“言语不逊，吾故慢之。”修曰：“丞相尚容一祢衡，何不纳张松？”操曰：“祢衡文章，播于当今，吾故不忍杀之。松有何能？”修曰：“且无论其口似悬河，辩才无碍。适修以丞相所撰《孟德新书》示之，彼观一遍，即能暗诵。如此博闻强记，世所罕有。松言此书乃战国时无名氏所作，蜀中小儿，皆能熟记。”操曰：“莫非古人与我暗合否？”令扯碎其书烧之。修曰：“此人可使面君，教见天朝气象。”操曰：“来日我于西教场点军，汝可先引他来，使见我军容之盛，教他回去传说：吾即日下了江南，便来收川。”修领命。

至次日，与张松同至西教场。操点虎卫雄兵五万，布于教场中。果然盔甲鲜明，衣袍灿烂；金鼓震天，戈矛耀日；四方八面，各分队伍;旌旗飏彩,人马腾空。松斜目视之。良久,操唤松指而示曰:“汝川中曾见此英雄人物否?”松曰:“吾蜀中不曾见此兵革,但以仁义治人。”操变色视之。松全无惧意。杨修频以目视松。操谓松曰:“吾视天下鼠辈犹草芥耳。大军到处,战无不胜,攻无不取,顺吾者生,逆吾者死。汝知之乎?”松曰:“丞相驱兵到处,战必胜,攻必取,松亦素知。昔日濮阳攻吕布之时,宛城战张绣之日;赤壁遇周郎,华容逢关羽;割须弃袍于潼关,夺船避箭于渭水:此皆无敌于天下也!”操大怒曰:“竖儒怎敢揭吾短处!”喝令左右推出斩之。杨修谏曰:“松虽可斩,奈从蜀道而来入贡,若斩之,恐失远人之意。”操怒气未息。荀彧亦谏。操方免其死,令乱棒打出。

松归馆舍,连夜出城,收拾回川。松自思曰:“吾本欲献西川州郡与曹操,谁想如此慢人! 我来时于刘璋之前,开了大口;今日怏怏空回,须被蜀中人所笑。吾闻荆州刘玄德仁义远播久矣,不如径由那条路回。试看此人如何,我自有主见。”于是乘马引仆从望荆州界上而来。前至郢州界口,忽见一队军马,约有五百馀骑,为首一员大将,轻妆软扮,勒马前问曰:“来者莫非张别驾乎?”松曰:“然也。”那将慌忙下马,声喏曰:“赵云等候多时。”松下马答礼曰:“莫非常山赵子龙乎?”云曰:“然也。某奉主公刘玄德之命,为大夫远涉路途,鞍马驱驰,特命赵云聊奉酒食。”言罢,军士跪奉酒食,云敬进之。松自思曰:“人言刘玄德宽仁爱客,今果如此。”遂与赵云饮了数杯,上马同行。来到荆州界首,是日天晚,前到馆驿,见驿门外百馀人侍立,击鼓相接。一将于马前施礼曰:“奉兄长将令,为大夫远涉风尘,令关某洒扫驿庭,以待歇宿。”松下马,与云长、赵云同入馆舍,讲礼叙坐。须臾,排上酒筵，二人殷勤相劝。饮至更阑，方始罢席，宿了一宵。

次日早膳毕，上马行不到三五里，只见一簇人马到。乃是玄德引着伏龙、凤雏，亲自来接。遥见张松，早先下马等候。松亦慌忙下马相见。玄德曰："久闻大夫高名，如雷灌耳。恨云山遥远，不得听教。今闻回都，专此相接。倘蒙不弃，到荒州暂歇片时，以叙渴仰之思，实为万幸！"松大喜，遂上马并辔入城。至府堂上各各叙礼，分宾主依次而坐，设宴款待。饮酒间，玄德只说闲话，并不提起西川之事。松以言挑之曰："今皇叔守荆州，还有几郡？"孔明答曰："荆州乃暂借东吴的，每每使人取讨。今我主因是东吴女婿，故权且在此安身。"松曰："东吴据六郡八十一州，民强国富，犹且不知足耶？"庞统曰："吾主汉朝皇叔，反不能占据州郡；其他皆汉之蟊贼，却都恃强侵占地土：惟智者不平焉。"玄德曰："二公休言。吾有何德，敢多望乎？"松曰："不然。明公乃汉室宗亲，仁义充塞乎四海。休道占据州郡，便代正统而居帝位，亦非分外。"玄德拱手谢曰："公言太过，备何敢当！"

自此一连留张松饮宴三日，并不提起川中之事。松辞去，玄德于十里长亭设宴送行。玄德举酒酌松曰："甚荷大夫不外，留叙三日；今日相别，不知何时再得听教。"言罢，潸然泪下。张松自思："玄德如此宽仁爱士，安可舍之？不如说之，令取西川。"乃言曰："松亦思朝暮趋侍，恨未有便耳。松观荆州：东有孙权，常怀虎踞；北有曹操，每欲鲸吞。亦非可久恋之地也。"玄德曰："故知如此，但未有安迹之所。"松曰："益州险塞，沃野千里，民殷国富；智能之士，久慕皇叔之德。若起荆襄之众，长驱西指，霸业可成，汉室可兴矣。"玄德曰："备安敢当此？刘益州亦帝室宗亲，恩泽布蜀中久矣。他人岂可得而动摇乎？"松曰："某非卖主求荣；今遇明公，不敢不披沥肝胆：刘季玉虽有益州之地，禀性暗弱，不能任贤用能;加之张鲁在北,时思侵犯;人心离散,思得明主。松此一行,专欲纳款于操;何期逆贼恣逞奸雄,傲贤慢士,故特来见明公。明公先取西川为基,然后北图汉中,收取中原,匡正天朝,名垂青史,功莫大焉。明公果有取西川之意,松愿施犬马之劳,以为内应。未知钧意若何?"玄德曰:"深感君之厚意。奈刘季玉与备同宗,若攻之,恐天下人唾骂。"松曰:"大丈夫处世,当努力建功立业,著鞭在先。今若不取,为他人所取,悔之晚矣。"玄德曰:"备闻蜀道崎岖,千山万水,车不能方轨,马不能联辔;虽欲取之,用何良策?"松于袖中取出一图,递与玄德曰:"松感明公盛德,敢献此图。但看此图,便知蜀中道路矣。"玄德略展视之,上面尽写着地理行程,远近阔狭,山川险要,府库钱粮,一一俱载明白。松曰:"明公可速图之。松有心腹契友二人:法正、孟达。此二人必能相助。如二人到荆州时,可以心事共议。"玄德拱手谢曰:"青山不老,绿水长存。他日事成,必当厚报。"松曰:"松遇明主,不得不尽情相告,岂敢望报乎?"说罢作别。孔明命云长等护送数十里方回。

张松回益州,先见友人法正。正字孝直,右扶风郿人也,贤士法真之子。松见正,备说:"曹操轻贤傲士,只可同忧,不可同乐。吾已将益州许刘皇叔矣。专欲与兄共议。"法正曰:"吾料刘璋无能,已有心见刘皇叔久矣。此心相同,又何疑焉?"少顷,孟达至。达字子庆,与法正同乡。达入,见正与松密语。达曰:"吾已知二公之意。将欲献益州耶?"松曰:"是欲如此。兄试猜之,合献与谁?"达曰:"非刘玄德不可。"三人抚掌大笑。法正谓松曰:"兄明日见刘璋,当若何?"松曰:"吾荐二公为使,可往荆州。"二人应允。

次日,张松见刘璋。璋问:"干事若何?"松曰:"操乃汉贼,欲篡天下，不可为言。彼已有取川之心。”璋曰：“似此如之奈何？”松曰：“松有一谋，使张鲁、曹操必不敢轻犯西川。”璋曰：“何计？”松曰：“荆州刘皇叔，与主公同宗，仁慈宽厚，有长者风。赤壁鏖兵之后，操闻之而胆裂，何况张鲁乎？主公何不遣使结好，使为外援，可以拒曹操、张鲁矣。”璋曰：“吾亦有此心久矣。谁可为使？”松曰：“非法正、孟达，不可往也。”璋即召二人入，修书一封，令法正为使，先通情好；次遣孟达领精兵五千，迎玄德入川为援。正商议间，一人自外突入，汗流满面，大叫曰：“主公若听张松之言，则四十一州郡，已属他人矣！”松大惊；视其人，乃西阆中巴人，姓黄，名权，字公衡，现为刘璋府下主簿。璋问曰：“玄德与我同宗，吾故结之为援；汝何出此言？”权曰：“某素知刘备宽以待人，柔能克刚，英雄莫敌；远得人心，近得民望；兼有诸葛亮、庞统之智谋，关、张、赵云、黄忠、魏延为羽翼。若召到蜀中，以部曲待之，刘备安肯伏低做小？若以客礼待之，又一国不容二主。今听臣言，则西蜀有泰山之安；不听臣言，则主公有累卵之危矣。张松昨从荆州过，必与刘备同谋。可先斩张松，后绝刘备，则西川万幸也。”璋曰：“曹操、张鲁到来，何以拒之？”权曰：“不如闭境绝塞，深沟高垒，以待时清。”璋曰：“贼兵犯界，有烧眉之急；若待时清，则是慢计也。”遂不从其言，遣法正行。又一人阻曰：“不可！不可！”璋视之，乃帐前从事官王累也。累顿首言曰：“主公今听张松之说，自取其祸。”璋曰：“不然。吾结好刘玄德，实欲拒张鲁也。”累曰：“张鲁犯界，乃癣疥之疾；刘备入川，乃心腹之大患。况刘备世之枭雄，先事曹操，便思谋害；后从孙权，便夺荆州。心术如此，安可同处乎？今若召来，西川休矣！”璋叱曰：“再休乱道！玄德是我同宗，他安肯夺我基业？”便教扶二人出。遂命法正便行。

法正离益州，径取荆州，来见玄德。参拜已毕，呈上书信。玄德拆封视之。书曰：

族弟刘璋，再拜致书于玄德宗兄将军麾下：久伏电天，蜀道崎岖，未及赍贡，甚切惶愧。璋闻"吉凶相救，患难相扶"，朋友尚然，况宗族乎？今张鲁在北，旦夕兴兵，侵犯璋界，甚不自安。专人谨奉尺书，上乞钧听。倘念同宗之情，全手足之义，即日兴师剿灭狂寇，永为唇齿，自有重酬。书不尽言，耑候车骑。

玄德看毕大喜，设宴相待法正。酒过数巡，玄德屏退左右，密谓正曰："久仰孝直英名，张别驾多谈盛德。今获听教，甚慰平生。"法正谢曰："蜀中小吏，何足道哉！盖闻马逢伯乐而嘶，人遇知己而死。张别驾昔日之言，将军复有意乎？"玄德曰："备一身寄客，未尝不伤感而叹息。尝思鷦鹩尚存一枝，狡兔犹藏三窟[①]，何况人乎？蜀中丰馀之地，非不欲取；奈刘季玉系备同宗，不忍相图。"法正曰："益州天府之国，非治乱之主，不可居也。今刘季玉不能用贤，此业不久必属他人。今日自付与将军，不可错失。岂不闻'逐兔先得'[②]之语乎？将军欲取，某当效死。"玄德拱手谢曰："尚容商议。"

当日席散，孔明亲送法正归馆舍。玄德独坐沉吟。庞统进曰："事当决而不决者，愚人也。主公高明，何多疑耶？"玄德问曰："以公之意，当复何如？"统曰："荆州东有孙权，北有曹操，难

① "鷦鹩一枝"、"狡兔三窟"——都是成语。鷦鹩，小鸟，一棵小树枝即可栖身。古人说兔子为了安全，要打三个洞穴。二语本义不同，此处则借喻凡是生物，都有安身之地。

② "逐兔先得"——古代俗语："万人逐兔，一人获之，贪者悉止，分定故也。"意思是：谁先抓到手，就算是谁该当占有，别人不能再争。

以得志。益州户口百万，土广财富，可资大业。今幸张松、法正为内助，此天赐也。何必疑哉?”玄德曰:“今与吾水火相敌者，曹操也。操以急，吾以宽;操以暴，吾以仁;操以谲，吾以忠:每与操相反，事乃可成。若以小利而失信义于天下，吾不忍也。”庞统笑曰:“主公之言，虽合天理，奈离乱之时，用兵争强，固非一道;若拘执常理，寸步不可行矣，宜从权变。且‘兼弱攻昧’、‘逆取顺守’①，汤、武之道② 也。若事定之后，报之以义，封为大国，何负于信? 今日不取，终被他人取耳。主公幸熟思焉。”玄德乃恍然曰:“金石之言，当铭肺腑。”于是遂请孔明，同议起兵西行。孔明曰:“荆州重地，必须分兵守之。”玄德曰:“吾与庞士元、黄忠、魏延前往西川;军师可与关云长、张翼德、赵子龙守荆州。”孔明应允。于是孔明总守荆州;关公拒襄阳要路，当青泥隘口;张飞领四郡巡江;赵云屯江陵，镇公安。玄德令黄忠为前部，魏延为后军，玄德自与刘封、关平在中军，庞统为军师，马步兵五万，起程西行。临行时，忽廖化引一军来降。玄德便教廖化辅佐云长以拒曹操。

是年冬月，引兵望西川进发。行不数程，孟达接着，拜见玄德，说刘益州令某领兵五千远来迎接。玄德使人入益州，先报刘璋。璋便发书告报沿途州郡，供给钱粮。璋欲自出涪城亲接玄德，即下令准备车乘帐幔，旌旗铠甲，务要鲜明。主簿黄权入谏

---

① “兼弱攻昧”、“逆取顺守”——前语见《尚书》，意思是:对力量弱的就加以吞并，对政治昏乱的就出兵攻打。后语见《汉书》，意思是:用武力征讨来夺取天下，胜利后则用封建政治的欺骗手法来保持政权。这都是封建统治者的斗争策略。

② 汤、武之道——指商汤灭夏桀、周武王灭商纣的事情。相传:桀、纣残暴，所以汤、武用武力把他们灭掉。

曰:“主公此去,必被刘备之害,某食禄多年,不忍主公中他人奸计。望三思之!”张松曰:“黄权此言,疏间宗族之义,滋长寇盗之威,实无益于主公。”璋乃叱权曰:“吾意已决,汝何逆吾!”权叩首流血,近前口衔璋衣而谏。璋大怒,扯衣而起。权不放,顿落门牙两个。璋喝左右,推出黄权。权大哭而归。

璋欲行,一人叫曰:“主公不纳黄公衡忠言,乃欲自就死地耶!”伏于阶前而谏。璋视之,乃建宁俞元人也,姓李,名恢。叩首谏曰:“窃闻‘君有诤臣,父有诤子’。黄公衡忠义之言,必当听从。若容刘备入川,是犹迎虎于门也。”璋曰:“玄德是吾宗兄,安肯害吾?再言者必斩!”叱左右推出李恢。张松曰:“今蜀中文官各顾妻子,不复为主公效力;诸将恃功骄傲,各有外意。不得刘皇叔,则敌攻于外,民攻于内,必败之道也。”璋曰:“公所谋,深于吾有益。”次日,上马出榆桥门。人报:“从事王累,自用绳索倒吊于城门之上,一手执谏章,一手仗剑,口称如谏不从,自割断其绳索,撞死于此地。”刘璋教取所执谏章观之。其略曰:

> 益州从事臣王累,泣血恳告:窃闻“良药苦口利于病,忠言逆耳利于行”。昔楚怀王不听屈原之言,会盟于武关,为秦所困。今主公轻离大郡,欲迎刘备于涪城,恐有去路而无回路矣。倘能斩张松于市,绝刘备之约,则蜀中老幼幸甚,主公之基业亦幸甚!

刘璋观毕,大怒曰:“吾与仁人相会,如亲芝兰,汝何数侮于吾耶!”王累大叫一声,自割断其索,撞死于地。后人有诗叹曰:

> 倒挂城门捧谏章,拚将一死报刘璋。黄权折齿终降备,矢节何如王累刚!

刘璋将三万人马往涪城来。后军装载资粮钱帛一千馀辆,来接玄德。

却说玄德前军已到垫江。所到之处，一者是西川供给；二者是玄德号令严明，如有妄取百姓一物者斩：于是所到之处，秋毫无犯。百姓扶老携幼，满路瞻观，焚香礼拜。玄德皆用好言抚慰。

却说法正密谓庞统曰："近张松有密书到此，言于涪城相会刘璋，便可图之。机会切不可失。"统曰："此意且勿言。待二刘相见，乘便图之。若预走泄，于中有变。"法正乃秘而不言。涪城离成都三百六十里。璋已到，使人迎接玄德。两军皆屯于涪江之上。玄德入城，与刘璋相见，各叙兄弟之情。礼毕，挥泪诉告衷情。饮宴毕，各回寨中安歇。

璋谓众官曰："可笑黄权、王累等辈，不知宗兄之心，妄相猜疑。吾今日见之，真仁义之人也。吾得他为外援，又何虑曹操、张鲁耶？非张松则失之矣。"乃脱所穿绿袍，并黄金五百两，令人往成都赐与张松。时部下将佐刘璝、泠苞、张任、邓贤等一班文武官曰："主公且休欢喜。刘备柔中有刚，其心未可测，还宜防之。"璋笑曰："汝等皆多虑。吾兄岂有二心哉！"众皆嗟叹而退。

却说玄德归到寨中。庞统入见曰："主公今日席上见刘季玉动静乎？"玄德曰："季玉真诚实人也。"统曰："季玉虽善，其臣刘璝、张任等皆有不平之色，其间吉凶未可保也。以统之计，莫若来日设宴，请季玉赴席；于壁衣中埋伏刀斧手一百人，主公掷杯为号，就筵上杀之；一拥入成都，刀不出鞘，弓不上弦，可坐而定也。"玄德曰："季玉是吾同宗，诚心待吾；更兼吾初到蜀中，恩信未立；若行此事，上天不容，下民亦怨。公此谋，虽霸者亦不为也。"统曰："此非统之谋，是法孝直得张松密书，言事不宜迟，只在早晚当图之。"言未已，法正入见，曰："某等非为自己，乃顺天命也。"玄德曰："刘季玉与吾同宗，不忍取之。"正曰："明公差矣。

若不如此,张鲁与蜀有杀母之仇,必来攻取。明公远涉山川,驱驰士马,既到此地,进则有功,退则无益。若执狐疑之心,迁延日久,大为失计。且恐机谋一泄,反为他人所算。不若乘此天与人归① 之时,出其不意,早立基业,实为上策。"庞统亦再三相劝。正是:人主几番存厚道,才臣一意进权谋。未知玄德心下如何,且看下文分解。

① 天与人归——"天意"赞许,人心归附。

第六十一回

赵云截江夺阿斗　孙权遗书退老瞒

却说庞统、法正二人，劝玄德就席间杀刘璋，西川唾手可得。玄德曰："吾初入蜀中，恩信未立，此事决不可行。"二人再三说之，玄德只是不从。次日，复与刘璋宴于城中，彼此细叙衷曲，情好甚密。酒至半酣，庞统与法正商议曰："事已至此，由不得主公了。"便教魏延登堂舞剑，乘势杀刘璋。延遂拔剑进曰："筵间无以为乐，愿舞剑为戏。"庞统便唤众武士入，列于堂下，只待魏延下手。刘璋手下诸将，见魏延舞剑筵前，又见阶下武士手按刀靶，直视堂上，从事张任亦掣剑舞曰："舞剑必须有对，某愿与魏将军同舞。"二人对舞于筵前。魏延目视刘封，封亦拔剑助舞。于是刘璝、泠苞、邓贤各掣剑出曰："我等当群舞，以助一笑。"玄德大惊，急掣左右所佩之剑，立于席上曰："吾兄弟相逢痛饮，并无疑忌。又非'鸿门会'上，何用舞剑？不弃剑者立斩！"刘璋亦叱曰："兄弟相聚，何必带刀？"命侍卫者尽去佩剑。众皆纷然下堂。玄德唤诸将士上堂，以酒赐之，曰："吾弟兄同宗骨血，共议大事，并无二心。汝等勿疑。"诸将皆拜谢。刘璋执玄德之手而泣曰："吾兄之恩，誓不敢忘！"二人欢饮至晚而散。玄德归寨，责庞统曰："公等奈何欲陷备于不义耶？今后断勿为此。"统嗟叹而退。

却说刘璋归寨，刘璝等曰："主公见今日席上光景乎？不如早回，免生后患。”刘璋曰：“吾兄刘玄德，非比他人。”众将曰：“虽玄德无此心，他手下人皆欲吞并西川，以图富贵。”璋曰：“汝等无间吾兄弟之情。”遂不听，日与玄德欢叙。忽报张鲁整顿兵马，将犯葭萌关。刘璋便请玄德往拒之。玄德慨然领诺，即日引本部兵望葭萌关去了。众将劝刘璋令大将紧守各处关隘，以防玄德兵变。璋初时不从，后因众人苦劝，乃令白水都督杨怀、高沛二人，守把涪水关。刘璋自回成都。玄德到葭萌关，严禁军士，广施恩惠，以收民心。

早有细作报入东吴。吴侯孙权会文武商议。顾雍进曰：“刘备分兵远涉山险而去，未易往还。何不差一军先截川口，断其归路，后尽起东吴之兵，一鼓而下荆襄？此不可失之机会也。”权曰：“此计大妙！”正商议间，忽屏风后一人大喝而出曰：“进此计者可斩之！——欲害吾女之命耶！”众惊视之，乃吴国太也。国太怒曰：“吾一生惟有一女，嫁与刘备。今若动兵，吾女性命如何！”因叱孙权曰：“汝掌父兄之业，坐领八十一州，尚自不足，乃顾小利而不念骨肉！”孙权喏喏连声，答曰：“老母之训，岂敢有违！”遂叱退众官。国太恨恨而入。孙权立于轩下，自思：“此机会一失，荆襄何日可得？”正沉吟间，只见张昭入问曰：“主公有何忧疑？”孙权曰：“正思适间之事。”张昭曰：“此极易也：今差心腹将一人，只带五百军，潜入荆州，下一封密书与郡主，只说国太病危，欲见亲女，取郡主星夜回东吴。玄德平生只有一子，就教带来。那时玄德定把荆州来换阿斗。如其不然，一任动兵，更有何碍？”权曰：“此计大妙！吾有一人，姓周，名善，最有胆量。自幼穿房入户，多随吾兄。今可差他去。”昭曰：“切勿漏泄。只此便令起行。”

于是密遣周善，将五百人，扮为商人，分作五船；更诈修国书，以备盘诘；船内暗藏兵器。周善领命，取荆州水路而来。船泊江边，善自入荆州，令门吏报孙夫人。夫人命周善入。善呈上密书。夫人见说国太病危，洒泪动问。周善拜诉曰："国太好生病重，旦夕只是思念夫人。倘去得迟，恐不能相见。就教夫人带阿斗去见一面。"夫人曰："皇叔引兵远出，我今欲回，须使人知会军师，方可以行。"周善曰："若军师回言道：'须报知皇叔，候了回命，方可下船'，如之奈何？"夫人曰："若不辞而去，恐有阻当。"周善曰："大江之中，已准备下船只。只今便请夫人上车出城。"孙夫人听知母病危急，如何不慌？便将七岁孩子阿斗，载在车中；随行带三十馀人，各跨刀剑，上马离荆州城，便来江边上船。府中人欲报时，孙夫人已到沙头镇，下在船中了。

周善方欲开船，只听得岸上有人大叫："且休开船，容与夫人饯行！"视之，乃赵云也。原来赵云巡哨方回，听得这个消息，吃了一惊，只带四五骑，旋风般沿江赶来。周善手执长戈，大喝曰："汝何人，敢当主母！"叱令军士一齐开船，各将军器出来，摆列在船上。风顺水急，船皆随流而去。赵云沿江赶叫："任从夫人去。只有一句话拜禀。"周善不睬，只催船速进。赵云沿江赶到十馀里，忽见江滩斜缆一只渔船在那里。赵云弃马执枪，跳上渔船。只两人驾船前来，望着夫人所坐大船追赶。周善教军士放箭。赵云以枪拨之，箭皆纷纷落水。离大船悬隔丈馀，吴兵用枪乱刺。赵云弃枪在小船上，掣所佩青釭剑在手，分开枪搠，望吴船涌身一跳，早登大船。吴兵尽皆惊倒。赵云入舱中，见夫人抱阿斗于怀中，喝赵云曰："何故无礼！"云插剑声喏曰："主母欲何往？何故不令军师知会？"夫人曰："我母亲病在危笃，无暇报知。"云曰："主母探病，何故带小主人去？"夫人曰："阿斗是吾子，留在荆州,无人看觑。"云曰:"主母差矣。主人一生,只有这点骨血,小将在当阳长坂坡百万军中救出;今日夫人却欲抱将去,是何道理?"夫人怒曰:"量汝只是帐下一武夫,安敢管我家事!"云曰:"夫人要去便去,只留下小主人。"夫人喝曰:"汝半路辄入船中,必有反意!"云曰:"若不留下小主人,纵然万死,亦不敢放夫人去。"夫人喝侍婢向前揪捽,被赵云推倒,就怀中夺了阿斗,抱出船头上。——欲要傍岸,又无帮手;欲要行凶,又恐碍于道理:进退不得。夫人喝侍婢夺阿斗,赵云一手抱定阿斗,一手仗剑,人不敢近。周善在后梢挟住舵,只顾放船下水。风顺水急,望中流而去。赵云孤掌难鸣,只护得阿斗,安能移舟傍岸?

正在危急,忽见下流头港内一字儿使出十馀只船来,船上磨旗擂鼓。赵云自思:"今番中了东吴之计!"只见当头船上一员大将,手执长矛,高声大叫:"嫂嫂留下侄儿去!"原来张飞巡哨,听得这个消息,急来油江夹口,正撞着吴船,急忙截住。当下张飞提剑跳上吴船。周善见张飞上船,提刀来迎,被张飞手起一剑砍倒,提头掷于孙夫人前。夫人大惊曰:"叔叔何故无礼?"张飞曰:"嫂嫂不以俺哥哥为重,私自归家,这便无礼!"夫人曰:"吾母病重,甚是危急,若等你哥哥回报,须误了我事。若你不放我回去,我情愿投江而死!"

张飞与赵云商议:"若逼死夫人,非为臣下之道。只护着阿斗过船去罢。"乃谓夫人曰:"俺哥哥大汉皇叔,也不辱没嫂嫂。今日相别,若思哥哥恩义,早早回来。"说罢,抱了阿斗,自与赵云回船,放孙夫人五只船去了。后人有诗赞子龙曰:

昔年救主在当阳,今日飞身向大江。船上吴兵皆胆裂,
子龙英勇世无双!

又有诗赞翼德曰:

长坂桥边怒气腾，一声虎啸退曹兵。今朝江上扶危主，
青史应传万载名。

二人欢喜回船。行不数里，孔明引大队船只接来。见阿斗已夺回，大喜。三人并马而归。孔明自申文书往葭萌关，报知玄德。

却说孙夫人回吴，具说张飞、赵云杀了周善，截江夺了阿斗。孙权大怒曰："今吾妹已归，与彼不亲，杀周善之仇，如何不报！"唤集文武，商议起军攻取荆州。正商议调兵，忽报曹操起军四十万来报赤壁之仇。孙权大惊，且按下荆州，商议拒敌曹操。人报长史张纮辞疾回家，今已病故，有哀书上呈。权拆视之，书中劝孙权迁居秣陵，言秣陵山川有帝王之气，可速迁于此，以为万世之业。孙权览书大哭，谓众官曰："张子纲劝吾迁居秣陵，吾如何不从！"即命迁治建业，筑石头城。吕蒙进曰："曹操兵来，可于濡须水口筑坞以拒之。"诸将皆曰："上岸击贼，跣足入船，何用筑城？"蒙曰："兵有利钝，战无必胜。如猝然遇敌，步骑相促，人尚不暇及水，何能入船乎？"权曰："'人无远虑，必有近忧'。子明之见甚远。"便差军数万筑濡须坞。晓夜并工，刻期告竣。

却说曹操在许都，威福日甚。长史董昭进曰："自古以来，人臣未有如丞相之功者，虽周公、吕望，莫可及也：栉风沐雨，三十余年，扫荡群凶，与百姓除害，使汉室复存。岂可与诸臣宰同列乎？合受魏公之位，加'九锡'以彰功德。"——你道那九锡？

一，车马大辂、戎辂各一。大辂，金车也。戎辂，兵车也。玄牡二驷，黄马八匹。　二，衣服衮冕之服，赤舄副焉。衮冕，王者之服。赤舄，朱履也。　三，乐悬乐悬，王者之乐也。　四，朱户居以朱户，红门也。

五，纳陛纳陛以登。陛，阶也。 六，虎贲虎贲三百人，守门之军也。 七，铁钺铁、钺各一。铁，即斧也。钺，斧属。 八，弓矢彤弓一，彤矢百。彤，赤色也。玈弓十，玈矢千。玈，黑色也。 九，秬鬯圭瓒秬鬯一卣，圭瓒副焉。秬，黑黍也。鬯，香酒，灌地以求神于阴。卣，中樽也。圭瓒，宗庙祭器，以祀先王也。

侍中荀彧曰："不可。丞相本兴义兵，匡扶汉室，当秉忠贞之志，守谦退之节。君子爱人以德，不宜如此。"曹操闻言，勃然变色。董昭曰："岂可以一人而阻众望？"遂上表请尊操为魏公，加九锡。荀彧叹曰："吾不想今日见此事！"操闻，深恨之，以为不助己也。建安十七年冬十月，曹操兴兵下江南，就命荀彧同行。彧已知操有杀己之心，托病止于寿春。忽曹操使人送饮食一盒至。盒上有操亲笔封记。开盒视之，并无一物。彧会其意，遂服毒而亡。年五十岁。后人有诗叹曰：

文若才华天下闻，可怜失足在权门。后人休把留侯比，临没无颜见汉君。

其子荀恽，发哀书报曹操。操甚懊悔，命厚葬之，谥曰敬侯。

且说曹操大军至濡须，先差曹洪领三万铁甲马军，哨至江边。回报云："遥望沿江一带，旗幡无数，不知兵聚何处。"操放心不下，自领兵前进，就濡须口排开军阵。操领百馀人上山坡，遥望战船，各分队伍，依次摆列。旗分五色，兵器鲜明。当中大船上青罗伞下，坐着孙权。左右文武，侍立两边。操以鞭指曰："生子当如孙仲谋！若刘景升儿子，豚犬耳！"忽一声响动，南船一齐飞奔过来。濡须坞内又一军出，冲动曹兵。曹操军马退后便走，止喝不住。忽有千百骑赶到山边，为首马上一人，碧眼紫髯。——众人认得正是孙权。权自引一队马军来击曹操。操大惊，急回马时，东吴大将韩当、周泰，两骑马直冲将上来。操背后许褚纵马舞刀,敌住二将,曹操得脱归寨。许褚与二将战三十合方回。操回寨,重赏许褚,责骂众将:"临敌先退,挫吾锐气!后若如此,尽皆斩首!"是夜二更时分,忽寨外喊声大震。操急上马,见四下里火起,却被吴兵劫入大寨。杀至天明,曹兵退五十馀里下寨。操心中郁闷,闲看兵书。程昱曰:"丞相既知兵法,岂不知'兵贵神速'乎?丞相起兵,迁延日久,故孙权得以准备,夹濡须水口为坞,难于攻击。不若且退兵还许都,别作良图。"操不应。

程昱出。操伏几而卧,忽闻潮声汹涌,如万马争奔之状。操急视之,见大江中推出一轮红日,光华射目;仰望天上,又有两轮太阳对照。忽见江心那轮红日,直飞起来,坠于寨前山中,其声如雷。猛然惊觉,原来在帐中做了一梦。帐前军报道午时。曹操教备马,引五十馀骑,径奔出寨,至梦中所见落日山边。正看之间,忽见一簇人马,当先一人,金盔金甲。操视之,乃孙权也。权见操至,也不慌忙,在山上勒住马,以鞭指操曰:"丞相坐镇中原,富贵已极,何故贪心不足,又来侵我江南?"操答曰:"汝为臣下,不尊王室。吾奉天子诏,特来讨汝!"孙权笑曰:"此言岂不羞乎?天下岂不知你挟天子令诸侯?吾非不尊汉朝,正欲讨汝以正国家耳。"操大怒,叱诸将上山捉孙权。忽一声鼓响,山背后两彪军出:右边韩当、周泰,左边陈武、潘璋。四员将带三千弓弩手乱射,矢如雨发。操急引众将回走。背后四将赶来甚急。赶到半路,许褚引众虎卫军敌住,救回曹操。吴兵齐奏凯歌,回濡须去了。操还营自思:"孙权非等闲人物。红日之应,久后必为帝王。"于是心中有退兵之意。又恐东吴耻笑,进退未决。两边又相拒了月馀,战了数场,互相胜负。直至来年正月,春雨连绵,水港皆满,军士多在泥水之中,困苦异常。操心甚忧。当日正在寨中，与众谋士商议。或劝操收兵；或云目今春暖，正好相持，不可退归。操犹豫未定。忽报东吴有使赍书到。操启视之。书略曰：

孤与丞相，彼此皆汉朝臣宰。丞相不思报国安民，乃妄动干戈，残虐生灵，岂仁人之所为哉？即日春水方生，公当速去。如其不然，复有赤壁之祸矣。公宜自思焉。

书背后又批两行云："足下不死，孤不得安。"

曹操看毕，大笑曰："孙仲谋不欺我也。"重赏来使，遂下令班师，命庐江太守朱光镇守皖城，自引大军回许昌。孙权亦收军回秣陵。权与众将商议："曹操虽然北去，刘备尚在葭萌关未还。何不引拒曹操之兵，以取荆州？"张昭献计曰："且未可动兵。某有一计，使刘备不能再还荆州。"正是：孟德雄兵方退北，仲谋壮志又图南。不知张昭说出甚计来，且看下文分解。

第六十二回

取涪关杨高授首　攻雒城黄魏争功

却说张昭献计曰:"且休要动兵。若一兴师,曹操必复至。不如修书二封:一封与刘璋,言刘备结连东吴,共取西川,使刘璋心疑而攻刘备;一封与张鲁,教进兵向荆州来,着刘备首尾不能救应。我然后起兵取之,事可谐矣。"权从之,即发使二处去讫。

且说玄德在葭萌关日久,甚得民心。忽接得孔明文书,知孙夫人已回东吴。又闻曹操兴兵犯濡须,乃与庞统议曰:"曹操击孙权,操胜必将取荆州,权胜亦必取荆州矣。为之奈何?"庞统曰:"主公勿忧。有孔明在彼,料想东吴不敢犯荆州。主公可驰书去刘璋处,只推:'曹操攻击孙权,权求救于荆州。吾与孙权唇齿之邦,不容不相援。张鲁自守之贼,决不敢来犯界。吾今欲勒兵回荆州,与孙权会同破曹操,奈兵少粮缺。望推同宗之谊,速发精兵三、四万,行粮十万斛相助。请勿有误。'若得军马钱粮,却另作商议。"

玄德从之,遣人往成都。来到关前,杨怀、高沛闻知此事,遂教高沛守关,杨怀同使者入成都,见刘璋呈上书信。刘璋看毕,问杨怀为何亦同来。杨怀曰:"专为此书而来。刘备自从入川,广布恩德,以收民心,其意甚是不善。今求军马钱粮,切不可与。如若相助,是把薪助火也。"刘璋曰:"吾与玄德有兄弟之情,岂可不助?”一人出曰:“刘备枭雄,久留于蜀而不遣,是纵虎入室矣。今更助之以军马钱粮,何异与虎添翼乎?”众视其人,乃零陵烝阳人,姓刘,名巴,字子初。刘璋闻刘巴之言,犹豫未决。黄权又复苦谏。璋乃量拨老弱军四千,米一万斛,发书遣使报玄德。仍令杨怀、高沛紧守关隘。刘璋使者到葭萌关见玄德,呈上回书。玄德大怒曰:“吾为汝御敌,费力劳心。汝今积财吝赏,何以使士卒效命乎?”遂扯毁回书,大骂而起。使者逃回成都。庞统曰:“主公只以仁义为重,今日毁书发怒,前情尽弃矣。”玄德曰:“如此,当若何?”庞统曰:“某有三条计策,请主公自择而行。”

玄德问:“那三条计?”统曰:“只今便选精兵,昼夜兼道径袭成都:此为上计。杨怀、高沛乃蜀中名将,各仗强兵拒守关隘;今主公佯以回荆州为名,二将闻知,必来相送;就送行处,擒而杀之,夺了关隘,先取涪城,然后却向成都:此中计也。退还白帝,连夜回荆州,徐图进取:此为下计。若沉吟不去,将至大困,不可救矣。”玄德曰:“军师上计太促,下计太缓;中计不迟不疾,可以行之。”

于是发书致刘璋,只说曹操令部将乐进引兵至青泥镇,众将抵敌不住,吾当亲往拒之,不及面会,特书相辞。书至成都,张松听得说刘玄德欲回荆州,只道是真心,乃修书一封,欲令人送与玄德。却值亲兄广汉太守张肃到,松急藏书于袖中,与肃相陪说话。肃见松神情恍惚,心中疑惑。松取酒与肃共饮。献酬之间,忽落此书于地,被肃从人拾得。席散后,从人以书呈肃。肃开视之。书略曰:

松昨进言于皇叔,并无虚谬,何乃迟迟不发?逆取顺守,古人所贵。今大事已在掌握之中,何故欲弃此而回荆州乎?使松闻之,如有所失。书呈到日,疾速进兵。松当为内应，万勿自误！

张肃见了，大惊曰："吾弟作灭门之事，不可不首。"连夜将书见刘璋，具言弟张松与刘备同谋，欲献西川。刘璋大怒曰："吾平日未尝薄待他，何故欲谋反！"遂下令捉张松全家，尽斩于市。后人有诗叹曰：

一览无遗世所稀，谁知书信泄天机。未观玄德兴王业，

先向成都血染衣。

刘璋既斩张松，聚集文武商议曰："刘备欲夺吾基业，当如之何？"黄权曰："事不宜迟。即便差人告报各处关隘，添兵把守，不许放荆州一人一骑入关。"璋从其言，星夜驰檄各关去讫。

却说玄德提兵回涪城，先令人报上涪水关，请杨怀、高沛出关相别。杨、高二将闻报，商议曰："玄德此回若何？"高沛曰："玄德合死。我等各藏利刃在身，就送行处刺之，以绝吾主之患。"杨怀曰："此计大妙。"二人只带随行二百人，出关送行，其馀并留在关上。玄德大军尽发。前至涪水之上，庞统在马上谓玄德曰："杨怀、高沛若欣然而来，可提防之；若彼不来，便起兵径取其关，不可迟缓。"正说间，忽起一阵旋风，把马前"帅"字旗吹倒。玄德问庞统曰："此何兆也？"统曰："此警报也：杨怀、高沛二人必有行刺之意，宜善防之。"玄德乃身披重铠，自佩宝剑防备。人报杨、高二将前来送行。玄德令军马歇定。庞统分付魏延、黄忠："但关上来的军士，不问多少，马步军兵，一个也休放回。"二将得令而去。

却说杨怀、高沛二人身边各藏利刃，带二百军兵，牵羊送酒，直至军前。见并无准备，心中暗喜，以为中计。入至帐下，见玄德正与庞统坐于帐中。二将声喏曰："闻皇叔远回，特具薄礼相

送。"遂进酒劝玄德。玄德曰:"二将军守关不易,当先饮此杯。"二将饮酒毕,玄德曰:"吾有密事与二将军商议,闲人退避。"遂将带来二百人尽赶出中军。玄德叱曰:"左右与吾捉下二贼!"帐后刘封、关平应声而出。杨、高二人急待争斗,刘封、关平各捉住一人。玄德喝曰:"吾与汝主是同宗兄弟,汝二人何故同谋,离间亲情?"庞统叱左右搜其身畔,果然各搜出利刃一口。统便喝斩二人;玄德还犹未决,统曰:"二人本意欲杀吾主,罪不容诛。"遂叱刀斧手斩杨怀、高沛于帐前。黄忠、魏延早将二百从人,先自捉下,不曾走了一个。玄德唤入,各赐酒压惊。玄德曰:"杨怀、高沛离间吾兄弟,又藏利刃行刺,故行诛戮。尔等无罪,不必惊疑。"众各拜谢。庞统曰:"吾今即用汝等引路,带吾军取关。各有重赏。"众皆应允。是夜二百人先行,大军随后。前军至关下叫曰:"二将军有急事回,可速开关。"城上听得是自家军,即时开关。大军一拥而入,兵不血刃,得了涪关。蜀兵皆降。玄德各加重赏,遂即分兵前后守把。次日劳军,设宴于公厅。玄德酒酣,顾庞统曰:"今日之会,可为乐乎?"庞统曰:"伐人之国而以为乐,非仁者之兵也。"玄德曰:"吾闻昔日武王伐纣,作乐象功,此亦非仁者之兵欤?汝言何不合道理?可速退!"庞统大笑而起。左右亦扶玄德入后堂。睡至半夜,酒醒。左右以逐庞统之言,告知玄德。玄德大悔;次早穿衣升堂,请庞统谢罪曰:"昨日酒醉,言语触犯,幸勿挂怀。"庞统谈笑自若。玄德曰:"昨日之言,惟吾有失。"庞统曰:"君臣俱失,何独主公?"玄德亦大笑,其乐如初。

却说刘璋闻玄德杀了杨、高二将,袭了涪水关,大惊曰:"不料今日果有此事!"遂聚文武,问退兵之策。黄权曰:"可连夜遣兵屯雒县,塞住咽喉之路。刘备虽有精兵猛将,不能过也。"璋遂令刘璝、泠苞、张任、邓贤点五万大军,星夜往守雒县,以拒刘备。

四将行兵之次,刘璝曰:“吾闻锦屏山中有一异人,道号‘紫虚上人’,知人生死贵贱。吾辈今日行军,正从锦屏山过。何不试往问之?”张任曰:“大丈夫行兵拒敌,岂可问于山野之人乎?”璝曰:“不然。圣人云:‘至诚之道,可以前知。’吾等问于高明之人,当趋吉避凶。”于是四人引五六十骑至山下,问径樵夫。樵夫指高山绝顶上,便是上人所居。四人上山至庵前,见一道童出迎。问了姓名,引入庵中。只见紫虚上人,坐于蒲墩之上。四人下拜,求问前程之事。紫虚上人曰:“贫道乃山野废人,岂知休咎?”刘璝再三拜问,紫虚遂命道童取纸笔,写下八句言语,付与刘璝。其文曰:

> 左龙右凤,飞入西川。雏凤坠地,卧龙升天。一得一失,天数当然。见机而作,勿丧九泉。

刘璝又问曰:“我四人气数如何?”紫虚上人曰:“定数难逃,何必再问!”璝又请问时,上人眉垂目合,恰似睡着的一般,并不答应。四人下山。刘璝曰:“仙人之言,不可不信。”张任曰:“此狂叟也,听之何益。”遂上马前行。既至雒县,分调人马,守把各处隘口。刘璝曰:“雒城乃成都之保障,失此则成都难保。吾四人公议,着二人守城,二人去雒县前面,依山傍险,扎下两个寨子,勿使敌兵临城。”泠苞、邓贤曰:“某愿往结寨。”刘璝大喜,分兵二万,与泠、邓二人,离城六十里下寨。刘璝、张任守护雒城。

却说玄德既得涪水关,与庞统商议进取雒城。人报刘璋拨四将前来,即日泠苞、邓贤领二万军离城六十里,扎下两个大寨。玄德聚众将问曰:“谁敢建头功,去取二将寨栅?”老将黄忠应声出曰:“老夫愿往。”玄德曰:“老将军率本部人马,前至雒城,如取得泠苞、邓贤营寨,必当重赏。”

黄忠大喜，即领本部兵马，谢了要行。忽帐下一人出曰："老将军年纪高大，如何去得？小将不才愿往。"玄德视之，乃是魏延。黄忠曰："我已领下将令，你如何敢搀越？"魏延曰："老者不以筋骨为能。吾闻泠苞、邓贤乃蜀中名将，血气方刚。恐老将军近他不得，岂不误了主公大事？因此愿相替，本是好意。"黄忠大怒曰："汝说吾老，敢与我比试武艺么？"魏延曰："就主公之前，当面比试。赢得的便去，何如？"黄忠遂趋步下阶，便叫小校："将刀来！"玄德急止之曰："不可！吾今提兵取川，全仗汝二人之力。今两虎相斗，必有一伤。须误了我大事。吾与你二人劝解，休得争论。"庞统曰："汝二人不必相争。即今泠苞、邓贤下了两个营寨。今汝二人自领本部军马，各打一寨。如先夺得者，便为头功。"于是分定黄忠打泠苞寨，魏延打邓贤寨。二人各领命去了。庞统曰："此二人去，恐于路上相争。主公可自引军为后应。"玄德留庞统守城，自与刘封、关平引五千军随后进发。

却说黄忠归寨，传令来日四更造饭，五更结束，平明进兵，取左边山谷而进。魏延却暗使人探听黄忠甚时起兵。探事人回报："来日四更造饭，五更起兵。"魏延暗喜，分付众军士二更造饭，三更起兵，平明要到邓贤寨边。军士得令，都饱餐一顿，马摘铃，人衔枚，卷旗束甲，暗地去劫寨。三更前后，离寨前进。到半路，魏延马上寻思："只去打邓贤寨，不显能处；不如先去打泠苞寨，却将得胜兵打邓贤寨。两处功劳，都是我的。"就马上传令，教军士都投左边山路里去。天色微明，离泠苞寨不远，教军士少歇，排挪金鼓旗幡、枪刀器械。

早有伏路小军飞报入寨，泠苞已有准备了。一声炮响，三军上马，杀将出来。魏延纵马提刀，与泠苞接战。二将交马，战到三十合，川兵分两路来袭汉军。汉军走了半夜，人马力乏，抵当不住，退后便走。魏延听得背后阵脚乱，撇了泠苞，拨马回走。川兵随后赶来，汉军大败。走不到五里，山背后鼓声震地，邓贤引一彪军从山谷里截出来，大叫："魏延快下马受降！"魏延策马飞奔，那马忽失前蹄，双足跪地，将魏延掀将下来。邓贤马奔到，挺枪来刺魏延。枪未到处，弓弦响，邓贤倒撞下马。后面泠苞方欲来救，一员大将，从山坡上跃马而来，厉声大叫："老将黄忠在此！"舞刀直取泠苞。泠苞抵敌不住，望后便走。黄忠乘势追赶，川兵大乱。

黄忠一枝军救了魏延，杀了邓贤，直赶到寨前。泠苞回马与黄忠再战。不到十馀合，后面军马拥将上来，泠苞只得弃了左寨，引败军来投右寨。只见寨中旗帜全别，泠苞大惊。兜住马看时，当头一员大将，金甲锦袍，乃是刘玄德——左边刘封，右边关平——大喝道："寨子吾已夺下，汝欲何往？"原来玄德引兵从后接应，便乘势夺了邓贤寨子。泠苞两头无路，取山僻小径，要回雒城。行不到十里，狭路伏兵忽起，搭钩齐举，把泠苞活捉了。原来却是魏延自知罪犯，无可解释，收拾后军，令蜀兵引路，伏在这里，等个正着。用索缚了泠苞，解投玄德寨来。

却说玄德立起免死旗，但川兵倒戈卸甲者，并不许杀害，如伤者偿命；又谕众降兵曰："汝川人皆有父母妻子，愿降者充军，不愿降者放回。"于是欢声动地。黄忠安下寨脚，径来见玄德，说魏延违了军令，可斩之。玄德急召魏延，魏延解泠苞至。玄德曰："延虽有罪，此功可赎。"令魏延谢黄忠救命之恩，今后毋得相争。魏延顿首伏罪。玄德重赏黄忠。使人押泠苞到帐下，玄德去其缚，赐酒压惊，问曰："汝肯降否？"泠苞曰："既蒙免死，如何不降？刘璝、张任与某为生死之交；若肯放某回去，当即招二人来降，就献雒城。"玄德大喜，便赐衣服鞍马，令回雒城。魏延曰：

“此人不可放回。若脱身一去，不复来矣。”玄德曰：“吾以仁义待人，人不负我。”

却说泠苞得回雒城，见刘璝、张任，不说捉去放回，只说：“被我杀了十馀人，夺得马匹逃回。”刘璝忙遣人往成都求救。刘璋听知折了邓贤，大惊，慌忙聚众商议。长子刘循进曰：“儿愿领兵前去守雒城。”璋曰：“既吾儿肯去，当遣谁人为辅？”一人出曰：“某愿往。”璋视之，乃舅氏吴懿也。璋曰：“得尊舅去最好。谁可为副将？”吴懿保吴兰、雷铜二人为副将，点二万军马来到雒城。刘璝、张任接着，具言前事。吴懿曰：“兵临城下，难以拒敌，汝等有何高见？”泠苞曰：“此间一带，正靠涪江，江水大急；前面寨占山脚，其形最低。某乞五千军，各带锹锄前去，决涪江之水，可尽淹死刘备之兵也。”吴懿从其计，即令泠苞前往决水，吴兰、雷铜引兵接应。泠苞领命，自去准备决水器械。

却说玄德令黄忠、魏延各守一寨，自回涪城，与军师庞统商议。细作报说：“东吴孙权遣人结好东川张鲁，将欲来攻葭萌关。”玄德惊曰：“若葭萌关有失，截断后路，吾进退不得，当如之何？”庞统谓孟达曰：“公乃蜀中人，多知地理，去守葭萌关如何？”达曰：“某保一人与某同去守关，万无一失。”玄德问何人。达曰：“此人曾在荆州刘表部下为中郎将，乃南郡枝江人，姓霍，名峻，字仲邈。”玄德大喜，即时遣孟达、霍峻守葭萌关去了。

庞统退归馆舍，门吏忽报：“有客特来相访。”统出迎接，见其人身长八尺，形貌甚伟；头发截短，披于颈上；衣服不甚齐整。统问曰：“先生何人也？”其人不答，径登堂仰卧床上。统甚疑之，再三请问。其人曰：“且消停，吾当与汝说知天下大事。”统闻之愈疑，命左右进酒食。其人起而便食，并无谦逊；饮食甚多，食罢又睡。统疑惑不定，使人请法正视之，恐是细作。法正慌忙到来。

统出迎接，谓正曰："有一人如此如此。"法正曰："莫非彭永言乎？"升阶视之。其人跃起曰："孝直别来无恙！"正是：只为川人逢旧识，遂令涪水息洪流。毕竟此人是谁，且看下文分解。

第六十三回

诸葛亮痛哭庞统　张翼德义释严颜

却说法正与那人相见，各抚掌而笑。庞统问之。正曰："此公乃广汉人，姓彭，名羕，字永言，蜀中豪杰也。因直言触忤刘璋，被璋髡钳为徒隶[①]，因此短发。"统乃以宾礼待之，问羕从何而来。羕曰："吾特来救汝数万人性命，——见刘将军方可说。"法正忙报玄德。玄德亲自谒见，请问其故。羕曰："将军有多少军马在前寨？"玄德实告："有魏延、黄忠在彼。"羕曰："为将之道，岂可不知地理乎？前寨紧靠涪江，若决动江水，前后以兵塞之，一人无可逃也。"玄德大悟。彭羕曰："罡星在西方，太白临于此地，当有不吉之事，切宜慎之。"玄德即拜彭羕为幕宾，使人密报魏延、黄忠，教朝暮用心巡警，以防决水。黄忠、魏延商议：二人各轮一日；如遇敌军到来，互相通报。

却说泠苞见当夜风雨大作，引了五千军，径循江边而进，安排决江。只听得后面喊声乱起，泠苞知有准备，急急回军。前面魏延引军赶来，川兵自相践踏。泠苞正奔走间，撞着魏延。交马不数合，被魏延活捉去了。比及吴兰、雷铜来接应时，又被黄忠一军杀退。魏延解泠苞到涪关。玄德责之曰："吾以仁义相待，

---

① 髡(kūn)钳为徒隶——髡钳是古代的一种封建刑罚：剪去头发叫髡，用铁环束住脖子叫钳。为徒隶，充当苦役犯。

放汝回去，何敢背我！今次难饶！”将泠苞推出斩之，重赏魏延。玄德设宴管待彭羕。忽报：荆州诸葛亮军师特遣马良奉书至此。玄德召入问之。马良礼毕曰：“荆州平安，不劳主公忧念。”遂呈上军师书信。玄德拆书观之，略云：

亮夜算太乙数，今年岁次癸巳，罡星在西方；又观乾象，太白临于雒城之分：主将帅身上多凶少吉。切宜谨慎。

玄德看了书，便教马良先回。玄德曰：“吾将回荆州，去论此事。”庞统暗思：“孔明怕我取了西川，成了功，故意将此书相阻耳。”乃对玄德曰：“统亦算太乙数，已知罡星在西，应主公合得西川，别不主凶事。统亦占天文，见太白临于雒城，先斩蜀将泠苞，已应凶兆矣。主公不可疑心，可急进兵。”

玄德见庞统再三催促，乃引军前进。黄忠同魏延接入寨去。庞统问法正曰：“前至雒城，有多少路？”法正画地作图。玄德取张松所遗图本对之，并无差错。法正言：“山北有条大路，正取雒城东门；山南有条小路，却取雒城西门：两条路皆可进兵。”庞统谓玄德曰：“统令魏延为先锋，取南小路而进；主公令黄忠作先锋，从山北大路而进：并到雒城取齐。”玄德曰：“吾自幼熟于弓马，多行小路。军师可从大路去取东门，吾取西门。”庞统曰：“大路必有军邀拦，主公引兵当之。统取小路。”玄德曰：“军师不可。吾夜梦一神人，手执铁棒击吾右臂，觉来犹自臂疼。此行莫非不佳。”庞统曰：“壮士临阵，不死带伤，理之自然也。何故以梦寐之事疑心乎？”玄德曰：“吾所疑者，孔明之书也。军师还守涪关，如何？”庞统大笑曰：“主公被孔明所惑矣：彼不欲令统独成大功，故作此言以疑主公之心。心疑则致梦，何凶之有？统肝脑涂地，方称本心。主公再勿多言，来早准行。”当日传下号令，军士五更造饭，平明上马。黄忠、魏延领军先行。玄德再与庞统约会，忽坐下马眼生前失，把庞统掀将下来。玄德跳下马，自来笼住那马。玄德曰："军师何故乘此劣马？"庞统曰："此马乘久，不曾如此。"玄德曰："临阵眼生，误人性命。吾所骑白马，性极驯熟，军师可骑，万无一失。劣马吾自乘之。"遂与庞统更换所骑之马。庞统谢曰："深感主公厚恩，虽万死亦不能报也。"遂各上马取路而进。玄德见庞统去了，心中甚觉不快，怏怏而行。

却说雒城中吴懿、刘璝听知折了泠苞，遂与众商议。张任曰："城东南山僻有一条小路，最为要紧，某自引一军守之。诸公紧守雒城，勿得有失。"忽报汉兵分两路前来攻城。张任急引三千军，先来抄小路埋伏。见魏延兵过，张任教尽放过去，休得惊动。后见庞统军来，张任军士遥指军中大将："骑白马者必是刘备。"张任大喜，传令教如此如此。

却说庞统迤逦前进，抬头见两山逼窄，树木丛杂；又值夏末秋初，枝叶茂盛。庞统心下甚疑，勒住马问："此处是何地？"数内有新降军士，指道："此处地名落凤坡。"庞统惊曰："吾道号凤雏，此处名落凤坡，不利于吾。"令后军疾退。只听山坡前一声炮响，箭如飞蝗，只望骑白马者射来。可怜庞统竟死于乱箭之下。时年止三十六岁。后人有诗叹曰：

古岘相连紫翠堆，士元有宅傍山隈。儿童惯识呼鸠曲，
闾巷曾闻展骥才。预计三分平刻削，长驱万里独徘徊。
谁知天狗流星坠，不使将军衣锦回。

先是东南有童谣云：

一凤并一龙，相将到蜀中。才到半路里，凤死落坡东。
风送雨，雨随风，隆汉兴时蜀道通，蜀道通时只有龙。

当日张任射死庞统，汉军拥塞，进退不得，死者大半。前军飞报魏延。魏延忙勒兵欲回，奈山路逼窄，厮杀不得。又被张任

截断归路，在高阜处用强弓硬弩射来。魏延心慌。有新降蜀兵曰：“不如杀奔雒城下，取大路而进。”延从其言，当先开路，杀奔雒城来。尘埃起处，前面一军杀至，乃雒城守将吴兰、雷铜也；后面张任引兵追来：前后夹攻，把魏延围在垓心。魏延死战不能得脱。但见吴兰、雷铜后军自乱，二将急回马去救。魏延乘势赶去，当先一将，舞刀拍马，大叫：“文长，吾特来救汝！”视之，乃老将黄忠也。两下夹攻，杀败吴、雷二将，直冲至雒城之下。刘璝引兵杀出，却得玄德在后当住接应。黄忠、魏延翻身便回。玄德军马比及奔到寨中，张任军马又从小路里截出。刘璝、吴兰、雷铜当先赶来。玄德守不住二寨，且战且走，奔回涪关。蜀兵得胜，迤逦追赶。玄德人困马乏，那里有心厮杀，且只顾奔走。将近涪关，张任一军追赶至紧。幸得左边刘封，右边关平，二将领三万生力军截出，杀退张任；还赶二十里，夺回战马极多。

玄德一行军马，再入涪关，问庞统消息。有落凤坡逃得性命的军士，报说：“军师连人带马，被乱箭射死于坡前。”玄德闻言，望西痛哭不已，遥为招魂设祭。诸将皆哭。黄忠曰：“今番折了庞统军师，张任必然来攻打涪关，如之奈何？不若差人往荆州，请诸葛军师来商议收川之计。”正说之间，人报张任引军直临城下搦战。黄忠、魏延皆要出战。玄德曰：“锐气新挫，宜坚守以待军师来到。”黄忠、魏延领命，只谨守城池。玄德写一封书，教关平分付：“你与我往荆州请军师去。”关平领了书，星夜往荆州来。玄德自守涪关，并不出战。

却说孔明在荆州，时当七夕佳节，大会众官夜宴，共说收川之事。只见正西上一星，其大如斗，从天坠下，流光四散。孔明失惊，掷杯于地，掩面哭曰：“哀哉！痛哉！”众官慌问其故。孔明曰:“吾前者算今年罡星在西方,不利于军师;天狗犯于吾军,太白临于雒城,已拜书主公,教谨防之。谁想今夕西方星坠,庞士元命必休矣!”言罢,大哭曰:“今吾主丧一臂矣!”众官皆惊,未信其言。孔明曰:“数日之内,必有消息。”是夕酒不尽欢而散。

数日之后,孔明与云长等正坐间,人报关平到。众官皆惊。关平入,呈上玄德书信。孔明视之,内言:“本年七月初七日,庞军师被张任在落凤坡前箭射身故。”孔明大哭,众官无不垂泪。孔明曰:“既主公在涪关进退两难之际,亮不得不去。”云长曰:“军师去,谁人保守荆州?荆州乃重地,干系非轻。”孔明曰:“主公书中虽不明言其人,吾已知其意了。”乃将玄德书与众官看曰:“主公书中,把荆州托在吾身上,教我自量才委用。虽然如此,今教关平赍书前来,其意欲云长公当此重任。云长想桃园结义之情,可竭力保守此地。责任非轻,公宜勉之。”云长更不推辞,慨然领诺。孔明设宴,交割印绶。云长双手来接。孔明擎着印曰:“这干系都在将军身上。”云长曰:“大丈夫既领重任,除死方休。”孔明见云长说个“死”字,心中不悦;欲待不与,其言已出。孔明曰:“倘曹操引兵来到,当如之何?”云长曰:“以力拒之。”孔明又曰:“倘曹操、孙权,齐起兵来,如之奈何?”云长曰:“分兵拒之。”孔明曰:“若如此,荆州危矣。吾有八个字,将军牢记,可保守荆州。”云长问:“那八个字?”孔明曰:“北拒曹操,东和孙权。”云长曰:“军师之言,当铭肺腑。”

孔明遂与了印绶,令文官马良、伊籍、向朗、糜竺,武将糜芳、廖化、关平、周仓,一班儿辅佐云长,同守荆州。一面亲自统兵入川。先拨精兵一万,教张飞部领,取大路杀奔巴州、雒城之西,先到者为头功。又拨一枝兵,教赵云为先锋,溯江而上,会于雒城。孔明随后引简雍、蒋琬等起行。那蒋琬字公琰,零陵湘乡人也,乃荆襄名士，现为书记。

当日孔明引兵一万五千，与张飞同日起行。张飞临行时，孔明嘱付曰："西川豪杰甚多，不可轻敌。于路戒约三军，勿得掳掠百姓，以失民心。所到之处，并宜存恤，勿得恣逞鞭挞士卒。望将军早会雒城，不可有误。"

张飞欣然领诺，上马而去。迤逦前行，所到之处，但降者秋毫无犯。径取汉川路，前至巴郡。细作回报："巴郡太守严颜，乃蜀中名将，年纪虽高，精力未衰，善开硬弓，使大刀，有万夫不当之勇：据住城郭，不竖降旗。"张飞教离城十里下寨，差人入城去，"说与老匹夫：早早来降，饶你满城百姓性命；若不归顺，即踏平城郭，老幼不留！"

却说严颜在巴郡，闻刘璋差法正请玄德入川，拊心而叹曰："此所谓独坐穷山，引虎自卫者也！"后闻玄德据住涪关，大怒，屡欲提兵往战，又恐这条路上有兵来。当日闻知张飞兵到，便点起本部五六千人马，准备迎敌。或献计曰："张飞在当阳长坂，一声喝退曹兵百万之众。曹操亦闻风而避之，不可轻敌。今只宜深沟高垒，坚守不出。彼军无粮，不过一月，自然退去。更兼张飞性如烈火，专要鞭挞士卒；如不与战，必怒；怒则必以暴厉之气，待其军士：军心一变，乘势击之，张飞可擒也。"严颜从其言，教军士尽数上城守护。忽见一个军士，大叫："开门！"严颜教放入问之。那军士告说是张将军差来的，把张飞言语依直便说。严颜大怒，骂："匹夫怎敢无礼！吾严将军岂降贼者乎！借你口说与张飞！"唤武士把军人割下耳鼻，却放回寨。

军人回见张飞，哭告严颜如此毁骂。张飞大怒，咬牙睁目，披挂上马，引数百骑来巴郡城下搦战。城上众军百般痛骂。张飞性急，几番杀到吊桥，要过护城河，又被乱箭射回。到晚全无一个人出，张飞忍一肚气还寨。次日早晨，又引军去搦战。那严颜在城敌楼上，一箭射中张飞头盔。飞指而恨曰：“若拿住你这老匹夫，我亲自食你肉！”到晚又空回。第三日，张飞引了军，沿城去骂。原来那座城子是个山城，周围都是乱山，张飞自乘马登山，下视城中。见军士尽皆披挂，分列队伍，伏在城中，只是不出；又见民夫来来往往，搬砖运石，相助守城。张飞教马军下马，步军皆坐，引他出敌，——并无动静。又骂了一日，依旧空回。张飞在寨中，自思：“终日叫骂，彼只不出，如之奈何？”猛然思得一计，教众军不要前去搦战，都结束了在寨中等候；却只教三五十个军士，直去城下叫骂，引严颜军出来，便与厮杀。张飞磨拳擦掌，只等敌军来。小军连骂了三日，全然不出。张飞眉头一纵，又生一计，传令教军士四散砍打柴草，寻觅路径，不来搦战。严颜在城中，连日不见张飞动静，心中疑惑，着十数个小军，扮作张飞砍柴的军，潜地出城，杂在军内，入山中探听。

当日诸军回寨。张飞坐在寨中，顿足大骂：“严颜老匹夫！枉气杀我！”只见帐前三四个人说道：“将军不须心焦：这几日打探得一条小路，可以偷过巴郡。”张飞故意大叫曰：“既有这个去处，何不早来说？”众应曰：“这几日却才哨探得出。”张飞曰：“事不宜迟，只今二更造饭，趁三更明月，拔寨都起，人衔枚，马去铃，悄悄而行。我自前面开路，汝等依次而行。”传了令便满寨告报。

探细的军听得这个消息，尽回城中来，报与严颜。颜大喜曰：“我算定这匹夫忍耐不得！你偷小路过去，须是粮草辎重在后；我截住后路，你如何得过？好无谋匹夫，中我之计！”即时传令，教军士准备赴敌：“今夜二更也造饭，三更出城，伏于树木丛杂去处。只等张飞过咽喉小路去了，车仗来时，只听鼓响，一齐杀出。”传了号令，看看近夜，严颜全军尽皆饱食，披挂停当，悄悄出城，四散伏住，只听鼓响；严颜自引十数裨将，下马伏于林中。约三更后，遥望见张飞亲自在前，横矛纵马，悄悄引军前进。去不得三四里，背后车仗人马，陆续进发。严颜看得分晓，一齐擂鼓，四下伏兵尽起。正来抢夺车仗，背后一声锣响，一彪军掩到，大喝："老贼休走！我等的你恰好！"严颜猛回头看时，为首一员大将，豹头环眼，燕颔虎须，使丈八矛，骑深乌马：乃是张飞。四下里锣声大震，众军杀来。严颜见了张飞，举手无措，交马战不十合，张飞卖个破绽，严颜一刀砍来，张飞闪过，撞将入去，扯住严颜勒甲绦，生擒过来，掷于地下；众军向前，用索绑缚住了。原来先过去的是假张飞。料道严颜击鼓为号，张飞却教鸣金为号：金响诸军齐到。川兵大半弃甲倒戈而降。

张飞杀到巴郡城下，后军已自入城。张飞叫休杀百姓，出榜安民。群刀手把严颜推至。飞坐于厅上，严颜不肯下跪。飞怒目咬牙大叱曰："大将到此，何为不降，而敢拒敌？"严颜全无惧色，回叱飞曰："汝等无义，侵我州郡！但有断头将军，无降将军！"飞大怒，喝左右斩来。严颜喝曰："贼匹夫！砍头便砍，何怒也？"张飞见严颜声音雄壮，面不改色，乃回嗔作喜，下阶喝退左右，亲解其缚，取衣衣之，扶在正中高坐，低头便拜曰："适来言语冒渎，幸勿见责。吾素知老将军乃豪杰之士也。"严颜感其恩义，乃降。后人有诗赞严颜曰：

白发居西蜀，清名震大邦。忠心如皎月，浩气卷长江。

宁可断头死，安能屈膝降？巴州年老将，天下更无双。

又有赞张飞诗曰：

生获严颜勇绝伦，惟凭义气服军民。至今庙貌留巴蜀，

社酒鸡豚日日春。

张飞请问入川之计。严颜曰："败军之将，荷蒙厚恩，无可以报，

愿施犬马之劳,不须张弓只箭,径取成都。”正是:只因一将倾心后,致使连城唾手降。未知其计如何,且看下文分解。

第六十四回

孔明定计捉张任　杨阜借兵破马超

却说张飞问计于严颜，颜曰："从此取雒城，凡守御关隘，都是老夫所管，官军皆出于掌握之中。今感将军之恩，无可以报，老夫当为前部，所到之处，尽皆唤出拜降。"张飞称谢不已。于是严颜为前部，张飞领军随后。凡到之处，尽是严颜所管，都唤出投降。有迟疑未决者，颜曰："我尚且投降，何况汝乎？"自是望风归顺，并不曾厮杀一场。

却说孔明已将起程日期申报玄德，教都会聚雒城。玄德与众官商议："今孔明、翼德分两路取川，会于雒城，同入成都。水陆舟车，已于七月二十日起程，此时将及待到。今我等便可进兵。"黄忠曰："张任每日来搦战，见城中不出，彼军懈怠，不做准备，今日夜间分兵劫寨，胜如白昼厮杀。"玄德从之，教黄忠引兵取左，魏延引兵取右，玄德取中路。当夜二更，三路军马齐发。张任果然不做准备。汉军拥入大寨，放起火来，烈焰腾空。蜀兵奔走，连夜直赶到雒城，城中兵接应入去。玄德还中路下寨；次日，引兵直到雒城，围住攻打。张任按兵不出。攻到第四日，玄德自提一军攻打西门，令黄忠、魏延在东门攻打，留南门北门放军行走。原来南门一带都是山路，北门有涪水：因此不围。张任望见玄德在西门，骑马往来，指挥打城，从辰至未，人马渐渐力乏。张任教吴兰、雷铜二将引兵出北门,转东门,敌黄忠、魏延;自己却引军出南门,转西门,单迎玄德。城内尽拨民兵上城,擂鼓助喊。

却说玄德见红日平西,教后军先退。军士方回身,城上一片声喊起,南门内军马突出。张任径来军中捉玄德。玄德军中大乱。黄忠、魏延又被吴兰、雷铜敌住。两下不能相顾。玄德敌不住张任,拨马往山僻小路而走。张任从背后追来,看看赶上。玄德独自一人一马,张任引数骑赶来。玄德正望前尽力加鞭而行,忽山路一军冲来。玄德马上叫苦曰:"前有伏兵,后有追兵,天亡我也!"只见来军当头一员大将,乃是张飞。原来张飞与严颜正从那条路上来,望见尘埃起,知与川兵交战。张飞当先而来,正撞着张任,便就交马。战到十馀合,背后严颜引兵大进。张任火速回身。张飞直赶到城下。张任退入城,拽起吊桥。

张飞回见玄德曰:"军师溯江而来,尚且未到,反被我夺了头功。"玄德曰:"山路险阻,如何无军阻当,长驱大进,先到于此?"张飞曰:"于路关隘四十五处,皆出老将严颜之功,因此于路并不曾费分毫之力。"遂把义释严颜之事,从头说了一遍,引严颜见玄德。玄德谢曰:"若非老将军,吾弟安能到此?"即脱身上黄金锁子甲以赐之。严颜拜谢。正待安排宴饮,忽闻哨马回报:"黄忠、魏延和川将吴兰、雷铜交锋,城中吴懿、刘璝又引兵助战,两下夹攻,我军抵敌不住,魏、黄二将败阵投东去了。"张飞听得,便请玄德分兵两路,杀去救援。于是张飞在左,玄德在右,杀奔前来。吴懿、刘璝见后面喊声起,慌退入城中。吴兰、雷铜只顾引兵追赶黄忠、魏延,却被玄德、张飞截住归路。黄忠、魏延又回马转攻。吴兰、雷铜料敌不住,只得将本部军马前来投降。玄德准其降,收兵近城下寨。

却说张任失了二将，心中忧虑。吴懿、刘璝曰："兵势甚危，不决一死战，如何得兵退？一面差人去成都见主公告急，一面用计敌之。"张任曰："吾来日领一军搦战，诈败，引转城北；城内再以一军冲出，截断其中：可获胜也。"吴懿曰："刘将军相辅公子守城，我引兵冲出助战。"约会已定。次日，张任引数千人马，摇旗呐喊，出城搦战。张飞上马出迎，更不打话，与张任交锋。战不十馀合，张任诈败，绕城而走。张飞尽力追之。吴懿一军截住，张任引军复回，把张飞围在垓心，进退不得。正没奈何，只见一队军从江边杀出。当先一员大将，挺枪跃马，与吴懿交锋；只一合，生擒吴懿，战退敌军，救出张飞。视之，乃赵云也。飞问："军师何在？"云曰："军师已至。想此时已与主公相见了也。"二人擒吴懿回寨。张任自退入东门去了。

张飞、赵云回寨中，见孔明、简雍、蒋琬已在帐中。飞下马来参军师。孔明惊问曰："如何得先到？"玄德具述义释严颜之事。孔明贺曰："张将军能用谋，皆主公之洪福也。"赵云解吴懿见玄德。玄德曰："汝降否？"吴懿曰："我既被捉，如何不降？"玄德大喜，亲解其缚。孔明问："城中有几人守城？"吴懿曰："有刘季玉之子刘循，辅将刘璝、张任。刘璝不打紧；张任乃蜀郡人，极有胆略，不可轻敌。"孔明曰："先捉张任，然后取雒城。"问："城东这座桥名为何桥？"吴懿曰："金雁桥。"孔明遂乘马至桥边，绕河看了一遍，回到寨中，唤黄忠、魏延听令曰："离金雁桥南五六里，两岸都是芦苇蒹葭，可以埋伏。魏延引一千枪手伏于左，单戳马上将；黄忠引一千刀手伏于右，单砍坐下马。杀散彼军，张任必投山东小路而来。张翼德引一千军伏在那里，就彼处擒之。"又唤赵云伏于金雁桥北："待我引张任过桥，你便将桥拆断，却勒兵于桥北，遥为之势，使张任不敢望北走，退投南去，却好中计。"调遣已定,军师自去诱敌。

却说刘璋差卓膺、张翼二将,前至雒城助战。张任教张翼与刘璝守城,自与卓膺为前后二队——任为前队,膺为后队——出城退敌。孔明引一队不整不齐军,过金雁桥来,与张任对阵。孔明乘四轮车,纶巾羽扇而出,两边百馀骑簇捧,遥指张任曰:“曹操以百万之众,闻吾之名,望风而走;今汝何人,敢不投降?”张任看见孔明军伍不齐,在马上冷笑曰:“人说诸葛亮用兵如神,原来有名无实!”把枪一招,大小军校齐杀过来。孔明弃了四轮车,上马退走过桥。张任从背后赶来。过了金雁桥,见玄德军在左,严颜军在右,冲杀将来。张任知是计,急回军时,桥已拆断了;欲投北去,只见赵云一军隔岸摆开,遂不敢投北,径往南绕河而走。走不到五七里,早到芦苇丛杂处。魏延一军从芦中忽起,都用长枪乱戳。黄忠一军伏在芦苇里,用长刀只剁马蹄。马军尽倒,皆被执缚。步军那里敢来?张任引数十骑望山路而走,正撞着张飞。张任方欲退走,张飞大喝一声,众军齐上,将张任活捉了。原来卓膺见张任中计,已投赵云军前降了,一发都到大寨。玄德赏了卓膺。张飞解张任至。孔明亦坐于帐中。玄德谓张任曰:“蜀中诸将,望风而降,汝何不早投降?”张任睁目怒叫曰:“忠臣岂肯事二主乎?”玄德曰:“汝不识天时耳。降即免死。”任曰:“今日便降,久后也不降!可速杀我!”玄德不忍杀之。张任厉声高骂。孔明命斩之以全其名。后人有诗赞曰:

> 烈士岂甘从二主,张君忠勇死犹生。高明正似天边月,
> 夜夜流光照雒城。

玄德感叹不已,令收其尸首,葬于金雁桥侧,以表其忠。

次日,令严颜、吴懿等一班蜀中降将为前部,直至雒城,大叫:“早开门受降,免一城生灵受苦!”刘璝在城上大骂。严颜方

待取箭射之，忽见城上一将，拔剑砍翻刘瓒，开门投降。玄德军马入雒城，刘循开西门走脱，投成都去了。玄德出榜安民。杀刘瓒者，乃武阳人张翼也。玄德得了雒城，重赏诸将。孔明曰："雒城已破，成都只在目前；惟恐外州郡不宁，可令张翼、吴懿引赵云抚外水江阳、犍为等处所属州郡，令严颜、卓膺引张飞抚巴西德阳所属州郡，就委官按治平靖，即勒兵回成都取齐。"张飞、赵云领命，各自引兵去了。孔明问："前去有何处关隘？"蜀中降将曰："止绵竹有重兵守御；若得绵竹，成都唾手可得。"孔明便商议进兵。法正曰："雒城既破，蜀中危矣。主公欲以仁义服众，且勿进兵。某作一书上刘璋，陈说利害，璋自然降矣。"孔明曰："孝直之言最善。"便令写书遣人径往成都。

却说刘循逃回见父，说雒城已陷，刘璋慌聚众官商议。从事郑度献策曰："今刘备虽攻城夺地，然兵不甚多，士众未附，野谷是资，军无辎重。不如尽驱巴西梓潼民，过涪水以西。其仓廪野谷，尽皆烧除，深沟高垒，静以待之。彼至请战，勿许。久无所资，不过百日，彼兵自走。我乘虚击之，备可擒也。"刘璋曰："不然。吾闻拒敌以安民，未闻动民以备敌也。此言非保全之计。"正议间，人报法正有书至。刘璋唤入。呈上书。璋拆开视之。其略曰：

> 昨蒙遣差结好荆州，不意主公左右不得其人，以致如此。今荆州眷念旧情，不忘族谊。主公若能幡然归顺，量不薄待。望三思裁示。

刘璋大怒，扯毁其书，大骂："法正卖主求荣、忘恩背义之贼！"逐其使者出城。即时遣妻弟费观，提兵前去守把绵竹。费观举保南阳人姓李，名严，字正方，一同领兵。当下费观、李严点三万军来守绵竹。益州太守董和，字幼宰，南郡枝江人也，上书与刘璋,请往汉中借兵。璋曰:“张鲁与吾世仇,安肯相救?”和曰:“虽然与我有仇,刘备军在雒城,势在危急,唇亡则齿寒,若以利害说之,必然肯从。”璋乃修书遣使前赴汉中。

却说马超自兵败入羌,二载有馀,结好羌兵,攻拔陇西州郡。所到之处,尽皆归降;惟冀城攻打不下。刺史韦康,累遣人求救于夏侯渊。渊不得曹操言语,未敢动兵。韦康见救兵不来,与众商议:“不如投降马超。”参军杨阜哭谏曰:“超等叛君之徒,岂可降之?”康曰:“事势至此,不降何待?”阜苦谏不从。韦康大开城门,投拜马超。超大怒曰:“汝今事急请降,非真心也!”将韦康四十馀口尽斩之,不留一人。有人言:“杨阜劝韦康休降,可斩之。”超曰:“此人守义,不可斩也。”复用杨阜为参军。阜荐梁宽、赵衢二人,超尽用为军官。杨阜告马超曰:阜妻死于临洮,乞告两个月假,归葬其妻便回。马超从之。

杨阜过历城,来见抚彝将军姜叙。叙与阜是姑表兄弟:叙之母是阜之姑,时年已八十二。当日,杨阜入姜叙内宅,拜见其姑,哭告曰:“阜守城不能保,主亡不能死,愧无面目见姑。马超叛君,妄杀郡守,一州士民,无不恨之。今吾兄坐据历城,竟无讨贼之心,此岂人臣之理乎?”言罢,泪流出血。叙母闻言,唤姜叙入,责之曰:“韦使君遇害,亦尔之罪也。”又谓阜曰:“汝既降人,且食其禄,何故又兴心讨之?”阜曰:“吾从贼者,欲留残生,与主报冤也。”叙曰:“马超英勇,急难图之。”阜曰:“有勇无谋,易图也。吾已暗约下梁宽、赵衢。兄若肯兴兵,二人必为内应。”叙母曰:“汝不早图,更待何时?谁不有死,死于忠义,死得其所也。勿以我为念。汝若不听义山之言,吾当先死,以绝汝念。”

叙乃与统兵校尉尹奉、赵昂商议。原来赵昂之子赵月,现随马超为裨将。赵昂当日应允,归见其妻王氏曰:“吾今日与姜叙、杨阜、尹奉一处商议,欲报韦康之仇。吾想子赵月现随马超,今若兴兵,超必先杀吾子,奈何?”其妻厉声曰:“雪君父之大耻,虽丧身亦不惜,何况一子乎!君若顾子而不行,吾当先死矣!”赵昂乃决。次日一同起兵。姜叙、杨阜屯历城,尹奉、赵昂屯祁山。王氏乃尽将首饰资帛,亲自往祁山军中,赏劳军士,以励其众。

马超闻姜叙、杨阜会合尹奉、赵昂举事,大怒,即将赵月斩之;令庞德、马岱尽起军马,杀奔历城来。姜叙、杨阜引兵出。两阵圆处,杨阜、姜叙衣白袍而出,大骂曰:“叛君无义之贼!”马超大怒,冲将过来,两军混战。姜叙、杨阜如何抵得马超,大败而走。马超驱兵赶来。背后喊声起处,尹奉、赵昂杀来。超急回时,两下夹攻,首尾不能相顾。正斗间,刺斜里大队军马杀来。原来是夏侯渊得了曹操军令,正领军来破马超。超如何当得三路军马,大败奔回。走了一夜,比及平明,到得冀城叫门时,城上乱箭射下。梁宽、赵衢立在城上,大骂马超;将马超妻杨氏从城上一刀砍了,撇下尸首来;又将马超幼子三人,并至亲十馀口,都从城上一刀一个,剁将下来。超气噎塞胸,几乎坠下马来。背后夏侯渊引兵追赶。超见势大,不敢恋战,与庞德、马岱杀开一条路走。前面又撞见姜叙、杨阜,杀了一阵;冲得过去,又撞着尹奉、赵昂,杀了一阵。零零落落,剩得五六十骑,连夜奔走。四更前后,走到历城下,守门者只道姜叙兵回,大开门接入。超从城南门边杀起,尽洗城中百姓。至姜叙宅,拿出老母。母全无惧色,指马超而大骂。超大怒,自取剑杀之。尹奉、赵昂全家老幼,亦尽被马超所杀。昂妻王氏因在军中,得免于难。次日,夏侯渊大军至,马超弃城杀出,望西而逃。行不得二十里,前面一军摆开,为首的是杨阜。超切齿而恨,拍马挺枪刺之。阜宗弟七人,一齐来助战。马岱、庞德敌住后军。宗弟七人,皆被马超杀死。阜身中五枪,犹然死战。后面夏侯渊大军赶来,马超遂走。只有庞德、马岱五七骑后随而去。夏侯渊自行安抚陇西诸州人民,令姜叙等各各分守,用车载杨阜赴许都,见曹操。操封阜为关内侯。阜辞曰:"阜无捍难之功,又无死难之节,于法当诛,何颜受职?"操嘉之,卒与之爵。

却说马超与庞德、马岱商议,径往汉中投张鲁。张鲁大喜,以为得马超,则西可以吞益州,东可以拒曹操,乃商议欲以女招超为婿。大将杨柏谏曰:"马超妻子遭惨祸,皆超之贻害也。主公岂可以女与之?"鲁从其言,遂罢招婿之议。或以杨柏之言,告知马超。超大怒,有杀杨柏之意。杨柏知之,与兄杨松商议,亦有图马超之心。正值刘璋遣使求救于张鲁,鲁不从。忽报刘璋又遣黄权到。权先来见杨松,说:"东西两川,实为唇齿;西川若破,东川亦难保矣。今若肯相救,当以二十州相酬。"松大喜,即引黄权来见张鲁,说唇齿利害,更以二十州相谢。鲁喜其利,从之。巴西阎圃谏曰:"刘璋与主公世仇,今事急求救,诈许割地,不可从也。"忽阶下一人进曰:"某虽不才,愿乞一旅之师,生擒刘备。务要割地以还。"正是:方看真主来西蜀,又见精兵出汉中。未知其人是谁,且看下文分解。

第六十五回

马超大战葭萌关　刘备自领益州牧

却说阎圃正劝张鲁勿助刘璋，只见马超挺身出曰："超感主公之恩，无可上报。愿领一军攻取葭萌关，生擒刘备。务要刘璋割二十州奉还主公。"张鲁大喜，先遣黄权从小路而回，随即点兵二万与马超。此时庞德卧病不能行，留于汉中。张鲁令杨柏监军。超与弟马岱选日起程。

却说玄德军马在雒城。法正所差下书人回报说："郑度劝刘璋尽烧野谷，并各处仓廪，率巴西之民，避于涪水西，深沟高垒而不战。"玄德、孔明闻之，皆大惊曰："若用此言，吾势危矣！"法正笑曰："主公勿忧。此计虽毒，刘璋必不能用也。"不一日，人传刘璋不肯迁动百姓，不从郑度之言。玄德闻之，方始宽心。孔明曰："可速进兵取绵竹。如得此处，成都易取矣。"遂遣黄忠、魏延领兵前进。费观听知玄德兵来，差李严出迎。严领三千兵出，各布阵完。黄忠出马，与李严战四五十合，不分胜败。孔明在阵中教鸣金收军。黄忠回阵，问曰："正待要擒李严，军师何故收兵？"孔明曰："吾已见李严武艺，不可力取。来日再战，汝可诈败，引入山峪，出奇兵以胜之。"黄忠领计。次日，李严再引兵来，黄忠又出战，不十合诈败，引兵便走。李严赶来，迤逦赶入山峪，猛然省悟。急待回来，前面魏延引兵摆开。孔明自在山头，唤曰："公如不降，两下已伏强弩，欲与吾庞士元报仇矣。”李严慌下马卸甲投降。军士不曾伤害一人。孔明引李严见玄德。玄德待之甚厚。严曰：“费观虽是刘益州亲戚，与某甚密，当往说之。”玄德即命李严回城招降费观。严入绵竹城，对费观赞玄德如此仁德；今若不降，必有大祸。观从其言，开门投降。玄德遂入绵竹，商议分兵取成都。忽流星马急报，言：“孟达、霍峻守葭萌关，今被东川张鲁遣马超与杨柏、马岱领兵攻打甚急，救迟则关隘休矣。”玄德大惊。孔明曰：“须是张、赵二将，方可与敌。”玄德曰：“子龙引兵在外未回。翼德已在此，可急遣之。”孔明曰：“主公且勿言，容亮激之。”

却说张飞闻马超攻关，大叫而入曰：“辞了哥哥，便去战马超也！”孔明佯作不闻，对玄德曰：“今马超侵犯关隘，无人可敌；除非往荆州取关云长来，方可与敌。”张飞曰：“军师何故小觑吾！吾曾独拒曹操百万之兵，岂愁马超一匹夫乎！”孔明曰：“翼德拒水断桥，此因曹操不知虚实耳；若知虚实，将军岂得无事？今马超之勇，天下皆知，渭桥六战，杀得曹操割须弃袍，几乎丧命，非等闲之比。云长且未必可胜。”飞曰：“我只今便去；如胜不得马超，甘当军令！”孔明曰：“既尔肯写文书，便为先锋。——请主公亲自去一遭。留亮守绵竹。待子龙来，却作商议。”魏延曰：“某亦愿往。”孔明令魏延带五百哨马先行，张飞第二，玄德后队，望葭萌关进发。魏延哨马先到关下，正遇杨柏。魏延与杨柏交战，不十合，杨柏败走。魏延要夺张飞头功，乘势赶去。前面一军摆开，为首乃是马岱。魏延只道是马超，舞刀跃马迎之。与岱战不十合，岱败走。延赶去，被岱回身一箭，中了魏延左臂。延急回马走。马岱赶到关前，只见一将喊声如雷，从关上飞奔至面前。——原来是张飞初到关上,听得关前厮杀,便来看时,正见魏延中箭,因骤马下关,救了魏延。飞喝马岱曰:"汝是何人?先通姓名,然后厮杀!"马岱曰:"吾乃西凉马岱是也。"张飞曰:"你原来不是马超,快回去!非吾对手!只令马超那厮自来,说道燕人张飞在此!"马岱大怒曰:"汝焉敢小觑我!"挺枪跃马,直取张飞。战不十合,马岱败走。张飞欲待追赶,关上一骑马到来,叫:"兄弟且休去!"飞回视之,原来是玄德到来。飞遂不赶,一同上关。玄德曰:"恐怕你性躁,故我随后赶来到此。既然胜了马岱,且歇一宵,来日战马超。"

次日天明,关下鼓声大震,马超兵到。玄德在关上看时,门旗影里,马超纵骑持枪而出;狮盔兽带,银甲白袍:一来结束非凡,二者人才出众。玄德叹曰:"人言'锦马超',名不虚传!"张飞便要下关。玄德急止之曰:"且休出战。先当避其锐气。"关下马超单搦张飞出马,关上张飞恨不得平吞马超,三五番皆被玄德当住。看看午后,玄德望见马超阵上人马皆倦,遂选五百骑,跟着张飞,冲下关来。马超见张飞军到,把枪望后一招,约退军有一箭之地。张飞军马一齐扎住;关上军马,陆续下来。张飞挺枪出马,大呼:"认得燕人张翼德么!"马超曰:"吾家屡世公侯,岂识村野匹夫!"张飞大怒。两马齐出,二枪并举。约战百馀合,不分胜负。玄德观之,叹曰:"真虎将也!"恐张飞有失,急鸣金收军。两将各回。张飞回到阵中,略歇马片时,不用头盔,只裹包巾上马,又出阵前搦马超厮杀。超又出。两个再战。玄德恐张飞有失,自披挂下关,直至阵前;看张飞与马超又斗百馀合,两个精神倍加。玄德教鸣金收军。二将分开,各回本阵。是日天色已晚,玄德谓张飞曰:"马超英勇,不可轻敌,且退上关。来日再战。"张飞杀得性起,那里肯休?大叫曰:"誓死不回!"玄德曰:"今日天晚,不可战矣。”飞曰:“多点火把,安排夜战!”马超亦换了马,再出阵前,大叫曰:“张飞! 敢夜战么?”张飞性起,问玄德换了坐下马,抢出阵来,叫曰:“我捉你不得,誓不上关!”超曰:“我胜你不得,誓不回寨!”两军呐喊,点起千百火把,照耀如同白日。两将又向阵前鏖战。到二十馀合,马超拨回马便走。张飞大叫曰:“走那里去!”原来马超见赢不得张飞,心生一计:诈败佯输,赚张飞赶来,暗掣铜锤在手,扭回身觑着张飞便打将来。张飞见马超走,心中也提防;比及铜锤打来时,张飞一闪,从耳朵边过去。张飞便勒回马走时,马超却又赶来。张飞带住马,拈弓搭箭,回射马超;超却闪过。二将各自回阵。玄德自于阵前叫曰:“吾以仁义待人,不施谲诈。马孟起,你收兵歇息,我不乘势赶你。”马超闻言,亲自断后,诸军渐退。玄德亦收军上关。

次日,张飞又欲下关战马超。人报军师来到。玄德接着孔明。孔明曰:“亮闻孟起世之虎将,若与翼德死战,必有一伤;故令子龙、汉升守住绵竹,我星夜来此。可用条小计,令马超归降主公。”玄德曰:“吾见马超英勇,甚爱之。如何可得?”孔明曰:“亮闻东川张鲁,欲自立为‘汉宁王’。手下谋士杨松,极贪贿赂。主公可差人从小路径投汉中,先用金银结好杨松,后进书与张鲁云:‘吾与刘璋争西川,是与汝报仇。不可听信离间之语。事定之后,保汝为汉宁王。’令其撤回马超兵。待其来撤时,便可用计招降马超矣。”玄德大喜,即时修书,差孙乾赍金珠从小路径至汉中,先来见杨松,说知此事,送了金珠。松大喜,先引孙乾见张鲁,陈言方便。鲁曰:“玄德只是左将军,如何保得我为汉宁王?”杨松曰:“他是大汉皇叔,正合保奏。”张鲁大喜,便差人教马超罢兵。孙乾只在杨松家听回信。

不一日,使者回报:“马超言:未成功,不可退兵。”张鲁又遣人去唤,又不肯回。一连三次不至。杨松曰:“此人素无信行,不肯罢兵,其意必反。”遂使人流言云:“马超意欲夺西川,自为蜀主,与父报仇,不肯臣于汉中。”张鲁闻之,问计于杨松。松曰:“一面差人去说与马超:‘汝既欲成功,与汝一月限,要依我三件事。若依得,便有赏;否则必诛:一要取西川,二要刘璋首级,三要退荆州兵。三件事不成,可献头来。’一面教张卫点军守把关隘,防马超兵变。”鲁从之,差人到马超寨中,说这三件事。超大惊曰:“如何变得恁的!”乃与马岱商议:“不如罢兵。”杨松又流言曰:“马超回兵,必怀异心。”于是张卫分七路军,坚守隘口,不放马超兵入。超进退不得,无计可施。孔明谓玄德曰:“今马超正在进退两难之际,亮凭三寸不烂之舌,亲往超寨,说马超来降。”玄德曰:“先生乃吾之股肱心腹,倘有疏虞,如之奈何?”孔明坚意要去。玄德再三不肯放去。

正踌躇间,忽报赵云有书荐西川一人来降。玄德召入问之。其人乃建宁俞元人也,姓李,名恢,字德昂。玄德曰:“向日闻公苦谏刘璋,今何故归我?”恢曰:“吾闻:‘良禽相木而栖,贤臣择主而事。’前谏刘益州者,以尽人臣之心;既不能用,知必败矣。今将军仁德布于蜀中,知事必成,故来归耳。”玄德曰:“先生此来,必有益于刘备。”恢曰:“今闻马超在进退两难之际。恢昔在陇西,与彼有一面之交,愿往说马超归降,若何?”孔明曰:“正欲得一人替吾一往。愿闻公之说词。”李恢于孔明耳畔陈说如此如此。孔明大喜,即时遣行。

恢行至超寨,先使人通姓名。马超曰:“吾知李恢乃辩士,今必来说我。”先唤二十刀斧手伏于帐下,嘱曰:“令汝砍,即砍为肉酱!”须臾,李恢昂然而入。马超端坐帐中不动,叱李恢曰:“汝来为何?”恢曰:“特来作说客。”超曰:“吾匣中宝剑新磨。汝试言之。其言不通,便请试剑!”恢笑曰:“将军之祸不远矣!但恐新磨之剑,不能试吾之头,将欲自试也!”超曰:“吾有何祸?”恢曰:“吾闻越之西子[①],善毁者不能闭其美;齐之无盐[②],善美者不能掩其丑;‘日中则昃,月满则亏’[③]:此天下之常理也。今将军与曹操有杀父之仇,而陇西又有切齿之恨;前不能救刘璋而退荆州之兵,后不能制杨松而见张鲁之面;目下四海难容,一身无主;若复有渭桥之败,冀城之失,何面目见天下之人乎?”超顿首谢曰:“公言极善;但超无路可行。”恢曰:“公既听吾言,帐下何故伏刀斧手?”超大惭,尽叱退。恢曰:“刘皇叔礼贤下士,吾知其必成,故舍刘璋而归之。公之尊人,昔年曾与皇叔约共讨贼,公何不背暗投明,以图上报父仇,下立功名乎?”马超大喜,即唤杨柏入,一剑斩之,将首级共恢一同上关来降玄德。玄德亲自接入,待以上宾之礼。超顿首谢曰:“今遇明主,如拨云雾而见青天!”时孙乾已回。玄德复命霍峻、孟达守关,便撤兵来取成都。赵云、黄忠接入绵竹。人报蜀将刘晙、马汉引军到。赵云曰:“某愿往擒此二人!”言讫,上马引军出。玄德在城上管待马超吃酒。未曾安席,子龙已斩二人之头,献于筵前。马超亦惊,倍加敬重。超曰:“不须主公军马厮杀,超自唤出刘璋来降。如不肯降,超自与弟马岱取成都,双手奉献。”玄德大喜。是日尽欢。

却说败兵回到益州,报刘璋。璋大惊,闭门不出。人报城北马超救兵到,刘璋方敢登城望之。见马超、马岱立于城下,大叫:

---

① 西子——西施,春秋时越地的美女。

② 无盐——指钟离春,战国时齐国无盐地方的丑女。

③ “日中则昃(zè),月满则亏”——古代成语。太阳升到正中,就开始偏西;月亮到正圆时,就开始缺损,譬喻事物到了极端就向反面转化。

"请刘季玉答话。"刘璋在城上问之。超在马上以鞭指曰："吾本领张鲁兵来救益州，谁想张鲁听信杨松谗言，反欲害我。今已归降刘皇叔。公可纳土拜降，免致生灵受苦。如或执迷，吾先攻城矣！"刘璋惊得面如土色，气倒于城上。众官救醒。璋曰："吾之不明，悔之何及！不若开门投降，以救满城百姓。"董和曰："城中尚有兵三万馀人；钱帛粮草，可支一年：奈何便降？"刘璋曰："吾父子在蜀二十馀年，无恩德以加百姓；攻战三年，血肉捐于草野：皆我罪也。我心何安？不如投降以安百姓。"众人闻之，皆堕泪。忽一人进曰："主公之言，正合天意。"视之，乃巴西西充国人也，姓谯，名周，字允南。此人素晓天文。璋问之，周曰："某夜观乾象，见群星聚于蜀郡；其大星光如皓月，乃帝王之象也。况一载之前，小儿谣云：'若要吃新饭，须待先生来。'此乃预兆。不可逆天道。"黄权、刘巴闻言皆大怒，欲斩之。刘璋当住。忽报："蜀郡太守许靖，逾城出降矣。"刘璋大哭归府。

次日，人报刘皇叔遣幕宾简雍在城下唤门。璋令开门接入。雍坐车中，傲睨自若。忽一人掣剑大喝曰："小辈得志，傍若无人！汝敢藐视吾蜀中人物耶！"雍慌下车迎之。此人乃广汉绵竹人也，姓秦，名宓，字子勑。雍笑曰："不识贤兄，幸勿见责。"遂同入见刘璋，具说玄德宽洪大度，并无相害之意。于是刘璋决计投降，厚待简雍。次日，亲赍印绶文籍，与简雍同车出城投降。玄德出寨迎接，握手流涕曰："非吾不行仁义，奈势不得已也！"共入寨，交割印绶文籍，并马入城。

玄德入成都，百姓香花灯烛，迎门而接。玄德到公厅，升堂坐定。郡内诸官，皆拜于堂下；惟黄权、刘巴，闭门不出。众将忿怒，欲往杀之。玄德慌忙传令曰："如有害此二人者，灭其三族！"玄德亲自登门，请二人出仕。二人感玄德恩礼，乃出。孔明请曰:“今西川平定,难容二主:可将刘璋送去荆州。”玄德曰:“吾方得蜀郡,未可令季玉远去。”孔明曰:“刘璋失基业者,皆因太弱耳。主公若以妇人之仁,临事不决,恐此土难以长久。”玄德从之,设一大宴,请刘璋收拾财物,佩领振威将军印绶,令将妻子良贱①,尽赴南郡公安住歇,即日起行。

玄德自领益州牧。其所降文武,尽皆重赏,定拟名爵:严颜为前将军,法正为蜀郡太守,董和为掌军中郎将,许靖为左将军长史,庞义为营中司马,刘巴为左将军,黄权为右将军。其余吴懿、费观、彭羕、卓膺、李严、吴兰、雷铜、李恢、张翼、秦宓、谯周、吕义、霍峻、邓芝、杨洪、周群、费祎、费诗、孟达,文武投降官员,共六十馀人,并皆擢用。诸葛亮为军师,关云长为荡寇将军、汉寿亭侯,张飞为征虏将军、新亭侯,赵云为镇远将军,黄忠为征西将军,魏延为扬武将军,马超为平西将军。孙乾、简雍、糜竺、糜芳、刘封、吴班、关平、周仓、廖化、马良、马谡、蒋琬、伊籍,及旧日荆襄一班文武官员,尽皆升赏。遣使赍黄金五百斤、白银一千斤、钱五千万、蜀锦一千匹,赐与云长。其馀官将,给赏有差②。杀牛宰马,大饷士卒,开仓赈济百姓:军民大悦。

益州既定,玄德欲将成都有名田宅,分赐诸官。赵云谏曰:“益州人民,屡遭兵火,田宅皆空;今当归还百姓,令安居复业,民心方服;不宜夺之为私赏也。”玄德大喜,从其言。使诸葛军师定拟治国条例,刑法颇重。法正曰:“昔高祖约法三章③,黎民皆感其德。愿军师宽刑省法,以慰民望。”孔明曰:“君知其一,未知其

---

① 良贱——这里同“主仆”。封建统治阶级把奴仆看作“贱人”。

② 给赏有差——按等级差别给予不同的赏赐。

③ 约法三章——汉高祖刘邦攻下秦都咸阳,为了收买民心,与秦民约定,只实施三条法律:“杀人者死,伤人及盗抵罪。”其余秦的苛法全都废除。

二：秦用法暴虐，万民皆怨，故高祖以宽仁得之。今刘璋暗弱，德政不举，威刑不肃；君臣之道，渐以陵替。宠之以位，位极则残；顺之以恩，恩竭则慢。所以致弊，实由于此。吾今威之以法，法行则知恩；限之以爵，爵加则知荣。恩荣并济，上下有节。为治之道，于斯著矣。”法正拜服。自此军民安堵①。四十一州地面，分兵镇抚，并皆平定。法正为蜀郡太守，凡平日一餐之德，睚眦之怨，无不报复。或告孔明曰：“孝直太横，宜稍斥之。”孔明曰：“昔主公困守荆州，北畏曹操，东惮孙权，赖孝直为之辅翼，遂翻然翱翔，不可复制。今奈何禁止孝直，使不得少行其意耶？”因竟不问。法正闻之，亦自敛戢②。

一日，玄德正与孔明闲叙，忽报云长遣关平来谢所赐金帛。玄德召入。平拜罢，呈上书信曰：“父亲知马超武艺过人，要入川来与之比试高低。教就禀伯父此事。”玄德大惊曰：“若云长入蜀，与孟起比试，势不两立。”孔明曰：“无妨。亮自作书回之。”玄德只恐云长性急，便教孔明写了书，发付关平星夜回荆州。平回至荆州，云长问曰：“我欲与马孟起比试，汝曾说否？”平答曰：“军师有书在此。”云长拆开视之。其书曰：

> 亮闻将军欲与孟起分别高下。以亮度之：孟起虽雄烈过人，亦乃黥布、彭越③之徒耳；当与翼德并驱争先，犹未及美髯公之绝伦超群也。今公受任守荆州，不为不重；倘一入川，若荆州有失，罪莫大焉。惟冀明照。

云长看毕，自绰其髯笑曰：“孔明知我心也。”将书遍示宾客，遂无

---

① 安堵——也写作案堵、按堵，秩序照常、没有变乱的意思。

② 敛戢(jí)——敛，收缩；戢，停止：就是约束行动的意思。

③ 黥布、彭越——两人都是汉高祖的猛将。

入川之意。

却说东吴孙权，知玄德并吞西川，将刘璋逐于公安，遂召张昭、顾雍商议曰:“当初刘备借我荆州时，说取了西川，便还荆州。今已得巴蜀四十一州，须用取索汉上诸郡。如其不还，即动干戈。”张昭曰:“吴中方宁，不可动兵。昭有一计，使刘备将荆州双手奉还主公。”正是:西蜀方开新日月，东吴又索旧山川。未知其计如何，且看下文分解。

第六十六回

关云长单刀赴会　伏皇后为国捐生

却说孙权要索荆州。张昭献计曰:“刘备所倚仗者,诸葛亮耳。其兄诸葛瑾今仕于吴,何不将瑾老小执下,使瑾入川告其弟,令劝刘备交割荆州:‘如其不还,必累及我老小。’亮念同胞之情,必然应允。”权曰:“诸葛瑾乃诚实君子,安忍拘其老小?”昭曰:“明教知是计策,自然放心。”权从之,召诸葛瑾老小,虚监在府;一面修书,打发诸葛瑾往西川去。不数日,早到成都,先使人报知玄德。玄德问孔明曰:“令兄此来为何?”孔明曰:“来索荆州耳。”玄德曰:“何以答之?”孔明曰:“只须如此如此。”

计会已定,孔明出郭接瑾。不到私宅,径入宾馆。参拜毕,瑾放声大哭。亮曰:“兄长有事但说。何故发哀?”瑾曰:“吾一家老小休矣!”亮曰:“莫非为不还荆州乎?因弟之故,执下兄长老小,弟心何安?兄休忧虑,弟自有计还荆州便了。”瑾大喜,即同孔明入见玄德,呈上孙权书。玄德看了,怒曰:“孙权既以妹嫁我,却乘我不在荆州,竟将妹子潜地取去,情理难容!我正要大起川兵,杀下江南,报我之恨,却还想来索荆州乎!”孔明哭拜于地,曰:“吴侯执下亮兄长老小,倘若不还,吾兄将全家被戮。兄死,亮岂能独生?望主公看亮之面,将荆州还了东吴,全亮兄弟之情!”玄德再三不肯,孔明只是哭求。玄德徐徐曰:“既如此,看军师面,分荆州一半还之:将长沙、零陵、桂阳三郡与他。”亮曰:

"既蒙见允,便可写书与云长令交割三郡。"玄德曰:"子瑜到彼,须用善言求吾弟。吾弟性如烈火,吾尚惧之。切宜仔细。"

瑾求了书,辞了玄德,别了孔明,登途径到荆州。云长请入中堂,宾主相叙。瑾出玄德书曰:"皇叔许先以三郡还东吴,望将军即日交割,令瑾好回见吾主。"云长变色曰:"吾与吾兄桃园结义,誓共匡扶汉室。荆州本大汉疆土,岂得妄以尺寸与人?'将在外,君命有所不受'。虽吾兄有书来,我却只不还。"瑾曰:"今吴侯执下瑾老小,若不得荆州,必将被诛。望将军怜之!"云长曰:"此是吴侯谲计,如何瞒得我过!"瑾曰:"将军何太无面目?"云长执剑在手曰:"休再言!此剑上并无面目!"关平告曰:"军师面上不好看,望父亲息怒。"云长曰:"不看军师面上,教你回不得东吴!"

瑾满面羞惭,急辞下船,再往西川见孔明。孔明已自出巡去了。瑾只得再见玄德,哭告云长欲杀之事。玄德曰:"吾弟性急,极难与言。子瑜可暂回,容吾取了东川、汉中诸郡,调云长往守之,那时方得交付荆州。"瑾不得已,只得回东吴见孙权,具言前事。孙权大怒曰:"子瑜此去,反覆奔走,莫非皆是诸葛亮之计?"瑾曰:"非也。吾弟亦哭告玄德,方许将三郡先还,又无奈云长恃顽不肯。"孙权曰:"既刘备有先还三郡之言,便可差官前去长沙、零陵、桂阳三郡赴任,且看如何。"瑾曰:"主公所言极善。"权乃令瑾取回老小,一面差官往三郡赴任。不一日,三郡差去官吏,尽被逐回,告孙权曰:"关云长不肯相容,连夜赶逐回吴。迟后者便要杀。"孙权大怒,差人召鲁肃责之曰:"子敬昔为刘备作保,借吾荆州;今刘备已得西川,不肯归还,子敬岂得坐视?"肃曰:"肃已思得一计,正欲告主公。"权问:"何计?"肃曰:"今屯兵于陆口,使人请关云长赴会。若云长肯来,以善言说之;如其不从,伏下刀斧手杀之。如彼不肯来，随即进兵，与决胜负，夺取荆州便了。”孙权曰：“正合吾意。可即行之。”阚泽进曰：“不可。关云长乃世之虎将，非等闲可及。恐事不谐，反遭其害。”孙权怒曰：“若如此，荆州何日可得！”便命鲁肃速行此计。肃乃辞孙权，至陆口，召吕蒙、甘宁商议——设宴于陆口寨外临江亭上，修下请书，选帐下能言快语一人为使，登舟渡江。江口关平问了，遂引使人入荆州，叩见云长，具道鲁肃相邀赴会之意，呈上请书。云长看书毕，谓来人曰：“既子敬相请，我明日便来赴宴。汝可先回。”

使者辞去。关平曰：“鲁肃相邀，必无好意；父亲何故许之？”云长笑曰：“吾岂不知耶？此是诸葛瑾回报孙权，说吾不肯还三郡，故令鲁肃屯兵陆口，邀我赴会，便索荆州。吾若不往，道吾怯矣。吾来日独驾小舟，只用亲随十馀人，单刀赴会，看鲁肃如何近我！”平谏曰：“父亲奈何以万金之躯，亲蹈虎狼之穴？恐非所以重伯父之寄托也。”云长曰：“吾于千枪万刃之中，矢石交攻之际，匹马纵横，如入无人之境；岂忧江东群鼠乎！”马良亦谏曰：“鲁肃虽有长者之风，但今事急，不容不生异心。将军不可轻往。”云长曰：“昔战国时赵人蔺相如，无缚鸡之力，于渑池会[①]上，觑秦国君臣如无物；况吾曾学万人敌[②]者乎！既已许诺，不可失信。”良曰：“纵将军去，亦当有准备。”云长曰：“只教吾儿选快船十只，藏善水军五百，于江上等候。看吾认旗起处，便过江来。”平领命自去准备。

---

① 渑(miǎn)池会——战国时秦、赵互为敌国。一次，秦昭襄王约赵惠文王会于渑池(今河南渑池县西)，原想恃强借机侮辱赵王，因为有蔺相如在会上保护赵王，智勇兼施，奋不顾身，秦王终于没有占到便宜。

② 万人敌——指兵法，古代的军事学。

却说使者回报鲁肃,说云长慨然应允,来日准到。肃与吕蒙商议:“此来若何?”蒙曰:“彼带军马来,某与甘宁各人领一军伏于岸侧,放炮为号,准备厮杀;如无军来,只于庭后伏刀斧手五十人,就筵间杀之。”计会已定。次日,肃令人于岸口遥望。辰时后,见江面上一只船来,梢公水手只数人,一面红旗,风中招贴,显出一个大“关”字来。船渐近岸,见云长青巾绿袍,坐于船上;傍边周仓捧着大刀;八九个关西大汉,各跨腰刀一口。鲁肃惊疑,接入庭内。叙礼毕,入席饮酒,举杯相劝,不敢仰视。云长谈笑自若。

酒至半酣,肃曰:“有一言诉与君侯,幸垂听焉:昔日令兄皇叔,使肃于吾主之前,保借荆州暂住,约于取川之后归还。今西川已得,而荆州未还,得毋失信乎?”云长曰:“此国家之事,筵间不必论之。”肃曰:“吾主只区区江东之地,而肯以荆州相借者,为念君侯等兵败远来,无以为资故也。今已得益州,则荆州自应见还;乃皇叔但肯先割三郡,而君侯又不从,恐于理上说不去。”云长曰:“乌林之役,左将军亲冒矢石,戮力破敌,岂得徒劳而无尺土相资?今足下复来索地耶?”肃曰:“不然。君侯始与皇叔同败于长坂,计穷力竭,将欲远窜,吾主矜念皇叔身无处所,不爱土地,使有所托足,以图后功;而皇叔愆德隳好[1],已得西川,又占荆州,贪而背义,恐为天下所耻笑。惟君侯察之。”云长曰:“此皆吾兄之事,非某所宜与也[2]。”肃曰:“某闻君侯与皇叔桃园结义,誓同生死。皇叔即君侯也,何得推托乎?”云长未及回答,周仓在

---

① 愆(qiān)德隳(huī)好——愆,犯过失。愆德,损害道义。隳,败坏。隳好,破坏交情。

② 非某所宜与也——不是我所应当过问、干预的。

阶下厉声言曰："天下土地，惟有德者居之。岂独是汝东吴当有耶！"云长变色而起，夺周仓所捧大刀，立于庭中，目视周仓而叱曰："此国家之事，汝何敢多言！ 可速去！"仓会意，先到岸口，把红旗一招。关平船如箭发，奔过江东来。云长右手提刀，左手挽住鲁肃手，佯推醉曰："公今请吾赴宴，莫提起荆州之事。吾今已醉，恐伤故旧之情。他日令人请公到荆州赴会，另作商议。"鲁肃魂不附体，被云长扯至江边。吕蒙、甘宁各引本部军欲出，见云长手提大刀，亲握鲁肃，恐肃被伤，遂不敢动。云长到船边，却才放手，早立于船首，与鲁肃作别。肃如痴似呆，看关公船已乘风而去。后人有诗赞关公曰：

> 藐视吴臣若小儿，单刀赴会敢平欺。当年一段英雄气，尤胜相如在渑池。

云长自回荆州。鲁肃与吕蒙共议："此计又不成，如之奈何？"蒙曰："可即申报主公，起兵与云长决战。"肃即时使人申报孙权。权闻之大怒，商议起倾国之兵，来取荆州。忽报："曹操又起三十万大军来也！"权大惊，且教鲁肃休惹荆州之兵，移兵向合淝、濡须，以拒曹操。

却说操将欲起程南征，参军傅干，字彦材，上书谏操。书略曰：

> 干闻用武则先威，用文则先德；威德相济，而后王业成。往者天下大乱，明公用武攘之，十平其九；今未承王命者，吴与蜀耳。吴有长江之险，蜀有崇山之阻，难以威胜。愚以为：且宜增修文德，按甲寝兵，息军养士，待时而动。今若举数十万之众，顿长江之滨，倘贼凭险深藏，使我士马不得逞其能，奇变无所用其权，则天威屈

矣。惟明公详察焉。

曹操览之,遂罢南征,兴设学校,延礼文士。于是侍中王粲、杜袭、卫凯、和洽四人,议欲尊曹操为“魏王”。中书令荀攸曰:“不可。丞相官至魏公,荣加九锡,位已极矣。今又进升王位,于理不可。”曹操闻之,怒曰:“此人欲效荀彧耶!”荀攸知之,忧愤成疾,卧病十数日而卒,亡年五十八岁。操厚葬之,遂罢“魏王”事。

一日,曹操带剑入宫,献帝正与伏后共坐。伏后见操来,慌忙起身。帝见曹操,战栗不已。操曰:“孙权、刘备各霸一方,不尊朝廷,当如之何?”帝曰:“尽在魏公裁处。”操怒曰:“陛下出此言,外人闻之,只道吾欺君也。”帝曰:“君若肯相辅则幸甚;不尔,愿垂恩相舍。”操闻言,怒目视帝,恨恨而出。左右或奏帝曰:“近闻魏公欲自立为王,不久必将篡位。”帝与伏后大哭。后曰:“妾父伏完常有杀操之心,妾今当修书一封,密与父图之。”帝曰:“昔董承为事不密,反遭大祸;今恐又泄漏,朕与汝皆休矣!”后曰:“旦夕如坐针毡,似此为人,不如早亡! 妾看宦官中之忠义可托者,莫如穆顺,当令寄此书。”乃即召穆顺入屏后,退去左右近侍。帝后大哭告顺曰:“操贼欲为‘魏王’,早晚必行篡夺之事。朕欲令后父伏完密图此贼,而左右之人,俱贼心腹,无可托者。欲汝将皇后密书,寄与伏完。量汝忠义,必不负朕。”顺泣曰:“臣感陛下大恩,敢不以死报! 臣即请行。”后乃修书付顺。顺藏书于发中,潜出禁宫,径至伏完宅,将书呈上。完见是伏后亲笔,乃谓穆顺曰:“操贼心腹甚众,不可遽图。除非江东孙权、西川刘备,二处起兵于外,操必自往。此时却求在朝忠义之臣,一同谋之。内外夹攻,庶可有济。”顺曰:“皇丈可作书覆帝后,求密诏,暗遣人往吴、蜀二处,令约会起兵,讨贼救主。”伏完即取纸写书付顺。顺乃藏于头髻内,辞完回宫。

原来早有人报知曹操。操先于宫门等候。穆顺回遇曹操，操问:“那里去来?”顺答曰:“皇后有病，命求医去。”操曰:“召得医人何在?”顺曰:“还未召至。”操喝左右，遍搜身上，并无夹带，放行。忽然风吹落其帽。操又唤回，取帽视之，遍观无物，还帽令戴。穆顺双手倒戴其帽。操心疑，令左右搜其头发中，搜出伏完书来。操看时，书中言欲结连孙、刘为外应。操大怒，执下穆顺于密室问之，顺不肯招。操连夜点起甲兵三千，围住伏完私宅，老幼并皆拿下;搜出伏后亲笔之书，随将伏氏三族尽皆下狱。平明，使御林将军郗虑持节入宫，先收皇后玺绶。

是日，帝在外殿，见郗虑引三百甲兵直入。帝问曰:“有何事?”虑曰:“奉魏公命收皇后玺。”帝知事泄，心胆皆碎。虑至后宫，伏后方起。虑便唤管玺绶人索取玉玺而出。伏后情知事发，便于殿后椒房① 内夹壁中藏躲。少顷，尚书令华歆引五百甲兵入到后殿，问宫人:“伏后何在?”宫人皆推不知。歆教甲兵打开朱户，寻觅不见;料在壁中，便喝甲士破壁搜寻。歆亲自动手揪后头髻拖出。后曰:“望免我一命!”歆叱曰:“汝自见魏公诉去!”后披发跣足，二甲士推拥而出。原来华歆素有才名，向与邴原、管宁相友善。时人称三人为一龙:华歆为龙头，邴原为龙腹，管宁为龙尾。一日，宁与歆共种园蔬，锄地见金。宁挥锄不顾;歆拾而视之，然后掷下。又一日，宁与歆同坐观书，闻户外传呼之声，有贵人乘轩而过。宁端坐不动，歆弃书往观。宁自此鄙歆之为人，遂割席分坐，不复与之为友。后来管宁避居辽东，常戴白帽，坐卧一楼，足不履地，终身不肯仕魏;而歆乃先事孙权，后归曹操，至此乃有收捕伏皇后一事。后人有诗叹华歆曰:

① 椒房——后妃所住的宫室。

华歆当日逞凶谋，破壁生将母后收。助虐一朝添虎翼，
骂名千载笑“龙头”！

又有诗赞管宁曰：

辽东传有管宁楼，人去楼空名独留。笑杀子鱼贪富贵，
岂如白帽自风流。

且说华歆将伏后拥至外殿。帝望见后，乃下殿抱后而哭。歆曰：“魏公有命，可速行！”后哭谓帝曰：“不能复相活耶？”帝曰：“我命亦不知在何时也！”甲士拥后而去，帝捶胸大恸。见郗虑在侧，帝曰：“郗公！天下宁有是事乎！”哭倒在地。郗虑令左右扶帝入宫。华歆拿伏后见操。操骂曰：“吾以诚心待汝等，汝等反欲害我耶！吾不杀汝，汝必杀我！”喝左右乱棒打死。随即入宫，将伏后所生二子，皆酖杀之。当晚将伏完、穆顺等宗族二百馀口，皆斩于市。朝野之人，无不惊骇。时建安十九年十一月也。后人有诗叹曰：

曹瞒凶残世所无，伏完忠义欲何如。可怜帝后分离处，
不及民间妇与夫！

献帝自从坏了伏后，连日不食。操入曰：“陛下无忧，臣无异心。臣女已与陛下为贵人，大贤大孝，宜居正宫。”献帝安敢不从？于建安二十年正月朔，就庆贺正旦之节，册立曹操女曹贵人为正宫皇后。群下莫敢有言。

此时曹操威势日甚，会大臣商议收吴灭蜀之事。贾诩曰：“须召夏侯惇、曹仁二人回，商议此事。”操即时发使，星夜唤回。夏侯惇未至，曹仁先到，连夜便入府中见操。操方被酒而卧，许褚仗剑立于堂门之内。曹仁欲入，被许褚当住。曹仁大怒曰：“吾乃曹氏宗族，汝何敢阻当耶？”许褚曰：“将军虽亲，乃外藩镇守之官；许褚虽疏，现充内侍。主公醉卧堂上，不敢放入。”仁乃

不敢入。曹操闻之,叹曰:“许褚真忠臣也!”不数日,夏侯惇亦至,共议征伐。惇曰:“吴、蜀急未可攻,宜先取汉中张鲁,以得胜之兵取蜀,可一鼓而下也。”曹操曰:“正合吾意。”遂起兵西征。正是:方逞凶谋欺弱主,又驱劲卒扫偏邦。未知后事如何,且看下文分解。

第六十七回

曹操平定汉中地　张辽威震逍遥津

却说曹操兴师西征，分兵三队：前部先锋夏侯渊、张郃；操自领诸将居中；后部曹仁、夏侯惇，押运粮草。早有细作报入汉中来。张鲁与弟张卫，商议退敌之策。卫曰："汉中最险无如阳平关；可于关之左右，依山傍林，下十馀个寨栅，迎敌曹兵。兄在汉宁，多拨粮草应付。"张鲁依言，遣大将杨昂、杨任，与其弟即日起程。军马到阳平关，下寨已定。夏侯渊、张郃前军随到；闻阳平关已有准备，离关一十五里下寨。是夜，军士疲困，各自歇息。忽寨后一把火起，杨昂、杨任两路兵杀来劫寨。夏侯渊、张郃急上得马，四下里大兵拥入，曹兵大败，退见曹操。操怒曰："汝二人行军许多年，岂不知'兵若远行疲困，可防劫寨'？如何不作准备？"欲斩二人，以明军法。众官告免。

操次日自引兵为前队；见山势险恶，林木丛杂，不知路径，恐有伏兵，即引军回寨，谓许褚、徐晃二将曰："吾若知此处如此险恶，必不起兵来。"许褚曰："兵已至此，主公不可惮劳。"次日，操上马，只带许褚、徐晃二人，来看张卫寨栅。三匹马转过山坡，早望见张卫寨栅。操扬鞭遥指，谓二将曰："如此坚固，急切难下！"言未已，背后一声喊起，箭如雨发。杨昂、杨任分两路杀来。操大惊。许褚大呼曰："吾当敌贼！徐公明善保主公！"说罢，提刀纵马向前，力敌二将。杨昂、杨任不能当许褚之勇，回马退去，其馀不敢向前。徐晃保着曹操奔过山坡，前面又一军到；看时，却是夏侯渊、张郃二将，听得喊声，故引军杀来接应。于是杀退杨昂、杨任，救得曹操回寨。操重赏四将。自此两边相拒五十馀日，只不交战。曹操传令退军。贾诩曰："贼势未见强弱，主公何故自退耶？"操曰："吾料贼兵每日提备，急难取胜。吾以退军为名，使贼懈而无备，然后分轻骑抄袭其后，必胜贼矣。"贾诩曰："丞相神机，不可测也。"于是令夏侯渊、张郃分兵两路，各引轻骑三千，取小路抄阳平关后。曹操一面引大军拔寨尽起。杨昂听得曹兵退，请杨任商议，欲乘势击之。杨任曰："操诡计极多，未知真实，不可追赶。"杨昂曰："公不往，吾当自去。"杨任苦谏不从。杨昂尽提五寨军马前进，只留些少军士守寨。是日，大雾迷漫，对面不相见。杨昂军至半路，不能行，且权扎住。

却说夏侯渊一军抄过山后，见重雾垂空，又闻人语马嘶，恐有伏兵，急催人马行动，大雾中误走到杨昂寨前。守寨军士，听得马蹄响，只道是杨昂兵回，开门纳之。曹军一拥而入，见是空寨，便就寨中放起火来。五寨军士，尽皆弃寨而走。比及雾散，杨任领兵来救，与夏侯渊战不数合，背后张郃兵到。杨任杀条大路，奔回南郑。杨昂待要回时，已被夏侯渊、张郃两个占了寨栅。背后曹操大队军马赶来。两下夹攻，四边无路。杨昂欲突阵而出，正撞着张郃。两个交手，被张郃杀死。败兵回投阳平关，来见张卫。原来卫知二将败走，诸营已失，半夜弃关，奔回去了。曹操遂得阳平关并诸寨。张卫、杨任回见张鲁。卫言二将失了隘口，因此守关不住。张鲁大怒，欲斩杨任。任曰："某曾谏杨昂，休追操兵。他不肯听信，故有此败。任再乞一军前去挑战，必斩曹操。如不胜，甘当军令。"张鲁取了军令状。杨任上马，引二万军离南郑下寨。

却说曹操提军将进，先令夏侯渊领五千军，往南郑路上哨探，正迎着杨任军马，两军摆开。任遣部将昌奇出马，与渊交锋；战不三合，被渊一刀斩于马下。杨任自挺枪出马，与渊战三十馀合，不分胜负。渊佯败而走，任从后追来；被渊用拖刀计，斩于马下。军士大败而回。曹操知夏侯渊斩了杨任，即时进兵，直抵南郑下寨。张鲁慌聚文武商议。阎圃曰："某保一人，可敌曹操手下诸将。"鲁问是谁。圃曰："南安庞德，前随马超投主公；后马超往西川，庞德卧病不曾行。现今蒙主公恩养，何不令此人去？"

张鲁大喜，即召庞德至，厚加赏劳；点一万军马，令庞德出。离城十馀里，与曹兵相对，庞德出马搦战。曹操在渭桥时，深知庞德之勇，乃嘱诸将曰："庞德乃西凉勇将，原属马超；今虽依张鲁，未称其心。吾欲得此人。汝等须皆与缓斗，使其力乏，然后擒之。"张郃先出，战了数合便退。夏侯渊也战数合退了。徐晃又战三五合也退了。临后许褚战五十馀合亦退。庞德力战四将，并无惧怯。各将皆于操前夸庞德好武艺。曹操心中大喜，与众将商议："如何得此人投降？"贾诩曰："某知张鲁手下，有一谋士杨松。其人极贪贿赂。今可暗以金帛送之，使谮庞德于张鲁，便可图矣。"操曰："何由得人入南郑？"诩曰："来日交锋，诈败佯输，弃寨而走，使庞德据我寨；我却于黄夜引兵劫寨，庞德必退入城：却选一能言军士，扮作彼军，杂在阵中，便得入城。"操听其计，选一精细军校，重加赏赐，付与金掩心甲一副，令披在贴肉，外穿汉中军士号衣，先于半路上等候。次日，先拨夏侯渊、张郃两枝军，远去埋伏；却教徐晃挑战，不数合败走。庞德招军掩杀，曹兵尽退。庞德却夺了曹操寨栅。见寨中粮草极多，大喜，即时申报张鲁；一面在寨中设宴庆贺。当夜二更之后，忽然三路火起：正中是徐晃、许褚，左张郃，右夏侯渊。三路军马，齐来劫寨。

庞德不及提备，只得上马冲杀出来，望城而走。背后三路兵追来。庞德急唤开城门，领兵一拥而入。

此时细作已杂到城中，径投杨松府下谒见，具说："魏公曹丞相久闻盛德，特使某送金甲为信。更有密书呈上。"松大喜，看了密书中言语，谓细作曰："上覆魏公，但请放心。某自有良策奉报。"打发来人先回，便连夜入见张鲁，说庞德受了曹操贿赂，卖此一阵。张鲁大怒，唤庞德责骂，欲斩之。阎圃苦谏。张鲁曰："你来日出战，不胜必斩！"庞德抱恨而退。次日，曹兵攻城，庞德引兵冲出。操令许褚交战。褚诈败，庞德赶来。操自乘马于山坡上唤曰："庞令明何不早降？"庞德寻思："拿住曹操，抵一千员上将！"遂飞马上坡。一声喊起，天崩地塌，连人和马，跌入陷坑内去；四壁钩索一齐上前，活捉了庞德，押上坡来。曹操下马，叱退军士，亲释其缚，问庞德肯降否。庞德寻思张鲁不仁，情愿拜降。曹操亲扶上马，共回大寨，故意教城上望见。人报张鲁，德与操并马而行。鲁益信杨松之言为实。

次日，曹操三面竖立云梯，飞炮攻打。张鲁见其势已极，与弟张卫商议。卫曰："放火尽烧仓廪府库，出奔南山，去守巴中可也。"杨松曰："不如开门投降。"张鲁犹豫不定。卫曰："只是烧了便行。"张鲁曰："我向本欲归命国家，而意未得达；今不得已而出奔，仓廪府库，国家之有，不可废也。"遂尽封锁。是夜二更，张鲁引全家老小，开南门杀出。曹操教休追赶；提兵入南郑，见鲁封闭库藏，心甚怜之。遂差人往巴中，劝使投降。张鲁欲降，张卫不肯。杨松以密书报操，便教进兵，松为内应。操得书，亲自引兵往巴中。张鲁使弟卫领兵出敌，与许褚交锋；被褚斩于马下。败军回报张鲁，鲁欲坚守。杨松曰："今若不出，坐而待毙矣。某守城，主公当亲与决一死战。"鲁从之。阎圃谏鲁休出。鲁不听，遂引军出迎。未及交锋，后军已走。张鲁急退，背后曹兵赶来。鲁到城下，杨松闭门不开。张鲁无路可走，操从后追至，大叫："何不早降！"鲁乃下马投拜。操大喜；念其封仓库之心，优礼相待，封鲁为镇南将军。阎圃等皆封列侯。于是汉中皆平。曹操传令各郡分设太守，置都尉，大赏士卒。惟有杨松卖主求荣，即命斩之于市曹示众。后人有诗叹曰：

妨贤卖主逞奇功，积得金银总是空。家未荣华身受戮，令人千载笑杨松！

曹操已得东川，主簿司马懿进曰："刘备以诈力取刘璋，蜀人尚未归心。今主公已得汉中，益州震动。可速进兵攻之，势必瓦解。智者贵于乘时，时不可失也。"曹操叹曰："'人苦不知足，既得陇，复望蜀'耶？"刘晔曰："司马仲达之言是也。若少迟缓，诸葛亮明于治国而为相，关、张等勇冠三军而为将，蜀民既定，据守关隘，不可犯矣。"操曰："士卒远涉劳苦，且宜存恤。"遂按兵不动。

却说西川百姓，听知曹操已取东川，料必来取西川，一日之间，数遍惊恐。玄德请军师商议。孔明曰："亮有一计，曹操自退。"玄德问何计。孔明曰："曹操分军屯合淝，惧孙权也。今我若分江夏、长沙、桂阳三郡还吴，遣舌辩之士，陈说利害，令吴起兵袭合淝，牵动其势，操必勒兵南向矣。"玄德问："谁可为使？"伊籍曰："某愿往。"玄德大喜，遂作书具礼，令伊籍先到荆州，知会云长，然后入吴。到秣陵，来见孙权，先通了姓名。权召籍入。籍见权礼毕，权问曰："汝到此何为？"籍曰："昨承诸葛子瑜取长沙等三郡，为军师不在，有失交割，今传书送还。所有荆州南郡、零陵，本欲送还；被曹操袭取东川，使关将军无容身之地。今合淝空虚，望君侯起兵攻之，使曹操撤兵回南。吾主若取了东川，即还荆州全土。”权曰：“汝且归馆舍，容吾商议。”伊籍退出，权问计于众谋士。张昭曰：“此是刘备恐曹操取西川，故为此谋。虽然如此，可因操在汉中，乘势取合淝，亦是上计。”权从之，发付伊籍回蜀去讫，便议起兵攻操：令鲁肃收取长沙、江夏、桂阳三郡，屯兵于陆口，取吕蒙、甘宁回；又去馀杭取凌统回。

不一日，吕蒙、甘宁先到。蒙献策曰：“现今曹操令庐江太守朱光，屯兵于皖城，大开稻田，纳谷于合淝，以充军实。今可先取皖城，然后攻合淝。”权曰：“此计甚合吾意。”遂教吕蒙、甘宁为先锋，蒋钦、潘璋为合后，权自引周泰、陈武、董袭、徐盛为中军。时程普、黄盖、韩当在各处镇守，都未随征。

却说军马渡江，取和州，径到皖城。皖城太守朱光，使人往合淝求救；一面固守城池，坚壁不出。权自到城下看时，城上箭如雨发，射中孙权麾盖。权回寨，问众将曰：“如何取得皖城？”董袭曰：“可差军士筑起土山攻之。”徐盛曰：“可竖云梯，造虹桥，下观城中而攻之。”吕蒙曰：“此法皆费日月而成，合淝救军一至，不可图矣。今我军初到，士气方锐，正可乘此锐气，奋力攻击。来日平明进兵，午未时便当破城。”权从之。次日五更饭毕，三军大进。城上矢石齐下。甘宁手执铁链，冒矢石而上。朱光令弓弩手齐射，甘宁拨开箭林，一链打倒朱光。吕蒙亲自擂鼓。士卒皆一拥而上，乱刀砍死朱光。馀众多降，得了皖城，方才辰时。张辽引军至半路，哨马回报皖城已失。辽即回兵归合淝。

孙权入皖城，凌统亦引军到。权慰劳毕，大犒三军，重赏吕蒙、甘宁诸将，设宴庆功。吕蒙逊甘宁上坐，盛称其功劳。酒至半酣，凌统想起甘宁杀父之仇，又见吕蒙夸美之，心中大怒，瞪目直视良久，忽拔左右所佩之剑，立于筵上曰：“筵前无乐，看吾舞剑。"甘宁知其意，推开果桌起身，两手取两枝戟挟定，纵步出曰："看我筵前使戟。"吕蒙见二人各无好意，便一手挽牌，一手提刀，立于其中曰："二公虽能，皆不如我巧也。"说罢，舞起刀牌，将二人分于两下。早有人报知孙权。权慌跨马，直至筵前。众见权至，方各放下军器。权曰："吾常言二人休念旧仇，今日又何如此？"凌统哭拜于地。孙权再三劝止。至次日，起兵进取合淝，三军尽发。

张辽为失了皖城，回到合淝，心中愁闷。忽曹操差薛悌送木匣一个，上有操封，傍书云："贼来乃发"。是日报说孙权自引十万大军，来攻合淝。张辽便开匣观之。内书云："若孙权至，张、李二将军出战，乐将军守城。"张辽将教帖[①]与李典、乐进观之。乐进曰："将军之意若何？"张辽曰："主公远征在外，吴兵以为破我必矣。今可发兵出迎，奋力与战，折其锋锐，以安众心，然后可守也。"李典素与张辽不睦，闻辽此言，默然不答。乐进见李典不语，便道："贼众我寡，难以迎敌，不如坚守。"张辽曰："公等皆是私意，不顾公事。吾今自出迎敌，决一死战。"便教左右备马。李典慨然而起曰："将军如此，典岂敢以私憾而忘公事乎？愿听指挥。"张辽大喜曰："既曼成肯相助，来日引一军于逍遥津北埋伏；待吴兵杀过来，可先断小师桥，吾与乐文谦击之。"李典领命，自去点军埋伏。

却说孙权令吕蒙、甘宁为前队，自与凌统居中，其馀诸将陆续进发，望合淝杀来。吕蒙、甘宁前队兵进，正与乐进相迎。甘宁出马与乐进交锋，战不数合，乐进诈败而走。甘宁招呼吕蒙一齐引军赶去。孙权在第二队，听得前军得胜，催兵行至逍遥津

---

① 教帖——公侯、大臣的命令。这里即指曹操的来书。

北，忽闻连珠炮响，左边张辽一军杀来，右边李典一军杀来。孙权大惊，急令人唤吕蒙、甘宁回救时，张辽兵已到。凌统手下，止有三百馀骑，当不得曹军势如山倒。凌统大呼曰："主公何不速渡小师桥！"言未毕，张辽引二千馀骑，当先杀至。凌统翻身死战。孙权纵马上桥，桥南已折丈馀，并无一片板。孙权惊得手足无措。牙将谷利大呼曰："主公可约马退后，再放马向前，跳过桥去。"孙权收回马来有三丈馀远，然后纵辔加鞭，那马一跳飞过桥南。后人有诗曰：

"的卢"当日跳檀溪，又见吴侯败合淝。退后着鞭驰骏骑，逍遥津上玉龙飞。

孙权跳过桥南，徐盛、董袭驾舟相迎。凌统、谷利抵住张辽。甘宁、吕蒙引军回救，却被乐进从后追来，李典又截住厮杀，吴兵折了大半。凌统所领三百馀人，尽被杀死。统身中数枪，杀到桥边，桥已折断，绕河而逃。孙权在舟中望见，急令董袭棹舟接之，乃得渡回。吕蒙、甘宁皆死命逃过河南。这一阵杀得江南人人害怕；闻张辽大名，小儿也不敢夜啼。众将保护孙权回营。权乃重赏凌统、谷利，收军回濡须，整顿船只，商议水陆并进；一面差人回江南，再起人马来助战。

却说张辽闻孙权在濡须将欲兴兵进取，恐合淝兵少难以抵敌，急令薛悌星夜往汉中，报知曹操，求请救兵。操同众官议曰："此时可收西川否？"刘晔曰："今蜀中稍定，已有提备，不可击也。不如撤兵去救合淝之急，就下江南。"操乃留夏侯渊守汉中定军山隘口，留张郃守蒙头岩等隘口。其馀军兵拔寨都起，杀奔濡须坞来。正是：铁骑甫能平陇右，旌旄又复指江南。未知胜负如何，且看下文分解。

第六十八回

甘宁百骑劫魏营　左慈掷杯戏曹操

却说孙权在濡须口收拾军马，忽报曹操自汉中领兵四十万前来救合淝。孙权与谋士计议，先拨董袭、徐盛二人领五十只大船，在濡须口埋伏；令陈武带领人马，往来江岸巡哨。张昭曰："今曹操远来，必须先挫其锐气。"权乃问帐下曰："曹操远来，谁敢当先破敌，以挫其锐气？"凌统出曰："某愿往。"权曰："带多少军去？"统曰："三千人足矣。"甘宁曰："只须百骑，便可破敌，何必三千！"凌统大怒。两个就在孙权面前争竞起来。权曰："曹军势大，不可轻敌。"乃命凌统带三千军出濡须口去哨探，遇曹兵，便与交战。凌统领命，引着三千人马，离濡须坞。尘头起处，曹兵早到。先锋张辽与凌统交锋，斗五十合，不分胜败。孙权恐凌统有失，令吕蒙接应回营。

甘宁见凌统回，即告权曰："宁今夜只带一百人马去劫曹营；若折了一人一骑，也不算功。"孙权壮之，乃调拨帐下一百精锐马兵付宁；又以酒五十瓶，羊肉五十斤，赏赐军士。甘宁回到营中，教一百人皆列坐，先将银碗斟酒，自吃两碗，乃语百人曰："今夜奉命劫寨，请诸公各满饮一觞，努力向前。"众人闻言，面面相觑。甘宁见众人有难色，乃拔剑在手，怒叱曰："我为上将，且不惜命；汝等何得迟疑！"众人见甘宁作色，皆起拜曰："愿效死力。"甘宁将酒肉与百人共饮食尽，约至二更时候，取白鹅翎一百根，插于盔上为号；都披甲上马，飞奔曹操寨边，拔开鹿角，大喊一声，杀入寨中，径奔中军来杀曹操。原来中军人马，以车仗伏路穿连，围得铁桶相似，不能得进。甘宁只将百骑，左冲右突。曹兵惊慌，正不知敌兵多少，自相扰乱。那甘宁百骑，在营内纵横驰骤，逢着便杀。各营鼓噪，举火如星，喊声大震。甘宁从寨之南门杀出，无人敢当。孙权令周泰引一枝兵来接应。甘宁将百骑回到濡须。操兵恐有埋伏，不敢追袭。后人有诗赞曰：

　　鼙鼓声喧震地来，吴师到处鬼神哀！百翎直贯曹家寨，尽说甘宁虎将才。

甘宁引百骑到寨，不折一人一骑；至营门，令百人皆击鼓吹笛，口称："万岁！"欢声大震。孙权自来迎接。甘宁下马拜伏。权扶起，携宁手曰："将军此去，足使老贼惊骇。非孤相舍，正欲观卿胆耳！"即赐绢千匹，利刀百口。宁拜受讫，遂分赏百人。权语诸将曰："孟德有张辽，孤有甘兴霸，足以相敌也。"

次日，张辽引兵搦战。凌统见甘宁有功，奋然曰："统愿敌张辽。"权许之。统遂领兵五千，离濡须。权自引甘宁临阵观战。对阵圆处，张辽出马，左有李典，右有乐进。凌统纵马提刀，出至阵前。张辽使乐进出迎。两个斗到五十合，未分胜败。曹操闻知，亲自策马到门旗下来看，见二将酣斗，乃令曹休暗放冷箭。曹休便闪在张辽背后，开弓一箭，正中凌统坐下马，那马直立起来，把凌统掀翻在地。乐进连忙持枪来刺。枪还未到，只听得弓弦响处，一箭射中乐进面门，翻身落马。两军齐出，各救一将回营，鸣金罢战。凌统回寨中拜谢孙权。权曰："放箭救你者，甘宁也。"凌统乃顿首拜宁曰："不想公能如此垂恩！"自此与甘宁结为生死之交，再不为恶。

且说曹操见乐进中箭，令自到帐中调治。次日，分兵五路来袭濡须:操自领中路;左一路张辽,二路李典;右一路徐晃,二路庞德。每路各带一万人马,杀奔江边来。时董袭、徐盛二将,在楼船上见五路军马来到,诸军各有惧色。徐盛曰:“食君之禄,忠君之事,何惧哉!”遂引猛士数百人,用小船渡过江边,杀入李典军中去了。董袭在船上,令众军擂鼓呐喊助威。忽然江上猛风大作,白浪掀天,波涛汹涌。军士见大船将覆,争下脚舰逃命。董袭仗剑大喝曰:“将受君命,在此防贼,怎敢弃船而去!”立斩下船军士十馀人。须臾,风急船覆,董袭竟死于江口水中。徐盛在李典军中,往来冲突。

却说陈武听得江边厮杀,引一军来,正与庞德相遇,两军混战。孙权在濡须坞中,听得曹兵杀到江边,亲自与周泰引军前来助战。正见徐盛在李典军中搅做一团厮杀,便麾军杀入接应。却被张辽、徐晃两枝军,把孙权困在垓心。曹操上高阜处看见孙权被围,急令许褚纵马持刀杀入军中,把孙权军冲作两段,彼此不能相救。

却说周泰从军中杀出,到江边,不见了孙权,勒回马,从外又杀入阵中,问本部军:“主公何在?”军人以手指兵马厚处,曰:“主公被围甚急!”周泰挺身杀入,寻见孙权。泰曰:“主公可随泰杀出。”于是泰在前,权在后,奋力冲突。泰到江边,回头又不见孙权,乃复翻身杀入围中,又寻见孙权。权曰:“弓弩齐发,不能得出,如何?”泰曰:“主公在前,某在后,可以出围。”孙权乃纵马前行。周泰左右遮护,身被数枪,箭透重铠,救得孙权。到江边,吕蒙引一枝水军前来接应下船。权曰:“吾亏周泰三番冲杀,得脱重围。但徐盛在垓心,如何得脱?”周泰曰:“吾再救去。”遂轮枪复翻身杀入重围之中,救出徐盛。二将各带重伤。吕蒙教军士乱箭射住岸上兵,救二将下船。

却说陈武与庞德大战，后面又无应兵，被庞德赶到峪口，树林丛密；陈武再欲回身交战，被树株抓住袍袖，不能迎敌，为庞德所杀。曹操见孙权走脱了，自策马驱兵，赶到江边对射。吕蒙箭尽，正慌间，忽对江一宗船到，为首一员大将，乃是孙策女婿陆逊，自引十万兵到；一阵射退曹兵，乘势登岸追杀曹兵，复夺战马数千匹，——曹兵伤者，不计其数，大败而回。——于乱军中寻见陈武尸首。

孙权知陈武已亡，董袭又沉江而死，哀痛至切，令人入水中寻见董袭尸首，与陈武尸一齐厚葬之。又感周泰救护之功，设宴款之。权亲自把盏，抚其背，泪流满面，曰："卿两番相救，不惜性命，被枪数十，肤如刻画，孤亦何心不待卿以骨肉之恩、委卿以兵马之重乎！卿乃孤之功臣，孤当与卿共荣辱、同休戚也。"言罢，令周泰解衣与众将观之：皮肉肌肤，如同刀剜，盘根遍体。孙权手指其痕，一一问之。周泰具言战斗被伤之状。一处伤令吃一觥酒。是日，周泰大醉。权以青罗伞赐之，令出入张盖，以为显耀。

权在濡须，与操相拒月馀，不能取胜。张昭、顾雍上言："曹操势大，不可力取；若与久战，大损士卒：不若求和安民为上。"孙权从其言，令步骘往曹营求和，许年纳岁贡。操见江南急未可下，乃从之，令："孙权先撤人马，吾然后班师。"步骘回覆，权只留蒋钦、周泰守濡须口，尽发大兵上船回秣陵。

操留曹仁、张辽屯合淝，班师回许昌。文武众官皆议立曹操为"魏王"。尚书崔琰力言不可。众官曰："汝独不见荀文若乎？"琰大怒曰："时乎，时乎！会当有变！任自为之！"有与琰不和者，告知操。操大怒，收琰下狱问之。琰虎目虬髯，只是大骂曹操欺君奸贼。廷尉白操，操令杖杀崔琰在狱中。后人有赞曰：

清河崔琰：天性坚刚；虬髯虎目，铁石心肠；奸邪辟易，声节显昂；忠于汉主，千古名扬！

建安二十一年夏五月，群臣表奏献帝，颂魏公曹操功德，“极天际地，伊、周莫及，宜进爵为王。”献帝即令钟繇草诏，册立曹操为“魏王”。曹操假意上书三辞。诏三报不许，操乃拜命受“魏王”之爵，冕十二旒，乘金根车，驾六马，用天子车服銮仪，出警入跸，于邺郡盖魏王宫，议立世子。操大妻丁夫人无出。妾刘氏生子曹昂，因征张绣时死于宛城。卞氏所生四子：长曰丕，次曰彰，三曰植，四曰熊。于是黜丁夫人，而立卞氏为魏王后。第三子曹植，字子建，极聪明，举笔成章，操欲立之为后嗣。长子曹丕，恐不得立，乃问计于中大夫贾诩。诩教如此如此。自是但凡操出征，诸子送行，曹植乃称述功德，发言成章；惟曹丕辞父，只是流涕而拜，左右皆感伤。于是操疑植乖巧，诚心不及丕也。丕又使人买嘱近侍，皆言丕之德。操欲立后嗣，踌躇不定，乃问贾诩曰：“孤欲立后嗣，当立谁？”贾诩不答，操问其故。诩曰：“正有所思，故不能即答耳。”操曰：“何所思？”诩对曰：“思袁本初、刘景升父子也。”操大笑，遂立长子曹丕为王世子。

冬十月，魏王宫成，差人往各处收取奇花异果，栽植后苑。有使者到吴地，见了孙权，传魏王令旨，再往温州取柑子。时孙权正尊让魏王，便令人于本城选了大柑子四十馀担，星夜送往邺郡。至中途，挑担役夫疲困，歇于山脚下，见一先生，眇一目，跛一足，头戴白藤冠，身穿青懒衣，来与脚夫作礼，言曰：“你等挑担劳苦，贫道都替你挑一肩何如？”众人大喜。于是先生每担各挑五里。但是先生挑过的担儿都轻了。众皆惊疑。先生临去，与领柑子官说：“贫道乃魏王乡中故人，姓左，名慈，字元放，道号

'乌角先生'。如你到邺郡,可说左慈申意。"遂拂袖而去。

取柑人至邺郡见操,呈上柑子。操亲剖之,但只空壳,内并无肉。操大惊,问取柑人。取柑人以左慈之事对。操未肯信。门吏忽报:"有一先生,自称左慈,求见大王。"操召入。取柑人曰:"此正途中所见之人。"操叱之曰:"汝以何妖术,摄吾佳果?"慈笑曰:"岂有此事!"取柑剖之,内皆有肉,其味甚甜。但操自剖者,皆空壳。操愈惊,乃赐左慈坐而问之。慈索酒肉,操令与之,饮酒五斗不醉,肉食全羊不饱。操问曰:"汝有何术,以至于此?"慈曰:"贫道于西川嘉陵峨嵋山中,学道三十年,忽闻石壁中有声呼我之名;及视,不见。如此者数日。忽有天雷震碎石壁,得天书三卷,名曰'遁甲天书'。上卷名'天遁',中卷名'地遁',下卷名'人遁'。天遁能腾云跨风,飞升太虚;地遁能穿山透石;人遁能云游四海,藏形变身,飞剑掷刀,取人首级。大王位极人臣,何不退步,跟贫道往峨嵋山中修行?当以三卷天书相授。"操曰:"我亦久思急流勇退,奈朝廷未得其人耳。"慈笑曰:"益州刘玄德乃帝室之胄,何不让此位与之?不然,贫道当飞剑取汝之头也。"操大怒曰:"此正是刘备细作!"喝左右拿下。慈大笑不止。操令十数狱卒,捉下拷之。狱卒着力痛打,看左慈时,却齁齁熟睡,全无痛楚。操怒,命取大枷,铁钉钉了,铁锁锁了,送入牢中监收,令人看守。只见枷锁尽落,左慈卧于地上,并无伤损。连监禁七日,不与饮食。及看时,慈端坐于地上,面皮转红。狱卒报知曹操,操取出问之。慈曰:"我数十年不食,亦不妨;日食千羊,亦能尽。"操无可奈何。

是日,诸官皆至王宫大宴。正行酒间,左慈足穿木履,立于筵前。众官惊怪。左慈曰:"大王今日水陆俱备,大宴群臣,四方异物极多,内中欠少何物,贫道愿取之。"操曰:"我要龙肝作羹,汝能取否?”慈曰:“有何难哉!”取墨笔于粉墙上画一条龙,以袍袖一拂,龙腹自开。左慈于龙腹中提出龙肝一副,鲜血尚流。操不信,叱之曰:“汝先藏于袖中耳!”慈曰:“即今天寒,草木枯死;大王要甚好花,随意所欲。”操曰:“吾只要牡丹花。”慈曰:“易耳。”令取大花盆放筵前,以水噀之。顷刻发出牡丹一株,开放双花。众官大惊,邀慈同坐而食。少刻,庖人进鱼脍。慈曰:“脍必松江鲈鱼者方美。”操曰:“千里之隔,安能取之?”慈曰:“此亦何难取!”教把钓竿来,于堂下鱼池中钓之。顷刻钓出数十尾大鲈鱼,放在殿上。操曰:“吾池中原有此鱼。”慈曰:“大王何相欺耶?天下鲈鱼只两腮,惟松江鲈鱼有四腮:此可辨也。”众官视之,果是四腮。慈曰:“烹松江鲈鱼,须紫芽姜方可。”操曰:“汝亦能取之否?”慈曰:“易耳。”令取金盆一个,慈以衣覆之。须臾,得紫芽姜满盆,进上操前。操以手取之,忽盆内有书一本,题曰《孟德新书》。操取视之,一字不差。操大疑。慈取桌上玉杯,满斟佳酿进操曰:“大王可饮此酒,寿有千年。”操曰:“汝可先饮。”慈遂拔冠上玉簪,于杯中一画,将酒分为两半;自饮一半,将一半奉操。操叱之。慈掷杯于空中,化成一白鸠,绕殿而飞。众官仰面视之,左慈不知所往。左右忽报:“左慈出宫门去了。”操曰:“如此妖人,必当除之!否则必将为害。”遂命许褚引三百铁甲军追擒之。褚上马引军赶至城门,望见左慈穿木履在前,慢步而行。褚飞马追之,却只追不上。直赶到一山中,有牧羊小童,赶着一群羊而来,慈走入羊群内。褚取箭射之,慈即不见。褚尽杀群羊而回。牧羊小童守羊而哭。忽见羊头在地上作人言,唤小童曰:“汝可将羊头都凑在死羊腔子上。”小童大惊,掩面而走。忽闻有人在后呼曰:“不须惊走。还汝活羊。”小童回顾,见左慈已将地上死羊凑活,赶将来了。小童急欲问时,左慈已拂袖而去。——

其行如飞，倏忽不见。

小童归告主人，主人不敢隐讳，报知曹操。操画影图形，各处捉拿左慈。三日之内，城里城外，所捉眇一目、跛一足、白藤冠、青懒衣、穿木履先生，都一般模样者，有三四百个。哄动街市。操令众将，将猪羊血泼之，押送城南教场。曹操亲自引甲兵五百人围住，尽皆斩之。人人颈腔内各起一道青气，到上天聚成一处，化成一个左慈，向空招白鹤一只骑坐，拍手大笑曰："土鼠随金虎，奸雄一旦休！"操令众将以弓箭射之。忽然狂风大作，走石扬沙；所斩之尸，皆跳起来，手提其头，奔上演武厅来打曹操。文官武将，掩面惊倒，各不相顾。正是：奸雄权势能倾国，道士仙机更异人。未知曹操性命如何，且看下文分解。

第六十九回

卜周易管辂知机　讨汉贼五臣死节

却说当日曹操见黑风中群尸皆起，惊倒于地。须臾风定，群尸皆不见。左右扶操回宫，惊而成疾。后人有诗赞左慈曰：

飞步凌云遍九州，独凭遁甲自遨游。等闲施设神仙术，点悟曹瞒不转头。

曹操染病，服药无愈。适太史丞许芝，自许昌来见操。操令芝卜《易》。芝曰："大王曾闻神卜管辂否？"操曰："颇闻其名，未知其术。汝可详言之。"芝曰："管辂字公明，平原人也。容貌粗丑，好酒疏狂。其父曾为琅琊即丘长。辂自幼便喜仰视星辰，夜不肯寐，父母不能禁止。常云：'家鸡野鹄，尚自知时，何况为人在世乎？'与邻儿共戏，辄画地为天文，分布日月星辰。及稍长，即深明《周易》，仰观风角①，数学通神，兼善相术。琅琊太守单子春闻其名，召辂相见。时有坐客百余人，皆能言之士。辂谓子春曰：'辂年少胆气未坚，先请美酒三升，饮而后言。'子春奇之，遂与酒三升。饮毕，辂问子春：'今欲与辂为对者，若府君四座之士耶？'子春曰：'吾自与卿旗鼓相当。'于是与辂讲论《易》理。辂亹亹② 而谈，言言精奥。子春反覆辩难，辂对答如流。从晓至

① 风角——观察风的动向来占吉凶；古代一种迷信的方术。
② 亹(wěi)亹——同娓娓，不疲倦的样子。

暮,酒食不行。子春及众宾客,无不叹服。于是天下号为'神童'。后有居民郭恩者,兄弟三人,皆得躄疾[1],请辂卜之。辂曰:'卦中有君家本墓中女鬼,非君伯母即叔母也。昔饥荒之年,谋数升米之利,推之落井,以大石压破其头,孤魂痛苦,自诉于天,故君兄弟有此报。不可禳也。'郭恩等涕泣伏罪。安平太守王基,知辂神卜,延辂至家。适信都令妻,常患头风,其子又患心痛,因请辂卜之。辂曰:'此堂之西角有二死尸:一男持矛,一男持弓箭。头在壁内,脚在壁外。持矛者主刺头,故头痛;持弓箭者主刺胸腹,故心痛。'乃掘之。入地八尺,果有二棺。一棺中有矛,一棺中有角弓及箭,木俱已朽烂。辂令徙骸骨去城外十里埋之,妻与子遂无恙。馆陶令诸葛原,迁新兴太守,辂往送行。客言辂能覆射。诸葛原不信,暗取燕卵、蜂窠、蜘蛛三物,分置三盒之中,令辂卜之。卦成,各写四句于盒上。其一曰:'含气须变,依乎宇堂;雌雄以形,羽翼舒张:此燕卵也。'其二曰:'家室倒悬,门户众多;藏精育毒,得秋乃化:此蜂窠也。'其三曰:'觳觫[2] 长足,吐丝成罗;寻网求食,利在昏夜:此蜘蛛也。'满座惊骇。乡中有老妇失牛,求卜之。辂判曰:'北溪之滨,七人宰烹;急往追寻,皮肉尚存。'老妇果往寻之:七人于茅舍后煮食,皮肉犹存。妇告本郡太守刘邠,捕七人罪之,因问老妇曰:'汝何以知之?'妇告以管辂之神卜。刘邠不信,请辂至府,取印囊及山鸡毛藏于盒中,令卜之。辂卜其一曰:'内方外圆,五色成文;含宝守信,出则有章:此印囊也。'其二曰:'岩岩有鸟,锦体朱衣;羽翼玄黄,鸣不失晨:此山鸡毛也。'刘邠大惊,遂待为上宾。一日,出郊闲行,见一

---

① 躄(bì)疾——跛脚病。

② 觳觫(hú sù)——颤抖。

少年耕于田中，辂立道傍，观之良久，问曰：‘少年高姓、贵庚？’答曰：‘姓赵，名颜，年十九岁矣。敢问先生为谁？’辂曰：‘吾管辂也。吾见汝眉间有死气，三日内必死。汝貌美，可惜无寿。’赵颜回家，急告其父。父闻之，赶上管辂，哭拜于地曰：‘请归救吾子！’辂曰：‘此乃天命也，安可禳乎？’父告曰：‘老夫止有此子，望乞垂救！’赵颜亦哭求。辂见其父子情切，乃谓赵颜曰：‘汝可备净酒一瓶，鹿脯一块，来日赍往南山之中，大树之下，看盘石上有二人弈棋：一人向南坐，穿白袍，其貌甚恶；一人向北座，穿红袍，其貌甚美。汝可乘其弈兴浓时，将酒及鹿脯跪进之。待其饮食毕，汝乃哭拜求寿，必得益算矣。——但切勿言是吾所教。’老人留辂在家。次日，赵颜携酒脯杯盘入南山之中。约行五六里，果有二人于大松树下盘石上着棋，全然不顾。赵颜跪进酒脯。二人贪着棋，不觉饮酒已尽。赵颜哭拜于地而求寿，二人大惊。穿红袍者曰：‘此必管子之言也。吾二人既受其私，必须怜之。’穿白袍者，乃于身边取出簿籍检看，谓赵颜曰：‘汝今年十九岁，当死。吾今于“十”字上添一“九”字，汝寿可至九十九。回见管辂，教再休泄漏天机；不然，必致天谴。’穿红者出笔添讫，一阵香风过处，二人化作二白鹤，冲天而去。赵颜归问管辂。辂曰：‘穿红者，南斗也；穿白者，北斗也。’颜曰：‘吾闻北斗九星，何止一人？’辂曰：‘散而为九，合而为一也。北斗注死，南斗注生。今已添注寿算，子复何忧？’父子拜谢。自此管辂恐泄天机，更不轻为人卜。此人现在平原，大王欲知休咎，何不召之？”

操大喜，即差人往平原召辂。辂至，参拜讫，操令卜之。辂答曰：“此幻术耳，何必为忧？”操心安，病乃渐可。操令卜天下之事。辂卜曰：“三八纵横，黄猪遇虎；定军之南，伤折一股。”又令卜传祚修短之数。辂卜曰：“狮子宫中，以安神位；王道鼎新，子孙极贵。”操问其详。辂曰:“茫茫天数,不可预知。待后自验。”操欲封辂为太史。辂曰:“命薄相穷,不称此职,不敢受也。”操问其故。答曰:“辂额无主骨,眼无守睛;鼻无梁柱,脚无天根;背无三甲,腹无三壬:只可泰山治鬼,不能治生人也。”操曰:“汝相吾若何?”辂曰:“位极人臣,又何必相?”再三问之,辂但笑而不答。操令辂遍相文武官僚。辂曰:“皆治世之臣也。”操问休咎,皆不肯尽言。后人有诗赞曰:

平原神卜管公明,能算南辰北斗星。八卦幽微通鬼窍,
六爻玄奥究天庭。预知相法应无寿,自觉心源极有灵。
可惜当年奇异术,后人无复授遗经。

操令卜东吴、西蜀二处。辂设卦云:“东吴主亡一大将,西蜀有兵犯界。”操不信。忽合淝报来:“东吴陆口守将鲁肃身故。”操大惊,便差人往汉中探听消息。不数日,飞报刘玄德遣张飞、马超兵屯下辨取关。操大怒,便欲自领大兵再入汉中,令管辂卜之。辂曰:“大王未可妄动。来春许都必有火灾。”操见辂言累验,故不敢轻动,留居邺郡,使曹洪领兵五万,往助夏侯渊、张郃同守东川;又差夏侯惇领兵三万,于许都来往巡警,以备不虞;又教长史王必总督御林军马。主簿司马懿曰:“王必嗜酒性宽,恐不堪任此职。”操曰:“王必是孤披荆棘历艰难时相随之人,忠而且勤,心如铁石,最足相当。”遂委王必领御林军马屯于许都东华门外。

时有一人,姓耿,名纪,字季行,洛阳人也;旧为丞相府掾,后迁侍中少府,与司直韦晃甚厚;见曹操进封王爵,出入用天子车服,心甚不平。时建安二十三年春正月。耿纪与韦晃密议曰:“操贼奸恶日甚,将来必为篡逆之事。吾等为汉臣,岂可同恶相济?”韦晃曰:“吾有心腹人,姓金,名祎,乃汉相金日磾之后,素有

讨操之心;更兼与王必甚厚。若得同谋,大事济矣。"耿纪曰:"他既与王必交厚,岂肯与我等同谋乎?"韦晃曰:"且往说之,看是如何。"于是二人同至金祎宅中。祎接入后堂,坐定。晃曰:"德伟与王长史甚厚,吾二人特来告求。"祎曰:"所求何事?"晃曰:"吾闻魏王早晚受禅,将登大宝,公与王长史必高迁。望不相弃,曲赐提携,感德非浅!"祎拂袖而起。适从者奉茶至,便将茶泼于地上。晃佯惊曰:"德伟故人,何薄情也?"祎曰:"吾与汝交厚,为汝等是汉朝臣宰之后;今不思报本,欲辅造反之人,吾有何面目与汝为友!"耿纪曰:"奈天数如此,不得不为耳!"祎大怒。耿纪、韦晃见祎果有忠义之心,乃以实情相告曰:"吾等本欲讨贼,来求足下。前言特相试耳。"祎曰:"吾累世汉臣,安能从贼!公等欲扶汉室,有何高见?"晃曰:"虽有报国之心,未有讨贼之计。"祎曰:"吾欲里应外合,杀了王必,夺其兵权,扶助銮舆。更结刘皇叔为外援,操贼可灭矣。"二人闻之,抚掌称善。

祎曰:"我有心腹二人,与操贼有杀父之仇,现居城外,可用为羽翼。"耿纪问是何人。祎曰:"太医吉平之子:长名吉邈,字文然;次名吉穆,字思然。操昔日为董承衣带诏事,曾杀其父;二子逃窜远乡,得免于难。今已潜归许都,若使相助讨贼,无有不从。"耿纪、韦晃大喜。金祎即使人密唤二吉。须臾,二人至。祎具言其事。二人感愤流泪,怨气冲天,誓杀国贼。金祎曰:"正月十五日夜间,城中大张灯火,庆赏元宵。耿少府、韦司直,你二人各领家僮,杀到王必营前;只看营中火起,分两路杀入;杀了王必,径跟我入内,请天子登五凤楼,召百官面谕讨贼。吉文然兄弟于城外杀入,放火为号,各要扬声,叫百姓诛杀国贼,截住城内救军;待天子降诏,招安已定,便进兵杀投邺郡擒曹操,即发使赍诏召刘皇叔。今日约定,至期二更举事。——勿似董承自取其祸。"五人对天说誓，歃血为盟，各自归家，整顿军马器械，临期而行。

且说耿纪、韦晃二人，各有家僮三四百，预备器械。吉邈兄弟，亦聚三百人口，只推围猎，安排已定。金祎先期来见王必，言："方今海宇稍安，魏王威震天下；今值元宵令节，不可不放灯火以示太平气象。"王必然其言，告谕城内居民，尽张灯结彩，庆赏佳节。至正月十五夜，天色晴霁，星月交辉，六街三市，竞放花灯。真个金吾不禁，玉漏无催[①]！王必与御林诸将，在营中饮宴。二更以后，忽闻营中呐喊，人报营后火起。王必慌忙出帐看时，只见火光乱滚；又闻喊杀连天，知是营中有变，急上马出南门，正遇耿纪，一箭射中肩膊，几乎坠马，遂望西门而走。背后有军赶来。王必着忙，弃马步行。至金祎门首，慌叩其门。原来金祎一面使人于营中放火，一面亲领家僮随后助战，只留妇女在家。时家中闻王必叩门之声，只道金祎归来。祎妻从隔门便问曰："王必那厮杀了么？"王必大惊，方悟金祎同谋，径投曹休家，报知金祎、耿纪等同谋反。休急披挂上马，引千馀人在城中拒敌。城内四下火起，烧着五凤楼，帝避于深宫。曹氏心腹爪牙，死据宫门。城中但闻人叫："杀尽曹贼，以扶汉室！"

原来夏侯惇奉曹操命，巡警许昌，领三万军，离城五里屯扎；是夜，遥望见城中火起，便领大军前来，围住许都，使一枝军入城接应曹休。直混杀至天明。耿纪、韦晃等无人相助。人报金祎、二吉皆被杀死。耿纪、韦晃夺路杀出城门，正遇夏侯惇大军围

① 金吾不禁，玉漏无催——金吾，即执金吾，汉代官名，掌管京城的治安警卫。漏，古时滴水计时的器具。这两句是说，京城的人们在元宵节的夜里游玩，因"夜禁"开放，可以不受警卫军的干涉和时间的限制。

住，活捉去了。手下百馀人皆被杀。夏侯惇入城，救灭遗火，尽收五人老小宗族，使人飞报曹操。操传令教将耿、韦二人，及五家宗族老小，皆斩于市，并将在朝大小百官，尽行拿解邺郡，听候发落。夏侯惇押耿、韦二人至市曹。耿纪厉声大叫曰："曹阿瞒！吾生不能杀汝，死当作厉鬼以击贼！"刽子以刀搠其口，流血满地，大骂不绝而死。韦晃以面颊顿地曰："可恨！可恨！"咬牙皆碎而死。后人有诗赞曰：

耿纪精忠韦晃贤，各持空手欲扶天。谁知汉祚相将尽，恨满心胸丧九泉。

夏侯惇尽杀五家老小宗族，将百官解赴邺郡。曹操于教场立红旗于左、白旗于右，下令曰："耿纪、韦晃等造反，放火焚许都，汝等亦有出救火者，亦有闭门不出者。如曾救火者，可立于红旗下；如不曾救火者，可立于白旗下。"众官自思救火者必无罪，于是多奔红旗之下。三停内只有一停立于白旗下。操教尽拿立于红旗下者。众官各言无罪。操曰："汝当时之心，非是救火，实欲助贼耳。"尽命牵出漳河边斩之，死者三百馀员。其立于白旗下者，尽皆赏赐，仍令还许都。时王必已被箭疮发而死，操命厚葬之。令曹休总督御林军马，钟繇为相国，华歆为御史大夫。遂定侯爵六等十八级，关中侯爵十七级，皆金印紫绶①；又置关内外侯十六级，银印龟纽墨绶；五大夫十五级，铜印环纽墨绶。定爵封官，朝廷又换一班人物。曹操方悟管辂火灾之说，遂重赏辂。辂不受。

却说曹洪领兵到汉中，令张郃、夏侯渊各据险要。曹洪亲自

① 绶——古代官印佩带于身，佩印所穿的绳绦叫绶。

进兵拒敌。时张飞自与雷铜守把巴西。马超兵至下辨，令吴兰为先锋，领军哨出，正与曹洪军相遇。吴兰欲退，牙将任夔曰："贼兵初至，若不先挫其锐气，何颜见孟起乎？"于是骤马挺枪搦曹洪战。洪自提刀跃马而出。交锋三合，斩夔于马下，乘势掩杀。吴兰大败，回见马超。超责之曰："汝不得吾令，何故轻敌致败？"吴兰曰："任夔不听吾言，故有此败。"马超曰："可紧守隘口，勿与交锋。"一面申报成都，听候行止。曹洪见马超连日不出，恐有诈谋，引军退回南郑。张郃来见曹洪，问曰："将军既已斩将，如何退兵？"洪曰："吾见马超不出，恐有别谋。且我在邺都，闻神卜管辂有言：当于此地折一员大将。吾疑此言，故不敢轻进。"张郃大笑曰："将军行兵半生，今奈何信卜者之言而惑其心哉！郃虽不才，愿以本部兵取巴西。若得巴西，蜀郡易耳。"洪曰："巴西守将张飞，非比等闲，不可轻敌。"张郃曰："人皆怕张飞，吾视之如小儿耳！此去必擒之！"洪曰："倘有疏失，若何？"郃曰："甘当军令。"洪勒了文状，张郃进兵。正是：自古骄兵多致败，从来轻敌少成功。未知胜负如何，且看下文分解。

第七十回

猛张飞智取瓦口隘　老黄忠计夺天荡山

却说张郃部兵三万，分为三寨，各傍山险：一名宕渠寨，一名蒙头寨，一名荡石寨。当日张郃于三寨中，各分军一半，去取巴西，留一半守寨。早有探马报到巴西，说张郃引兵来了。张飞急唤雷铜商议。铜曰："阆中地恶山险，可以埋伏。将军引兵出战，我出奇兵相助，郃可擒矣。"张飞拨精兵五千与雷铜去讫。飞自引兵一万，离阆中三十里，与张郃兵相遇。两军摆开，张飞出马，单搦张郃。郃挺枪纵马而出。战到二十馀合，郃后军忽然喊起：原来望见山背后有蜀兵旗旛，故此扰乱。张郃不敢恋战，拨马回走。张飞从后掩杀。前面雷铜又引兵杀出。两下夹攻，郃兵大败。张飞、雷铜连夜追袭，直赶到宕渠山。张郃仍旧分兵守住三寨，多置擂木炮石，坚守不战。张飞离宕渠十里下寨，次日引兵搦战。郃在山上大吹大擂饮酒，并不下山。张飞令军士大骂，郃只不出。飞只得还营。次日，雷铜又去山下搦战，郃又不出。雷铜驱军士上山，山上擂木炮石打将下来。雷铜急退。荡石、蒙头两寨兵出，杀败雷铜。次日，张飞又去搦战，张郃又不出。飞使军人百般秽骂，郃在山上亦骂。张飞寻思，无计可施。相拒五十馀日，飞就在山前扎住大寨，每日饮酒；饮至大醉，坐于山前辱骂。

玄德差人犒军，见张飞终日饮酒，使者回报玄德。玄德大惊，忙来问孔明。孔明笑曰："原来如此！军前恐无好酒；成都佳酿极多，可将五十瓮作三车装，送到军前与张将军饮。"玄德曰："吾弟自来饮酒失事，军师何故反送酒与他？"孔明笑曰："主公与翼德做了许多年兄弟，还不知其为人耶？翼德自来刚强，然前于收川之时，义释严颜，此非勇夫所为也。今与张郃相拒五十馀日，酒醉之后，便坐山前辱骂，傍若无人：此非贪杯，乃败张郃之计耳。"玄德曰："虽然如此，未可托大①。可使魏延助之。"孔明令魏延解酒赴军前，车上各插黄旗，大书"军前公用美酒"。魏延领命，解酒到寨中，见张飞，传说主公赐酒。飞拜受讫，分付魏延、雷铜各引一枝人马，为左右翼；只看军中红旗起，便各进兵；教将酒摆列帐下，令军士大开旗鼓而饮。有细作报上山来，张郃自来山顶观望，见张飞坐于帐下饮酒，令二小卒于面前相扑②为戏。郃曰："张飞欺我太甚！"传令今夜下山劫飞寨，令蒙头、荡石二寨，皆出为左右援。当夜张郃乘着月色微明，引军从山侧而下，径到寨前。遥望张飞大明灯烛，正在帐中饮酒。张郃当先大喊一声，山头擂鼓为助，直杀入中军。但见张飞端坐不动。张郃骤马到面前，一枪刺倒——却是一个草人。急勒马回时，帐后连珠炮起。一将当先，拦住去路，睁圆环眼，声如巨雷：乃张飞也。——挺矛跃马，直取张郃。两将在火光中，战到三五十合。张郃只盼两寨来救，谁知两寨救兵，已被魏延、雷铜两将杀退，就势夺了二寨。张郃不见救兵至，正没奈何，又见山上火起，已被张飞后军夺了寨栅。张郃三寨俱失，只得奔瓦口关去了。张飞大获胜捷，报入成都。玄德大喜，方知翼德饮酒是计，只要诱张

---

① 托大——因自信过强而骄傲自大、满不在乎的意思。

② 相扑——一种角力的游戏、竞技，相当于后来的"摔跤"。

郃下山。

却说张郃退守瓦口关，三万军已折了二万，遣人问曹洪求救。洪大怒曰："汝不听吾言，强要进兵，失了紧要隘口，却又来求救！"遂不肯发兵，使人催督张郃出战。郃心慌，只得定计，分两军去关口前山僻埋伏，分付曰："我诈败，张飞必然赶来，汝等就截其归路。"当日张郃引军前进，正遇雷铜。战不数合，张郃败走，雷铜赶来。两军齐出，截断回路。张郃复回，刺雷铜于马下。败军回报张飞。飞自来与张郃挑战。郃又诈败，张飞不赶。郃又回战，不数合，又败走。张飞知是计，收军回寨，与魏延商议曰："张郃用埋伏计，杀了雷铜，又要赚吾，何不将计就计？"延问曰："如何？"飞曰："我明日先引一军前往，汝却引精兵于后，待伏兵出，汝可分兵击之。用车十馀乘，各藏柴草，塞住小路，放火烧之。吾乘势擒张郃，与雷铜报仇。"魏延领计。次日，张飞引兵前进。张郃兵又至，与张飞交锋。战到十合，郃又诈败。张飞引马步军赶来，郃且战且走。引张飞过山峪口，郃将后军为前，复扎住营，与飞又战，指望两彪伏兵出，要围困张飞。不想伏兵却被魏延精兵到，赶入峪口，将车辆截住山路，放火烧车，山谷草木皆着，烟迷其径，兵不得出。张飞只顾引军冲突，张郃大败，死命杀开条路，走上瓦口关，收聚败兵，坚守不出。

张飞和魏延连日攻打关隘不下。飞见不济事，把军退二十里，却和魏延引数十骑，自来两边哨探小路。忽见男女数人，各背小包，于山僻路攀藤附葛而走。飞于马上用鞭指与魏延曰："夺瓦口关，只在这几个百姓身上。"便唤军士分付："休要惊恐他，好生唤那几个百姓来。"军士连忙唤到马前。飞用好言以安其心，问其何来。百姓告曰："某等皆汉中居民，今欲还乡。听知大军厮杀,塞闭阆中官道;今过苍溪,从梓潼山桧钘川入汉中,还家去。"飞曰:"这条路取瓦口关远近若何?"百姓曰:"从梓潼山小路,却是瓦口关背后。"飞大喜,带百姓入寨中,与了酒食;分付魏延:"引兵扣关攻打,我亲自引轻骑出梓潼山攻关后。"便令百姓引路,选轻骑五百,从小路而进。

却说张郃为救军不到,心中正闷,人报魏延在关下攻打。张郃披挂上马,却待下山,忽报:"关后四五路火起,不知何处兵来。"郃自领兵来迎。旗开处,早见张飞。郃大惊,急往小路而走。马不堪行,后面张飞追赶甚急,郃弃马上山,寻径而逃,方得走脱。随行只有十馀人,步行入南郑,见曹洪。洪见张郃只剩下十馀人,大怒曰:"吾教汝休去,汝取下文状要去;今日折尽大兵,尚不自死,还来做甚!"喝令左右推出斩之。行军司马郭淮谏曰:"'三军易得,一将难求'。张郃虽然有罪,乃魏王所深爱者也,不可便诛。可再与五千兵径取葭萌关,牵动其各处之兵,汉中自安矣。如不成功,二罪俱罚。"曹洪从之,又与兵五千,教张郃取葭萌关。郃领命而去。

却说葭萌关守将孟达、霍峻,知张郃兵来。霍峻只要坚守;孟达定要迎敌,引军下关与张郃交锋,大败而回。霍峻急申文书到成都。玄德闻知,请军师商议。孔明聚众将于堂上,问曰:"今葭萌关紧急,必须阆中取翼德,方可退张郃也。"法正曰:"今翼德兵屯瓦口,镇守阆中,亦是紧要之地,不可取回。帐中诸将内选一人去破张郃。"孔明笑曰:"张郃乃魏之名将,非等闲可及。除非翼德,无人可当。"忽一人厉声而出曰:"军师何轻视众人耶!吾虽不才,愿斩张郃首级,献于麾下。"众视之,乃老将黄忠也。孔明曰:"汉升虽勇,争奈年老,恐非张郃对手。"忠听了,白发倒竖而言曰："某虽老，两臂尚开三石之弓，浑身还有千斤之力：岂不足敌张郃匹夫耶！"孔明曰："将军年近七十，如何不老？"忠趋步下堂，取架上大刀，轮动如飞；壁上硬弓，连拽折两张。孔明曰："将军要去，谁为副将？"忠曰："老将严颜，可同我去。但有疏虞，先纳下这白头。"玄德大喜，即时令严颜、黄忠去与张郃交战。赵云谏曰："今张郃亲犯葭萌关，军师休为儿戏。若葭萌一失，益州危矣。何故以二老将当此大敌乎？"孔明曰："汝以二人老迈，不能成事，吾料汉中必于此二人手内可得。"赵云等各各哂笑而退。

却说黄忠、严颜到关上，孟达、霍峻见了，心中亦笑孔明欠调度："是这般紧要去处，如何只教两个老的来！"黄忠谓严颜曰："你可见诸人动静么？他笑我二人年老，今可建奇功，以服众心。"严颜曰："愿听将军之令。"两个商议定了。黄忠引军下关，与张郃对阵。张郃出马，见了黄忠，笑曰："你许大[①]年纪，犹不识羞，尚欲出战耶！"忠怒曰："竖子欺吾年老！吾手中宝刀却不老！"遂拍马向前与郃决战。二马相交，约战二十馀合，忽然背后喊声起：原来是严颜从小路抄在张郃军后。两军夹攻，张郃大败。连夜赶去，张郃兵退八九十里。黄忠、严颜收兵入寨，俱各按兵不动。曹洪听知张郃输了一阵，又欲见罪。郭淮曰："张郃被迫，必投西蜀；今可遣将助之，就如监临，使不生外心。"曹洪从之，即遣夏侯惇之侄夏侯尚并降将韩玄之弟韩浩，二人引五千兵，前来助战。二将即时起行。到张郃寨中，问及军情，郃言："老将黄忠，甚是英雄，更有严颜相助，不可轻敌。"韩浩曰："我在长沙知此老贼利害。他和魏延献了城池，害吾亲兄，今既相遇，

① 许大——那么大。

必当报仇!”遂与夏侯尚引新军离寨前进。原来黄忠连日哨探,已知路径。严颜曰:“此去有山,名天荡山,山中乃是曹操屯粮积草之地。若取得那个去处,断其粮草,汉中可得也。”忠曰:“将军之言,正合吾意。可与吾如此如此。”严颜依计,自领一枝军去了。

却说黄忠听知夏侯尚、韩浩来,遂引军马出营。韩浩在阵前,大骂黄忠:“无义老贼!”拍马挺枪,来取黄忠。夏侯尚便出夹攻。黄忠力战二将,各斗十馀合,黄忠败走。二将赶二十馀里,夺了黄忠寨。忠又草创一营。次日,夏侯尚、韩浩赶来,忠又出阵,战数合,又败走。二将又赶二十馀里,夺了黄忠营寨,唤张郃守后寨。郃来前寨谏曰:“黄忠连退二日,于中必有诡计。”夏侯尚叱张郃曰:“你如此胆怯,可知屡次战败! 今再休多言,看吾二人建功!”张郃羞赧而退。次日,二将又战,黄忠又败退二十里;二将迤逦赶上。次日,二将兵出,黄忠望风而走,连败数阵,直退在关上。二将扣关下寨,黄忠坚守不出。孟达暗暗发书,申报玄德,说:“黄忠连输数阵,现今退在关上。”玄德慌问孔明。孔明曰:“此乃老将骄兵之计也。”赵云等不信。玄德差刘封来关上接应黄忠。忠与封相见,问刘封曰:“小将军来助战何意?”封曰:“父亲得知将军数败,故差某来。”忠笑曰:“此老夫骄兵之计也。看今夜一阵,可尽复诸营,夺其粮食马匹。此是借寨与彼屯辎重耳。今夜留霍峻守关,孟将军可与我搬粮草夺马匹,小将军看我破敌!”

是夜二更,忠引五千军开关直下。原来夏侯尚、韩浩二将连日见关上不出,尽皆懈怠;被黄忠破寨直入,人不及甲,马不及鞍,二将各自逃命而走,军马自相践踏,死者无数。比及天明,连夺三寨。寨中丢下军器鞍马无数,尽教孟达搬运入关。黄忠催军马随后而进,刘封曰:“军士力困,可以暂歇。”忠曰:“‘不入虎穴,焉得虎子?’”策马先进。士卒皆努力向前。张郃军兵,反被自家败兵冲动,都屯扎不住,望后而走;尽弃了许多寨栅,直奔至汉水傍。

张郃寻见夏侯尚、韩浩议曰:“此天荡山,乃粮草之所;更接米仓山,亦屯粮之地:是汉中军士养命之源。倘若疏失,是无汉中也。当思所以保之。”夏侯尚曰:“米仓山有吾叔夏侯渊分兵守护,那里正接定军山,不必忧虑。天荡山有吾兄夏侯德镇守,我等宜往投之,就保此山。”于是张郃与二将连夜投天荡山来,见夏侯德,具言前事。夏侯德曰:“吾此处屯十万兵,你可引去,复取原寨。”郃曰:“只宜坚守,不可妄动。”忽听山前金鼓大震,人报黄忠兵到。夏侯德大笑曰:“老贼不谙兵法,只恃勇耳!”郃曰:“黄忠有谋,非止勇也。”德曰:“川兵远涉而来,连日疲困,更兼深入战境——此无谋也!”郃曰:“亦不可轻敌。且宜坚守。”韩浩曰:“愿借精兵三千击之,当无不克。”德遂分兵与浩下山。黄忠整兵来迎。刘封谏曰:“日已西沉矣,军皆远来劳困,且宜暂息。”忠笑曰:“不然。此天赐奇功,不取是逆天也。”言毕,鼓噪大进。韩浩引兵来战。黄忠挥刀直取浩,只一合,斩浩于马下。蜀兵大喊,杀上山来。张郃、夏侯尚急引军来迎。忽听山后大喊,火光冲天而起,上下通红。夏侯德提兵来救火时,正遇老将严颜,手起刀落,斩夏侯德于马下。原来黄忠预先使严颜引军埋伏于山僻去处,只等黄忠军到,却来放火,柴草堆上,一齐点着,烈焰飞腾,照耀山峪。严颜既斩夏侯德,从山后杀来。张郃、夏侯尚前后不能相顾,只得弃天荡山,望定军山投奔夏侯渊去了。黄忠、严颜守住天荡山,捷音飞报成都。玄德闻之,聚众将庆喜。法正曰:“昔曹操降张鲁,定汉中,不因此势以图巴、蜀,乃留夏侯渊、张郃二将屯守,而自引大军北还:此失计也。今张郃新败,天荡失守,主公若乘此时,举大兵亲往征之,汉中可定也。既定汉中,然后练兵积粟,观衅伺隙,进可讨贼,退可自守。此天与之时,不可失也。”

玄德、孔明皆深然之,遂传令赵云、张飞为先锋,玄德与孔明亲自引兵十万,择日图汉中;传檄各处,严加提备。时建安二十三年,秋七月吉日。玄德大军出葭萌关下营,召黄忠、严颜到寨,厚赏之。玄德曰:“人皆言将军老矣,惟军师独知将军之能。今果立奇功。但今汉中定军山,乃南郑保障,粮草积聚之所;若得定军山,阳平一路,无足忧矣。将军还敢取定军山否?”黄忠慨然应诺,便要领兵前去。孔明急止之曰:“老将军虽然英勇,然夏侯渊非张郃之比也。渊深通韬略,善晓兵机,曹操倚之为西凉藩蔽:先曾屯兵长安,拒马孟起;今又屯兵汉中。操不托他人,而独托渊者,以渊有将才也。今将军虽胜张郃,未卜能胜夏侯渊。吾欲酌量着一人去荆州,替回关将军来,方可敌之。”忠奋然答曰:“昔廉颇[1] 年八十,尚食斗米、肉十斤,诸侯畏其勇,不敢侵犯赵界,何况黄忠未及七十乎?军师言吾老,吾今并不用副将,只将本部兵三千人去,立斩夏侯渊首级,纳于麾下。”孔明再三不容。黄忠只是要去。孔明曰:“既将军要去,吾使一人为监军同去,若何?”正是:请将须行激将法,少年不若老年人。未知其人是谁,且看下文分解。

① 廉颇——战国时赵国的大将。

第七十一回

占对山黄忠逸待劳　据汉水赵云寡胜众

却说孔明分付黄忠："你既要去，吾教法正助你。凡事计议而行。吾随后拨人马来接应。"黄忠应允，和法正领本部兵去了。孔明告玄德曰："此老将不着言语激他，虽去不能成功。他今既去，须拨人马前去接应。"乃唤赵云："将一枝人马，从小路出奇兵接应黄忠：若忠胜，不必出战；倘忠有失，即去救应。"又遣刘封、孟达："领三千兵于山中险要去处，多立旌旗，以壮我兵之声势，令敌人惊疑。"三人各自领兵去了。又差人往下辨，授计与马超，令他如此而行。又差严颜往巴西阆中守隘，替张飞、魏延来同取汉中。

却说张郃与夏侯尚来见夏侯渊，说："天荡山已失，折了夏侯德、韩浩。今闻刘备亲自领兵来取汉中，可速奏魏王，早发精兵猛将，前来策应。"夏侯渊便差人报知曹洪。洪星夜前到许昌，禀知曹操。操大惊，急聚文武，商议发兵救汉中。长史刘晔进曰："汉中若失，中原震动。大王休辞劳苦，必须亲自征讨。"操自悔曰："恨当时不用卿言，以致如此！"忙传令旨，起兵四十万亲征。时建安二十三年秋七月也。曹操兵分三路而进：前部先锋夏侯惇，操自领中军，使曹休押后，三军陆续起行。操骑白马金鞍，玉带锦衣；武士手执大红罗销金伞盖，左右金瓜银钺，镫棒戈矛，打日月龙凤旌旗；护驾龙虎官军二万五千，分为五队，每队五千，按青、黄、赤、白、黑五色，旗幡甲马，并依本色：光辉灿烂，极其雄壮。

兵出潼关，操在马上望见一簇林木，极其茂盛，问近侍曰："此何处也？"答曰："此名蓝田。林木之间，乃蔡邕庄也。今邕女蔡琰，与其夫董祀居此。"原来操素与蔡邕相善。先时其女蔡琰，乃卫仲道之妻；后被北方掳去，于北地生二子，作《胡笳十八拍》，流入中原。操深怜之，使人持千金入北方赎之。左贤王惧操之势，送蔡琰还汉。操乃以琰配与董祀为妻。当日到庄前，因想起蔡邕之事，令军马先行，操引近侍百馀骑，到庄门下马。时董祀出仕于外，止有蔡琰在家，琰闻操至，忙出迎接。操至堂，琰起居毕，侍立于侧。操偶见壁间悬一碑文图轴，起身观之。问于蔡琰，琰答曰："此乃曹娥之碑也。昔和帝时，上虞有一巫者，名曹旰，能婆娑[①]乐神；五月五日，醉舞舟中，堕江而死。其女年十四岁，绕江啼哭七昼夜，跳入波中；后五日，负父之尸浮于江面；里人葬之江边。上虞令度尚奏闻朝廷，表为孝女。度尚令邯郸淳作文镌碑以记其事。时邯郸淳年方十三岁，文不加点[②]，一挥而就，立石墓侧，时人奇之。妾父蔡邕闻而往观，时日已暮，乃于暗中以手摸碑文而读之，索笔大书八字于其背。后人镌石，并镌此八字。"操读八字云："黄绢幼妇，外孙齑臼。"操问琰曰："汝解此意否？"琰曰："虽先人遗笔，妾实不解其意。"操回顾众谋士曰："汝等解否？"众皆不能答。于内一人出曰："某已解其意。"操视

① 婆娑——舞蹈。

② 文不加点——作文不用涂改，一写就是定稿。涂去字、句叫"点"，不作标点解。

之，乃主簿杨修也。操曰："卿且勿言，容吾思之。"遂辞了蔡琰，引众出庄。上马行三里，忽省悟，笑谓修曰："卿试言之。"修曰："此隐语耳。'黄绢'乃颜色之丝也：色傍加丝，是'绝'字。'幼妇'者，少女也：女傍少字，是'妙'字。'外孙'乃女之子也：女傍子字，是'好'字。'虀臼'乃受五辛之器也：受傍辛字，是'辤'字。总而言之，是'绝妙好辤'四字。"操大惊曰："正合孤意！"众皆叹羡杨修才识之敏。

不一日，军至南郑。曹洪接着，备言张郃之事。操曰："非郃之罪，胜负乃兵家常事耳。"洪曰："目今刘备使黄忠攻打定军山，夏侯渊知大王兵至，固守未曾出战。"操曰："若不出战，是示懦也。"便差人持节到定军山，教夏侯渊进兵。刘晔谏曰："渊性太刚，恐中奸计。"操乃作手书与之。使命持节到渊营，渊接入。使者出书，渊拆视之。略曰：

> 凡为将者，当以刚柔相济，不可徒恃其勇。若但任勇，则是一夫之敌耳。吾今屯大军于南郑，欲观卿之"妙才"，勿辱二字可也。

夏侯渊览毕大喜，打发使命回讫，乃与张郃商议曰："今魏王率大兵屯于南郑，以讨刘备。吾与汝久守此地，岂能建立功业？来日吾出战，务要生擒黄忠。"张郃曰："黄忠谋勇兼备，况有法正相助，不可轻敌。此间山路险峻，只宜坚守。"渊曰："若他人建了功劳，吾与汝有何面目见魏王耶？汝只守山，吾去出战。"遂下令曰："谁敢出哨诱敌？"夏侯尚曰："吾愿往。"渊曰："汝去出哨，与黄忠交战，只宜输，不宜赢。吾有妙计，如此如此。"尚受令，引三千军离定军山大寨前行。

却说黄忠与法正引兵屯于定军山口，累次挑战，夏侯渊坚守不出；欲要进攻，又恐山路危险，难以料敌，只得据守。是日，忽报山上曹兵下来搦战。黄忠恰待引军出迎，牙将陈式曰："将军休动，某愿当之。"忠大喜，遂令陈式引军一千，出山口列阵。夏侯尚兵至，遂与交锋。不数合，尚诈败而走。式赶去，行到半路，被两山上擂木炮石，打将下来，不能前进。正欲回时，背后夏侯渊引兵突出，陈式不能抵当，被夏侯渊生擒回寨。部卒多降。有败军逃得性命，回报黄忠，说陈式被擒。忠慌与法正商议，正曰："渊为人轻躁，恃勇少谋。可激劝士卒，拔寨前进，步步为营，诱渊来战而擒之：此乃'反客为主'之法。"忠用其谋，将应有之物，尽赏三军，欢声满谷，愿效死战。黄忠即日拔寨而进，步步为营；每营住数日，又进。渊闻之，欲出战。张郃曰："此乃'反客为主'之计，不可出战，战则有失。"渊不从，令夏侯尚引数千兵出战，直到黄忠寨前。忠上马提刀出迎，与夏侯尚交马，只一合，生擒夏侯尚归寨。馀皆败走，回报夏侯渊。渊急使人到黄忠寨，言愿将陈式来换夏侯尚。忠约定来日阵前相换。次日，两军皆到山谷阔处，布成阵势。黄忠、夏侯渊各立马于本阵门旗之下。黄忠带着夏侯尚，夏侯渊带着陈式，各不与袍铠，只穿蔽体薄衣。一声鼓响，陈式、夏侯尚各望本阵奔回。夏侯尚比及到阵门时，被黄忠一箭，射中后心。尚带箭而回。渊大怒，骤马径取黄忠。忠正要激渊厮杀。两将交马，战到二十馀合，曹营内忽然鸣金收兵。渊慌拨马而回，被忠乘势杀了一阵。渊回阵问押阵官："为何鸣金?"答曰："某见山凹中有蜀兵旗幡数处，恐是伏兵，故急招将军回。"渊信其说，遂坚守不出。

黄忠逼到定军山下，与法正商议。正以手指曰："定军山西，巍然有一座高山，四下皆是险道。此山上足可下视定军山之虚实。将军若取得此山，定军山只在掌中也。"忠仰见山头稍平，山上有些少人马。是夜二更，忠引军士鸣金击鼓，直杀上山顶。此山有夏侯渊部将杜袭守把,止有数百馀人。当时见黄忠大队拥上,只得弃山而走。忠得了山顶,正与定军山相对。法正曰:"将军可守在半山,某居山顶。待夏侯渊兵至,吾举白旗为号,将军却按兵勿动;待他倦怠无备,吾却举起红旗,将军便下山击之:以逸待劳,必当取胜。"忠大喜,从其计。

却说杜袭引军逃回,见夏侯渊,说黄忠夺了对山。渊大怒曰:"黄忠占了对山,不容我不出战。"张郃谏曰:"此乃法正之谋也。将军不可出战,只宜坚守。"渊曰:"占了吾对山,观吾虚实,如何不出战?"郃苦谏不听。渊分军围住对山,大骂挑战。法正在山上举起白旗;任从夏侯渊百般辱骂,黄忠只不出战。午时以后,法正见曹兵倦怠,锐气已堕,多下马坐息,乃将红旗招展——鼓角齐鸣,喊声大震,黄忠一马当先,驰下山来,犹如天崩地塌之势。夏侯渊措手不及,被黄忠赶到麾盖之下,大喝一声,犹如雷吼。渊未及相迎,黄忠宝刀已落,连头带肩,砍为两段。后人有诗赞黄忠曰:

苍头临大敌,皓首逞神威。力趁雕弓发,风迎雪刃挥。
雄声如虎吼,骏马似龙飞。献馘功勋重,开疆展帝畿。

黄忠斩了夏侯渊,曹兵大溃,各自逃生。黄忠乘势去夺定军山,张郃领兵来迎。忠与陈式两下夹攻,混杀一阵,张郃败走。忽然山傍闪出一彪人马,当住去路;为首一员大将,大叫:"常山赵子龙在此!"张郃大惊,引败军夺路望定军山而走。只见前面一枝兵来迎,乃杜袭也。袭曰:"今定军山已被刘封、孟达夺了。"郃大惊,遂与杜袭引败兵到汉水扎营;一面令人飞报曹操。操闻渊死,放声大哭,方悟管辂所言:"三八纵横",乃建安二十四年也;"黄猪遇虎",乃岁在己亥正月也;"定军之南",乃定军山之南也;"伤折一股",乃渊与操有兄弟之亲情也。操令人寻管辂时,不知何处去了。操深恨黄忠,遂亲统大军,来定军山与夏侯渊报仇,令徐晃作先锋。行到汉水,张郃、杜袭接着曹操。二将曰:“今定军山已失,可将米仓山粮草移于北山寨中屯积,然后进兵。”曹操依允。

却说黄忠斩了夏侯渊首级,来葭萌关上见玄德献功。玄德大喜,加忠为征西大将军,设宴庆贺。忽牙将张著来报说:“曹操自领大军二十万,来与夏侯渊报仇。目今张郃在米仓山搬运粮草,移于汉水北山脚下。”孔明曰:“今操引大兵至此,恐粮草不敷,故勒兵不进;若得一人深入其境,烧其粮草,夺其辎重,则操之锐气挫矣。”黄忠曰:“老夫愿当此任。”孔明曰:“操非夏侯渊之比,不可轻敌。”玄德曰:“夏侯渊虽是总帅,乃一勇夫耳,安及张郃?若斩得张郃,胜斩夏侯渊十倍也。”忠奋然曰:“吾愿往斩之。”孔明曰:“你可与赵子龙同领一枝兵去;凡事计议而行,看谁立功。”忠应允便行。孔明就令张著为副将同去。云谓忠曰:“今操引二十万众,分屯十营,将军在主公前要去夺粮,非小可之事。将军当用何策?”忠曰:“看我先去,如何?”云曰:“等我先去。”忠曰:“我是主将,你是副将,如何争先?”云曰:“我与你都一般为主公出力,何必计较?我二人拈阄,拈着的先去。”忠依允。当时黄忠拈着先去。云曰:“既将军先去,某当相助。可约定时刻。如将军依时而还,某按兵不动;若将军过时而不还,某即引军来接应。”忠曰:“公言是也。”于是二人约定午时为期。云回本寨,谓部将张翼曰:“黄汉升约定明日去夺粮草,若午时不回,我当往助。吾营前临汉水,地势危险;我若去时,汝可谨守寨栅,不可轻动。”张翼应诺。

却说黄忠回到寨中,谓副将张著曰:“我斩了夏侯渊,张郃丧胆；吾明日领命去劫粮草，只留五百军守营。你可助吾。今夜三更，尽皆饱食；四更离营，杀到北山脚下，先捉张郃，后劫粮草。”张著依令。当夜黄忠领人马在前，张著在后，偷过汉水，直到北山之下。东方日出，见粮积如山。有些少军士看守，见蜀兵到，尽弃而走。黄忠教马军一齐下马，取柴堆于米粮之上。正欲放火，张郃兵到，与忠混战一处。曹操闻知，急令徐晃接应。晃领兵前进，将黄忠困于垓心。张著引三百军走脱，正要回寨，忽一枝兵撞出，拦住去路；为首大将，乃是文聘；后面曹兵又至，把张著围住。

却说赵云在营中，看看等到午时，不见忠回，急忙披挂上马，引三千军向前接应；临行，谓张翼曰：“汝可坚守营寨。两壁厢多设弓弩，以为准备。”翼连声应诺。云挺枪骤马直杀往前去。迎头一将拦路，乃文聘部将慕容烈也，拍马舞刀来迎赵云；被云手起一枪刺死。曹兵败走。云直杀入重围，又一枝兵截住；为首乃魏将焦炳。云喝问曰：“蜀兵何在？”炳曰：“已杀尽矣！”云大怒，骤马一枪，又刺死焦炳。杀散馀兵，直至北山之下，见张郃、徐晃两人围住黄忠，军士被困多时。云大喝一声，挺枪骤马，杀入重围；左冲右突，如入无人之境。那枪浑身上下，若舞梨花；遍体纷纷，如飘瑞雪。张郃、徐晃心惊胆战，不敢迎敌。云救出黄忠，且战且走；所到之处，无人敢阻。操于高处望见，惊问众将曰：“此将何人也？”有识者告曰：“此乃常山赵子龙也。”操曰：“昔日当阳长坂英雄尚在！”急传令曰：“所到之处，不许轻敌。”赵云救了黄忠，杀透重围，有军士指曰：“东南上围的，必是副将张著。”云不回本寨，遂望东南杀来。所到之处，但见“常山赵云”四字旗号，曾在当阳长坂知其勇者，互相传说，尽皆逃窜。云又救了张著。

曹操见云东冲西突，所向无前，莫敢迎敌，救了黄忠，又救了张著,——奋然大怒,自领左右将士来赶赵云。云已杀回本寨。部将张翼接着,望见后面尘起,知是曹兵追来,即谓云曰:"追兵渐近,可令军士闭上寨门,上敌楼防护。"云喝曰:"休闭寨门! 汝岂不知吾昔在当阳长坂时,单枪匹马,觑曹兵八十三万如草芥! 今有军有将,又何惧哉!"遂拨弓弩手于寨外壕中埋伏;将营内旗枪,尽皆倒偃,金鼓不鸣。云匹马单枪,立于营门之外。

却说张郃、徐晃领兵追至蜀寨,天色已暮;见寨中偃旗息鼓,又见赵云匹马单枪,立于营外,寨门大开,二将不敢前进。正疑之间,曹操亲到,急催督众军向前。众军听令,大喊一声,杀奔营前;见赵云全然不动,曹兵翻身就回。赵云把枪一招,壕中弓弩齐发。时天色昏黑,正不知蜀兵多少。操先拨回马走。只听得后面喊声大震,鼓角齐鸣,蜀兵赶来。曹兵自相践踏,拥到汉水河边,落水死者,不知其数。赵云、黄忠、张著各引后一枝,追杀甚急。操正奔走间,忽刘封、孟达率二枝兵,从米仓山路杀来,放火烧粮草。操弃了北山粮草,忙回南郑。徐晃、张郃扎脚不住,亦弃本寨而走。赵云占了曹寨,黄忠夺了粮草,汉水所得军器无数,大获胜捷,差人去报玄德。玄德遂同孔明前至汉水,问赵云的部卒曰:"子龙如何厮杀?"军士将子龙救黄忠、拒汉水之事,细述一遍。玄德大喜,看了山前山后险峻之路,欣然谓孔明曰:"子龙一身都是胆也!"后人有诗赞曰:

昔日战长坂,威风犹未减。突阵显英雄,被围施勇敢。
鬼哭与神号,天惊并地惨:常山赵子龙,一身都是胆!

于是玄德号子龙为"虎威将军",大劳将士,欢宴至晚。

忽报曹操复遣大军从斜谷小路而进,来取汉水。玄德笑曰:"操此来无能为也。我料必得汉水矣。"乃率兵于汉水之西以迎之。曹操命徐晃为先锋,前来决战。帐前一人出曰:"某深知地理，愿助徐将军同去破蜀。”操视之，乃巴西宕渠人也，姓王，名平，字子均；现充牙门将军。操大喜，遂命王平为副先锋，相助徐晃。操屯兵于定军山北。徐晃、王平引军至汉水，晃令前军渡水列阵。平曰：“军若渡水，倘要急退，如之奈何？”晃曰：“昔韩信背水为阵，所谓‘致之死地而后生’也。”平曰：“不然。昔者韩信料敌人无谋而用此计；今将军能料赵云、黄忠之意否？”晃曰：“汝可引步军拒敌，看我引马军破之。”遂令搭起浮桥，随即过河来战蜀兵。正是：魏人妄意宗韩信，蜀相那知是子房。未知胜负如何，且看下文分解。

第七十二回

诸葛亮智取汉中　曹阿瞒兵退斜谷

却说徐晃引军渡汉水，王平苦谏不听，渡过汉水扎营。黄忠、赵云告玄德曰："某等各引本部兵去迎曹兵。"玄德应允。二人引兵而行。忠谓云曰："今徐晃恃勇而来，且休与敌；待日暮兵疲，你我分兵两路击之可也。"云然之，各引一军据住寨栅。徐晃引兵从辰时搦战，直至申时，蜀兵不动。晃尽教弓弩手向前，望蜀营射去。黄忠谓赵云曰："徐晃令弓弩射者，其军必将退也：可乘时击之。"言未已，忽报曹兵后队果然退动。于是蜀营鼓声大震：黄忠领兵左出，赵云领兵右出。两下夹攻，徐晃大败，军士逼入汉水，死者无数。晃死战得脱，回营责王平曰："汝见吾军势将危，如何不救？"平曰："我若来救，此寨亦不能保。我曾谏公休去，公不肯听，以致此败。"晃大怒，欲杀王平。平当夜引本部军就营中放起火来，曹兵大乱，徐晃弃营而走。王平渡汉水来投赵云，云引见玄德。王平尽言汉水地理。玄德大喜曰："孤得王子均，取汉中无疑矣。"遂命王平为偏将军，领向导使。

却说徐晃逃回见操，说："王平反去降刘备矣！"操大怒，亲统大军来夺汉水寨栅。赵云恐孤军难立，遂退于汉水之西。两军隔水相拒。玄德与孔明来观形势。孔明见汉水上流头，有一带土山，可伏千馀人；乃回到营中，唤赵云吩咐："汝可引五百人，皆带鼓角，伏于土山之下；或半夜，或黄昏，只听我营中炮响：炮响一番，擂鼓一番。——只不要出战。”子龙受计去了。孔明却在高山上暗窥。次日，曹兵到来搦战，蜀营中一人不出，弓弩亦都不发。曹兵自回。当夜更深，孔明见曹营灯火方息，军士歇定，遂放号炮。子龙听得，令鼓角齐鸣。曹兵惊慌，只疑劫寨。及至出营，不见一军。方才回营欲歇，号炮又响，鼓角又鸣，呐喊震地，山谷应声。曹兵彻夜不安。一连三夜，如此惊疑，操心怯，拔寨退三十里，就空阔处扎营。孔明笑曰：“曹操虽知兵法，不知诡计。”遂请玄德亲渡汉水，背水结营。玄德问计，孔明曰：“可如此如此。”

曹操见玄德背水下寨，心中疑惑，使人来下战书。孔明批来日决战。次日，两军会于中路五界山前，列成阵势。操出马立于门旗下，两行布列龙凤旌旗，擂鼓三通，唤玄德答话。玄德引刘封、孟达并川中诸将而出。操扬鞭大骂曰：“刘备忘恩失义、反叛朝廷之贼！”玄德曰：“吾乃大汉宗亲，奉诏讨贼。汝上弑母后，自立为王，僭用天子銮舆，非反而何？”操怒，命徐晃出马来战。刘封出迎。交战之时，玄德先走入阵。封敌晃不住，拨马便走。操下令：“捉得刘备，便为西川之主。”大军齐呐喊杀过阵来。蜀兵望汉水而逃，尽弃营寨；马匹军器，丢满道上。曹军皆争取。操急鸣金收军。众将曰：“某等正待捉刘备，大王何故收军？”操曰：“吾见蜀兵背汉水安营，其可疑一也；多弃马匹军器，其可疑二也。可急退军，休取衣物。”遂下令曰：“妄取一物者立斩。火速退兵。”曹兵方回头时，孔明号旗举起：玄德中军领兵便出，黄忠左边杀来，赵云右边杀来。曹兵大溃而逃。孔明连夜追赶。操传令军回南郑。只见五路火起——原来魏延、张飞得严颜代守阆中，分兵杀来，先得了南郑。操心惊，望阳平关而走。玄德大兵追至南郑褒州。安民已毕，玄德问孔明曰：“曹操此来，何败之速也?"孔明曰:"操平生为人多疑,虽能用兵,疑则多败。吾以疑兵胜之。"玄德曰:"今操退守阳平关,其势已孤,先生将何策以退之?"孔明曰:"亮已算定了。"便差张飞、魏延分兵两路去截曹操粮道,令黄忠、赵云分兵两路去放火烧山。四路军将,各引向导官军去了。

却说曹操退守阳平关,令军哨探。回报曰:"今蜀兵将远近小路,尽皆塞断;砍柴去处,尽放火烧绝。——不知兵在何处。"操正疑惑间,又报张飞、魏延分兵劫粮。操问曰:"谁敢敌张飞?"许褚曰:"某愿往!"操令许褚引一千精兵,去阳平关路上护接粮草。解粮官接着,喜曰:"若非将军到此,粮不得到阳平矣。"遂将车上的酒肉,献与许褚。褚痛饮,不觉大醉,便乘酒兴,催粮车行。解粮官曰:"日已暮矣,前褒州之地,山势险恶,未可过去。"褚曰:"吾有万夫之勇,岂惧他人哉!今夜乘着月色,正好使粮车行走。"许褚当先,横刀纵马,引军前进。二更已后,往褒州路上而来。行至半路,忽山凹里鼓角震天,一枝军当住。为首大将,乃张飞也,挺矛纵马,直取许褚。褚舞刀来迎,却因酒醉,敌不住张飞;战不数合,被飞一矛刺中肩膀,翻身落马;军士急忙救起,退后便走。张飞尽夺粮草车辆而回。

却说众将保着许褚,回见曹操。操令医士疗治金疮,一面亲自提兵来与蜀兵决战。玄德引军出迎。两阵对圆,玄德令刘封出马。操骂曰:"卖履小儿,常使假子拒敌!吾若唤黄须儿来,汝假子为肉泥矣!"刘封大怒,挺枪骤马,径取曹操。操令徐晃来迎,封诈败而走。操引兵追赶。蜀兵营中,四下炮响,鼓角齐鸣。操恐有伏兵,急教退军。曹兵自相践踏,死者极多。奔回阳平关,方才歇定,蜀兵赶到城下:东门放火,西门呐喊;南门放火,北门擂鼓。操大惧，弃关而走。蜀兵从后追袭。操正走之间，前面张飞引一枝兵截住，赵云引一枝兵从背后杀来，黄忠又引兵从褒州杀来。操大败。诸将保护曹操，夺路而走。方逃至斜谷界口，前面尘头忽起，一枝兵到。操曰："此军若是伏兵，吾休矣！"及兵将近，乃操次子曹彰也。

彰字子文，少善骑射；膂力过人，能手格猛兽。操尝戒之曰："汝不读书而好弓马，此匹夫之勇，何足贵乎？"彰曰："大丈夫当学卫青、霍去病①，立功沙漠，长驱数十万众，纵横天下；何能作博士耶？"操尝问诸子之志。彰曰："好为将。"操问："为将何如？"彰曰："披坚执锐，临难不顾，身先士卒；赏必行，罚必信。"操大笑。建安二十三年，代郡乌桓反，操令彰引兵五万讨之；临行戒之曰："居家为父子，受事为君臣。法不徇情，尔宜深戒。"彰到代北，身先战阵，直杀至桑干，北方皆平；因闻操在阳平败阵，故来助战。操见彰至，大喜曰："我黄须儿来，破刘备必矣！"遂勒兵复回，于斜谷界口安营。有人报玄德，言曹彰到。玄德问曰："谁敢去战曹彰？"刘封曰："某愿往。"孟达又说要去。玄德曰："汝二人同去，看谁成功。"各引兵五千来迎：刘封在先，孟达在后。曹彰出马与封交战，只三合，封大败而回。孟达引兵前进，方欲交锋，只见曹兵大乱。原来马超、吴兰两军杀来，曹兵惊动。孟达引兵夹攻。马超士卒，蓄锐日久，到此耀武扬威，势不可当。曹兵败走。曹彰正遇吴兰，两个交锋，不数合，曹彰一戟刺吴兰于马下。三军混战。操收兵于斜谷界口扎住。

操屯兵日久，欲要进兵，又被马超拒守；欲收兵回，又恐被蜀

① 卫青、霍去病——汉武帝时两个著名的将军，都曾与匈奴多次作战，立下战功。

兵耻笑:心中犹豫不决。适庖官进鸡汤。操见碗中有鸡肋,因而有感于怀。正沉吟间,夏侯惇入帐,禀请夜间口号。操随口曰:“鸡肋! 鸡肋!”惇传令众官,都称“鸡肋”。行军主簿杨修,见传“鸡肋”二字,便教随行军士,各收拾行装,准备归程。有人报知夏侯惇。惇大惊,遂请杨修至帐中问曰:“公何收拾行装?”修曰:“以今夜号令,便知魏王不日将退兵归也:鸡肋者,食之无肉,弃之有味。今进不能胜,退恐人笑,在此无益,不如早归:来日魏王必班师矣。故先收拾行装,免得临行慌乱。”夏侯惇曰:“公真知魏王肺腑也!”遂亦收拾行装。于是寨中诸将,无不准备归计。当夜曹操心乱,不能稳睡,遂手提钢斧,绕寨私行。只见夏侯惇寨内军士,各准备行装。操大惊,急回帐召惇问其故。惇曰:“主簿杨德祖先知大王欲归之意。”操唤杨修问之,修以鸡肋之意对。操大怒曰:“汝怎敢造言,乱我军心!”喝刀斧手推出斩之,将首级号令于辕门外。

原来杨修为人恃才放旷,数犯曹操之忌:操尝造花园一所;造成,操往观之,不置褒贬,只取笔于门上书一“活”字而去。人皆不晓其意。修曰:“‘门’内添‘活’字,乃‘阔’字也。丞相嫌园门阔耳。”于是再筑墙围,改造停当,又请操观之。操大喜,问曰:“谁知吾意?”左右曰:“杨修也。”操虽称美,心甚忌之。又一日,塞北送酥一盒至。操自写“一合酥”三字于盒上,置之案头。修入见之,竟取匙与众分食讫。操问其故,修答曰:“盒上明书‘一人一口酥’,岂敢违丞相之命乎?”操虽喜笑,而心恶之。操恐人暗中谋害己身,常分付左右:“吾梦中好杀人;凡吾睡着,汝等切勿近前。”一日,昼寝帐中,落被于地,一近侍慌取覆盖。操跃起拔剑斩之,复上床睡;半晌而起,佯惊问:“何人杀吾近侍?”众以实对。操痛哭,命厚葬之。人皆以为操果梦中杀人;惟修知其意，临葬时指而叹曰："丞相非在梦中，君乃在梦中耳！"操闻而愈恶之。操第三子曹植，爱修之才，常邀修谈论，终夜不息。操与众商议，欲立植为世子。曹丕知之，密请朝歌长吴质入内府商议；因恐有人知觉，乃用大簏藏吴质于中，只说是绢匹在内，载入府中。修知其事，径来告操。操令人于丕府门伺察之。丕慌告吴质，质曰："无忧也：明日用大簏装绢再入以惑之。"丕如其言，以大簏载绢入。使者搜看簏中，果绢也，回报曹操。操因疑修谮害曹丕，愈恶之。操欲试曹丕、曹植之才干。一日，令各出邺城门；却密使人分付门吏，令勿放出。曹丕先至。门吏阻之，丕只得退回。植闻之，问于修。修曰："君奉王命而出，如有阻当者，竟斩之可也。"植然其言。及至门，门吏阻住。植叱曰："吾奉王命，谁敢阻当！"立斩之。于是曹操以植为能。后有人告操曰："此乃杨修之所教也。"操大怒，因此亦不喜植。修又尝为曹植作答教十馀条，但操有问，植即依条答之。操每以军国之事问植，植对答如流。操心中甚疑。后曹丕暗买植左右，偷答教来告操。操见了大怒曰："匹夫安敢欺我耶！"此时已有杀修之心；今乃借惑乱军心之罪杀之。修死年三十四岁。后人有诗曰：

聪明杨德祖，世代继簪缨。笔下龙蛇走，胸中锦绣成。
开谈惊四座，捷对冠群英。身死因才误，非关欲退兵。

曹操既杀杨修，佯怒夏侯惇，亦欲斩之。众官告免。操乃叱退夏侯惇，下令来日进兵。次日，兵出斜谷界口，前面一军相迎，为首大将乃魏延也。操招魏延归降，延大骂。操令庞德出战。二将正斗间，曹寨内火起。人报马超劫了中后二寨。操拔剑在手曰："诸将退后者斩！"众将努力向前。魏延诈败而走，操方麾军回战马超，自立马于高阜处，看两军争战。忽一彪军撞至面前，大叫："魏延在此！"拈弓搭箭，射中曹操。操翻身落马。延弃弓绰刀，骤马上山坡来杀曹操。刺斜里闪出一将，大叫："休伤吾主！"视之，乃庞德也。德奋力向前，战退魏延，保操前行。马超已退。操带伤归寨：原来被魏延射中人中，折却门牙两个，急令医士调治。方忆杨修之言，随将修尸收回厚葬，就令班师；却教庞德断后。操卧于毡车之中，左右虎贲军护卫而行。忽报斜谷山上两边火起，伏兵赶来。曹兵人人惊恐。正是：依稀昔日潼关厄，仿佛当年赤壁危。未知曹操性命如何，且看下文分解。

第七十三回

玄德进位汉中王　云长攻拔襄阳郡

却说曹操退兵至斜谷，孔明料他必弃汉中而走，故差马超等诸将，分兵十数路，不时攻劫。因此操不能久住；又被魏延射了一箭，急急班师。三军锐气堕尽。前队才行，两下火起，乃是马超伏兵追赶。曹兵人人丧胆。操令军士急行，晓夜奔走无停；直至京兆，方始安心。

且说玄德命刘封、孟达、王平等，攻取上庸诸郡，申耽等闻操已弃汉中而走，遂皆投降。玄德安民已定，大赏三军，人心大悦。于是众将皆有推尊玄德为帝之心；未敢径启，却来禀告诸葛军师。孔明曰："吾意已有定夺了。"随引法正等入见玄德，曰："今曹操专权，百姓无主；主公仁义著于天下，今已抚有两川之地，可以应天顺人，即皇帝位，名正言顺，以讨国贼。事不宜迟，便请择吉。"玄德大惊曰："军师之言差矣。刘备虽然汉之宗室，乃臣子也；若为此事，是反汉矣。"孔明曰："非也。方今天下分崩，英雄并起，各霸一方，四海才德之士，舍死亡生而事其上者，皆欲攀龙附凤，建立功名也。今主公避嫌守义，恐失众人之望。愿主公熟思之。"玄德曰："要吾僭居尊位，吾必不敢。可再商议长策。"诸将齐言曰："主公若只推却，众心解矣。"孔明曰："主公平生以义为本，未肯便称尊号。今有荆襄、两川之地，可暂为汉中王。"玄德曰："汝等虽欲尊吾为王，不得天子明诏，是僭也。"孔明曰："今宜从权，不可拘执常理。"张飞大叫曰："异姓之人，皆欲为君，何况哥哥乃汉朝宗派！莫说汉中王，就称皇帝，有何不可！"玄德叱曰："汝勿多言！"孔明曰："主公宜从权变，先进位汉中王，然后表奏天子，未为迟也。"

玄德再三推辞不过，只得依允。建安二十四年秋七月，筑坛于沔阳，方圆九里，分布五方，各设旌旗仪仗。群臣皆依次序排列。许靖、法正请玄德登坛，进冠冕玺绶讫，面南而坐，受文武官员拜贺为汉中王。子刘禅，立为王世子。封许靖为太傅，法正为尚书令；诸葛亮为军师，总理军国重事。封关羽、张飞、赵云、马超、黄忠为五虎大将；魏延为汉中太守。其馀各拟功勋定爵。

玄德既为汉中王，遂修表一道，差人赍赴许都。表曰：

备以具臣之才，荷上将之任，总督三军，奉辞于外；不能扫除寇难，靖匡王室，久使陛下圣教陵迟，六合之内，否而未泰：惟忧反侧，疢如疾首。

曩者董卓，伪为乱阶。自是之后，群凶纵横，残剥海内。赖陛下圣德威临，人臣同应，或忠义奋讨，或上天降罚，暴逆并殪，以渐冰消。惟独曹操，久未枭除，侵擅国权，恣心极乱。臣昔与车骑将军董承，图谋讨操，机事不密，承见陷害。臣播越失据，忠义不果，遂得使操穷凶极逆：主后戮杀，皇子鸩害。虽纠合同盟，念在奋力；懦弱不武，历年未效。常恐殒没，辜负国恩；寤寐永叹，夕惕若厉。

今臣群僚以为：在昔《虞书》，敦叙九族，庶明励翼：帝王相传，此道不废；周监二代，并建诸姬，实赖晋、郑，夹辅之力；高祖龙兴，尊王子弟，大启九国，卒斩诸吕，以安大宗。今操恶直丑正，实繁有徒，包藏祸心，篡盗已显；既宗室微弱，帝族无位，斟酌古式，依假权宜：上臣为大司马、汉中王。

臣伏自三省：受国厚恩，荷任一方，陈力未效，所获已过，不宜复忝高位，以重罪谤。群僚见逼，迫臣以义。臣退惟寇贼不枭，国难未已；宗庙倾危，社稷将坠：诚臣忧心碎首之日。若应权通变，以宁静圣朝，虽赴水火，所不得辞：辄顺众议，拜受印玺，以崇国威。

仰惟爵号，位高宠厚；俯思报效，忧深责重：惊怖惕息，如临于谷。敢不尽力输诚，奖励六师，率齐群义，应天顺时，以宁社稷。谨拜表以闻。

表到许都，曹操在邺郡闻知玄德自立汉中王，大怒曰："织席小儿，安敢如此！吾誓灭之！"即时传令，尽起倾国之兵，赴两川与汉中王决雌雄。一人出班谏曰："大王不可因一时之怒，亲劳车驾远征。臣有一计，不须张弓只箭，令刘备在蜀自受其祸；待其兵衰力尽，只须一将往征之，便可成功。"操视其人，乃司马懿也。操喜问曰："仲达有何高见？"懿曰："江东孙权，以妹嫁刘备，而又乘间窃取回去；刘备又据占荆州不还：彼此俱有切齿之恨。今可差一舌辩之士，赍书往说孙权，使兴兵取荆州；刘备必发两川之兵以救荆州。那时大王兴兵去取汉川，令刘备首尾不能相救，势必危矣。"

操大喜，即修书令满宠为使，星夜投江东来见孙权。权知满宠到，遂与谋士商议。张昭进曰："魏与吴本无仇；前因听诸葛之说词，致两家连年征战不息，生灵遭其涂炭。今满伯宁来，必有讲和之意，可以礼接之。"权依其言，令众谋士接满宠入城相见。礼毕，权以宾礼待宠。宠呈上操书，曰："吴、魏自来无仇，皆因刘备之故，致生衅隙。魏王差某到此，约将军攻取荆州，魏王以兵临汉川，首尾夹击。破刘之后，共分疆土，誓不相侵。"孙权览书毕，设筵相待满宠，送归馆舍安歇。

权与众谋士商议。顾雍曰："虽是说词，其中有理。今可一面送满宠回，约会曹操，首尾相击；一面使人过江探云长动静，方可行事。"诸葛瑾曰："某闻云长自到荆州，刘备娶与妻室，先生一子，次生一女。其女尚幼，未许字人。某愿往与主公世子求婚。若云长肯许，即与云长计议共破曹操；若云长不肯，然后助曹取荆州。"孙权用其谋，先送满宠回许都；却遣诸葛瑾为使，投荆州来。入城见云长，礼毕。云长曰："子瑜此来何意？"瑾曰："特来求结两家之好：吾主吴侯有一子，甚聪明；闻将军有一女，特来求亲。两家结好，并力破曹。此诚美事，请君侯思之。"云长勃然大怒曰："吾虎女安肯嫁犬子乎！不看汝弟之面，立斩汝首！再休多言！"遂唤左右逐出。瑾抱头鼠窜，回见吴侯；不敢隐匿，遂以实告。权大怒曰："何太无礼耶！"便唤张昭等文武官员，商议取荆州之策。步骘曰："曹操久欲篡汉，所惧者刘备也；今遣使来令吴兴兵吞蜀，此嫁祸于吴也。"权曰："孤亦欲取荆州久矣。"骘曰："今曹仁现屯兵于襄阳、樊城，又无长江之险，旱路可取荆州；如何不取，却令主公动兵？只此便见其心。主公可遣使去许都见操，令曹仁旱路先起兵取荆州，云长必掣荆州之兵而取樊城。若云长一动，主公可遣一将，暗取荆州，一举可得矣。"权从其议，即时遣使过江，上书曹操，陈说此事。操大喜，发付使者先回，随遣满宠往樊城助曹仁，为参谋官，商议动兵；一面驰檄东吴，令领兵水路接应，以取荆州。

却说汉中王令魏延总督军马，守御东川。遂引百官回成都。差官起造宫庭，又置馆舍，自成都至白水，共建四百馀处馆舍亭邮。广积粮草，多造军器，以图进取中原。细作人探听得曹操结连东吴，欲取荆州，即飞报入蜀。汉中王忙请孔明商议。孔明曰："某已料曹操必有此谋；然吴中谋士极多，必教操令曹仁先兴兵矣。"汉中王曰："似此如之奈何？"孔明曰："可差使命就送官诰与云长，令先起兵取樊城，使敌军胆寒，自然瓦解矣。"汉中王大喜，即差前部司马费诗为使，赍捧诰命投荆州来。云长出郭，迎接入城。至公廨礼毕，云长问曰："汉中王封我何爵？"诗曰："'五虎大将'之首。"云长问："那五虎将？"诗曰："关、张、赵、马、黄是也。"云长怒曰："翼德吾弟也；孟起世代名家；子龙久随吾兄，即吾弟也：位与吾相并，可也。黄忠何等人，敢与吾同列？大丈夫终不与老卒为伍！"遂不肯受印。诗笑曰："将军差矣。昔萧何、曹参与高祖同举大事，最为亲近，而韩信乃楚之亡将也；然信位为王，居萧、曹之上，未闻萧、曹以此为怨。今汉中王虽有'五虎将'之封，而与将军有兄弟之义，视同一体。将军即汉中王，汉中王即将军也。岂与诸人等哉？将军受汉中王厚恩，当与同休戚、共祸福，不宜计较官号之高下。愿将军熟思之。"云长大悟，乃再拜曰："某之不明，非足下见教，几误大事。"即拜受印绶。

费诗方出王旨，令云长领兵取樊城。云长领命，即时便差傅士仁、糜芳二人为先锋，先引一军于荆州城外屯扎；一面设宴城中，款待费诗。饮至二更，忽报城外寨中火起。云长急披挂上马，出城看时，乃是傅士仁、糜芳饮酒，帐后遗火，烧着火炮，满营撼动，把军器粮草，尽皆烧毁。云长引兵救扑，至四更方才火灭。云长入城，召傅士仁、糜芳责之曰："吾令汝二人作先锋，不曾出师，先将许多军器粮草烧毁，火炮打死本部军人：如此误事，要你二人何用！"叱令斩之。费诗告曰："未曾出师，先斩大将，于军不利。可暂免其罪。"云长怒气不息，叱二人曰："吾不看费司马之面，必斩汝二人之首！"乃唤武士各杖四十，摘去先锋印绶，罚糜芳守南郡，傅士仁守公安；且曰："若吾得胜回来之日，稍有差池，二罪俱罚！"二人满面差惭，喏喏而去。云长便令廖化为先锋，关平为副将，自总中军，马良、伊籍为参谋，一同征进。先是，有胡华之子胡班，到荆州来投降关公；公念其旧日相救之情，甚爱之；令随费诗入川，见汉中王受爵。费诗辞别关公，带了胡班，自回蜀中去了。

且说关公是日祭了"帅"字大旗，假寐于帐中。忽见一猪，其大如牛，浑身黑色，奔入帐中，径咬云长之足。云长大怒，急拔剑斩之，声如裂帛。霎然惊觉，乃是一梦。便觉左足阴阴疼痛，心中大疑。唤关平至，以梦告之。平对曰："猪亦有龙象。龙附足，乃升腾之意，不必疑忌。"云长聚多官于帐下，告以梦兆。或言吉祥者，或言不祥者，众论不一。云长曰："吾大丈夫年近六旬，即死何憾！"正言间，蜀使至，传汉中王旨，拜云长为前将军，假节钺，都督荆襄九郡事。云长受命讫，众官拜贺曰："此足见猪龙之瑞也。"于是云长坦然不疑，遂起兵奔襄阳大路而来。

曹仁正在城中，忽报云长自领兵来。仁大惊，欲坚守不出。副将翟元曰："今魏王令将军约会东吴取荆州；今彼自来，是送死也，何故避之？"参谋满宠谏曰："吾素知云长勇而有谋，未可轻敌。不如坚守，乃为上策。"骁将夏侯存曰："此书生之言耳。岂不闻'水来土掩，将至兵迎'？我军以逸待劳，自可取胜。"曹仁从其言，令满宠守樊城，自领兵来迎云长。云长知曹兵来，唤关平、廖化二将，受计而往。与曹兵两阵对圆，廖化出马搦战。翟元出迎。二将战不多时，化诈败，拨马便走，翟元从后追杀，荆州兵退二十里。次日，又来搦战。夏侯存、翟元一齐出迎，荆州兵又败，又追杀二十馀里。忽听得背后喊声大震，鼓角齐鸣。曹仁急命前军速回，背后关平、廖化杀来，曹兵大乱。曹仁知是中计，先掣一军飞奔襄阳；离城数里，前面绣旗招飐，云长勒马横刀，拦住去路。曹仁胆战心惊，不敢交锋，望襄阳斜路而走。云长不赶。须臾，夏侯存军至，见了云长，大怒，便与云长交锋，只一合，被云长砍死。翟元便走，被关平赶上，一刀斩之。乘势追杀，曹兵大半死于襄江之中。曹仁退守樊城。

云长得了襄阳，赏军抚民。随军司马王甫曰："将军一鼓而下襄阳，曹兵虽然丧胆，然以愚意论之：今东吴吕蒙屯兵陆口，常有吞并荆州之意；倘率兵径取荆州，如之奈何？"云长曰："吾亦念及此。汝便可提调此事：去沿江上下，或二十里，或三十里，选高阜处置一烽火台，每台用五十军守之；倘吴兵渡江，夜则明火，昼则举烟为号。吾当亲往击之。"王甫曰："糜芳、傅士仁守二隘口，恐不竭力；必须再得一人以总督荆州。"云长曰："吾已差治中潘濬守之，有何虑焉？"甫曰："潘濬平生多忌而好利，不可任用。可差军前都督粮料官赵累代之。赵累为人忠诚廉直。若用此人，万无一失。"云长曰："吾素知潘濬为人。今既差定，不必更改。赵累现掌粮料，亦是重事。汝勿多疑，只与我筑烽火台去。"王甫快快拜辞而行。云长令关平准备船只渡襄江，攻打樊城。

却说曹仁折了二将，退守樊城，谓满宠曰："不听公言，兵败将亡，失却襄阳，如之奈何？"宠曰："云长虎将，足智多谋，不可轻敌，只宜坚守。"正言间，人报云长渡江而来，攻打樊城。仁大惊。宠曰："只宜坚守。"部将吕常奋然曰："某乞兵数千，愿当来军于襄江之内。"宠谏曰："不可。"吕常怒曰："据汝等文官之言，只宜坚守，何能退敌？岂不闻兵法云：'军半渡可击。'今云长军半渡襄江，何不击之？若兵临城下，将至壕边，急难抵当矣。"仁即与兵二千，令吕常出樊城迎战。吕常来至江口，只见前面绣旗开处，云长横刀出马。吕常却欲来迎，后面众军见云长神威凛凛，不战先走，吕常喝止不住。云长混杀过来，曹兵大败，马步军折其大半，残败军奔入樊城。曹仁急差人求救。使命星夜至长安，将书呈上曹操，言："云长破了襄阳，现围樊城甚急。望拨大将前来救援。"曹操指班部内一人而言曰："汝可去解樊城之围。"其人应声而出。众视之，乃于禁也。禁曰："某求一将作先锋，领兵同去。"操又问众人曰："谁敢作先锋？"一人奋然出曰："某愿施犬马之劳，生擒关某，献于麾下。"操观之大喜。正是：未见东吴来伺隙，先看北魏又添兵。未知此人是谁，且看下文分解。

第七十四回

庞令明抬榇决死战　关云长放水淹七军

却说曹操欲使于禁赴樊城救援，问众将谁敢作先锋。一人应声愿往。操视之，乃庞德也。操大喜曰："关某威震华夏，未逢对手；今遇令明，真劲敌也。"遂加于禁为征南将军，加庞德为征西都先锋，大起七军，前往樊城。这七军，皆北方强壮之士。两员领军将校：一名董衡，一名董超；当日引各头目参拜于禁。董衡曰："今将军提七枝重兵，去解樊城之厄，期在必胜；乃用庞德为先锋，岂不误事？"禁惊问其故。衡曰："庞德原系马超手下副将，不得已而降魏；今其故主在蜀，职居'五虎上将'；况其亲兄庞柔亦在西川为官：今使他为先锋，是泼油救火也。将军何不启知魏王，别换一人去？"

禁闻此语，遂连夜入府启知曹操。操省悟，即唤庞德至阶下，令纳下先锋印。德大惊曰："某正欲与大王出力，何故不肯见用？"操曰："孤本无猜疑；但今马超现在西川，汝兄庞柔亦在西川，俱佐刘备：孤纵不疑，奈众口何？"庞德闻之，免冠顿首，流血满面而告曰："某自汉中投降大王，每感厚恩，虽肝脑涂地，不能补报；大王何疑于德也？德昔在故乡时，与兄同居，嫂甚不贤，德乘醉杀之；兄恨德入骨髓，誓不相见，恩已断矣。故主马超，有勇无谋，兵败地亡，孤身入川，今与德各事其主，旧义已绝。德感大王恩遇，安敢萌异志？惟大王察之。"操乃扶起庞德，抚慰曰："孤素知卿忠义，前言特以安众人之心耳。卿可努力建功。卿不负孤，孤亦必不负卿也。”

德拜谢回家，令匠人造一木榇[①]。次日，请诸友赴席，列榇于堂。众亲友见之，皆惊问曰：“将军出师，何用此不祥之物？”德举杯谓亲友曰：“吾受魏王厚恩，誓以死报。今去樊城与关某决战，我若不能杀彼，必为彼所杀；即不为彼所杀，我亦当自杀：故先备此榇，以示无空回之理。”众皆嗟叹。德唤其妻李氏与其子庞会出，谓其妻曰：“吾今为先锋，义当效死疆场。我若死，汝好生看养吾儿；吾儿有异相，长大必当与吾报仇也。”妻子痛哭送别，德令扶榇而行。临行，谓部将曰：“吾今去与关某死战，我若被关某所杀，汝等即取吾尸置此榇中；我若杀了关某，吾亦即取其首，置此榇内，回献魏王。”部将五百人皆曰：“将军如此忠勇，某等敢不竭力相助！”于是引军前进。有人将此言报知曹操。操喜曰：“庞德忠勇如此，孤何忧焉！”贾诩曰：“庞德恃血气之勇，欲与关某决死战，臣窃虑之。”操然其言，急令人传旨戒庞德曰：“关某智勇双全，切不可轻敌。可取则取，不可取则宜谨守。”庞德闻命，谓众将曰：“大王何重视关某也？吾料此去，当挫关某三十年之声价。”禁曰：“魏王之言，不可不从。”德奋然趱军前至樊城，耀武扬威，鸣锣击鼓。

却说关公正坐帐中，忽探马飞报：“曹操差于禁为将，领七枝精壮兵到来。前部先锋庞德，军前抬一木榇，口出不逊之言，誓欲与将军决一死战。兵离城止三十里矣。”关公闻言，勃然变色，美髯飘动，大怒曰：“天下英雄，闻吾之名，无不畏服；庞德竖子，何敢藐视吾耶！关平一面攻打樊城，吾自去斩此匹夫，以雪吾

① 木榇——棺材。

恨!"平曰:"父亲不可以泰山之重,与顽石争高下。辱子愿代父去战庞德。"关公曰:"汝试一往,吾随后便来接应。"关平出帐,提刀上马,领兵来迎庞德。两阵对圆,魏营一面皂旗上大书"南安庞德"四个白字。庞德青袍银铠,钢刀白马,立于阵前;背后五百军兵紧随,步卒数人肩抬木榇而出。关平大骂庞德:"背主之贼!"庞德问部卒曰:"此何人也?"或答曰:"此关公义子关平也。"德叫曰:"吾奉魏王旨,来取汝父之首! 汝乃疥癞小儿,吾不杀汝! 快唤汝父来!"平大怒,纵马舞刀,来取庞德。德横刀来迎。战三十合,不分胜负,两家各歇。

早有人报知关公。公大怒,令廖化去攻樊城,自己亲来迎敌庞德。关平接着,言与庞德交战,不分胜负。关公随即横刀出马,大叫曰:"关云长在此,庞德何不早来受死!"鼓声响处,庞德出马曰:"吾奉魏王旨,特来取汝首! 恐汝不信,备榇在此。汝若怕死,早下马受降!"关公大骂曰:"量汝一匹夫,亦何能为! 可惜我青龙刀斩汝鼠贼!"纵马舞刀,来取庞德。德轮刀来迎。二将战有百馀合,精神倍长。两军各看得痴呆了。魏军恐庞德有失,急令鸣金收军。关平恐父年老,亦急鸣金。二将各退。庞德归寨,对众曰:"人言关公英雄,今日方信也。"正言间,于禁至。相见毕,禁曰:"闻将军战关公,百合之上,未得便宜,何不且退军避之?"德奋然曰:"魏王命将军为大将,何太弱也? 吾来日与关某共决一死,誓不退避!"禁不敢阻而回。

却说关公回寨,谓关平曰:"庞德刀法惯熟,真吾敌手。"平曰:"俗云:'初生之犊不惧虎。'父亲纵然斩了此人,只是西羌一小卒耳;倘有疏虞,非所以重伯父之托也。"关公曰:"吾不杀此人,何以雪恨? 吾意已决,再勿多言!"次日,上马引兵前进。庞德亦引兵来迎。两阵对圆,二将齐出,更不打话,出马交锋。斗至五十馀合，庞德拨回马，拖刀而走。关公随后追赶。关平恐有疏失，亦随后赶去。关公口中大骂："庞贼！欲使拖刀计，吾岂惧汝？"原来庞德虚作拖刀势，却把刀就鞍鞒挂住，偷拽雕弓，搭上箭，射将来。关平眼快，见庞德拽弓，大叫："贼将休放冷箭！"关公急睁眼看时，弓弦响处，箭早到来；躲闪不及，正中左臂。关平马到，救父回营。庞德勒回马轮刀赶来，忽听得本营锣声大震。德恐后军有失，急勒马回。原来于禁见庞德射中关公，恐他成了大功，灭禁威风，故鸣金收军。庞德回马，问："何故鸣金？"于禁曰："魏王有戒：关公智勇双全。他虽中箭，只恐有诈，故鸣金收军。"德曰："若不收军，吾已斩了此人也。"禁曰："'紧行无好步'，当缓图之。"庞德不知于禁之意，只懊悔不已。

却说关公回营，拔了箭头。幸得箭射不深，用金疮药敷之。关公痛恨庞德，谓众将曰："吾誓报此一箭之仇！"众将对曰："将军且暂安息几日，然后与战未迟。"次日，人报庞德引军搦战。关公就要出战。众将劝住。庞德令小军毁骂。关平把住隘口，分付众将休报知关公。庞德搦战十馀日，无人出迎，乃与于禁商议曰："眼见关公箭疮举发，不能动止；不若乘此机会，统七军一拥杀入寨中，可救樊城之围。"于禁恐庞德成功，只把魏王戒旨相推，不肯动兵。庞德累欲动兵，于禁只不允，乃移七军转过山口，离樊城北十里，依山下寨，禁自领兵截断大路，令庞德屯兵于谷后：使德不能进兵成功。

却说关平见关公箭疮已合，甚是喜悦。忽听得于禁移七军于樊城之北下寨，未知其谋，即报知关公。公遂上马，引数骑上高阜处望之，见樊城城上旗号不整，军士慌乱；城北十里山谷之内，屯着军马；又见襄江水势甚急。看了半晌，唤向导官问曰："樊城北十里山谷，是何地名？"对曰："罾口川也。"关公喜曰："于禁必为我擒矣。”将士问曰：“将军何以知之？”关公曰：“‘鱼’入‘罾口’，岂能久乎？”诸将未信。公回本寨。时值八月秋天，骤雨数日。公令人预备船筏，收拾水具。关平问曰：“陆地相持，何用水具？”公曰：“非汝所知也。——于禁七军不屯于广易之地，而聚于罾口川险隘之处；方今秋雨连绵，襄江之水必然泛涨；吾已差人堰住各处水口，待水发时，乘高就船，放水一淹，樊城、罾口川之兵皆为鱼鳖矣。”关平拜服。

却说魏军屯于罾口川，连日大雨不止，督将成何来见于禁曰：“大军屯于川口，地势甚低；虽有土山，离营稍远。即今秋雨连绵，军士艰辛。近有人报说荆州兵移于高阜处，又于汉水口预备战筏；倘江水泛涨，我军危矣：宜早为计。”于禁叱曰：“匹夫惑吾军心耶！再有多言者斩之！”成何羞惭而退，却来见庞德，说此事。德曰：“汝所见甚当。于将军不肯移兵，吾明日自移军屯于他处。”

计议方定，是夜风雨大作。庞德坐于帐中，只听得万马争奔，征鼙震地。德大惊，急出帐上马看时，四面八方，大水骤至；七军乱窜，随波逐浪者，不计其数。平地水深丈馀，于禁、庞德与诸将各登小山避水。比及平明，关公及众将皆摇旗鼓噪，乘大船而来。于禁见四下无路，左右止有五六十人，料不能逃，口称“愿降”。关公令尽去衣甲，拘收入船，然后来擒庞德。时庞德并二董及成何，与步卒五百人，皆无衣甲，立在堤上。见关公来，庞德全无惧怯，奋然前来接战。关公将船四面围定，军士一齐放箭，射死魏兵大半。董衡、董超见势已危，乃告庞德曰：“军士折伤大半，四下无路，不如投降。”庞德大怒曰：“吾受魏王厚恩，岂肯屈节于人！”遂亲斩董衡、董超于前，厉声曰：“再说降者，以此二人为例！”于是众皆奋力御敌。自平明战至日中，勇力倍增。关公催四面急攻，矢石如雨。德令军士用短兵接战。德回顾成何曰："吾闻'勇将不怯死以苟免，壮士不毁节而求生'。今日乃我死日也。汝可努力死战。"成何依令向前，被关公一箭射落水中。众军皆降，止有庞德一人力战。正遇荆州数十人，驾小船近堤来，德提刀飞身一跃，早上小船，立杀十馀人，馀皆弃船赴水逃命。庞德一手提刀，一手使短棹，欲向樊城而走。只见上流头，一将撑大筏而至，将小船撞翻，庞德落于水中。船上那将跳下水去，生擒庞德上船。众视之，擒庞德者，乃周仓也。仓素知水性，又在荆州住了数年，愈加惯熟；更兼力大，因此擒了庞德。于禁所领七军，皆死于水中。其会水者料无去路，亦皆投降。后人有诗曰：

夜半征鼙响震天，襄樊平地作深渊。关公神算谁能及，华夏威名万古传。

关公回到高阜去处，升帐而坐。群刀手押过于禁来。禁拜伏于地，乞哀请命。关公曰："汝怎敢抗吾？"禁曰："上命差遣，身不由己。望君侯怜悯，誓以死报。"公绰髯笑曰："吾杀汝，犹杀狗彘耳，空污刀斧！"令人缚送荆州大牢内监候："待吾回，别作区处。"发落去讫。关公又令押过庞德。德睁眉怒目，立而不跪，关公曰："汝兄现在汉中；汝故主马超，亦在蜀中为大将：汝如何不早降？"德大怒曰："吾宁死于刀下，岂降汝耶！"骂不绝口。公大怒，喝令刀斧手推出斩之。德引颈受刑。关公怜而葬之。于是乘水势未退，复上战船，引大小将校来攻樊城。

却说樊城周围，白浪滔天，水势益甚，城垣渐渐浸塌，男女担土搬砖，填塞不住。曹军众将，无不丧胆，慌忙来告曹仁曰："今日之危，非力可救；可趁敌军未至，乘舟夜走：虽然失城，尚可全身。”仁从其言。方欲备船出走,满宠谏曰:“不可。山水骤至,岂能长存? 不旬日即当自退。关公虽未攻城,已遣别将在郏下。其所以不敢轻进者,虑吾军袭其后也。今若弃城而去,黄河以南,非国家之有矣。愿将军固守此城,以为保障。”仁拱手称谢曰:“非伯宁之教,几误大事。”乃骑白马上城,聚众将发誓曰:“吾受魏王命,保守此城;但有言弃城而去者斩!”诸将皆曰:“某等愿以死据守!”仁大喜,就城上设弓弩数百,军士昼夜防护,不敢懈怠。老幼居民,担土石填塞城垣。旬日之内,水势渐退。

关公自擒魏将于禁等,威震天下,无不惊骇。忽次子关兴来寨内省亲。公就令兴赍诸官立功文书去成都见汉中王,各求升迁。兴拜辞父亲,径投成都去讫。

却说关公分兵一半,直抵郏下。公自领兵四面攻打樊城。当日关公自到北门,立马扬鞭,指而问曰:“汝等鼠辈,不早来降,更待何时?”正言间,曹仁在敌楼上,见关公身上止披掩心甲,斜袒着绿袍,乃急招五百弓弩手,一齐放箭。公急勒马回时,右臂上中一弩箭,翻身落马。正是:水里七军方丧胆,城中一箭忽伤身。未知关公性命如何,且看下文分解。

第七十五回

关云长刮骨疗毒　吕子明白衣渡江

却说曹仁见关公落马，即引兵冲出城来；被关平一阵杀回，救关公归寨，拔出臂箭。原来箭头有药，毒已入骨，右臂青肿，不能运动。关平慌与众将商议曰："父亲若损此臂，安能出敌？不如暂回荆州调理。"于是与众将入帐见关公。公问曰："汝等来有何事？"众对曰："某等因见君侯右臂损伤，恐临敌致怒，冲突不便。众议可暂班师回荆州调理。"公怒曰："吾取樊城，只在目前；取了樊城，即当长驱大进，径到许都，剿灭操贼，以安汉室。岂可因小疮而误大事？汝等敢慢吾军心耶！"平等默然而退。

众将见公不肯退兵，疮又不痊，只得四方访问名医。忽一日，有人从江东驾小舟而来，直至寨前。小校引见关平。平视其人：方巾阔服，臂挽青囊；自言姓名："乃沛国谯郡人，姓华，名佗，字元化。因闻关将军乃天下英雄，今中毒箭，特来医治。"平曰："莫非昔日医东吴周泰者乎？"佗曰："然。"平大喜，即与众将同引华佗入帐见关公。时关公本是臂疼，恐慢军心，无可消遣，正与马良弈棋；闻有医者至，即召入。礼毕，赐坐。茶罢，佗请臂视之。公袒下衣袍，伸臂令佗看视。佗曰："此乃弩箭所伤，其中有乌头[①] 之药，直透入骨；若不早治，此臂无用矣。"公曰："用何物

① 乌头——药用植物名，就是附子，茎、叶、根都有毒。

治之?”佗曰:“某自有治法。——但恐君侯惧耳。”公笑曰:“吾视死如归,有何惧哉?”佗曰:“当于静处立一标柱,上钉大环,请君侯将臂穿于环中,以绳系之,然后以被蒙其首。吾用尖刀割开皮肉,直至于骨,刮去骨上箭毒,用药敷之,以线缝其口,方可无事。——但恐君侯惧耳。”公笑曰:“如此,容易! 何用柱环?”令设酒席相待。

公饮数杯酒毕,一面仍与马良弈棋,伸臂令佗割之。佗取尖刀在手,令一小校捧一大盆于臂下接血。佗曰:“某便下手。君侯勿惊。”公曰:“任汝医治。吾岂比世间俗子,惧痛者耶!”佗乃下刀,割开皮肉,直至于骨,骨上已青;佗用刀刮骨,悉悉有声。帐上帐下见者,皆掩面失色。公饮酒食肉,谈笑弈棋,全无痛苦之色。

须臾,血流盈盆。佗刮尽其毒,敷上药,以线缝之。公大笑而起,谓众将曰:“此臂伸舒如故,并无痛矣。先生真神医也!”佗曰:“某为医一生,未尝见此。君侯真天神也!”后人有诗曰:

治病须分内外科,世间妙艺苦无多。神威罕及惟关将;
圣手能医说华佗。

关公箭疮既愈,设席款谢华佗。佗曰:“君侯箭疮虽治,然须爱护。切勿怒气伤触。过百日后,平复如旧矣。”关公以金百两酬之。佗曰:“某闻君侯高义,特来医治,岂望报乎!”坚辞不受,留药一帖,以敷疮口,辞别而去。

却说关公擒了于禁,斩了庞德,威名大震,华夏皆惊。探马报到许都,曹操大惊,聚文武商议曰:“某素知云长智勇盖世,今据荆襄,如虎生翼。于禁被擒,庞德被斩,魏兵挫锐;倘彼率兵直至许都,如之奈何? 孤欲迁都以避之。”司马懿谏曰:“不可。于禁等被水所淹，非战之故；于国家大计，本无所损。今孙、刘失好，云长得志，孙权必不喜；大王可遣使去东吴陈说利害，令孙权暗暗起兵蹑云长之后，许事平之日，割江南之地以封孙权：则樊城之危自解矣。”主簿蒋济曰：“仲达之言是也。今可即发使往东吴，不必迁都动众。”操依允，遂不迁都；因叹谓诸将曰：“于禁从孤三十年，何期临危反不如庞德也！今一面遣使致书东吴，一面必得一大将以当云长之锐——”言未毕，阶下一将应声而出曰：“某愿往。”操视之，乃徐晃也。操大喜，遂拨精兵五万，令徐晃为将，吕建副之，克日起兵，前到阳陵坡驻扎；看东南有应，然后征进。

却说孙权接得曹操书信，览毕，欣然应允，即修书发付使者先回，乃聚文武商议。张昭曰：“近闻云长擒于禁，斩庞德，威震华夏，操欲迁都以避其锋。今樊城危急，遣使求救，事定之后，恐有反覆。”权未及发言，忽报：“吕蒙乘小舟自陆口来，有事面禀。”权召入问之，蒙曰：“今云长提兵围樊城，可乘其远出，袭取荆州。”权曰：“孤欲北取徐州，如何？”蒙曰：“今操远在河北，未暇东顾，徐州守兵无多，往自可克；然其地势利于陆战，不利水战，纵然得之，亦难保守。不如先取荆州，全据长江，别作良图。”权曰：“孤本欲取荆州，前言特以试卿耳。卿可速为孤图之。孤当随后便起兵也。”

吕蒙辞了孙权，回至陆口，早有哨马报说：“沿江上下，或二十里，或三十里，高阜处各有烽火台。”又闻荆州军马整肃，预有准备，蒙大惊曰：“若如此，急难图也。我一时在吴侯面前劝取荆州，今却如何处置？”寻思无计，乃托病不出，使人回报孙权。权闻吕蒙患病，心甚怏怏。陆逊进言曰：“吕子明之病，乃诈耳，非真病也。”权曰:“伯言既知其诈,可往视之。”陆逊领命,星夜至陆口寨中,来见吕蒙,果然面无病色。逊曰:“某奉吴侯命,敬探子明贵恙。”蒙曰:“贱躯偶病,何劳探问。”逊曰:“吴侯以重任付公,公不乘时而动,空怀郁结,何也?”蒙目视陆逊,良久不语。逊又曰:“愚有小方,能治将军之疾,未审可用否?”蒙乃屏退左右而问曰:“伯言良方,乞早赐教。”逊笑曰:“子明之疾,不过因荆州兵马整肃,沿江有烽火台之备耳。予有一计,令沿江守吏,不能举火;荆州之兵,束手归降,可乎?”蒙惊谢曰:“伯言之语,如见我肺腑。愿闻良策。”陆逊曰:“云长倚恃英雄,自料无敌,所虑者惟将军耳。将军乘此机会,托疾辞职,以陆口之任让之他人,使他人卑辞赞美关公,以骄其心,彼必尽撤荆州之兵,以向樊城。若荆州无备,用一旅之师,别出奇计以袭之,则荆州在掌握之中矣。”蒙大喜曰:“真良策也!”

由是吕蒙托病不起,上书辞职。陆逊回见孙权,具言前计。孙权乃召吕蒙还建业养病。蒙至,入见权,权问曰:“陆口之任,昔周公瑾荐鲁子敬以自代,后子敬又荐卿自代:今卿亦须荐一才望兼隆者,代卿为妙。”蒙曰:“若用望重之人,云长必然提备。陆逊意思深长,而未有远名,非云长所忌;若即用以代臣之任,必有所济。”权大喜,即日拜陆逊为偏将军、右都督,代蒙守陆口。逊谢曰:“某年幼无学,恐不堪重任。”权曰:“子明保卿,必不差错。卿毋得推辞。”逊乃拜受印绶,连夜往陆口;交割马步水三军已毕,即修书一封,具名马、异锦、酒礼等物,遣使赍赴樊城见关公。

时公正将息箭疮,按兵不动。忽报:“江东陆口守将吕蒙病危,孙权取回调理,近拜陆逊为将,代吕蒙守陆口。今逊差人赍书具礼,特来拜见。”关公召入,指来使而言曰:“仲谋见识短浅,用此孺子为将!”来使伏地告曰:“陆将军呈书备礼:一来与君侯作贺，二来求两家和好。幸乞笑留。”公拆书视之，书词极其卑谨。关公览毕，仰面大笑，令左右收了礼物，发付使者回去。使者回见陆逊曰：“关公欣喜，无复有忧江东之意。”

逊大喜，密遣人探得关公果然撤荆州大半兵赴樊城听调，只待箭疮痊可，便欲进兵。逊察知备细，即差人星夜报知孙权。孙权召吕蒙商议曰：“今云长果撤荆州之兵，攻取樊城，便可设计袭取荆州。卿与吾弟孙皎同引大军前去，何如?”孙皎字叔明，乃孙权叔父孙静之次子也。蒙曰：“主公若以蒙可用则独用蒙；若以叔明可用则独用叔明。岂不闻昔日周瑜、程普为左右都督，事虽决于瑜，然普自以旧臣而居瑜下，颇不相睦；后因见瑜之才，方始敬服？今蒙之才不及瑜，而叔明之亲胜于普，恐未必能相济也。”

权大悟，遂拜吕蒙为大都督，总制江东诸路军马；令孙皎在后接应粮草。蒙拜谢，点兵三万，快船八十馀只，选会水者扮作商人，皆穿白衣，在船上摇橹，却将精兵伏于𫐐𫗧① 船中。次调韩当、蒋钦、朱然、潘璋、周泰、徐盛、丁奉等七员大将，相继而进。其馀皆随吴侯为合后救应。一面遣使致书曹操，令进兵以袭云长之后；一面先传报陆逊，然后发白衣人，驾快船往浔阳江去。昼夜趱行，直抵北岸。江边烽火台上守台军盘问时，吴人答曰：“我等皆是客商；因江中阻风，到此一避。”随将财物送与守台军士。军士信之，遂任其停泊江边。约至二更，𫐐𫗧中精兵齐出，将烽火台上官军缚倒，暗号一声，八十馀船精兵俱起，将紧要去处墩台之军，尽行捉入船中，不曾走了一个。于是长驱大进，径取荆州，无人知觉。将至荆州，吕蒙将沿江墩台所获官军，用好言抚慰，各各重赏，令赚开城门，纵火为号。众军领命，吕蒙便教

① 𫐐𫗧(gōu lù)——吴地的一种大船。

前导。比及半夜,到城下叫门。门吏认得是荆州之兵,开了城门。众军一声喊起,就城门里放起号火。吴兵齐入,袭了荆州。吕蒙便传令军中:“如有妄杀一人,妄取民间一物者,定按军法。”原任官吏,并依旧职。将关公家属另养别宅,不许闲人搅扰。一面遣人申报孙权。

一日大雨,蒙上马引数骑点看四门。忽见一人取民间箬笠以盖铠甲,蒙喝左右执下问之,乃蒙之乡人也。蒙曰:“汝虽系我同乡,但吾号令已出,汝故犯之,当按军法。”其人泣告曰:“某恐雨湿官铠,故取遮盖,非为私用。乞将军念同乡之情!”蒙曰:“吾固知汝为覆官铠,然终是不应取民间之物。”叱左右推下斩之。枭首传示毕,然后收其尸首,泣而葬之。自是三军震肃。

不一日,孙权领众至。吕蒙出郭迎接入衙。权慰劳毕,仍命潘濬为治中,掌荆州事;监内放出于禁,遣归曹操;安民赏军,设宴庆贺。权谓吕蒙曰:“今荆州已得,但公安傅士仁、南郡糜芳,此二处如何收复?”言未毕,忽一人出曰:“不须张弓只箭,某凭三寸不烂之舌,说公安傅士仁来降,可乎?”众视之,乃虞翻也。权曰:“仲翔有何良策,可使傅士仁归降?”翻曰:“某自幼与士仁交厚;今若以利害说之,彼必归矣。”权大喜,遂令虞翻领五百军,径奔公安来。

却说傅士仁听知荆州有失,急令闭城坚守。虞翻至,见城门紧闭,遂写书拴于箭上,射入城中。军士拾得,献与傅士仁。士仁拆书视之,乃招降之意。览毕,想起“关公去日恨吾之意,不如早降。”即令大开城门,请虞翻入城。二人礼毕,各诉旧情。翻说吴侯宽洪大度,礼贤下士;士仁大喜,即同虞翻赍印绶来荆州投降。孙权大悦,仍令去守公安。吕蒙密谓权曰:“今云长未获,留士仁于公安,久必有变;不若使往南郡招糜芳归降。”权乃召傅士仁谓曰："糜芳与卿交厚，卿可招来归降，孤自当有重赏。"傅士仁慨然领诺，遂引十馀骑，径投南郡招安糜芳。正是：今日公安无守志，从前王甫是良言。未知此去如何，且看下文分解。

第七十六回

徐公明大战沔水　关云长败走麦城

却说糜芳闻荆州有失，正无计可施。忽报公安守将傅士仁至，芳忙接入城，问其事故。士仁曰："吾非不忠。势危力困，不能支持，我今已降东吴。——将军亦不如早降。"芳曰："吾等受汉中王厚恩，安忍背之？"士仁曰："关公去日，痛恨吾二人；倘一日得胜而回，必无轻恕：公细察之。"芳曰："吾兄弟久事汉中王，岂可一朝相背？"正犹豫间，忽报关公遣使至，接入厅上。使者曰："关公军中缺粮，特来南郡、公安二处取白米十万石，令二将军星夜解去军前交割。如迟立斩。"芳大惊，顾谓傅士仁曰："今荆州已被东吴所取，此粮怎得过去？"士仁厉声曰："不必多疑！"遂拔剑斩来使于堂上。芳惊曰："公如何斩之？"士仁曰："关公此意，正要斩我二人。我等安可束手受死？公今不早降东吴，必被关公所杀。"正说间，忽报吕蒙引兵杀至城下。芳大惊，乃同傅士仁出城投降。蒙大喜，引见孙权。权重赏二人。安民已毕，大犒三军。

时曹操在许都，正与众谋士议荆州之事，忽报东吴遣使奉书至。操召入，使者呈上书信。操拆视之，书中具言吴兵将袭荆州，求操夹攻云长；且嘱："勿泄漏，使云长有备也。"操与众谋士商议，主簿董昭曰："今樊城被困，引颈望救，不如令人将书射入樊城，以宽军心；且使关公知东吴将袭荆州。彼恐荆州有失，必速退兵，却令徐晃乘势掩杀，可获全功。”操从其谋，一面差人催徐晃急战；一面亲统大兵，径往洛阳之南阳陵坡驻扎，以救曹仁。

却说徐晃正坐帐中，忽报魏王使至。晃接入问之，使曰：“今魏王引兵，已过洛阳；令将军急战关公，以解樊城之困。”正说间，探马报说：“关平屯兵在偃城，廖化屯兵在四冢：前后一十二个寨栅，连络不绝。”晃即差副将徐商、吕建假着徐晃旗号，前赴偃城与关平交战。晃却自引精兵五百，循沔水去袭偃城之后。

且说关平闻徐晃自引兵至，遂提本部兵迎敌。两阵对圆，关平出马，与徐商交锋，只三合，商大败而走；吕建出战，五六合亦败走。平乘胜追杀二十馀里，忽报城中火起。平知中计，急勒兵回救偃城。正遇一彪军摆开，徐晃立马在门旗下，高叫曰：“关平贤侄，好不知死！汝荆州已被东吴夺了，犹然在此狂为！”平大怒，纵马轮刀，直取徐晃；不三四合，三军喊叫，偃城中火光大起。平不敢恋战，杀条大路，径奔四冢寨来。廖化接着。化曰：“人言荆州已被吕蒙袭了，军心惊慌，如之奈何？”平曰：“此必讹言也。军士再言者斩之。”忽流星马到，报说正北第一屯被徐晃领兵攻打。平曰：“若第一屯有失，诸营岂得安宁？此间皆靠沔水，贼兵不敢到此。吾与汝同去救第一屯。”廖化唤部将分付曰：“汝等坚守营寨，如有贼到，即便举火。”部将曰：“四冢寨鹿角十重，虽飞鸟亦不能入，何虑贼兵！”于是关平、廖化尽起四冢寨精兵，奔至第一屯住扎。关平看见魏兵屯于浅山之上，谓廖化曰：“徐晃屯兵，不得地利，今夜可引兵劫寨。”化曰：“将军可分兵一半前去，某当谨守本寨。”

是夜，关平引一枝兵杀入魏寨，不见一人。平知是计，火速退时，左边徐商，右边吕建，两下夹攻。平大败回营，魏兵乘势追杀前来,四面围住。关平、廖化支持不住,弃了第一屯,径投四冢寨来。早望见寨中火起。急到寨前,只见皆是魏兵旗号。关平等退兵,忙奔樊城大路而走。前面一军拦住,为首大将,乃是徐晃也。平、化二人奋力死战,夺路而走,回到大寨,来见关公曰:"今徐晃夺了偃城等处;又兼曹操自引大军,分三路来救樊城;多有人言荆州已被吕蒙袭了。"关公喝曰:"此敌人讹言,以乱我军心耳! 东吴吕蒙病危,孺子陆逊代之,不足为虑!"

言未毕,忽报徐晃兵至。公令备马。平谏曰:"父体未痊,不可与敌。"公曰:"徐晃与吾有旧,深知其能;若彼不退,吾先斩之,以警魏将。"遂披挂提刀上马,奋然而出。魏军见之,无不惊惧。公勒马问曰:"徐公明安在?"魏营门旗开处,徐晃出马,欠身而言曰:"自别君侯,倏忽数载,不想君侯须发已苍白矣! 忆昔壮年相从,多蒙教诲,感谢不忘。今君侯英风震于华夏,使故人闻之,不胜叹羡! 兹幸得一见,深慰渴怀。"公曰:"吾与公明交契深厚,非比他人;今何故数穷[①]吾儿耶?"晃回顾众将,厉声大叫曰:"若取得云长首级者,重赏千金!"公惊曰:"公明何出此言?"晃曰:"今日乃国家之事,某不敢以私废公。"言讫,挥大斧直取关公。公大怒,亦挥刀迎之。战八十馀合,公虽武艺绝伦,终是右臂少力。关平恐公有失,火急鸣金,公拨马回寨。忽闻四下里喊声大震。原来是樊城曹仁闻曹操救兵至,引军杀出城来,与徐晃会合,两下夹攻,荆州兵大乱。关公上马,引众将急奔襄江上流头。背后魏兵追至。关公急渡过襄江,望襄阳而奔。忽流星马到,报说:"荆州已被吕蒙所夺,家眷被陷。"关公大惊,不敢奔襄阳,提兵投公安来。探马又报:"公安傅士仁已降东吴了。"关公大怒。

① 数(shuò)穷——屡次窘逼。

忽催粮人到,报说:"公安傅士仁往南郡,杀了使命,招糜芳都降东吴去了。"

关公闻言,怒气冲塞,疮口迸裂,昏绝于地。众将救醒,公顾谓司马王甫曰:"悔不听足下之言,今日果有此事!"因问:"沿江上下,何不举火?"探马答曰:"吕蒙使水手尽穿白衣,扮作客商渡江,将精兵伏于𦨴𦪇之中,先擒了守台士卒,因此不得举火。"公跌足叹曰:"吾中奸贼之谋矣! 有何面目见兄长耶!"管粮都督赵累曰:"今事急矣,可一面差人往成都求救,一面从旱路去取荆州。"关公依言,差马良、伊籍赍文三道,星夜赴成都求救;一面引兵来取荆州,自领前队先行,留廖化、关平断后。

却说樊城围解,曹仁引众将来见曹操,泣拜请罪。操曰:"此乃天数,非汝等之罪也。"操重赏三军,亲至四冢寨周围阅视,顾谓众将曰:"荆州兵围堑鹿角数重,徐公明深入其中,竟获全功。孤用兵三十馀年,未敢长驱径入敌围。公明真胆识兼优者也!"众皆叹服。操班师还于摩陂驻扎。徐晃兵至,操亲出寨迎之,见晃军皆按队伍而行,并无差乱。操大喜曰:"徐将军真有周亚夫[①] 之风矣!"遂封徐晃为平南将军,同夏侯尚守襄阳,以遏关公之师。操因荆州未定,就屯兵于摩陂,以候消息。

却说关公在荆州路上,进退无路,谓赵累曰:"目今前有吴兵,后有魏兵,吾在其中,救兵不至,如之奈何?"累曰:"昔吕蒙在

---

① 周亚夫——西汉时的名将,以治军严整著称。他驻军细柳防备匈奴,连皇帝的前驱都不轻易放入营地,见皇帝时仍带着武器,只作揖,不下拜,汉文帝大加赞叹。

陆口时，尝致书君侯，两家约好，共诛操贼，今却助操而袭我：是背盟也。君侯暂驻军于此，可差人遗书吕蒙责之，看彼如何对答。”关公从其言，遂修书遣使赴荆州来。

却说吕蒙在荆州，传下号令：凡荆州诸郡，有随关公出征将士之家，不许吴兵搅扰，按月给与粮米；有患病者，遣医治疗。将士之家，感其恩惠，安堵不动。忽报关公使至，吕蒙出郭迎接入城，以宾礼相待。使者呈书与蒙。蒙看毕，谓来使曰：“蒙昔日与关将军结好，乃一己之私见；今日之事，乃上命差遣，不得自主。烦使者回报将军，善言致意。”遂设宴款待，送归馆驿安歇。于是随征将士之家，皆来问信；有附家书者，有口传音信者，皆言家门无恙，衣食不缺。

使者辞别吕蒙，蒙亲送出城。使者回见关公，具道吕蒙之语，并说：“荆州城中，君侯宝眷并诸将家属，俱各无恙，供给不缺。”公大怒曰：“此奸贼之计也！我生不能杀此贼，死必杀之，以雪吾恨！”喝退使者。使者出寨，众将皆来探问家中之事；使者具言各家安好，吕蒙极其恩恤，并将书信传送各将。各将欣喜，皆无战心。

关公率兵取荆州，军行之次，将士多有逃回荆州者。关公愈加恨怒，遂催军前进。忽然喊声大震，一彪军拦住，为首大将，乃蒋钦也，勒马挺枪大叫曰：“云长何不早降！”关公骂曰：“吾乃汉将，岂降贼乎！”拍马舞刀，直取蒋钦。不三合，钦败走。关公提刀追杀二十馀里，喊声忽起，左边山谷中韩当领军冲出，右边山谷中周泰引军冲出，蒋钦回马复战：三路夹攻。关公急撤军回走。行无数里，只见南山冈上人烟聚集，一面白旗招飐，上写“荆州土人”四字，众人都叫：“本处人速速投降！”关公大怒，欲上冈杀之。山崦内又有两军撞出：左边丁奉，右边徐盛；——并合蒋钦等三路军马，喊声震地，鼓角喧天，将关公困在垓心。手下将士，渐渐消疏。比及杀到黄昏，关公遥望四山之上，皆是荆州土兵，呼兄唤弟，觅子寻爷，喊声不住。军心尽变，皆应声而去。关公止喝不住，部从止有三百馀人。杀至三更，正东上喊声连天，乃是关平、廖化分两路兵杀入重围，救出关公。关平告曰："军心乱矣，必得城池暂屯，以待援兵。麦城虽小，足可屯扎。"关公从之，催促残军前至麦城，分兵紧守四门，聚将士商议。赵累曰："此处相近上庸，现有刘封、孟达在彼把守，可速差人往求救兵。若得这枝军马接济，以待川兵大至，军心自安矣。"

正议间，忽报吴兵已至，将城四面围定。公问曰："谁敢突围而出，往上庸求救？"廖化曰："某愿往。"关平曰："我护送汝出重围。"关公即修书付廖化藏于身畔，饱食上马，开门出城。正遇吴将丁奉截住。被关平奋力冲杀，奉败走，廖化乘势杀出重围，投上庸去了。关平入城，坚守不出。

且说刘封、孟达自取上庸，太守申耽率众归降，因此汉中王加刘封为副将军，与孟达同守上庸。当日探知关公兵败，二人正议间，忽报廖化至。封令请入问之。化曰："关公兵败，现困于麦城，被围至急。蜀中援兵，不能旦夕即至。特命某突围而出，来此求救。望二将军速起上庸之兵，以救此危。倘稍迟延，公必陷矣。"封曰："将军且歇，容某计议。"

化乃至馆驿安歇，耑候发兵。刘封谓孟达曰："叔父被困，如之奈何？"达曰："东吴兵精将勇；且荆州九郡，俱已属彼，止有麦城，乃弹丸之地；又闻曹操亲督大军四五十万，屯于摩陂：量我等山城之众，安能敌得两家之强兵？不可轻敌。"封曰："吾亦知之。奈关公是吾叔父，安忍坐视而不救乎？"达笑曰："将军以关公为叔，恐关公未必以将军为侄也。某闻汉中王初嗣将军之时，关公即不悦。后汉中王登位之后，欲立后嗣，问于孔明，孔明曰：'此家事也，问关、张可矣。'汉中王遂遣人至荆州问关公，关公以将军乃螟蛉之子，不可僭立，劝汉中王远置将军于上庸山城之地，以杜后患。此事人人知之，将军岂反不知耶？何今日犹沾沾以叔侄之义，而欲冒险轻动乎？"封曰："君言虽是，但以何词却之？"达曰："但言山城初附，民心未定，不敢造次兴兵，恐失所守。"封从其言。次日，请廖化至，言："此山城初附之所，未能分兵相救。"化大惊，以头叩地曰："若如此，则关公休矣！"达曰："我今即往，一杯之水，安能救一车薪之火乎？将军速回，静候蜀兵至可也。"化大恸告求，刘封、孟达皆拂袖而入。廖化知事不谐，寻思须告汉中王求救，遂上马大骂出城，望成都而去。

却说关公在麦城盼望上庸兵到，却不见动静；手下止有五六百人，多半带伤；城中无粮，甚是苦楚。忽报城下一人教休放箭，有话来见君侯。公令放入，问之，乃诸葛瑾也。礼毕茶罢，瑾曰："今奉吴侯命，特来劝谕将军。自古道：'识时务者为俊杰。'今将军所统汉上九郡，皆已属他人矣；止有孤城一区，内无粮草，外无救兵，危在旦夕。将军何不从瑾之言：归顺吴侯，复镇荆襄，可以保全家眷。幸君侯熟思之。"关公正色而言曰："吾乃解良一武夫，蒙吾主以手足相待，安肯背义投敌国乎？城若破，有死而已。玉可碎而不可改其白，竹可焚而不可毁其节：身虽殒，名可垂于竹帛也。汝勿多言，速请出城，吾欲与孙权决一死战！"瑾曰："吴侯欲与君侯结秦、晋之好，同力破曹，共扶汉室，别无他意。君侯何执迷如是？"言未毕，关平拔剑而前，欲斩诸葛瑾。公止之曰："彼弟孔明在蜀，佐汝伯父，今若杀彼，伤其兄弟之情也。"遂令左右逐出诸葛瑾。瑾满面羞惭，上马出城，回见吴侯曰："关公心如铁石，不可说也。"孙权曰："真忠臣也！似此如之奈何？"

吕范曰："某请卜其休咎。"权即令卜之。范揲蓍成象，乃"地水师卦"①，更有玄武临应，主敌人远奔。权问吕蒙曰："卦主敌人远奔，卿以何策擒之？"蒙笑曰："卦象正合某之机也。关公虽有冲天之翼，飞不出吾罗网矣！"正是：龙游沟壑遭虾戏，凤入牢笼被鸟欺。毕竟吕蒙之计若何，且看下文分解。

① "地水师卦"——《师》是《易经》里的一个卦名，由坎(☵)下坤(☷)上组成；《易经》里把坤代表地，坎代表水，所以叫做"地水师卦"。

第七十七回

玉泉山关公显圣　洛阳城曹操感神

却说孙权求计于吕蒙。蒙曰:“吾料关某兵少,必不从大路而逃,麦城正北有险峻小路,必从此路而去。可令朱然引精兵五千,伏于麦城之北二十里;彼军至,不可与敌,只可随后掩杀。彼军定无战心,必奔临沮。却令潘璋引精兵五百,伏于临沮山僻小路,关某可擒矣。今遣将士各门攻打,只空北门,待其出走。”权闻计,令吕范再卜之。卦成,范告曰:“此卦主敌人投西北而走,今夜亥时必然就擒。”权大喜,遂令朱然、潘璋领两枝精兵,各依军令埋伏去讫。

且说关公在麦城,计点马步军兵,止剩三百馀人;粮草又尽。是夜,城外吴兵招唤各军姓名,越城而去者甚多。救兵又不见到。心中无计,谓王甫曰:“吾悔昔日不用公言! 今日危急,将复何如?”甫哭告曰:“今日之事,虽子牙复生,亦无计可施也。”赵累曰:“上庸救兵不至,乃刘封、孟达按兵不动之故。何不弃此孤城,奔入西川,再整兵来,以图恢复?”公曰:“吾亦欲如此。”遂上城观之。见北门外敌军不多,因问本城居民:“此去往北,地势若何?”答曰:“此去皆是山僻小路,可通西川。”公曰:“今夜可走此路。”王甫谏曰:“小路有埋伏,可走大路。”公曰:“虽有埋伏,吾何惧哉!”即下令:马步官军,严整装束,准备出城。甫哭曰:“君侯于路，小心保重！某与部卒百馀人，死据此城；城虽破，身不降也！专望君侯速来救援！”

公亦与泣别。遂留周仓与王甫同守麦城，关公自与关平、赵累引残卒二百馀人，突出北门。关公横刀前进，行至初更以后，约走二十馀里，只见山凹处，金鼓齐鸣，喊声大震，一彪军到，为首大将朱然，骤马挺枪叫曰：“云长休走！趁早投降，免得一死！”公大怒，拍马轮刀来战。朱然便走，公乘势追杀。一棒鼓响，四下伏兵皆起。公不敢战，望临沮小路而走，朱然率兵掩杀。关公所随之兵，渐渐稀少。走不得四五里，前面喊声又震，火光大起，潘璋骤马舞刀杀来。公大怒，轮刀相迎；只三合，潘璋败走。公不敢恋战，急望山路而走。背后关平赶来，报说赵累已死于乱军中。关公不胜悲惶，遂令关平断后，公自在前开路，随行止剩得十馀人。行至决石，两下是山，山边皆芦苇败草，树木丛杂。时已五更将尽。正走之间，一声喊起，两下伏兵尽出，长钩套索，一齐并举，先把关公坐下马绊倒。关公翻身落马，被潘璋部将马忠所获。关平知父被擒，火速来救；背后潘璋、朱然率兵齐至，把关平四下围住。平孤身独战，力尽亦被执。至天明，孙权闻关公父子已被擒获，大喜，聚众将于帐中。

少时，马忠簇拥关公至前。权曰：“孤久慕将军盛德，欲结秦、晋之好，何相弃耶？公平昔自以为天下无敌，今日何由被吾所擒？将军今日还服孙权否？”关公厉声骂曰：“碧眼小儿，紫髯鼠辈！吾与刘皇叔桃园结义，誓扶汉室，岂与汝叛汉之贼为伍耶！我今误中奸计，有死而已，何必多言！”权回顾众官曰：“云长世之豪杰，孤深爱之。今欲以礼相待，劝使归降，何如？”主簿左咸曰：“不可。昔曹操得此人时，封侯赐爵，三日一小宴，五日一大宴，上马一提金，下马一提银：如此恩礼，毕竟留之不住，听其斩关杀将而去，致使今日反为所逼，几欲迁都以避其锋。今主公既已擒之，若不即除，恐贻后患。”孙权沉吟半晌，曰：“斯言是也。”遂命推出。于是关公父子皆遇害。时建安二十四年冬十二月也。关公亡年五十八岁。后人有诗叹曰：

汉末才无敌，云长独出群：神威能奋武，儒雅更知文。天日心如镜，《春秋》义薄云。昭然垂万古，不止冠三分。

又有诗曰：

人杰惟追古解良，士民争拜汉云长。桃园一日兄和弟，俎豆千秋帝与王。气挟风雷无匹敌，志垂日月有光芒。至今庙貌盈天下，古木寒鸦几夕阳。

关公既殁，坐下赤兔马被马忠所获，献与孙权。权即赐马忠骑坐。其马数日不食草料而死。

却说王甫在麦城中，骨颤肉惊，乃问周仓曰：“昨夜梦见主公浑身血污，立于前；急问之，忽然惊觉。不知主何吉凶？”正说间，忽报吴兵在城下，将关公父子首级招安。王甫、周仓大惊，急登城视之，果关公父子首级也。王甫大叫一声，堕城而死。周仓自刎而亡。于是麦城亦属东吴。

却说关公一魂不散，荡荡悠悠，直至一处：乃荆门州当阳县一座山，名为玉泉山。山上有一老僧，法名普净，原是汜水关镇国寺中长老；后因云游天下，来到此处，见山明水秀，就此结草为庵，每日坐禅参道；身边只有一小行者，化饭度日。是夜月白风清，三更已后，普净正在庵中默坐，忽闻空中有人大呼曰：“还我头来！”普净仰面谛视，只见空中一人，骑赤兔马，提青龙刀，左有一白面将军、右有一黑脸虬髯之人相随，一齐按落云头，至玉泉山顶。普净认得是关公，遂以手中麈尾[1]击其户曰："云长安在？"关公英魂顿悟，即下马乘风落于庵前，叉手问曰："吾师何人？愿求法号。"普净曰："老僧普净，昔日汜水关前镇国寺中，曾与君侯相会，今日岂遂忘之耶？"公曰："向蒙相救，铭感不忘。今某已遇祸而死，愿求清诲，指点迷途。"普净曰："昔非今是，一切休论；后果前因，彼此不爽。今将军为吕蒙所害，大呼'还我头来'，然则颜良、文丑、五关六将等众人之头，又将向谁索耶？"于是关公恍然大悟，稽首皈依[2]而去。后往往于玉泉山显圣护民，乡人感其德，就于山顶上建庙，四时致祭。后人题一联于其庙云：

赤面秉赤心、骑赤兔追风，驰驱时、无忘赤帝。

青灯观青史、仗青龙偃月，隐微处、不愧青天。

却说孙权既害了关公，遂尽收荆襄之地，赏犒三军，设宴大会诸将庆功；置吕蒙于上位，顾谓众将曰："孤久不得荆州，今唾手而得，皆子明之功也。"蒙再三逊谢。权曰："昔周郎雄略过人，破曹操于赤壁，不幸早夭。鲁子敬代之：子敬初见孤时，便及帝王大略，此一快也；曹操东下，诸人皆劝孤降，子敬独劝孤召公瑾逆而击之，此二快也；惟劝吾借荆州与刘备，是其一短。今子明设计定谋，立取荆州，胜子敬、周郎多矣！"

于是亲酌酒赐吕蒙。吕蒙接酒欲饮，忽然掷杯于地，一手揪住孙权，厉声大骂曰："碧眼小儿！紫髯鼠辈！还识我否？"众将大惊，急救时，蒙推倒孙权，大步前进，坐于孙权位上，两眉倒竖，双眼圆睁，大喝曰："我自破黄巾以来，纵横天下三十馀年，今被

---

① 麈(zhǔ)尾——麈，鹿类。古人取它的尾作拂尘，就把这种用具叫做麈尾。

② 皈(guī)依——佛教的说法，身心归向于佛的意思。

汝一旦以奸计图我，我生不能啖汝之肉，死当追吕贼之魂！——我乃汉寿亭侯关云长也。”权大惊，慌忙率大小将士，皆下拜。只见吕蒙倒于地上，七窍流血而死。众将见之，无不恐惧。权将吕蒙尸首，具棺安葬，赠南郡太守、孱陵侯；命其子吕霸袭爵。孙权自此感关公之事，惊讶不已。

忽报张昭自建业而来。权召入问之。昭曰：“今主公损了关公父子，江东祸不远矣！此人与刘备桃园结义之时，誓同生死。今刘备已有两川之兵；更兼诸葛亮之谋，张、黄、马、赵之勇。备若知云长父子遇害，必起倾国之兵，奋力报仇：恐东吴难与敌也。”权闻之大惊，跌足曰：“孤失计较也！似此如之奈何？”昭曰：“主公勿忧。某有一计，令西蜀之兵不犯东吴，荆州如磐石之安。”权问何计。昭曰：“今曹操拥百万之众，虎视华夏，刘备急欲报仇，必与操约和：若二处连兵而来，东吴危矣。不如先遣人将关公首级，转送与曹操，明教刘备知是操之所使，必痛恨于操，西蜀之兵，不向吴而向魏矣。吾乃观其胜负，于中取事：此为上策。”

权从其言，随遣使者以木匣盛关公首级，星夜送与曹操。时操从摩陂班师回洛阳，闻东吴送关公首级至，喜曰：“云长已死，吾夜眠贴席矣。”阶下一人出曰：“此乃东吴移祸之计也。”操视之，乃主簿司马懿也。操问其故，懿曰：“昔刘、关、张三人桃园结义之时，誓同生死。今东吴害了关公，惧其复仇，故将首级献与大王，使刘备迁怒大王，不攻吴而攻魏，他却于中乘便而图事耳。”操曰：“仲达之言是也。孤以何策解之？”懿曰：“此事极易。大王可将关公首级，刻一香木之躯以配之，葬以大臣之礼；刘备知之，必深恨孙权，尽力南征。我却观其胜负：蜀胜则击吴，吴胜则击蜀。——二处若得一处，那一处亦不久也。”操大喜，从其计，遂召吴使入。呈上木匣，操开匣视之，见关公面如平日。操笑曰："云长公别来无恙！"言未讫，只见关公口开目动，须发皆张，操惊倒。众官急救，良久方醒，顾谓众官曰："关将军真天神也！"吴使又将关公显圣附体、骂孙权追吕蒙之事告操。操愈加恐惧，遂设牲醴祭祀，刻沉香木为躯，以王侯之礼，葬于洛阳南门外，令大小官员送殡，操自拜祭，赠为荆王，差官守墓；即遣吴使回江东去讫。

却说汉中王自东川回成都，法正奏曰："王上先夫人去世；孙夫人又南归，未必再来。人伦之道，不可废也，必纳王妃，以襄内政。"汉中王从之。法正复奏曰："吴懿有一妹，美而且贤。尝闻有相者，相此女后必大贵。先曾许刘焉之子刘瑁，瑁早殀。其女至今寡居，大王可纳之为妃。"汉中王曰："刘瑁与我同宗，于理不可。"法正曰："论其亲疏，何异晋文之与怀嬴[①]乎？"汉中王乃依允，遂纳吴氏为王妃。——后生二子：长刘永，字公寿；次刘理，字奉孝。

且说东西两川，民安国富，田禾大成。忽有人自荆州来，言东吴求婚于关公，关公力拒之。孔明曰："荆州危矣！可使人替关公回。"正商议间，荆州捷报使命，络绎而至。不一日，关兴到，具言水淹七军之事。忽又报马到来，报说关公于江边多设墩台，提防甚密，万无一失。因此玄德放心。

忽一日，玄德自觉浑身肉颤，行坐不安；至夜，不能宁睡，起

① 晋文之与怀嬴——怀嬴，春秋时秦穆公的女儿，先嫁给晋怀公子圉为妻，后又改嫁给了晋怀公的伯父晋文公重耳。

坐内室，秉烛看书，觉神思昏迷，伏几而卧；就室中起一阵冷风，灯灭复明，抬头见一人立于灯下。玄德问曰："汝何人，夤夜至吾内室？"其人不答。玄德疑怪，自起视之，乃是关公，于灯影下往来躲避。玄德曰："贤弟别来无恙！夜深至此，必有大故。吾与汝情同骨肉，因何回避？"关公泣告曰："愿兄起兵，以雪弟恨！"言讫，冷风骤起，关公不见。玄德忽然惊觉，乃是一梦：时正三鼓。玄德大疑，急出前殿，使人请孔明来。孔明入见，玄德细言梦警。孔明曰："此乃王上心思关公，故有此梦。何必多疑？"玄德再三疑虑，孔明以善言解之。

孔明辞出，至中门外，迎见许靖。靖曰："某才赴军师府下报一机密，听知军师入宫，特来至此。"孔明曰："有何机密？"靖曰："某适闻外人传说，东吴吕蒙已袭荆州，关公已遇害！故特来密报军师。"孔明曰："吾夜观天象，见将星落于荆楚之地，已知云长必然被祸；但恐王上忧虑，故未敢言。"二人正说之间，忽然殿内转出一人，扯住孔明衣袖而言曰："如此凶信，公何瞒我！"孔明视之，乃玄德也。孔明、许靖奏曰："适来所言，皆传闻之事，未足深信。愿王上宽怀，勿生忧虑。"玄德曰："孤与云长，誓同生死；彼若有失，孤岂能独生耶！"

孔明、许靖正劝解之间，忽近侍奏曰："马良、伊籍至。"玄德急召入问之。二人具说荆州已失，关公兵败求救，呈上表章。未及拆观，侍臣又奏荆州廖化至。玄德急召入。化哭拜于地，细奏刘封、孟达不发救兵之事。玄德大惊曰："若如此，吾弟休矣！"孔明曰："刘封、孟达如此无礼，罪不容诛！王上宽心，亮亲提一旅之师，去救荆襄之急。"玄德泣曰："云长有失，孤断不独生！孤来日自提一军去救云长！"遂一面差人赴阆中报知翼德，一面差人会集人马。未及天明，一连数次，报说关公夜走临沮，为吴将所获，义不屈节，父子归神。玄德听罢，大叫一声，昏绝于地。正是：为念当年同誓死，忍教今日独捐生！未知玄德性命如何，且看下文分解。

第七十八回

治风疾神医身死　传遗命奸雄数终

却说汉中王闻关公父子遇害，哭倒于地，众文武急救，半晌方醒，扶入内殿。孔明劝曰："王上少忧。自古道'死生有命'；关公平日刚而自矜，故今日有此祸。王上且宜保养尊体，徐图报仇。"玄德曰："孤与关、张二弟桃园结义时，誓同生死。今云长已亡，孤岂能独享富贵乎！"言未已，只见关兴号恸而来。玄德见了，大叫一声，又哭绝于地。众官救醒。一日哭绝三五次，三日水浆不进，只是痛哭；泪湿衣襟，斑斑成血。孔明与众官再三劝解。玄德曰："孤与东吴，誓不同日月也！"孔明曰："闻东吴将关公首级献与曹操，操以王侯礼祭葬之。"玄德曰："此何意也？"孔明曰："此是东吴欲移祸于曹操，操知其谋，故以厚礼葬关公，令王上归怨于吴也。"玄德曰："吾今即提兵问罪于吴，以雪吾恨！"孔明谏曰："不可。方今吴欲令我伐魏，魏亦欲令我伐吴：各怀谲计，伺隙而乘。王上只宜按兵不动，且与关公发丧。待吴、魏不和，乘时而伐之，可也。"众官又再三劝谏，玄德方才进膳，传旨川中大小将士，尽皆挂孝。汉中王亲出南门招魂祭奠，号哭终日。

却说曹操在洛阳，自葬关公后，每夜合眼便见关公。操甚惊惧，问于众官。众官曰："洛阳行宫旧殿多妖，可造新殿居之。"操曰："吾欲起一殿，名建始殿。恨无良工。"贾诩曰："洛阳良工有苏越者，最有巧思。”操召入，令画图像。苏越画成九间大殿，前后廊庑楼阁，呈与操。操视之曰：“汝画甚合孤意，但恐无栋梁之材。”苏越曰：“此去离城三十里，有一潭，名跃龙潭；前有一祠，名跃龙祠。祠傍有一株大梨树，高十馀丈，堪作建始殿之梁。”

操大喜，即令人工到彼砍伐。次日，回报此树锯解不开，斧砍不入，不能斩伐。操不信，自领数百骑，直至跃龙祠前下马，仰观那树，亭亭如华盖，直侵云汉[①]，并无曲节。操命砍之，乡老数人前来谏曰：“此树已数百年矣，常有神人居其上，恐未可伐。”操大怒曰：“吾平生游历，普天之下，四十馀年，上至天子，下及庶人，无不惧孤；是何妖神，敢违孤意！”言讫，拔所佩剑亲自砍之：铮然有声，血溅满身。操愕然大惊，掷剑上马，回至宫内。是夜二更，操睡卧不安，坐于殿中，隐几[②]而寐。忽见一人披发仗剑，身穿皂衣，直至面前，指操喝曰：“吾乃梨树之神也。汝盖建始殿，意欲篡逆，却来伐吾神木！吾知汝数尽，特来杀汝！”操大惊，急呼：“武士安在？”皂衣人仗剑砍操。操大叫一声，忽然惊觉，头脑疼痛不可忍。急传旨遍求良医治疗，不能痊可。众官皆忧。

华歆入奏曰：“大王知有神医华佗否？”操曰：“即江东医周泰者乎？”歆曰：“是也。”操曰：“虽闻其名，未知其术。”歆曰：“华佗字元化，沛国谯郡人也。其医术之妙，世所罕有：但有患者，或用药，或用针，或用灸，随手而愈。若患五脏六腑之疾，药不能效者，以麻肺汤饮之，令病者如醉死，却用尖刀剖开其腹，以药汤洗其脏腑，病人略无疼痛。洗毕，然后以药线缝口，用药敷之；或一

① 云汉——银河。

② 隐(yìn)几——凭着几案(古代的几是一种矮脚桌)。

月,或二十日,即平复矣:其神妙如此!一日,佗行于道上,闻一人呻吟之声。佗曰:'此饮食不下之病。'问之果然。佗令取蒜虀汁三升饮之,吐蛇一条,长二三尺,饮食即下。广陵太守陈登,心中烦懑,面赤,不能饮食,求佗医治。佗以药饮之,吐虫三升,皆赤头,首尾动摇。登问其故,佗曰:'此因多食鱼腥,故有此毒。今日虽可,三年之后,必将复发,不可救也。'后陈登果三年而死。又有一人眉间生一瘤,痒不可当,令佗视之。佗曰:'内有飞物。'人皆笑之。佗以刀割开,一黄雀飞去,病者即愈。有一人被犬咬足指,随长肉二块,一痛一痒,俱不可忍。佗曰:'痛者内有针十个,痒者内有黑白棋子二枚。'人皆不信。佗以刀割开,果应其言。此人真扁鹊[①]、仓公[②]之流也!现居金城,离此不远,大王何不召之?"

操即差人星夜请华佗入内,令诊脉视疾。佗曰:"大王头脑疼痛,因患风而起。病根在脑袋中,风涎不能出,枉服汤药,不可治疗。某有一法:先饮麻肺汤,然后用利斧砍开脑袋,取出风涎,方可除根。"操大怒曰:"汝要杀孤耶!"佗曰:"大王曾闻关公中毒箭,伤其右臂,某刮骨疗毒,关公略无惧色;今大王小可之疾,何多疑焉?"操曰:"臂痛可刮,脑袋安可砍开?汝必与关公情熟,乘此机会,欲报仇耳!"呼左右拿下狱中,拷问其情。贾诩谏曰:"似此良医,世罕其匹,未可废也。"操叱曰:"此人欲乘机害我,正与吉平无异!"急令追拷。

华佗在狱,有一狱卒,姓吴,人皆称为"吴押狱"。此人每日以酒食供奉华佗。佗感其恩,乃告曰:"我今将死,恨有《青囊书》

① 扁鹊——姓秦,名越人,春秋时的名医。
② 仓公——姓淳于,名意,西汉时的名医。

未传于世。感公厚意，无可为报；我修一书，公可遣人送与我家，取《青囊书》来赠公，以继吾术。”吴押狱大喜曰：“我若得此书，弃了此役，医治天下病人，以传先生之德。”佗即修书付吴押狱。吴押狱直至金城，问佗之妻取了《青囊书》；回至狱中，付与华佗检看毕，佗即将书赠与吴押狱。吴押狱持回家中藏之。旬日之后，华佗竟死于狱中。吴押狱买棺殡殓讫，脱了差役回家，欲取《青囊书》看习，只见其妻正将书在那里焚烧。吴押狱大惊，连忙抢夺，全卷已被烧毁，只剩得一两叶。吴押狱怒骂其妻。妻曰：“纵然学得与华佗一般神妙，只落得死于牢中，要他何用！”吴押狱嗟叹而止。因此《青囊书》不曾传于世，所传者止阉鸡猪等小法，乃烧剩一两叶中所载也。后人有诗叹曰：

　　华佗仙术比长桑，神识如窥垣一方。惆怅人亡书亦绝，后人无复见《青囊》！

却说曹操自杀华佗之后，病势愈重，又忧吴、蜀之事。正虑间，近臣忽奏东吴遣使上书。操取书拆视之，略曰：

　　臣孙权久知天命已归王上，伏望早正大位，遣将剿灭刘备，扫平两川，臣即率群下纳土归降矣。

操观毕大笑，出示群臣曰：“是儿欲使吾居炉火上耶[①]！”侍中陈群等奏曰：“汉室久已衰微，殿下功德巍巍，生灵仰望。今孙权称臣归命，此天人之应，异气齐声。殿下宜应天顺人，早正大

① 是儿欲使吾居炉火上耶——这句话有双关的意思：因为汉是所谓“火德”，居火之上，就是取代汉朝，自己做皇帝；曹操从名义上拥戴汉王朝，实际大权独揽，一旦改变为自己直接做皇帝，可能引起更多的反对，有一定危险性，所以孙权表面上的奉承话，却包藏着险恶的用心，要把曹操放在炉火上“烧烤”。是儿，这小子。

位。"操笑曰:"吾事汉多年,虽有功德及民,然位至于王,名爵已极,何敢更有他望?苟天命在孤,孤为周文王矣。"司马懿曰:"今孙权既称臣归附,王上可封官赐爵,令拒刘备。"操从之,表封孙权为骠骑将军、南昌侯,领荆州牧。即日遣使赍诰敕赴东吴去讫。

操病势转加。忽一夜梦三马同槽而食,及晓,问贾诩曰:"孤向日曾梦三马同槽,疑是马腾父子为祸;今腾已死,昨宵复梦三马同槽。主何吉凶?"诩曰:"禄马,吉兆也。禄马归于曹,王上何必疑乎?"操因此不疑。后人有诗曰:

三马同槽事可疑,不知已植晋根基。曹瞒空有奸雄略,
岂识朝中司马师?

是夜,操卧寝室,至三更,觉头目昏眩,乃起,伏几而卧。忽闻殿中声如裂帛,操惊视之,忽见伏皇后、董贵人、二皇子,并伏完、董承等二十馀人,浑身血污,立于愁云之内,隐隐闻索命之声。操急拔剑望空砍去,忽然一声响亮,震塌殿宇西南一角。操惊倒于地,近侍救出,迁于别宫养病。次夜,又闻殿外男女哭声不绝。至晓,操召群臣入曰:"孤在戎马之中,三十馀年,未尝信怪异之事。今日为何如此?"群臣奏曰:"大王当命道士设醮修禳。"操叹曰:"圣人云:'获罪于天,无所祷也。'孤天命已尽,安可救乎?"遂不允设醮。

次日,觉气冲上焦①,目不见物,急召夏侯惇商议。惇至殿门前,忽见伏皇后、董贵人、二皇子、伏完、董承等,立在阴云之中。惇大惊昏倒,左右扶出,自此得病。操召曹洪、陈群、贾诩、

---

① 上焦——中医病理术语,有上中下三焦(膲),是水谷的道路,也是"气之所终始"。上焦部位在胃上口。俗用则往往泛指上半身或头部。

司马懿等,同至卧榻前,嘱以后事。曹洪等顿首曰:"大王善保玉体,不日定当霍然①。"操曰:"孤纵横天下三十馀年,群雄皆灭,止有江东孙权,西蜀刘备,未曾剿除。孤今病危,不能再与卿等相叙,特以家事相托。孤长子曹昂,刘氏所生,不幸早年殁于宛城;今卞氏生四子:丕、彰、植、熊。孤平生所爱第三子植,为人虚华少诚实,嗜酒放纵,因此不立。次子曹彰,勇而无谋;四子曹熊,多病难保。惟长子曹丕,笃厚恭谨,可继我业。卿等宜辅佐之。"

曹洪等涕泣领命而出。操令近侍取平日所藏名香,分赐诸侍妾,且嘱曰:"吾死之后,汝等须勤习女工,多造丝履,卖之可以得钱自给。"又命诸妾多居于铜雀台中,每日设祭,必令女伎奏乐上食。又遗命于彰德府讲武城外,设立疑冢七十二:"勿令后人知吾葬处,恐为人所发掘故也。"嘱毕,长叹一声,泪如雨下。须臾,气绝而死。寿六十六岁。时建安二十五年春正月也。后人有《邺中歌》一篇,叹曹操云:

> 邺则邺城水漳水,定有异人从此起:雄谋韵事与文心,君臣兄弟而父子;英雄未有俗胸中,出没岂随人眼底?功首罪魁非两人,遗臭流芳本一身;文章有神霸有气,岂能苟尔化为群?横流筑台距太行,气与理势相低昂;安有斯人不作逆,小不为霸大不王?霸王降作儿女鸣,无可奈何中不平;向帐明知非有益,分香未可谓无情。呜呼!古人作事无巨细,寂寞豪华皆有意;书生轻议冢中人,冢中笑尔书生气!

却说曹操身亡,文武百官尽皆举哀;一面遣人赴世子曹丕、

① 霍然——很快速的样子,引伸来形容病症一下子好了的感觉。

鄢陵侯曹彰、临淄侯曹植、萧怀侯曹熊处报丧。众官用金棺银椁将操入殓,星夜举灵榇赴邺郡来。曹丕闻知父丧,放声痛哭,率大小官员出城十里,伏道迎榇入城,停于偏殿。官僚挂孝,聚哭于殿上。忽一人挺身而出曰:“请世子息哀,且议大事。”众视之,乃中庶子司马孚也。孚曰:“魏王既薨,天下震动;当早立嗣王,以安众心。何但哭泣耶?”群臣曰:“世子宜嗣位;但未得天子诏命,岂可造次而行?”兵部尚书陈矫曰:“王薨于外,爱子私立,彼此生变,则社稷危矣。”遂拔剑割下袍袖,厉声曰:“即今日便请世子嗣位。众官有异议者,以此袍为例!”百官悚惧。忽报华歆自许昌飞马而至,众皆大惊。须臾华歆入,众问其来意,歆曰:“今魏王薨逝,天下震动,何不早请世子嗣位?”众官曰:“正因不及候诏命,方议欲以王后卞氏慈旨立世子为王。”歆曰:“吾已于汉帝处索得诏命在此。”众皆踊跃称贺。歆于怀中取出诏命开读。原来华歆谄事魏,故草此诏,威逼献帝降之;帝只得听从,故下诏即封曹丕为魏王、丞相、冀州牧。丕即日登位,受大小官僚拜舞起居。

正宴会庆贺间,忽报鄢陵侯曹彰,自长安领十万大军来到。丕大惊,遂问群臣曰:“黄须小弟,平日性刚,深通武艺。今提兵远来,必与孤争王位也。如之奈何?”忽阶下一人应声出曰:“臣请往见鄢陵侯,以片言折之[①]。”众皆曰:“非大夫莫能解此祸也。”正是:试看曹氏丕彰事,几作袁家谭尚争。未知此人是谁,且看下文分解。

---

① 片言折之——用一句话去说服他。折,折服,指明大道理或大的利害关系,使人放弃己见,不得不听从的意思。

第七十九回

兄逼弟曹植赋诗　侄陷叔刘封伏法

却说曹丕闻曹彰提兵而来，惊问众官；一人挺身而出，愿往折服之。众视其人，乃谏议大夫贾逵也。曹丕大喜，即命贾逵前往。逵领命出城，迎见曹彰。彰问曰："先王玺绶安在？"逵正色而言曰："家有长子，国有储君。先王玺绶，非君侯之所宜问也。"彰默然无语，乃与贾逵同入城。至宫门前，逵问曰："君侯此来，欲奔丧耶？欲争位耶？"彰曰："吾来奔丧，别无异心。"逵曰："既无异心，何故带兵入城？"彰即时叱退左右将士，只身入内，拜见曹丕。兄弟二人，相抱大哭。曹彰将本部军马尽交与曹丕。丕令彰回鄢陵自守，彰拜辞而去。

于是曹丕安居王位，改建安二十五年为延康元年；封贾诩为太尉，华歆为相国，王朗为御史大夫；大小官僚，尽皆升赏。谥曹操曰武王，葬于邺郡高陵，令于禁董治陵事。禁奉命到彼，只见陵屋中白粉壁上，图画关云长水淹七军擒获于禁之事：画云长俨然上坐，庞德愤怒不屈，于禁拜伏于地，哀求乞命之状。原来曹丕以于禁兵败被擒，不能死节，既降敌而复归，心鄙其为人，故先令人图画陵屋粉壁，故意使之往见以愧之。当下于禁见此画像，又羞又恼，气愤成病，不久而死。后人有诗叹曰：

　　三十年来说旧交，可怜临难不忠曹。知人未向心中识，画虎今从骨里描。

却说华歆奏曹丕曰:“鄢陵侯已交割军马,赴本国去了;临淄侯植,萧怀侯熊,二人竟不来奔丧,理当问罪。”丕从之,即分遣二使往二处问罪。不一日,萧怀使者回报:“萧怀侯曹熊惧罪,自缢身死。”丕令厚葬之,追赠萧怀王。又过了一日,临淄使者回报,说:“临淄侯日与丁仪、丁廙兄弟二人酣饮,悖慢无礼:闻使命至,临淄侯端坐不动;丁仪骂曰:‘昔者先王本欲立吾主为世子,被谗臣所阻;今王丧未远,便问罪于骨肉,何也?’丁廙又曰:‘据吾主聪明冠世,自当承嗣大位,今反不得立。汝那庙堂之臣,何不识人才若此!’临淄侯因怒,叱武士将臣乱棒打出。”

丕闻之,大怒,即令许褚领虎卫军三千,火速至临淄擒曹植等一干人来。褚奉命,引军至临淄城。守将拦阻,褚立斩之,直入城中,无一人敢当锋锐,径到府堂。只见曹植与丁仪、丁廙等尽皆醉倒。褚皆缚之,载于车上,并将府下大小属官,尽行拿解邺郡,听候曹丕发落。丕下令,先将丁仪、丁廙等尽行诛戮。丁仪字正礼,丁廙字敬礼,沛郡人,乃一时文士;及其被杀,人多惜之。

却说曹丕之母卞氏,听得曹熊缢死,心甚悲伤;忽又闻曹植被擒,其党丁仪等已杀,大惊。急出殿,召曹丕相见。丕见母出殿,慌来拜谒。卞氏哭谓丕曰:“汝弟植平生嗜酒疏狂,盖因自恃胸中之才,故尔放纵。汝可念同胞之情,存其性命。吾至九泉亦瞑目也。”丕曰:“儿亦深爱其才,安肯害他?今正欲戒其性耳。母亲勿忧。”

卞氏洒泪而入。丕出偏殿,召曹植入见。华歆问曰:“适来莫非太后劝殿下勿杀子建乎?”丕曰:“然。”歆曰:“子建怀才抱智,终非池中物;若不早除,必为后患。”丕曰:“母命不可违。”歆曰:“人皆言子建出口成章,臣未深信。主上可召入,以才试之。

若不能，即杀之；若果能，则贬之，以绝天下文人之口。”丕从之。须臾，曹植入见，惶恐伏拜请罪。丕曰：“吾与汝情虽兄弟，义属君臣，汝安敢恃才蔑礼？昔先君在日，汝常以文章夸示于人，吾深疑汝必用他人代笔。吾今限汝行七步吟诗一首。若果能，则免一死；若不能，则从重治罪，决不姑恕！”植曰：“愿乞题目。”时殿上悬一水墨画，画着两只牛，斗于土墙之下，一牛坠井而亡。丕指画曰：“即以此画为题。诗中不许犯着‘二牛斗墙下，一牛坠井死’字样。”植行七步，其诗已成。诗曰：

两肉齐道行，头上带凹骨。相遇块山下，欻起相搪突。

二敌不俱刚，一肉卧土窟。非是力不如，盛气不泄毕。

曹丕及群臣皆惊。丕又曰：“七步成章，吾犹以为迟。汝能应声而作诗一首否？”植曰：“愿即命题。”丕曰：“吾与汝乃兄弟也。以此为题。亦不许犯着‘兄弟’字样。”植略不思索，即口占一首曰：

煮豆燃豆萁，豆在釜中泣。本是同根生，相煎何太急！

曹丕闻之，潸然泪下。其母卞氏，从殿后出曰：“兄何逼弟之甚耶？”丕慌忙离坐告曰：“国法不可废耳。”于是贬曹植为安乡侯。植拜辞上马而去。

曹丕自继位之后，法令一新，威逼汉帝，甚于其父。早有细作报入成都。汉中王闻之，大惊，即与文武商议曰：“曹操已死，曹丕继位，威逼天子，更甚于操。东吴孙权，拱手称臣。孤欲先伐东吴，以报云长之仇；次讨中原，以除乱贼。”言未毕，廖化出班，哭拜于地曰：“关公父子遇害，实刘封、孟达之罪。乞诛此二贼。”玄德便欲遣人擒之。孔明谏曰：“不可。且宜缓图之，急则生变矣。可升此二人为郡守，分调开去，然后可擒。”

玄德从之，遂遣使升刘封去守绵竹。原来彭羕与孟达甚厚，听知此事，急回家作书，遣心腹人驰报孟达。使者方出南门外，被马超巡视军捉获，解见马超。超审知此事，即往见彭羕。羕接入，置酒相待。酒至数巡，超以言挑之曰："昔汉中王待公甚厚，今何渐薄也?"羕因酒醉，恨骂曰："老革[①]荒悖，吾必有以报之!"超又探曰："某亦怀怨心久矣。"羕曰："公起本部军，结连孟达为外合，某领川兵为内应，大事可图也。"超曰："先生之言甚当。来日再议。"超辞了彭羕，即将人与书解见汉中王，细言其事。玄德大怒，即令擒彭羕下狱，拷问其情。羕在狱中，悔之无及。玄德问孔明曰："彭羕有谋反之意，当何以治之?"孔明曰："羕虽狂士，然留之久必生祸。"于是玄德赐彭羕死于狱。

羕既死，有人报知孟达。达大惊，举止失措。忽使命至，调刘封回守绵竹去讫。孟达慌请上庸、房陵都尉申耽、申仪弟兄二人商议曰："我与法孝直同有功于汉中王；今孝直已死，而汉中王忘我前功，乃欲见害，为之奈何?"耽曰："某有一计，使汉中王不能加害于公。"达大喜，急问何计。耽曰："吾弟兄欲投魏久矣；公可作一表，辞了汉中王，投魏王曹丕，丕必重用。吾二人亦随后来降也。"达猛然省悟，即写表一通，付与来使；当晚引五十馀骑投魏去了。使命持表回成都，奏汉中王，言孟达投魏之事。先主大怒。览其表曰：

> 臣达伏惟殿下：将建伊、吕之业，追桓、文之功，大事草创，假势吴、楚，是以有为之士，望风归顺。臣委质以来，愆戾山积；臣犹自知，况于君乎？今王朝英俊鳞集，臣内无辅佐之器，外无将领之才，列次功臣，诚足自愧！

---

① 老革——革，兵革；老革，犹言老兵，轻蔑刘备的话。

臣闻范蠡[1] 识微，浮于五湖；舅犯[2] 谢罪，逡巡河上。夫际会之间，请命乞身，何哉？欲洁去就之分也。况臣卑鄙，无元功巨勋，自系于时，窃慕前贤，早思远耻。昔申生至孝，见疑于亲；子胥[3] 至忠，见诛于君；蒙恬[4] 拓境而被大刑，乐毅破齐而遭谗佞。臣每读其书，未尝不感慨流涕；而亲当其事，益用伤悼！

迩者，荆州覆败，大臣失节，百无一还；惟臣寻事，自致房陵、上庸，而复乞身，自放于外。伏想殿下圣恩感悟，愍臣之心，悼臣之举。臣诚小人，不能始终。知而为之，敢谓非罪？臣每闻"交绝无恶声，去臣无怨辞"。臣过奉教于君子，愿君王勉之。臣不胜惶恐之至！

玄德看毕，大怒曰："匹夫叛吾，安敢以文辞相戏耶！"即欲起兵擒之。孔明曰："可就遣刘封进兵，令二虎相并；刘封或有功，或败绩，必归成都，就而除之，可绝两害。"玄德从之，遂遣使到绵竹，传谕刘封。封受命，率兵来擒孟达。

却说曹丕正聚文武议事，忽近臣奏曰："蜀将孟达来降。"丕召入问曰："汝此来，莫非诈降乎？"达曰："臣为不救关公之危，汉中王欲杀臣，因此惧罪来降，别无他意。"曹丕尚未准信，忽报刘

---

① 范蠡——春秋时楚国人。辅佐越王勾践灭吴，官上将军。他认为勾践"不可与共乐"，于是离去，变姓名，泛舟五湖。

② 舅犯——即狐偃，字子犯，晋文公的母舅，故又称舅犯；春秋时晋国的大夫。他跟随晋文公在外流亡十九年，后来回国路上，将要渡过黄河的时候，他恐怕晋文公忘了他的功劳而专记过失，于是向晋文公作出谢罪告别的姿态。

③ 子胥——姓伍，名员，字子胥，春秋时楚国人。辅佐吴王夫差，大破越国。后被谗自杀。

④ 蒙恬——秦朝的大将，带兵警备当时北方的匈奴，有功。后为赵高所害，自杀。

封引五万兵来取襄阳，单搦孟达厮杀。丕曰："汝既是真心，便可去襄阳取刘封首级来，孤方准信。"达曰："臣以利害说之，不必动兵，令刘封亦来降也。"丕大喜，遂加孟达为散骑常侍、建武将军、平阳亭侯，领新城太守，去守襄阳、樊城。原来夏侯尚、徐晃已先在襄阳，正将收取上庸诸部。孟达到了襄阳，与二将礼毕，探得刘封离城五十里下寨。达即修书一封，使人赍赴蜀寨招降刘封。刘封览书大怒曰："此贼误吾叔侄之义，又间吾父子之亲，使吾为不忠不孝之人也！"遂扯碎来书，斩其使。次日，引军前来搦战。

孟达知刘封扯书斩使，勃然大怒，亦领兵出迎。两阵对圆，封立马于门旗下，以刀指骂曰："背国反贼，安敢乱言！"孟达曰："汝死已临头上，还自执迷不省！"封大怒，拍马轮刀，直奔孟达。战不三合，达败走，封乘虚追杀二十馀里，一声喊起，伏兵尽出，左边夏侯尚杀来，右边徐晃杀来，孟达回身复战。三军夹攻，刘封大败而走，连夜奔回上庸，背后魏兵赶来。刘封到城下叫门，城上乱箭射下。申耽在敌楼上叫曰："吾已降了魏也！"封大怒，欲要攻城，背后追军将至。封立脚不住，只得望房陵而奔，见城上已尽插魏旗。申仪在敌楼上将旗一飐，城后一彪军出，旗上大书"右将军徐晃"。封抵敌不住，急望西川而走。晃乘势追杀。刘封部下只剩得百馀骑，到了成都，入见汉中王，哭拜于地，细奏前事。玄德怒曰："辱子有何面目复来见吾！"封曰："叔父之难，非儿不救，因孟达谏阻故耳。"玄德转怒曰："汝须食人食、穿人衣，非土木偶人！安可听谗贼所阻！"命左右推出斩之。汉中王既斩刘封，后闻孟达招之，毁书斩使之事，心中颇悔；又哀痛关心，以致染病。因此按兵不动。

且说魏王曹丕，自即王位，将文武官僚，尽皆升赏；遂统甲兵三十万,南巡沛国谯县,大飨先茔。乡中父老,扬尘遮道,奉觞进酒,效汉高祖还沛之事。人报大将军夏侯惇病危,丕即还邺郡。时惇已卒,丕为挂孝,以厚礼殡葬。

是岁八月间,报称石邑县凤凰来仪,临淄城麒麟出现,黄龙现于邺郡。于是中郎将李伏、太史丞许芝商议:种种瑞征,乃魏当代汉之兆,可安排受禅之礼,令汉帝将天下让于魏王。遂同华歆、王朗、辛毗、贾诩、刘廙、刘晔、陈矫、陈群、桓阶等一班文武官僚,四十馀人,直入内殿,来奏汉献帝,请禅位于魏王曹丕。正是:魏家社稷今将建,汉代江山忽已移。未知献帝如何回答,且看下文分解。

第八十回

曹丕废帝篡炎刘　汉王正位续大统

却说华歆等一班文武，入见献帝。歆奏曰："伏睹魏王，自登位以来，德布四方，仁及万物，越古超今，虽唐、虞无以过此。群臣会议，言汉祚已终，望陛下效尧、舜之道，以山川社稷，禅与魏王：上合天心，下合民意，则陛下安享清闲之福，祖宗幸甚！生灵幸甚！臣等议定，特来奏请。"帝闻奏大惊，半晌无言，觑百官而哭曰："朕想高祖提三尺剑，斩蛇起义，平秦灭楚，创造基业，世统相传，四百年矣。朕虽不才，初无过恶，安忍将祖宗大业，等闲弃了？汝百官再从公计议。"

华歆引李伏、许芝近前奏曰："陛下若不信，可问此二人。"李伏奏曰："自魏王即位以来，麒麟降生，凤凰来仪，黄龙出现，嘉禾蔚生，甘露下降：此是上天示瑞，魏当代汉之象也。"许芝又奏曰："臣等职掌司天，夜观乾象，见炎汉气数已终，陛下帝星隐匿不明；魏国乾象，极天际地，言之难尽。更兼上应图谶，其谶曰：'鬼在边，委相连；当代汉，无可言。言在东，午在西；两日并光上下移。'以此论之，陛下可早禅位。'鬼在边'，'委相连'，是'魏'字也；'言在东，午在西'，乃'许'字也；'两日并光上下移'，乃'昌'字也：此是魏在许昌应受汉禅也。愿陛下察之。"帝曰："祥瑞图谶，皆虚妄之事；奈何以虚妄之事，而遽欲朕舍祖宗之基业乎？"王朗奏曰："自古以来，有兴必有废，有盛必有衰，岂有不亡之国、不败之家乎？汉室相传四百馀年，延至陛下，气数已尽，宜早退避，不可迟疑；迟则生变矣。”帝大哭，入后殿去了。百官哂笑而退。

次日，官僚又集于大殿，令宦官入请献帝。帝忧惧不敢出。曹后曰：“百官请陛下设朝，陛下何故推阻？”帝泣曰：“汝兄欲篡位，令百官相逼，朕故不出。”曹后大怒曰：“吾兄奈何为此乱逆之事耶！”言未已，只见曹洪、曹休带剑而入，请帝出殿。曹后大骂曰：“俱是汝等乱贼，希图富贵，共造逆谋！吾父功盖寰区，威震天下，然且不敢篡窃神器[1]。今吾兄嗣位未几，辄思篡汉，皇天必不祚尔！”言罢，痛哭入宫。左右侍者皆歔欷流涕。

曹洪、曹休力请献帝出殿。帝被逼不过，只得更衣出前殿。华歆奏曰：“陛下可依臣等昨日之议，免遭大祸。”帝痛哭曰：“卿等皆食汉禄久矣；中间多有汉朝功臣子孙，何忍作此不臣之事？”歆曰：“陛下若不从众议，恐旦夕萧墙祸起[2]，非臣等不忠于陛下也。”帝曰：“谁敢弑朕耶？”歆厉声曰：“天下之人，皆知陛下无人君之福，以致四方大乱！若非魏王在朝，弑陛下者，何止一人？陛下尚不知恩报德，直欲令天下人共伐陛下耶？”帝大惊，拂袖而起。王朗以目视华歆。歆纵步向前，扯住龙袍，变色而言曰：“许与不许，早发一言！”帝战栗不能答。曹洪、曹休拔剑大呼曰：“符宝郎[3]何在？”祖弼应声出曰：“符宝郎在此！”曹洪索要玉玺。祖弼叱曰：“玉玺乃天子之宝，安得擅索！”洪喝令武士推出斩之。祖弼大骂不绝口而死。后人有诗赞曰：

---

① 神器——喻指帝位。

② 萧墙祸起——祸乱将起于宫廷内部。这里是用谋害来威胁汉献帝。萧墙，君臣相见处所设的屏风类。

③ 符宝郎——官名，即尚符玺郎中，掌管皇帝玉玺及虎符、竹符的官员。

> 奸宄专权汉室亡，诈称禅位效虞唐。满朝百辟皆尊魏，
> 仅见忠臣符宝郎。

帝颤栗不已。只见阶下披甲持戈数百馀人，皆是魏兵。帝泣谓群臣曰："朕愿将天下禅于魏王，幸留残喘，以终天年。"贾诩曰："魏王必不负陛下。陛下可急降诏，以安众心。"帝只得令陈群草禅国之诏，令华歆赍捧诏玺，引百官直至魏王宫献纳。曹丕大喜。开读诏曰：

> 朕在位三十二年，遭天下荡覆，幸赖祖宗之灵，危而复存。然今仰瞻天象，俯察民心，炎精之数既终，行运在乎曹氏。是以前王既树神武之迹，今王又光耀明德，以应其期。历数昭明，信可知矣。夫"大道之行，天下为公"；唐尧不私于厥子，而名播于无穷：朕窃慕焉。今其追踵尧典，禅位于丞相魏王。王其毋辞！

曹丕听毕，便欲受诏。司马懿谏曰："不可。虽然诏玺已至，殿下宜且上表谦辞，以绝天下之谤。"丕从之，令王朗作表，自称德薄，请别求大贤以嗣天位。帝览表，心甚惊疑，谓群臣曰："魏王谦逊，如之奈何？"华歆曰："昔魏武王受王爵之时，三辞而诏不许，然后受之。今陛下可再降诏，魏王自当允从。"

帝不得已，又令桓阶草诏，遣高庙使张音，持节奉玺至魏王宫。曹丕开读诏曰：

> 咨尔魏王，上书谦让。朕窃为汉道陵迟，为日已久；幸赖武王操，德膺符运，奋扬神武，芟除凶暴，清定区夏。今王丕缵承前绪，至德光昭，声教被四海，仁风扇八区；天之历数，实在尔躬。昔虞舜有大功二十，而放勋[①] 禅以天下；大

① 放勋——远古帝王唐尧的名字。相传：因为虞舜有功，他就把帝位禅让给舜。

禹有疏导之绩，而重华① 禅以帝位。汉承尧运，有传圣之义，加顺灵祇，绍天明命，使行御史大夫张音，持节奉皇帝玺绶。王其受之！

曹丕接诏欣喜，谓贾诩曰："虽二次有诏，然终恐天下后世，不免篡窃之名也。"诩曰："此事极易：可再命张音赍回玺绶，却教华歆令汉帝筑一坛，名'受禅坛'；择吉日良辰，集大小公卿，尽到坛下，令天子亲奉玺绶，禅天下与王，便可以释群疑而绝众议矣。"

丕大喜，即令张音赍回玺绶，仍作表谦辞。音回奏献帝。帝问群臣曰："魏王又让，其意若何？"华歆奏曰："陛下可筑一坛，名曰'受禅坛'，集公卿庶民，明白禅位；则陛下子子孙孙，必蒙魏恩矣。"帝从之，乃遣太常院官，卜地于繁阳，筑起三层高坛，择于十月庚午日寅时禅让。

至期，献帝请魏王曹丕登坛受禅，坛下集大小官僚四百馀员，御林虎贲禁军三十馀万，帝亲捧玉玺奉曹丕。丕受之。坛下群臣跪听册曰：

咨尔魏王！昔者唐尧禅位于虞舜，舜亦以命禹：天命不于常，惟归有德。汉道陵迟，世失其序；降及朕躬，大乱滋昏：群凶恣逆，宇内颠覆。赖武王神武，拯兹难于四方，惟清区夏，以保绥我宗庙；岂予一人获乂，俾九服实受其赐。今王钦承前绪，光于乃德；恢文武之大业，昭尔考之弘烈。皇灵降瑞，人神告徵；诞惟亮采，师锡朕命。佥曰：尔度克协于虞舜，用率我唐典，敬逊尔位。於戏！"天之历数在尔躬"，

① 重华——远古帝王虞舜的名字。相传：因为夏禹治水有功，他就把帝位禅让给禹。

君其祇顺大礼，飨万国以肃承天命！

读册已毕，魏王曹丕即受八般大礼，登了帝位。贾诩引大小官僚朝于坛下。改延康元年为黄初元年。国号大魏。丕即传旨，大赦天下。谥父曹操为太祖武皇帝。华歆奏曰："'天无二日，民无二王'。汉帝既禅天下，理宜退就藩服。乞降明旨，安置刘氏于何地？"言讫，扶献帝跪于坛下听旨。丕降旨封帝为山阳公，即日便行。华歆按剑指帝，厉声而言曰："立一帝，废一帝，古之常道！今上仁慈，不忍加害，封汝为山阳公。今日便行，非宣召不许入朝！"献帝含泪拜谢，上马而去。坛下军民人等见之，伤感不已。丕谓群臣曰："舜、禹之事，朕知之矣！"群臣皆呼"万岁"。后人观此受禅坛，有诗叹曰：

两汉经营事颇难，一朝失却旧江山。黄初欲学唐虞事，司马将来作样看。

百官请曹丕答谢天地。丕方下拜，忽然坛前卷起一阵怪风，飞砂走石，急如骤雨，对面不见；坛上火烛，尽皆吹灭。丕惊倒于坛上，百官急救下坛，半晌方醒。侍臣扶入宫中，数日不能设朝。后病稍可，方出殿受群臣朝贺。封华歆为司徒，王朗为司空；大小官僚，一一升赏。丕疾未痊，疑许昌宫室多妖，乃自许昌幸洛阳，大建宫室。

早有人到成都，报说曹丕自立为大魏皇帝，于洛阳盖造宫殿；且传言汉帝已遇害。汉中王闻知，痛哭终日，下令百官挂孝，遥望设祭，上尊谥曰"孝愍皇帝"。玄德因此忧虑，致染成疾，不能理事，政务皆托与孔明。孔明与太傅许靖、光禄大夫谯周商议，言天下不可一日无君，欲尊汉中王为帝。谯周曰："近有祥风庆云之瑞；成都西北角有黄气数十丈，冲霄而起；帝星见于毕、胃、昴之分,煌煌如月:此正应汉中王当即帝位,以继汉统,更复何疑?”

于是孔明与许靖,引大小官僚上表,请汉中王即皇帝位。汉中王览表,大惊曰:“卿等欲陷孤为不忠不义之人耶?”孔明奏曰:“非也。曹丕篡汉自立,王上乃汉室苗裔,理合继统以延汉祀。”汉中王勃然变色曰:“孤岂效逆贼所为!”拂袖而起,入于后宫。众官皆散。三日后,孔明又引众官入朝,请汉中王出。众皆拜伏于前。许靖奏曰:“今汉天子已被曹丕所弑,王上不即帝位,兴师讨逆,不得为忠义也。今天下无不欲王上为君,为孝愍皇帝雪恨。若不从臣等所议,是失民望矣。”汉中王曰:“孤虽是景帝之孙,并未有德泽以布于民;今一旦自立为帝,与篡窃何异!”孔明苦劝数次,汉中王坚执不从。孔明乃设一计,谓众官曰:如此如此。于是孔明托病不出。

汉中王闻孔明病笃,亲到府中,直入卧榻边,问曰:“军师所感何疾?”孔明答曰:“忧心如焚,命不久矣!”汉中王曰:“军师所忧何事?”连问数次,孔明只推病重,瞑目不答。汉中王再三请问。孔明喟然叹曰:“臣自出茅庐,得遇大王,相随至今,言听计从;今幸大王有两川之地,不负臣夙昔之言。目今曹丕篡位,汉祀将斩,文武官僚,咸欲奉大王为帝,灭魏兴刘,共图功名;不想大王坚执不肯,众官皆有怨心,不久必尽散矣。若文武皆散,吴、魏来攻,两川难保。臣安得不忧乎?”汉中王曰:“吾非推阻,恐天下人议论耳。”孔明曰:“圣人云:‘名不正,则言不顺。’今大王名正言顺,有何可议?岂不闻‘天与弗取,反受其咎’?”汉中王曰:“待军师病可,行之未迟。”孔明听罢,从榻上跃然而起,将屏风一击,外面文武众官皆入,拜伏于地曰:“王上既允,便请择日以行大礼。”汉中王视之,乃是太傅许靖、安汉将军糜竺、青衣侯向举、阳泉侯刘豹、别驾赵祚、治中杨洪、议曹杜琼、从事张爽、太常卿赖恭、光禄卿黄权、祭酒何宗、学士尹默、司业谯周、大司马殷纯、偏将军张裔、少府王谋、昭文博士伊籍、从事郎秦宓等众也。

汉中王惊曰:“陷孤于不义,皆卿等也!”孔明曰:“王上既允所请,便可筑坛择吉,恭行大礼。”即时送汉中王还宫,一面令博士许慈、谏议郎孟光掌礼,筑坛于成都武担之南。诸事齐备,多官整设銮驾,迎请汉中王登坛致祭。谯周在坛上,高声朗读祭文曰:

> 惟建安二十六年四月丙午朔,越十二日丁巳,皇帝备,敢昭告于皇天后土:汉有天下,历数无疆。曩者,王莽篡盗,光武皇帝震怒致诛,社稷复存。今曹操阻兵残忍,戮杀主后,罪恶滔天;操子丕,载肆凶逆,窃据神器。群下将士,以为汉祀堕废,备宜延之,嗣武二祖,躬行天罚。备惧无德忝帝位,询于庶民,外及遐荒君长,佥曰:天命不可以不答,祖业不可以久替,四海不可以无主。率土式望,在备一人。备畏天明命,又惧高、光之业,将坠于地,谨择吉日,登坛告祭,受皇帝玺绶,抚临四方。惟神飨祚汉家,永绥历服!

读罢祭文,孔明率众官恭上玉玺。汉中王受了,捧于坛上,再三推辞曰:“备无才德,请择有才德者受之。”孔明奏曰:“王上平定四海,功德昭于天下,况是大汉宗派,宜即正位。已祭告天神,复何让焉!”文武各官,皆呼“万岁”。拜舞礼毕,改元章武元年。立妃吴氏为皇后,长子刘禅为太子;封次子刘永为鲁王,三子刘理为梁王;封诸葛亮为丞相,许靖为司徒;大小官僚,一一升赏。大赦天下。两川军民,无不欣跃。

次日设朝,文武官僚拜毕,列为两班。先主降诏曰:“朕自桃园与关、张结义,誓同生死。不幸二弟云长,被东吴孙权所害;若不报仇,是负盟也。朕欲起倾国之兵,剪伐东吴,生擒逆贼,以雪此恨!”言未毕,班内一人,拜伏于阶下,谏曰:“不可。”先主视之,乃虎威将军赵云也。正是:君王未及行天讨,臣下曾闻进直言。未知子龙所谏若何,且看下文分解。

第八十一回

急兄仇张飞遇害　雪弟恨先主兴兵

却说先主欲起兵东征，赵云谏曰："国贼乃曹操，非孙权也。今曹丕篡汉，神人共怒。陛下可早图关中，屯兵渭河上流，以讨凶逆，则关东义士，必裹粮策马以迎王师；若舍魏以伐吴，兵势一交，岂能骤解。愿陛下察之。"先主曰："孙权害了朕弟；又兼傅士仁、糜芳、潘璋、马忠皆有切齿之仇：啖其肉而灭其族，方雪朕恨！卿何阻耶？"云曰："汉贼之仇，公也；兄弟之仇，私也。愿以天下为重。"先主答曰："朕不为弟报仇，虽有万里江山，何足为贵？"遂不听赵云之谏，下令起兵伐吴；且发使往五谿，借番兵五万，共相策应；一面差使往阆中，迁张飞为车骑将军，领司隶校尉，封西乡侯，兼阆中牧。使命赍诏而去。

却说张飞在阆中，闻知关公被东吴所害，旦夕号泣，血湿衣襟。诸将以酒解劝，酒醉，怒气愈加。帐上帐下，但有犯者即鞭挞之；多有鞭死者。每日望南切齿睁目怒恨，放声痛哭不已。忽报使至，慌忙接入，开读诏旨。飞受爵望北拜毕，设酒款待来使。飞曰："吾兄被害，仇深似海；庙堂之臣，何不早奏兴兵？"使者曰："多有劝先灭魏而后伐吴者。"飞怒曰："是何言也！昔我三人桃园结义，誓同生死；今不幸二兄半途而逝，吾安得独享富贵耶！吾当面见天子，愿为前部先锋，挂孝伐吴，生擒逆贼，祭告二兄，以践前盟！"言讫，就同使命望成都而来。

却说先主每日自下教场操演军马，克日兴师，御驾亲征。于是公卿都至丞相府中见孔明，曰："今天子初临大位，亲统军伍，非所以重社稷也。丞相秉钧衡之职，何不规谏？"孔明曰："吾苦谏数次，只是不听。今日公等随我入教场谏去。"当下孔明引百官来奏先主曰："陛下初登宝位，若欲北讨汉贼，以伸大义于天下，方可亲统六师；若只欲伐吴，命一上将统军伐之可也，何必亲劳圣驾？"先主见孔明苦谏，心中稍回。忽报张飞到来，先主急召入。飞至演武厅拜伏于地，抱先主足而哭。先主亦哭。飞曰："陛下今日为君，早忘了桃园之誓！二兄之仇，如何不报？"先主曰："多官谏阻，未敢轻举。"飞曰："他人岂知昔日之盟？若陛下不去，臣舍此躯与二兄报仇！若不能报时，臣宁死不见陛下也！"先主曰："朕与卿同往：卿提本部兵自阆州而出，朕统精兵会于江州，共伐东吴，以雪此恨！"飞临行，先主嘱曰："朕素知卿酒后暴怒，鞭挞健儿，而复令在左右：此取祸之道也。今后务宜宽容，不可如前。"飞拜辞而去。

次日，先主整兵要行。学士秦宓奏曰："陛下舍万乘之躯，而徇小义，古人所不取也。愿陛下思之。"先主曰："云长与朕，犹一体也。大义尚在，岂可忘耶？"宓伏地不起曰："陛下不从臣言，诚恐有失。"先主大怒曰："朕欲兴兵，尔何出此不利之言！"叱武士推出斩之。宓面不改色，回顾先主而笑曰："臣死无恨，但可惜新创之业，又将颠覆耳！"众官皆为秦宓告免。先主曰："暂且囚下，待朕报仇回时发落。"孔明闻知，即上表救秦宓。其略曰：

臣亮等切以吴贼逞奸诡之计，致荆州有覆亡之祸；陨将星于斗牛，折天柱于楚地：此情哀痛，诚不可忘。但念迁汉鼎者，罪由曹操；移刘祚者，过非孙权。窃谓魏贼若除，则吴自宾服。愿陛下纳秦宓金石之言，以养士卒之力，别作良图,则社稷幸甚!天下幸甚!

先主看毕,掷表于地曰:"朕意已决,无得再谏!"遂命丞相诸葛亮保太子守两川;骠骑将军马超并弟马岱,助镇北将军魏延守汉中,以当魏兵;虎威将军赵云为后应,兼督粮草;黄权、程畿为参谋;马良、陈震掌理文书;黄忠为前部先锋;冯习、张南为副将;傅彤、张翼为中军护尉;赵融、廖淳为合后。川将数百员,并五谿番将等,共兵七十五万,择定章武元年七月丙寅日出师。

却说张飞回到阆中,下令军中:限三日内制办白旗白甲,三军挂孝伐吴。次日,帐下两员末将范疆、张达,入帐告曰:"白旗白甲,一时无措,须宽限方可。"飞大怒曰:"吾急欲报仇,恨不明日便到逆贼之境,汝定敢违我将令!"叱武士缚于树上,各鞭背五十。鞭毕,以手指之曰:"来日俱要完备!若违了限,即杀汝二人示众!"打得二人满口出血。回到营中商议,范疆曰:"今日受了刑责,着我等如何办得?其人性暴如火,倘来日不完,你我皆被杀矣!"张达曰:"比如他杀我,不如我杀他。"疆曰:"怎奈不得近前。"达曰:"我两个若不当死,则他醉于床上;若是当死,则他不醉。"二人商议停当。

却说张飞在帐中,神思昏乱,动止恍惚,乃问部将曰:"吾今心惊肉颤,坐卧不安,此何意也?"部将答曰:"此是君侯思念关公,以致如此。"飞令人将酒来,与部将同饮,不觉大醉,卧于帐中。范、张二贼,探知消息,初更时分,各藏短刀,密入帐中,诈言欲禀机密重事,直至床前。原来张飞每睡不合眼;当夜寝于帐中,二贼见他须竖目张,本不敢动手。因闻鼻息如雷,方敢近前,以短刀刺入飞腹。飞大叫一声而亡。时年五十五岁。后人有诗叹曰：

安喜曾闻鞭督邮，黄巾扫尽佐炎刘。虎牢关上声先震，
长坂桥边水逆流。义释严颜安蜀境，智欺张郃定中州。
伐吴未克身先死，秋草长遗阆地愁。

却说二贼当夜割了张飞首级，便引数十人连夜投东吴去了。次日，军中闻知，起兵追之不及。时有张飞部将吴班，向自荆州来见先主，先主用为牙门将，使佐张飞守阆中。当下吴班先发表章，奏知天子；然后令长子张苞具棺椁盛贮，令弟张绍守阆中，苞自来报先主。时先主已择期出师。大小官僚，皆随孔明送十里方回。孔明回至成都，怏怏不乐，顾谓众官曰："法孝直若在，必能制主上东行也。"

却说先主是夜心惊肉颤，寝卧不安。出帐仰观天文，见西北一星，其大如斗，忽然坠地。先主大疑，连夜令人求问孔明。孔明回奏曰："合损一上将。三日之内，必有惊报。"先主因此按兵不动。忽侍臣奏曰："阆中张车骑部将吴班，差人赍表至。"先主顿足曰："噫！三弟休矣！"及至览表，果报张飞凶信。先主放声大哭，昏绝于地。众官救醒。次日，人报一队军马骤风而至。先主出营观之。良久，见一员小将，白袍银铠，滚鞍下马，伏地而哭，乃张苞也。苞曰："范疆、张达杀了臣父，将首级投吴去了！"先主哀痛至甚，饮食不进。群臣苦谏曰："陛下方欲为二弟报仇，何可先自摧残龙体？"先主方才进膳；遂谓张苞曰："卿与吴班，敢引本部军作先锋，为卿父报仇否？"苞曰："为国为父，万死不辞！"先主正欲遣苞起兵，又报一彪军风拥而至。先主令侍臣探之。须臾，侍臣引一小将军，白袍银铠，入营伏地而哭。先主视之，乃关兴也。先主见了关兴，想起关公，又放声大哭。众官苦劝。先

主曰："朕想布衣时，与关、张结义，誓同生死；今朕为天子，正欲与两弟同享富贵，不幸俱死于非命！见此二侄，能不断肠！"言讫又哭。

众官曰："二小将军且退。容圣上将息龙体。"侍臣奏曰："陛下年过六旬，不宜过于哀痛。"先主曰："二弟俱亡，朕安忍独生！"言讫，以头顿地而哭。多官商议曰："今天子如此烦恼，将何解劝？"马良曰："主上亲统大兵伐吴，终日号泣，于军不利。"陈震曰："吾闻成都青城山之西，有一隐者，姓李，名意。世人传说此老已三百馀岁，能知人之生死吉凶，乃当世之神仙也。何不奏知天子，召此老来，问他吉凶，胜如吾等之言。"遂入奏先主。先主从之，即遣陈震赍诏，往青城山宣召。震星夜到了青城，令乡人引入山谷深处，遥望仙庄，清云隐隐，瑞气非凡。忽见一小童来迎曰："来者莫非陈孝起乎？"震大惊曰："仙童如何知我姓字？"童子曰："吾师昨者有言：'今日必有皇帝诏命至；使者必是陈孝起。'"震曰："真神仙也！人言信不诬矣！"遂与小童同入仙庄，拜见李意，宣天子诏命。李意推老不行。震曰："天子急欲见仙翁一面，幸勿吝鹤驾。"再三敦请，李意方行。既至御营，入见先主。先主见李意鹤发童颜，碧眼方瞳，灼灼有光，身如古柏之状，知是异人，优礼相待。李意曰："老夫乃荒山村叟，无学无识。辱陛下宣召，不知有何见谕？"先主曰："朕与关、张二弟结生死之交，三十馀年矣。今二弟被害，亲统大军报仇，未知休咎如何。久闻仙翁通晓玄机，望乞赐教。"李意曰："此乃天数，非老夫所知也。"先主再三求问，意乃索纸笔画兵马器械四十馀张，画毕便一一扯碎。又画一大人仰卧于地上，傍边一人掘土埋之，上写一大"白"字，遂稽首而去。先主不悦，谓群臣曰："此狂叟也！不足为信。"即以火焚之，便催军前进。

张苞入奏曰:“吴班军马已至。小臣乞为先锋。”先主壮其志,即取先锋印赐张苞。苞方欲挂印,又一少年将奋然出曰:“留下印与我!”视之,乃关兴也。苞曰:“我已奉诏矣。”兴曰:“汝有何能,敢当此任?”苞曰:“我自幼习学武艺,箭无虚发。”先主曰:“朕正要观贤侄武艺,以定优劣。”苞令军士于百步之外,立一面旗,旗上画一红心。苞拈弓取箭,连射三箭,皆中红心。众皆称善。关兴挽弓在手曰:“射中红心何足为奇?”正言间,忽值头上一行雁过。兴指曰:“吾射这飞雁第三只。”一箭射去,那只雁应弦而落。文武官僚,齐声喝采。苞大怒,飞身上马,手挺父所使丈八点钢矛,大叫曰:“你敢与我比试武艺否?”兴亦上马,绰家传大砍刀纵马而出曰:“偏你能使矛!吾岂不能使刀!”

二将方欲交锋,先主喝曰:“二子休得无礼!”兴、苞二人慌忙下马,各弃兵器,拜伏请罪。先主曰:“朕自涿郡与卿等之父结异姓之交,亲如骨肉;今汝二人亦是昆仲之分,正当同心协力,共报父仇;奈何自相争竞,失其大义!父丧未远而犹如此,况日后乎?”二人再拜伏罪。先主问曰:“卿二人谁年长?”苞曰:“臣长关兴一岁。”先主即命兴拜苞为兄。二人就帐前折箭为誓,永相救护。先主下诏使吴班为先锋,令张苞、关兴护驾。水陆并进,船骑双行,浩浩荡荡,杀奔吴国来。

却说范疆、张达将张飞首级,投献吴侯,细告前事。孙权听罢,收了二人,乃谓百官曰:“今刘玄德即了帝位,统精兵七十馀万,御驾亲征,其势甚大,如之奈何?”百官尽皆失色,面面相觑。诸葛瑾出曰:“某食君侯之禄久矣,无可报效,愿舍残生,去见蜀主,以利害说之,使两国相和,共讨曹丕之罪。”权大喜,即遣诸葛瑾为使,来说先主罢兵。正是:两国相争通使命,一言解难赖行人。未知诸葛瑾此去如何,且看下文分解。

第八十二回

孙权降魏受九锡　先主征吴赏六军

却说章武元年秋八月，先主起大军至夔关，驾屯白帝城。前队军马已出川口。近臣奏曰："吴使诸葛瑾至。"先主传旨教休放入。黄权奏曰："瑾弟在蜀为相，必有事而来。陛下何故绝之？当召入，看他言语。可从则从；如不可，则就借彼口说与孙权，令知问罪有名也。"先主从之，召瑾入城。瑾拜伏于地。先主问曰："子瑜远来，有何事故？"瑾曰："臣弟久事陛下，臣故不避斧钺，特来奏荆州之事：前者，关公在荆州时，吴侯数次求亲，关公不允。后关公取襄阳，曹操屡次致书吴侯，使袭荆州；吴侯本不肯许，因吕蒙与关公不睦，故擅自兴兵，误成大事。今吴侯悔之不及。此乃吕蒙之罪，非吴侯之过也。今吕蒙已死，冤仇已息。孙夫人一向思归。今吴侯令臣为使，愿送归夫人，缚还降将，并将荆州仍旧交还，永结盟好，共灭曹丕，以正篡逆之罪。"先主怒曰："汝东吴害了朕弟，今日敢以巧言来说乎！"瑾曰："臣请以轻重大小之事，与陛下论之：陛下乃汉朝皇叔，今汉帝已被曹丕篡夺，不思剿除；却为异姓之亲，而屈万乘之尊：是舍大义而就小义也。中原乃海内之地，两都皆大汉创业之方，陛下不取，而但争荆州：是弃重而取轻也。天下皆知陛下即位，必兴汉室，恢复山河；今陛下置魏不问，反欲伐吴：窃为陛下不取。"先主大怒曰："杀吾弟之仇，不共戴天！欲朕罢兵，除死方休！不看丞相之面，先斩汝首！

今且放汝回去，说与孙权：洗颈就戮！”诸葛瑾见先主不听，只得自回江南。

却说张昭见孙权曰：“诸葛子瑜知蜀兵势大，故假以请和为辞，欲背吴入蜀。此去必不回矣。”权曰：“孤与子瑜，有生死不易之盟；孤不负子瑜，子瑜亦不负孤。昔子瑜在柴桑时，孔明来吴，孤欲使子瑜留之。子瑜曰：‘弟已事玄德，义无二心；弟之不留，犹瑾之不往。’其言足贯神明。今日岂肯降蜀乎？孤与子瑜可谓神交，非外言所得间也。”正言间，忽报诸葛瑾回。权曰：“孤言若何？”张昭满面羞惭而退。瑾见孙权，言先主不肯通和之意。权大惊曰：“若如此，则江南危矣！”阶下一人进曰：“某有一计，可解此危。”视之，乃中大夫赵咨也。权曰：“德度有何良策？”咨曰：“主公可作一表，某愿为使，往见魏帝曹丕，陈说利害，使袭汉中，则蜀兵自危矣。”权曰：“此计最善。但卿此去，休失了东吴气象。”咨曰：“若有些小差失，即投江而死，安有面目见江南人物乎！”

权大喜，即写表称臣，令赵咨为使。星夜到了许都，先见太尉贾诩等，并大小官僚。次日早朝，贾诩出班奏曰：“东吴遣中大夫赵咨上表。”曹丕笑曰：“此欲退蜀兵故也。”即令召入。咨拜伏于丹墀。丕览表毕，遂问咨曰：“吴侯乃何如主也？”咨曰：“聪明、仁智、雄略之主也。”丕笑曰：“卿褒奖毋乃太甚？”咨曰：“臣非过誉也。吴侯纳鲁肃于凡品，是其聪也；拔吕蒙于行阵，是其明也；获于禁而不害，是其仁也；取荆州兵不血刃，是其智也；据三江虎视天下，是其雄也；屈身于陛下，是其略也：以此论之，岂不为聪明、仁智、雄略之主乎？”丕又问曰：“吴主颇知学乎？”咨曰：“吴主浮江万艘，带甲百万，任贤使能，志存经略；少有馀闲，博览书传，历观史籍，采其大旨，不效书生寻章摘句而已。"丕曰："朕欲伐吴，可乎？"咨曰："大国有征伐之兵，小国有御备之策。"丕曰："吴畏魏乎？"咨曰："带甲百万，江汉为池①，何畏之有？"丕曰："东吴如大夫者几人？"咨曰："聪明特达者八九十人；如臣之辈，车载斗量，不可胜数。"丕叹曰："'使于四方，不辱君命'，卿可以当之矣。"

于是即降诏，命太常卿邢贞赍册封孙权为吴王，加九锡。赵咨谢恩出城。大夫刘晔谏曰："今孙权惧蜀兵之势，故来请降。以臣愚见：蜀、吴交兵，乃天亡之也；今若遣上将提数万之兵，渡江袭之，蜀攻其外，魏攻其内，吴国之亡，不出旬日。吴亡则蜀孤矣。陛下何不早图之？"丕曰："孙权既以礼服朕，朕若攻之，是沮天下欲降者之心；不若纳之为是。"刘晔又曰："孙权虽有雄才，乃残汉骠骑将军、南昌侯之职。官轻则势微，尚有畏中原之心；若加以王位，则去陛下一阶耳②。今陛下信其诈降，崇其位号以封殖之，是与虎添翼也。"丕曰："不然。朕不助吴，亦不助蜀。待看吴、蜀交兵，若灭一国，止存一国，那时除之，有何难哉？朕意已决，卿勿复言。"遂命太常卿邢贞同赵咨捧执册锡，径至东吴。

却说孙权聚集百官，商议御蜀兵之策。忽报："魏帝封主公为王，礼当远接。"顾雍谏曰："主公宜自称上将军、九州伯之位，不当受魏帝封爵。"权曰："当日沛公受项羽之封③，盖因时也；何故却之？"遂率百官出城迎接。邢贞自恃上国天使，入门不下车。张昭大怒，厉声曰："礼无不敬，法无不肃，而君敢自尊大，岂以江

① 池——指城壕、护城河。这是比喻的话。
② 去陛下一阶耳——比皇上只差一级罢了。
③ 沛公受项羽之封——刘邦、项羽共同灭秦之后，刘邦当时因势力不及项羽，曾接受项羽所给的"汉王"的封号。

南无方寸之刃耶?”邢贞慌忙下车,与孙权相见,并车入城。忽车后一人放声哭曰:“吾等不能奋身舍命,为主并魏吞蜀,乃令主公受人封爵,不亦辱乎!”众视之,乃徐盛也。邢贞闻之,叹曰:“江东将相如此,终非久在人下者也!”

却说孙权受了封爵,众文武官僚拜贺已毕,命收拾美玉明珠等物,遣人赍进谢恩。早有细作报说:“蜀主引本国大兵,及蛮王沙摩柯番兵数万,又有洞溪汉将杜路、刘宁二枝兵,水陆并进,声势震天。水路军已出巫口,旱路军已到秭归。”时孙权虽登王位,奈魏主不肯接应,乃问文武曰:“蜀兵势大,当复如何?”众皆默然。权叹曰:“周郎之后有鲁肃;鲁肃之后有吕蒙;今吕蒙已亡,无人与孤分忧也!”言未毕,忽班部中一少年将,奋然而出,伏地奏曰:“臣虽年幼,颇习兵书。愿乞数万之兵,以破蜀兵。”权视之,乃孙桓也。桓字叔武,其父名河,本姓俞氏,孙策爱之,赐姓孙,因此亦系吴王宗族;河生四子,桓居其长,弓马熟娴,常从吴王征讨,累立奇功,官授武卫都尉;时年二十五岁。权曰:“汝有何策胜之?”桓曰:“臣有大将二员:一名李异,一名谢旌,俱有万夫不当之勇。乞数万之众,往擒刘备。”权曰:“侄虽英勇,争奈年幼;必得一人相助,方可。”虎威将军朱然出曰:“臣愿与小将军同擒刘备。”权许之,遂点水陆军五万,封孙桓为左都督,朱然为右都督,即日起兵。哨马探得蜀兵已至宜都下寨,孙桓引二万五千军马,屯于宜都界口,前后分作三营,以拒蜀兵。

却说蜀将吴班领先锋之印,自出川以来,所到之处,望风而降,兵不血刃,直到宜都;探知孙桓在彼下寨,飞奏先主。时先主已到秭归,闻奏怒曰:“量此小儿,安敢与朕抗耶!”关兴奏曰:“既孙权令此子为将,不劳陛下遣大将,臣愿往擒之。”先主曰:“朕正欲观汝壮气。”即命关兴前往。兴拜辞欲行，张苞出曰：“既关兴前去讨贼，臣愿同行。”先主曰：“二侄同行甚妙；但须谨慎，不可造次。”

二人拜辞先主，会合先锋，一同进兵，列成阵势。孙桓听知蜀兵大至，合寨多起。两阵对圆，桓领李异、谢旌立马于门旗之下，见蜀营中，拥出二员大将，皆银盔银铠，白马白旗：上首张苞挺丈八点钢矛，下首关兴横着大砍刀。苞大骂曰：“孙桓竖子！死在临时，尚敢抗拒天兵乎！”桓亦骂曰：“汝父已作无头之鬼；今汝又来讨死，好生不智！”张苞大怒，挺枪直取孙桓。桓背后谢旌，骤马来迎。两将战有三十馀合，旌败走，苞乘胜赶来。李异见谢旌败了，慌忙拍马轮蘸金斧接战。张苞与战二十馀合，不分胜负。吴军中裨将谭雄，见张苞英勇，李异不能胜，却放一冷箭，正射中张苞所骑之马。那马负痛奔回本阵，未到门旗边，扑地便倒，将张苞掀在地上。李异急向前轮起大斧，望张苞脑袋便砍。忽一道红光闪处，李异头早落地。——原来关兴见张苞马回，正待接应，忽见张苞马倒，李异赶来，兴大喝一声，劈李异于马下，救了张苞。乘势掩杀，孙桓大败。各自鸣金收军。

次日，孙桓又引军来。张苞、关兴齐出。关兴立马于阵前，单搦孙桓交锋。桓大怒，拍马轮刀，与关兴战三十馀合，气力不加，大败回阵。二小将追杀入营，吴班引着张南、冯习驱兵掩杀。张苞奋勇当先，杀入吴军，正遇谢旌，被苞一矛刺死。吴军四散奔走。蜀将得胜收兵，只不见了关兴。张苞大惊曰：“安国有失，吾不独生！”言讫，绰枪上马。寻不数里，只见关兴左手提刀，右手活挟一将。苞问曰：“此是何人？”兴笑答曰：“吾在乱军中，正遇仇人，故生擒来。”苞视之，乃昨日放冷箭的谭雄也。苞大喜，同回本营，斩首沥血，祭了死马。遂写表差人赴先主处报捷。

孙桓折了李异、谢旌、谭雄等许多将士，力穷势孤，不能抵敌，即差人回吴求救。蜀将张南、冯习谓吴班曰："目今吴兵势败，正好乘虚劫寨。"班曰："孙桓虽然折了许多将士，朱然水军现今结营江上，未曾损折。今日若去劫寨，倘水军上岸，断我归路，如之奈何？"南曰："此事至易：可教关、张二将军，各引五千军伏于山谷中；如朱然来救，左右两军齐出夹攻，必然取胜。"班曰："不如先使小卒诈作降兵，却将劫寨事告与朱然；然见火起，必来救应，却令伏兵击之，则大事济矣。"冯习等大喜，遂依计而行。

却说朱然听知孙桓损兵折将，正欲来救，忽伏路军引几个小卒上船投降。然问之，小卒曰："我等是冯习帐下士卒，因赏罚不明，特来投降，就报机密。"然曰："所报何事？"小卒曰："今晚冯习乘虚要劫孙将军营寨，约定举火为号。"朱然听毕，即使人报知孙桓。报事人行至半途，被关兴杀了。朱然一面商议，欲引兵去救应孙桓。部将崔禹曰："小卒之言，未可深信。倘有疏虞，水陆二军尽皆休矣。将军只宜稳守水寨，某愿替将军一行。"然从之，遂令崔禹引一万军前去。是夜，冯习、张南、吴班分兵三路，直杀入孙桓寨中，四面火起，吴兵大乱，寻路奔走。

且说崔禹正行之间，忽见火起，急催兵前进。刚才转过山来，忽山谷中鼓声大震：左边关兴，右边张苞，两路夹攻。崔禹大惊，方欲奔走，正遇张苞；交马只一合，被苞生擒而回。朱然听知危急，将船往下水退五六十里去了。孙桓引败军逃走，问部将曰："前去何处城坚粮广？"部将曰："此去正北彝陵城，可以屯兵。"桓引败军急望彝陵而走。方进得城，吴班等追至，将城四面围定。关兴、张苞等解崔禹到秭归来。先主大喜，传旨将崔禹斩却，大赏三军。自此威风震动，江南诸将无不胆寒。

却说孙桓令人求救于吴王，吴王大惊，即召文武商议曰："今孙桓受困于彝陵，朱然大败于江中：蜀兵势大，如之奈何？"张昭奏曰："今诸将虽多物故[1]，然尚有十馀人，何虑于刘备？可命韩当为正将，周泰为副将，潘璋为先锋，凌统为合后，甘宁为救应，起兵十万拒之。"权依所奏，即命诸将速行。此时甘宁已患痢疾，带病从征。

却说先主从巫峡建平起，直接彝陵界分，七百馀里，连结四十馀寨；见关兴、张苞屡立大功，叹曰："昔日从朕诸将，皆老迈无用矣；复有二侄如此英雄，朕何虑孙权乎！"正言间，忽报韩当、周泰领兵来到。先主方欲遣将迎敌，近臣奏曰："老将黄忠，引五六人投东吴去了。"先主笑曰："黄汉升非反叛之人也；因朕失口误言老者无用，彼必不服老，故奋力去相持矣。"即召关兴、张苞曰："黄汉升此去必然有失。贤侄休辞劳苦，可去相助。略有微功，便可令回，勿使有失。"二小将拜辞先主，引本部军来助黄忠。正是：老臣素矢忠君志，年少能成报国功。未知黄忠此去如何，且看下文分解。

① 物故——死亡。

第八十三回

战猇亭先主得仇人　守江口书生拜大将

却说章武二年春正月，武威后将军黄忠随先主伐吴；忽闻先主言老将无用，即提刀上马，引亲随五六人，径到彝陵营中。吴班与张南、冯习接入，问曰："老将军此来，有何事故？"忠曰："吾自长沙跟天子到今，多负勤劳。今虽七旬有馀，尚食肉十斤，臂开二石之弓，能乘千里之马，未足为老。昨日主上言吾等老迈无用，故来此与东吴交锋，看吾斩将，老也不老！"

正言间，忽报吴兵前部已到，哨马临营。忠奋然而起，出帐上马。冯习等劝曰："老将军且休轻进。"忠不听，纵马而去。吴班令冯习引兵助战。忠在吴军阵前，勒马横刀，单搦先锋潘璋交战。璋引部将史迹出马。迹欺忠年老，挺枪出战；斗不三合，被忠一刀斩于马下。潘璋大怒，挥关公使的青龙刀，来战黄忠。交马数合，不分胜负。忠奋力恶战，璋料敌不过，拨马便走。忠乘势追杀，全胜而回。路逢关兴、张苞。兴曰："我等奉圣旨来助老将军；既已立了功，速请回营。"忠不听。

次日，潘璋又来搦战。黄忠奋然上马。兴、苞二人要助战，忠不从；吴班要助战，忠亦不从；只自引五千军出迎。战不数合，璋拖刀便走。忠纵马追之，厉声大叫曰："贼将休走！吾今为关公报仇！"追至三十馀里，四面喊声大震，伏兵齐出：右边周泰，左边韩当，前有潘璋，后有凌统，把黄忠困在垓心。忽然狂风大起，忠急退时，山坡上马忠引一军出，一箭射中黄忠肩窝，险些儿落马。吴兵见忠中箭，一齐来攻。忽后面喊声大起，两路军杀来，吴兵溃散，救出黄忠——乃关兴、张苞也。二小将保送黄忠径到御前营中。忠年老血衰，箭疮痛裂，病甚沉重。先主御驾自来看视，抚其背曰："令老将军中伤，朕之过也！"忠曰："臣乃一武夫耳，幸遇陛下。臣今年七十有五，寿亦足矣。望陛下善保龙体，以图中原！"言讫，不省人事。是夜殒于御营。后人有诗叹曰：

老将说黄忠，收川立大功。重披金锁甲，双挽铁胎弓。

胆气惊河北，威名镇蜀中。临亡头似雪，犹自显英雄。

先主见黄忠气绝，哀伤不已，敕具棺椁，葬于成都。先主叹曰："五虎大将，已亡三人。朕尚不能复仇，深可痛哉！"乃引御林军直至猇亭，大会诸将，分军八路，水陆俱进。水路令黄权领兵，先主自率大军于旱路进发：时章武二年二月中旬也。

韩当、周泰听知先主御驾来征，引兵出迎。两阵对圆，韩当、周泰出马，只见蜀营门旗开处，先主自出，黄罗销金伞盖，左右白旄黄钺，金银旌节，前后围绕。当大叫曰："陛下令为蜀主，何自轻出？倘有疏虞，悔之何及！"先主遥指骂曰："汝等吴狗，伤朕手足，誓不与立于天地之间！"当回顾众将曰："谁敢冲突蜀兵？"部将夏恂，挺枪出马。先主背后张苞挺丈八矛，纵马而出，大喝一声，直取夏恂。恂见苞声若巨雷，心中惊惧；恰待要走，周泰弟周平见恂抵敌不住，挥刀纵马而来。关兴见了，跃马提刀来迎。张苞大喝一声，一矛刺中夏恂，倒撞下马。周平大惊，措手不及，被关兴一刀斩了。二小将便取韩当、周泰。韩、周二人，慌退入阵。先主视之，叹曰："虎父无犬子也！"用御鞭一指，蜀兵一齐掩杀过去，吴兵大败。那八路兵，势如泉涌，杀的那吴军尸横遍野，血流成河。

却说甘宁正在船中养病，听知蜀兵大至，火急上马，正遇一彪蛮兵，人皆披发跣足，皆使弓弩长枪，搪牌刀斧；为首乃是番王沙摩柯，生得面如噀血，碧眼突出，使一个铁蒺藜骨朵①，腰带两张弓，威风抖擞。甘宁见其势大，不敢交锋，拨马而走；被沙摩柯一箭射中头颅。宁带箭而走，到于富池口，坐于大树之下而死。树上群鸦数百，围绕其尸。吴王闻之，哀痛不已，具礼厚葬，立庙祭祀。后人有诗叹曰：

吴郡甘兴霸，长江锦幔舟。酬君重知己，报友化仇雠。

劫寨将轻骑，驱兵饮巨瓯。神鸦能显圣，香火永千秋。

却说先主乘势追杀，遂得猇亭。吴兵四散逃走。先主收兵，只不见关兴。先主慌令张苞等四面跟寻。原来关兴杀入吴阵，正遇仇人潘璋，骤马追之。璋大惊，奔入山谷内，不知所往。兴寻思只在山里，往来寻觅不见。看看天晚，迷踪失路。幸得星月有光，追至山僻之间，时已二更，到一庄上，下马叩门。一老者出问何人。兴曰："吾是战将，迷路到此，求一饭充饥。"老人引入，兴见堂内点着明烛，中堂绘画关公神像。兴大哭而拜。老人问曰："将军何故哭拜？"兴曰："此吾父也。"老人闻言，即便下拜。兴曰："何故供养吾父？"老人答曰："此间皆是尊神地方。在生之日，家家侍奉，何况今日为神乎？老夫只望蜀兵早早报仇。今将军到此，百姓有福矣。"遂置酒食待之，卸鞍喂马。

三更已后，忽门外又一人击户。老人出而问之，乃吴将潘璋亦来投宿。恰入草堂，关兴见了，按剑大喝曰："歹贼休走！"璋回身便出。忽门外一人，面如重枣，丹凤眼，卧蚕眉，飘三缕美髯，

① 铁蒺藜骨朵——古兵器，用铁或硬木作成。一头是柄，一头是长圆形的，上面附有铁刺。

绿袍金铠，按剑而入。璋见是关公显圣，大叫一声，神魂惊散；欲待转身，早被关兴手起剑落，斩于地上，取心沥血，就关公神像前祭祀。兴得了父亲的青龙偃月刀，却将潘璋首级，擐①于马项之下，辞了老人，就骑了潘璋的马，望本营而来。老人自将潘璋之尸拖出烧化。

且说关兴行无数里，忽听得人言马嘶，一彪军来到；为首一将，乃潘璋部将马忠也。忠见兴杀了主将潘璋，将首级擐于马项之下，青龙刀又被兴得了，勃然大怒，纵马来取关兴。兴见马忠是害父仇人，气冲牛斗，举青龙刀望忠便砍。忠部下三百军并力上前，一声喊起，将关兴围在垓心。兴力孤势危。忽见西北上一彪军杀来，乃是张苞。马忠见救兵到来，慌忙引军自退。关兴、张苞一处赶来。赶不数里，前面糜芳、傅士仁引兵来寻马忠。两军相合，混战一处。苞、兴二人兵少，慌忙撤退，回至猇亭，来见先主，献上首级，具言此事。先主惊异，赏犒三军。

却说马忠回见韩当、周泰，收聚败军，各分头守把。军士中伤者不计其数。马忠引傅士仁、糜芳于江渚屯扎。当夜三更，军士皆哭声不止。糜芳暗听之，有一伙军言曰："我等皆是荆州之兵，被吕蒙诡计送了主公性命，今刘皇叔御驾亲征，东吴早晚休矣。所恨者，糜芳、傅士仁也。我等何不杀此二贼，去蜀营投降？功劳不小。"又一伙军言曰："不要性急，等个空儿，便就下手。"

糜芳听毕，大惊，遂与傅士仁商议曰："军心变动，我二人性命难保。今蜀主所恨者马忠耳；何不杀了他，将首级去献蜀主，告称：'我等不得已而降吴，今知御驾前来，特地诣营请罪。'"仁

---

① 擐(quǎn)——拴、系。(另一义同贯，擐甲即贯甲，穿著铠甲。)

曰："不可。去必有祸。"芳曰："蜀主宽仁厚德；目今阿斗太子是我外甥，彼但念我国戚之情，必不肯加害。"二人计较已定，先备了马。三更时分，入帐刺杀马忠，将首级割了，二人带数十骑，径投猇亭而来。伏路军人先引见张南、冯习，具说其事。次日，到御营中来见先主，献上马忠首级，哭告于前曰："臣等实无反心；被吕蒙诡计，称言关公已亡，赚开城门，臣等不得已而降。今闻圣驾前来，特杀此贼，以雪陛下之恨。伏乞陛下恕臣等之罪。"先主大怒曰："朕自离成都许多时，你两个如何不来请罪？今日势危，故来巧言，欲全性命！朕若饶你，至九泉之下，有何面目见关公乎！"言讫，令关兴在御营中，设关公灵位。先主亲捧马忠首级，诣前祭祀。又令关兴将糜芳、傅士仁剥去衣服，跪于灵前，亲自用刀剐之，以祭关公。忽张苞上帐哭拜于前曰："二伯父仇人皆已诛戮；臣父冤仇，何日可报？"先主曰："贤侄勿忧。朕当削平江南，杀尽吴狗，务擒二贼，与汝亲自醢[1] 之，以祭汝父。"苞泣谢而退。

此时先主威声大震，江南之人尽皆胆裂，日夜号哭。韩当、周泰大惊，急奏吴王，具言糜芳、傅士仁杀了马忠，去归蜀帝，亦被蜀帝杀了。孙权心怯，遂聚文武商议。步骘奏曰："蜀主所恨者，乃吕蒙、潘璋、马忠、糜芳、傅士仁也。今此数人皆亡，独有范疆、张达二人，现在东吴。何不擒此二人，并张飞首级，遣使送还，交与荆州，送归夫人，上表求和，再会前情，共图灭魏，则蜀兵自退矣。"权从其言，遂具沉香木匣，盛贮飞首，绑缚范疆、张达，囚于槛车之内，令程秉为使，赍国书，望猇亭而来。

却说先主欲发兵前进。忽近臣奏曰："东吴遣使送张车骑之

① 醢(hǎi)——原指肉酱，这里作动词用，是剁成肉酱的意思。

首,并囚范疆、张达二贼至。”先主两手加额[1]曰:“此天之所赐,亦由三弟之灵也!”即令张苞设飞灵位。先主见张飞首级在匣中面不改色,放声大哭。张苞自仗利刀,将范疆、张达万剐凌迟,祭父之灵。

祭毕,先主怒气不息,定要灭吴。马良奏曰:“仇人尽戮,其恨可雪矣。吴大夫程秉到此,欲还荆州,送回夫人,永结盟好,共图灭魏,伏候圣旨。”先主怒曰:“朕切齿仇人,乃孙权也。今若与之连和,是负二弟当日之盟矣。今先灭吴,次灭魏。”便欲斩来使,以绝吴情。多官苦告方免。程秉抱头鼠窜,回奏吴主曰:“蜀不从讲和,誓欲先灭东吴,然后伐魏。众臣苦谏不听,如之奈何?”

权大惊,举止失措。阚泽出班奏曰:“现有擎天之柱,如何不用耶?”权急问何人。泽曰:“昔日东吴大事,全任周郎;后鲁子敬代之;子敬亡后,决于吕子明;今子明虽丧,现在陆伯言在荆州。此人名虽儒生,实有雄才大略,以臣论之,不在周郎之下;前破关公,其谋皆出于伯言。主上若能用之,破蜀必矣。如或有失,臣愿与同罪。”权曰:“非德润之言,孤几误大事。”张昭曰:“陆逊乃一书生耳,非刘备敌手,恐不可用。”顾雍亦曰:“陆逊年幼望轻,恐诸公不服;若不服则生祸乱,必误大事。”步骘亦曰:“逊才堪治郡耳;若托以大事,非其宜也。”阚泽大呼曰:“若不用陆伯言,则东吴休矣!臣愿以全家保之!”权曰:“孤亦素知陆伯言乃奇才也!孤意已决,卿等勿言。”

于是命召陆逊。逊本名陆议,后改名逊,字伯言,乃吴郡吴人也;汉城门校尉陆纡之孙,九江都尉陆骏之子;身长八尺,面如

---

① 两手加额——古人表示庆幸时的一种手式,举双手放在额部。

美玉;官领镇西将军。当下奉召而至,参拜毕,权曰:"今蜀兵临境,孤特命卿总督军马,以破刘备。"逊曰:"江东文武,皆大王故旧之臣;臣年幼无才,安能制之?"权曰:"阚德润以全家保卿,孤亦素知卿才。今拜卿为大都督,卿勿推辞。"逊曰:"倘文武不服,何如?"权取所佩剑与之曰:"如有不听号令者,先斩后奏。"逊曰:"荷蒙重托,敢不拜命;但乞大王于来日会聚众官,然后赐臣。"阚泽曰:"古之命将,必筑坛会众,赐白旄黄钺、印绶兵符,然后威行令肃。今大王宜遵此礼,择日筑坛,拜伯言为大都督,假节钺,则众人自无不服矣。"权从之,命人连夜筑坛完备,大会百官,请陆逊登坛,拜为大都督、右护军镇西将军,进封娄侯,赐以宝剑印绶,令掌六郡八十一州兼荆楚诸路军马。吴王嘱之曰:"阃以内,孤主之;阃以外,将军制之①。"

逊领命下坛,令徐盛、丁奉为护卫,即日出师;一面调诸路军马,水陆并进。文书到猇亭,韩当、周泰大惊曰:"主上如何以一书生总兵耶?"比及逊至,众皆不服。逊升帐议事,众人勉强参贺。逊曰:"主上命吾为大将,督军破蜀。军有常法,公等各宜遵守。违者王法无亲,勿致后悔。"众皆默然。周泰曰:"目今安东将军孙桓,乃主上之侄,现困于彝陵城中,内无粮草,外无救兵;请都督早施良策,救出孙桓,以安主上之心。"逊曰:"吾素知孙安东深得军心,必能坚守,不必救之。待吾破蜀后,彼自出矣。"众皆暗笑而退。韩当谓周泰曰:"命此孺子为将,东吴休矣!——公见彼所行乎?"泰曰:"吾聊以言试之,早无一计。——安能破

① 阃(kūn)以外,将军制之——阃,城门的门限。阃外,指京城以外的所有疆土。这是古代对出征的大将授以全权,君主不牵制、不干扰他的指挥权的意思。

蜀也!”

次日,陆逊传下号令,教诸将各处关防,牢守隘口,不许轻敌。众皆笑其懦,不肯坚守。次日,陆逊升帐唤诸将曰:“吾钦承王命,总督诸军,昨已三令五申,令汝等各处坚守;俱不遵吾令,何也?”韩当曰:“吾自从孙将军平定江南,经数百战;其馀诸将,或从讨逆将军,或从当今大王,皆披坚执锐,出生入死之士。今主上命公为大都督,令退蜀兵,宜早定计,调拨军马,分头征进,以图大事;乃只令坚守勿战,岂欲待天自杀贼耶?吾非贪生怕死之人,奈何使吾等堕其锐气?”于是帐下诸将,皆应声而言曰:“韩将军之言是也。吾等情愿决一死战!”陆逊听毕,掣剑在手,厉声曰:“仆虽一介书生,今蒙主上托以重任者,以吾有尺寸可取①,能忍辱负重故也。汝等只各守隘口,牢把险要,不许妄动。如违令者皆斩!”众皆愤愤而退。

却说先主自猇亭布列军马,直至川口,接连七百里,前后四十营寨,昼则旌旗蔽日,夜则火光耀天。忽细作报说:“东吴用陆逊为大都督,总制军马。逊令诸将各守险要不出。”先主问曰:“陆逊何如人也?”马良奏曰:“逊虽东吴一书生,然年幼多才,深有谋略;前袭荆州,皆系此人之诡计。”先主大怒曰:“竖子诡计,损朕二弟,今当擒之!”便传令进兵。马良谏曰:“陆逊之才,不亚周郎,未可轻敌。”先主曰:“朕用兵老矣,岂反不如一黄口孺子耶!”遂亲领前军,攻打诸处关津隘口。

韩当见先主兵来,差人报知陆逊。逊恐韩当妄动,急飞马自来观看,正见韩当立马于山上;远望蜀兵,漫山遍野而来,军中隐

---

① 尺寸可取——承认有些少的长处。尺、寸,长度不大。这是对自己有才能的一种谦逊说法。

隐有黄罗盖伞。韩当接着陆逊，并马而观。当指曰："军中必有刘备，吾欲击之。"逊曰："刘备举兵东下，连胜十馀阵，锐气正盛；今只乘高守险，不可轻出，出则不利。但宜奖励将士，广布守御之策，以观其变。今彼驰骋于平原广野之间，正自得志；我坚守不出，彼求战不得，必移屯于山林树木间。吾当以奇计胜之。"

韩当口虽应诺，心中只是不服。先主使前队搦战，辱骂百端。逊令塞耳休听，不许出迎，亲自遍历诸关隘口，抚慰将士，皆令坚守。先主见吴军不出，心中焦躁。马良曰："陆逊深有谋略。今陛下远来攻战，自春历夏；彼之不出，欲待我军之变也。愿陛下察之。"先主曰："彼有何谋？但怯敌耳。向者数败，今安敢再出！"先锋冯习奏曰："即今天气炎热，军屯于赤火之中，取水深为不便。"先主遂命各营，皆移于山林茂盛之地，近溪傍涧；待过夏到秋，并力进兵。冯习遂奉旨，将诸寨皆移于林木阴密之处。马良奏曰："我军若动，倘吴兵骤至，如之奈何？"先主曰："朕令吴班引万馀弱兵，近吴寨平地屯住；朕亲选八千精兵，伏于山谷之中。若陆逊知朕移营，必乘势来击，却令吴班诈败；逊若追来，朕引兵突出，断其归路，小子可擒矣。"文武皆贺曰："陛下神机妙算，诸臣不及也！"

马良曰："近闻诸葛丞相在东川点看各处隘口，恐魏兵入寇。陛下何不将各营移居之地，画成图本，问于丞相？"先主曰："朕亦颇知兵法，何必又问丞相？"良曰："古云：'兼听则明，偏听则蔽。'望陛下察之。"先主曰："卿可自去各营，画成四至八道图本，亲到东川去问丞相。如有不便，可急来报知。"马良领命而去。于是先主移兵于林木阴密处避暑。早有细作报知韩当、周泰。二人听得此事，大喜，来见陆逊曰："目今蜀兵四十馀营，皆移于山林密处，依溪傍涧，就水歇凉。都督可乘虚击之。”正是：蜀主有谋能设伏，吴兵好勇定遭擒。未知陆逊可听其言否，且看下文分解。

第八十四回

陆逊营烧七百里　孔明巧布八阵图

却说韩当、周泰探知先主移营就凉，急来报知陆逊。逊大喜，遂引兵自来观看动静：只见平地一屯，不满万馀人，大半皆是老弱之众，大书“先锋吴班”旗号。周泰曰：“吾视此等兵如儿戏耳。愿同韩将军分两路击之。如其不胜，甘当军令。”陆逊看了良久，以鞭指曰：“前面山谷中，隐隐有杀气起；其下必有伏兵，故于平地设此弱兵，以诱我耳。诸公切不可出。”众将听了，皆以为懦。

次日，吴班引兵到关前搦战，耀武扬威，辱骂不绝；多有解衣卸甲，赤身裸体，或睡或坐。徐盛、丁奉入帐禀陆逊曰：“蜀兵欺我太甚！某等愿出击之！”逊笑曰：“公等但恃血气之勇，未知孙、吴妙法。此彼诱敌之计也：三日后必见其诈矣。”徐盛曰：“三日后，彼移营已定，安能击之乎？”逊曰：“吾正欲令彼移营也。”诸将哂笑而退。过三日后，会诸将于关上观望，见吴班兵已退去。逊指曰：“杀气起矣。——刘备必从山谷中出也。”言未毕，只见蜀兵皆全装惯束，拥先主而过。吴兵见了，尽皆胆裂。逊曰：“吾之不听诸公击班者，正为此也。今伏兵已出，旬日之内，必破蜀矣。”诸将皆曰：“破蜀当在初时；今连营五六百里，相守经七八月，其诸要害，皆已固守，安能破乎？”逊曰：“诸公不知兵法。备乃世之枭雄，更多智谋，其兵始集，法度精专；今守之久矣，不得我便，兵疲意阻，取之正在今日。”诸将方才叹服。后人有诗赞曰：

虎帐谈兵按《六韬》，安排香饵钓鲸鳌。三分自是多英俊，又显江南陆逊高。

却说陆逊已定了破蜀之策，遂修笺遣使奏闻孙权，言指日可以破蜀之意。权览毕，大喜曰：“江东复有此异人，孤何忧哉！诸将皆上书言其懦，孤独不信。今观其言，果非懦也。”于是大起吴兵来接应。

却说先主于猇亭尽驱水军，顺流而下，沿江屯扎水寨，深入吴境。黄权谏曰：“水军沿江而下，进则易，退则难。臣愿为前驱。陛下宜在后阵，庶万无一失。”先主曰：“吴贼胆落，朕长驱大进，有何碍乎？”众官苦谏，先主不从。遂分兵两路：命黄权督江北之兵，以防魏寇；先主自督江南诸军，夹江分立营寨，以图进取。细作探知，连夜报知魏主，言“蜀兵伐吴，树栅连营，纵横七百馀里，分四十馀屯，皆傍山林下寨；今黄权督兵在江北岸，每日出哨百馀里，不知何意。”

魏主闻之，仰面笑曰：“刘备将败矣！”群臣请问其故。魏主曰：“刘玄德不晓兵法：岂有连营七百里，而可以拒敌者乎？包原隰险阻屯兵者[①]，此兵法之大忌也。玄德必败于东吴陆逊之手。——旬日之内，消息必至矣。”群臣犹未信，皆请拨兵备之。魏主曰：“陆逊若胜，必尽举吴兵去取西川；吴兵远去，国中空虚，

① 包原隰(xí)险阻屯兵者二句——包，通苞，草木丛生的地方。原，高平之处。隰，低湿的地方。险阻，地势险要的处所。二句的意思是：把大军铺开驻扎在地形过于复杂的大片地方，是完全违反军事学的错误措施。

朕虚托以兵助战,令三路一齐进兵,东吴唾手可取也。”众皆拜服。魏主下令,使曹仁督一军出濡须,曹休督一军出洞口,曹真督一军出南郡:“三路军马会合日期,暗袭东吴。朕随后自来接应。”调遣已定。

不说魏兵袭吴。且说马良至川,入见孔明,呈上图本而言曰:“今移营夹江,横占七百里,下四十馀屯,皆依溪傍涧,林木茂盛之处。皇上令良将图本来与丞相观之。”孔明看讫,拍案叫苦曰:“是何人教主上如此下寨?可斩此人!”马良曰:“皆主上自为,非他人之谋。”孔明叹曰:“汉朝气数休矣!”良问其故。孔明曰:“包原隰险阻而结营,此兵家之大忌。倘彼用火攻,何以解救?又,岂有连营七百里而可拒敌乎?祸不远矣!陆逊拒守不出,正为此也。汝当速去见天子,改屯诸营,不可如此。”良曰:“倘今吴兵已胜,如之奈何?”孔明曰:“陆逊不敢来追,成都可保无虞。”良曰:“逊何故不追?”孔明曰:“恐魏兵袭其后也。主上若有失,当投白帝城避之。吾入川时,已伏下十万兵在鱼腹浦矣。”良大惊曰:“某于鱼腹浦往来数次,未尝见一卒,丞相何作此诈语?”孔明曰:“后来必见,不劳多问。”马良求了表章,火速投御营来。孔明自回成都,调拨军马救应。

却说陆逊见蜀兵懈怠,不复提防,升帐聚大小将士听令曰:“吾自受命以来,未尝出战。今观蜀兵,足知动静,故欲先取江南岸一营。谁敢去取?”言未毕,韩当、周泰、凌统等应声而出曰:“某等愿往。”逊教皆退不用,独唤阶下末将淳于丹曰:“吾与汝五千军,去取江南第四营:蜀将傅彤所守。今晚就要成功。吾自提兵接应。”淳于丹引兵去了,又唤徐盛、丁奉曰:“汝等各领兵三千，屯于寨外五里。如淳于丹败回，有兵赶来，当出救之，却不可追去。"二将自引军去了。

却说淳于丹于黄昏时分，领兵前进，到蜀寨时，已三更之后。丹令众军鼓噪而入。蜀营内傅彤引军杀出，挺枪直取淳于丹；丹敌不住，拨马便回。忽然喊声大震，一彪军拦住去路：为首大将赵融。丹夺路而走，折兵大半。正走之间，山后一彪蛮兵拦住：为首番将沙摩柯。丹死战得脱，背后三路军赶来。比及离营五里，吴军徐盛、丁奉二人两下杀来，蜀兵退去，救了淳于丹回营。丹带箭入见陆逊请罪。逊曰："非汝之过也。——吾欲试敌人之虚实耳。破蜀之计，吾已定矣。"徐盛、丁奉曰："蜀兵势大，难以破之，空自损兵折将耳。"逊笑曰："吾这条计，但瞒不过诸葛亮耳。天幸此人不在，使我成大功也。"

遂集大小将士听令：使朱然于水路进兵，来日午后东南风大作，用船装载茅草，依计而行；韩当引一军攻江北岸，周泰引一军攻江南岸，每人手执茅草一把，内藏硫黄焰硝，各带火种，各执枪刀，一齐而上，但到蜀营，顺风举火；蜀兵四十屯，只烧二十屯，每间一屯烧一屯。各军预带干粮，不许暂退，昼夜追袭，只擒了刘备方止。众将听了军令，各受计而去。

却说先主正在御营寻思破吴之计，忽见帐前中军旗幡，无风自倒。乃问程畿曰："此为何兆？"畿曰："今夜莫非吴兵来劫营？"先主曰："昨夜杀尽，安敢再来？"畿曰："倘是陆逊试敌，奈何？"正言间，人报山上远远望见吴兵尽沿山望东去了。先主曰："此是疑兵。"令众休动，命关兴、张苞各引五百骑出巡。黄昏时分，关兴回奏曰："江北营中火起。"先主急令关兴往江北，张苞往江南，探看虚实："倘吴兵到时，可急回报。"

二将领命去了。初更时分，东南风骤起。只见御营左屯火发。方欲救时,御营右屯又火起。风紧火急,树木皆着,喊声大震。两屯军马齐出,奔离御营中,御营军自相践踏,死者不知其数。后面吴兵杀到,又不知多少军马。先主急上马,奔冯习营时,习营中火光连天而起。江南、江北,照耀如同白日。冯习慌上马引数十骑而走,正逢吴将徐盛军到,敌住厮杀。先主见了,拨马投西便走。徐盛舍了冯习,引兵追来。先主正慌,前面又一军拦住,乃是吴将丁奉,两下夹攻。先主大惊,四面无路。忽然喊声大震,一彪军杀入重围,乃是张苞,救了先主,引御林军奔走。正行之间,前面一军又到,乃蜀将傅彤也,合兵一处而行。背后吴兵追至。"先主前到一山,名马鞍山。张苞、傅彤请先主上的山时,山下喊声又起:陆逊大队人马,将马鞍山围住。张苞、傅彤死据山口。先主遥望遍野火光不绝,死尸重叠,塞江而下。

次日,吴兵又四下放火烧山,军士乱窜,先主惊慌。忽然火光中一将引数骑杀上山来,视之,乃关兴也。兴伏地请曰:"四下火光逼近,不可久停。陛下速奔白帝城,再收军马可也。"先主曰:"谁敢断后?"傅彤奏曰:"臣愿以死当之!"当日黄昏,关兴在前,张苞在中,留傅彤断后,保着先主,杀下山来。吴兵见先主奔走,皆要争功,各引大军,遮天盖地,往西追赶。先主令军士尽脱袍铠,塞道而焚,以断后军。正奔走间,喊声大震,吴将朱然引一军从江岸边杀来,截住去路。先主叫曰:"朕死于此矣!"关兴、张苞纵马冲突,被乱箭射回,各带重伤,不能杀出。背后喊声又起,陆逊引大军从山谷中杀来。

先主正慌急之间,此时天色已微明,只见前面喊声震天,朱然军纷纷落涧,滚滚投岩:一彪军杀入,前来救驾。先主大喜,视之,乃常山赵子龙也。时赵云在川中江州,闻吴、蜀交兵,遂引军出;忽见东南一带火光冲天,云心惊,远远探视,不想先主被困,云奋勇冲杀而来。陆逊闻是赵云，急令军退。云正杀之间，忽遇朱然，便与交锋；不一合，一枪刺朱然于马下，杀散吴兵，救出先主，望白帝城而走。先主曰："朕虽得脱，诸将士将奈何？"云曰："敌军在后，不可久迟。陛下且入白帝城歇息，臣再引兵去救应诸将。"此时先主仅存百馀人入白帝城。后人有诗赞陆逊曰：

持矛举火破连营，玄德穷奔白帝城。一旦威名惊蜀魏，吴王宁不敬书生。

却说傅彤断后，被吴军八面围住。丁奉大叫曰："川兵死者无数，降者极多，汝主刘备已被擒获。今汝力穷势孤，何不早降？"傅彤叱曰："吾乃汉将，安肯降吴狗乎！"挺枪纵马，率蜀军奋力死战，不下百馀合，往来冲突，不能得脱。彤长叹曰："吾今休矣！"言讫，口中吐血，死于吴军之中。后人赞傅彤诗曰：

彝陵吴蜀大交兵，陆逊施谋用火焚。至死犹然骂"吴狗"，傅彤不愧汉将军。

蜀祭酒程畿，匹马奔至江边，招呼水军赴敌，吴兵随后追来，水军四散奔逃。畿部将叫曰："吴兵至矣！程祭酒快走罢！"畿怒曰："吾自从主上出军，未尝赴敌而逃！"言未毕，吴兵骤至，四下无路，畿拔剑自刎。后人有诗赞曰：

慷慨蜀中程祭酒，身留一剑答君王。临危不改平生志，博得声名万古香。

时吴班、张南久围彝陵城，忽冯习到，言蜀兵败，遂引军来救先主，孙桓方才得脱。张、冯二将正行之间，前面吴兵杀来，背后孙桓从彝陵城杀出，两下夹攻。张南、冯习奋力冲突，不能得脱，死于乱军之中。后人有诗赞曰：

冯习忠无二，张南义少双：沙场甘战死，史册共流芳。

吴班杀出重围，又遇吴兵追赶；幸得赵云接着，救回白帝城去了。

时有蛮王沙摩柯，匹马奔走，正逢周泰，战二十馀合，被泰所杀。蜀将杜路、刘宁尽皆降吴。蜀营一应粮草器仗，尺寸不存。蜀将川兵，降者无数。时孙夫人在吴，闻猇亭兵败，讹传先主死于军中，遂驱车至江边，望西遥哭，投江而死。后人立庙江滨，号曰枭姬祠。尚论者作诗叹之曰：

先主兵归白帝城，夫人闻难独捐生。至今江畔遗碑在，犹著千秋烈女名。

却说陆逊大获全功，引得胜之兵，往西追袭。前离夔关不远，逊在马上看见前面临山傍江，一阵杀气，冲天而起；遂勒马回顾众将曰："前面必有埋伏，三军不可轻进。"即倒退十馀里，于地势空阔处，排成阵势，以御敌军；即差哨马前去探视。回报并无军屯在此，逊不信，下马登高望之，杀气复起。逊再令人仔细探视，哨马回报，前面并无一人一骑。逊见日将西沉，杀气越加，心中犹豫，令心腹人再往探看。回报江边止有乱石八九十堆，并无人马。逊大疑，令寻土人问之。须臾，有数人到。逊问曰："何人将乱石作堆？如何乱石堆中有杀气冲起？"土人曰："此处地名鱼腹浦。诸葛亮入川之时，驱兵到此，取石排成阵势于沙滩之上。自此常常有气如云，从内而起。"

陆逊听罢，上马引数十骑来看石阵，立马于山坡之上，但见四面八方，皆有门有户。逊笑曰："此乃惑人之术耳，有何益焉！"遂引数骑下山坡来，直入石阵观看。部将曰："日暮矣，请都督早回。"逊方欲出阵，忽然狂风大作，一霎时，飞沙走石，遮天盖地。但见怪石嵯峨，槎枒似剑；横沙立土，重叠如山；江声浪涌，有如剑鼓之声。逊大惊曰："吾中诸葛之计也！"急欲回时，无路可出。正惊疑间，忽见一老人立于马前，笑曰："将军欲出此阵乎？"逊曰:“愿长者引出。”老人策杖徐徐而行,径出石阵,并无所碍,送至山坡之上。逊问曰:“长者何人?”老人答曰:“老夫乃诸葛孔明之岳父黄承彦也。昔小婿入川之时,于此布下石阵,名‘八阵图’。反复八门,按遁甲休、生、伤、杜、景、死、惊、开。每日每时,变化无端,可比十万精兵。临去之时,曾分付老夫道:‘后有东吴大将迷于阵中,莫要引他出来。’老夫适于山岩之上,见将军从‘死门’而入,料想不识此阵,必为所迷。老夫平生好善,不忍将军陷没于此,故特自‘生门’引出也。”逊曰:“公曾学此阵法否?”黄承彦曰:“变化无穷,不能学也。”逊慌忙下马拜谢而回。后杜工部有诗曰:

　　功盖三分国,名成八阵图。江流石不转,遗恨失吞吴。

陆逊回寨,叹曰:“孔明真‘卧龙’也!吾不能及!”于是下令班师。左右曰:“刘备兵败势穷,困守一城,正好乘势击之;今见石阵而退,何也?”逊曰:“吾非惧石阵而退;吾料魏主曹丕,其奸诈与父无异,今知吾追赶蜀兵,必乘虚来袭。吾若深入西川,急难退矣。”遂令一将断后,逊率大军而回。退兵未及二日,三处人来飞报:“魏兵曹仁出濡须,曹休出洞口,曹真出南郡:三路兵马数十万,星夜至境,未知何意。”逊笑曰:“不出吾之所料。吾已令兵拒之矣。”正是:雄心方欲吞西蜀,胜算还须御北朝。未知如何退兵,且看下文分解。

第八十五回

刘先主遗诏托孤儿　诸葛亮安居平五路

却说章武二年夏六月，东吴陆逊大破蜀兵于猇亭彝陵之地；先主奔回白帝城，赵云引兵据守。忽马良至，见大军已败，懊悔不及，将孔明之言，奏知先主。先主叹曰："朕早听丞相之言，不致今日之败！今有何面目复回成都见群臣乎！"遂传旨就白帝城住扎，将馆驿改为永安宫。人报冯习、张南、傅彤、程畿、沙摩柯等皆殁于王事，先主伤感不已。又近臣奏称："黄权引江北之兵，降魏去了。陛下可将彼家属送有司问罪。"先主曰："黄权被吴兵隔断在江北岸，欲归无路，不得已而降魏：是朕负权，非权负朕也。何必罪其家属？"仍给禄米以养之。

却说黄权降魏，诸将引见曹丕。丕曰："卿今降朕，欲追慕于陈、韩[①]耶？"权泣而奏曰："臣受蜀帝之恩，殊遇甚厚，令臣督诸军于江北，被陆逊绝断。臣归蜀无路，降吴不可，故来投陛下。败军之将，免死为幸，安敢追慕于古人耶！"丕大喜，遂拜黄权为镇南将军。权坚辞不受。忽近臣奏曰："有细作人自蜀中来，说蜀主将黄权家属尽皆诛戮。"权曰："臣与蜀主，推诚相信，知臣本心，必不肯杀臣之家小也。"丕然之。后人有诗责黄权曰：

---

① 陈、韩——即陈平、韩信。二人原来都是项羽的部下，后来投奔刘邦，帮助刘邦攻灭项羽，成为汉朝的开国功臣。

降吴不可却降曹，忠义安能事两朝？堪叹黄权惜一死，
紫阳书法不轻饶。

曹丕问贾诩曰："朕欲一统天下，先取蜀乎？先取吴乎？"诩曰："刘备雄才，更兼诸葛亮善能治国；东吴孙权，能识虚实，陆逊现屯兵于险要，隔江泛湖，皆难卒谋。以臣观之，诸将之中，皆无孙权、刘备敌手。虽以陛下天威临之，亦未见万全之势也。只可持守，以待二国之变。"丕曰："朕已遣三路大兵伐吴，安有不胜之理？"尚书刘晔曰："近东吴陆逊，新破蜀兵七十万，上下齐心，更有江湖之阻，不可卒制；陆逊多谋，必有准备。"丕曰："卿前劝朕伐吴，今又谏阻，何也？"晔曰："时有不同也。昔东吴累败于蜀，其势顿挫，故可击耳；今既获全胜，锐气百倍，未可攻也。"丕曰："朕意已决，卿勿复言。"遂引御林军亲往接应三路兵马。早有哨马报说东吴已有准备：令吕范引兵拒住曹休，诸葛瑾引兵在南郡拒住曹真，朱桓引兵当住濡须以拒曹仁。刘晔曰："既有准备，去恐无益。"丕不从，引兵而去。

却说吴将朱桓，年方二十七岁，极有胆略，孙权甚爱之；时督军于濡须，闻曹仁引大军去取羡溪，桓遂尽拨军守把羡溪去了，止留五千骑守城。忽报曹仁令大将常雕同诸葛虔、王双，引五万精兵飞奔濡须城来。众军皆有惧色。桓按剑而言曰："胜负在将，不在兵之多寡。兵法云：'客兵倍而主兵半者，主兵尚能胜于客兵。'今曹仁千里跋涉，人马疲困。吾与汝等，共据高城，南临大江，北背山险，以逸待劳，以主制客：此乃百战百胜之势。虽曹丕自来，尚不足忧，况仁等耶！"于是传令，教众军偃旗息鼓，只作无人守把之状。

且说魏将先锋常雕，领精兵来取濡须城，遥望城上并无军马。雕催军急进，离城不远，一声炮响，旌旗齐竖。朱桓横刀飞

马而出，直取常雕。战不三合，被桓一刀斩常雕于马下。吴兵乘势冲杀一阵，魏兵大败，死者无数。朱桓大胜，得了无数旌旗军器战马。曹仁领兵随后到来，却被吴兵从羡溪杀出。曹仁大败而退，回见魏主，细奏大败之事。丕大惊。正议之间，忽探马报："曹真、夏侯尚围了南郡，被陆逊伏兵于内，诸葛瑾伏兵于外，内外夹攻，因此大败。"言未毕，忽探马又报："曹休亦被吕范杀败。"丕听知三路兵败，乃喟然叹曰："朕不听贾诩、刘晔之言，果有此败！"时值夏天，大疫流行，马步军十死六七，遂引军回洛阳。吴、魏自此不和。

却说先主在永安宫，染病不起，渐渐沉重。至章武三年夏四月，先主自知病入四肢，又哭关、张二弟，其病愈深；两目昏花，厌见侍从之人，乃叱退左右，独卧于龙榻之上。忽然阴风骤起，将灯吹摇，灭而复明。只见灯影之下，二人侍立。先主怒曰："朕心绪不宁，教汝等且退，何故又来！"叱之不退。先主起而视之，上首乃云长，下首乃翼德也。先主大惊曰："二弟原来尚在？"云长曰："臣等非人，乃鬼也。上帝以臣二人平生不失信义，皆敕命为神。哥哥与兄弟聚会不远矣。"先主扯定大哭。忽然惊觉，二弟不见。即唤从人问之，时正三更。先主叹曰："朕不久于人世矣！"遂遣使往成都，请丞相诸葛亮、尚书令李严等，星夜来永安宫，听受遗命。孔明等与先主次子鲁王刘永、梁王刘理，来永安宫见帝，留太子刘禅守成都。

且说孔明到永安宫，见先主病危，慌忙拜伏于龙榻之下。先主传旨，请孔明坐于龙榻之侧，抚其背曰："朕自得丞相，幸成帝业；何期智识浅陋，不纳丞相之言，自取其败。悔恨成疾，死在旦夕。嗣子孱弱，不得不以大事相托。"言讫，泪流满面。孔明亦涕泣曰："愿陛下善保龙体，以副天下之望！"先主以目遍视，只见马良之弟马谡在傍，先主令且退。谡退出，先主谓孔明曰："丞相观马谡之才何如？"孔明曰："此人亦当世之英才也。"先主曰："不然。朕观此人，言过其实，不可大用。丞相宜深察之。"分付毕，传旨召诸臣入殿，取纸笔写了遗诏，递与孔明而叹曰："朕不读书，粗知大略。圣人云：'鸟之将死，其鸣也哀；人之将死，其言也善。'朕本待与卿等同灭曹贼，共扶汉室；不幸中道而别。烦丞相将诏付与太子禅，令勿以为常言。凡事更望丞相教之！"孔明等泣拜于地曰："愿陛下将息龙体！臣等尽施犬马之劳，以报陛下知遇之恩也。"先主命内侍扶起孔明，一手掩泪，一手执其手，曰："朕今死矣，有心腹之言相告！"孔明曰："有何圣谕？"先主泣曰："君才十倍曹丕，必能安邦定国，终定大事。若嗣子可辅，则辅之；如其不才，君可自为成都之主。"孔明听毕，汗流遍体，手足失措，泣拜于地曰："臣安敢不竭股肱之力，尽忠贞之节，继之以死乎！"言讫，叩头流血。先主又请孔明坐于榻上，唤鲁王刘永、梁王刘理近前，分付曰："尔等皆记朕言：朕亡之后，尔兄弟三人，皆以父事丞相，不可怠慢。"言罢，遂命二王同拜孔明。二王拜毕，孔明曰："臣虽肝脑涂地，安能报知遇之恩也！"

先主谓众官曰："朕已托孤于丞相，令嗣子以父事之。卿等俱不可怠慢，以负朕望。"又嘱赵云曰："朕与卿于患难之中，相从到今，不想于此地分别。卿可想朕故交，早晚看觑[①]吾子，勿负朕言。"云泣拜曰："臣敢不效犬马之劳！"先主又谓众官曰："卿等众官，朕不能一一分嘱，愿皆自爱。"言毕，驾崩，寿六十三岁。时章武三年夏四月二十四日也。后杜工部有诗叹曰：

---

① 看觑(qù)——看顾、照料的意思。

蜀主窥吴向三峡，崩年亦在永安宫。翠华想像空山外，
玉殿虚无野寺中。古庙杉松巢水鹤，岁时伏腊走村翁。
武侯祠屋长邻近，一体君臣祭祀同。

先主驾崩，文武官僚，无不哀痛。孔明率众官奉梓宫① 还成都。太子刘禅出城迎接灵柩，安于正殿之内。举哀行礼毕，开读遗诏。诏曰：

朕初得疾，但下痢耳；后转生杂病，殆不自济。朕闻“人年五十，不称夭寿”。今朕年六十有馀，死复何恨？——但以卿兄弟为念耳。勉之！勉之！勿以恶小而为之，勿以善小而不为。惟贤惟德，可以服人；卿父德薄，不足效也。卿与丞相从事，事之如父，勿怠！勿忘！卿兄弟更求闻达。至嘱！至嘱！

群臣读诏已毕。孔明曰：“国不可一日无君；请立嗣君，以承汉统。”乃立太子禅即皇帝位，改元建兴。加诸葛亮为武乡侯，领益州牧。葬先主于惠陵，谥曰昭烈皇帝。尊皇后吴氏为皇太后；谥甘夫人为昭烈皇后，糜夫人亦追谥为皇后。升赏群臣，大赦天下。

早有魏军探知此事，报入中原。近臣奏知魏主。曹丕大喜曰：“刘备已亡，朕无忧矣。何不乘其国中无主，起兵伐之？”贾诩谏曰：“刘备虽亡，必托孤于诸葛亮。亮感备知遇之恩，必倾心竭力，扶持嗣主。陛下不可仓卒伐之。”正言间，忽一个从班部中奋然而出曰：“不乘此时进兵，更待何时？”众视之，乃司马懿也。丕大喜，遂问计于懿。懿曰：“若只起中国之兵，急难取胜。须用五

① 梓(zǐ)宫——指皇帝的尸柩。

路大兵，四面夹攻，令诸葛亮首尾不能救应，然后可图。”

丕问何五路，懿曰：“可修书一封，差使往辽东鲜卑国，见国王轲比能，赂以金帛，令起辽西羌兵十万，先从旱路取西平关：此一路也。再修书遣使赍官诰赏赐，直入南蛮，见蛮王孟获，令起兵十万，攻打益州、永昌、牂牁、越嶲四郡，以击西川之南：此二路也。再遣使入吴修好，许以割地，令孙权起兵十万，攻两川峡口，径取涪城：此三路也。又可差使至降将孟达处，起上庸兵十万，西攻汉中：此四路也。然后命大将军曹真为大都督，提兵十万，由京兆径出阳平关取西川：此五路也。——共大兵五十万，五路并进，诸葛亮便有吕望之才，安能当此乎？”丕大喜，随即密遣能言官四员为使前去；又命曹真为大都督，领兵十万，径取阳平关。此时张辽等一班旧将，皆封列侯，俱在冀、徐、青及合淝等处，据守关津隘口，故不复调用。

却说蜀汉后主刘禅，自即位以来，旧臣多有病亡者，不能细说。凡一应朝廷选法，钱粮、词讼等事，皆听诸葛丞相裁处。时后主未立皇后，孔明与群臣上言曰：“故车骑将军张飞之女甚贤，年十七岁，可纳为正宫皇后。”后主即纳之。

建兴元年秋八月，忽有边报说：“魏调五路大兵，来取西川：第一路，曹真为大都督，起兵十万，取阳平关；第二路，乃反将孟达，起上庸兵十万，犯汉中；第三路，乃东吴孙权，起精兵十万，取峡口入川；第四路，乃蛮王孟获，起蛮兵十万，犯益州四郡；第五路，乃番王轲比能，起羌兵十万，犯西平关。——此五路军马，甚是利害。已先报知丞相，丞相不知为何，数日不出视事。”后主听罢大惊，即差近侍赍旨，宣召孔明入朝。使命去了半日，回报：“丞相府下人言，丞相染病不出。”后主转慌；次日，又命黄门侍郎董允、谏议大夫杜琼，去丞相卧榻前，告此大事。董、杜二人到丞相府前，皆不得入。杜琼曰："先帝托孤于丞相，今主上初登宝位，被曹丕五路兵犯境，军情至急，丞相何故推病不出？"良久，门吏传丞相令，言："病体稍可，明早出都堂议事。"董、杜二人叹息而回。次日，多官又来丞相府前伺候。从早至晚，又不见出。多官惶惶，只得散去。杜琼入奏后主曰："请陛下圣驾，亲往丞相府问计。"后主即引多官入宫，启奏皇太后。太后大惊，曰："丞相何故如此？有负先帝委托之意也！我当自往。"董允奏曰："娘娘未可轻往。臣料丞相必有高明之见。且待主上先往。如果怠慢，请娘娘于太庙中，召丞相问之未迟。"太后依奏。

次日，后主车驾亲至相府。门吏见驾到，慌忙拜伏于地而迎。后主问曰："丞相在何处？"门吏曰："不知在何处。只有丞相钧旨，教挡住百官，勿得辄入。"后主乃下车步行，独进第三重门，见孔明独倚竹杖，在小池边观鱼。后主在后立久，乃徐徐而言曰："丞相安乐否？"孔明回顾，见是后主，慌忙弃杖，拜伏于地曰："臣该万死！"后主扶起，问曰："今曹丕分兵五路，犯境甚急，相父① 缘何不肯出府视事？"孔明大笑，扶后主入内室坐定，奏曰："五路兵至，臣安得不知？臣非观鱼，有所思也。"后主曰："如之奈何？"孔明曰："羌王轲比能，蛮王孟获，反将孟达，魏将曹真：此四路兵，臣已皆退去了也。止有孙权这一路兵，臣已有退之之计，但须一能言之人为使。因未得其人，故熟思之。陛下何必忧乎？"

后主听罢，又惊又喜，曰："相父果有鬼神不测之机也！愿闻退兵之策。"孔明曰："先帝以陛下付托与臣，臣安敢旦夕怠慢。成都众官，皆不晓兵法之妙——贵在使人不测，岂可泄漏于人？

① 相父——皇帝对任宰相的元老表示"事之如父"的称呼。

老臣先知西番国王轲比能，引兵犯西平关；臣料马超积祖西川人氏，素得羌人之心，羌人以超为神威天将军，臣已先遣一人，星夜驰檄，令马超紧守西平关，伏四路奇兵，每日交换，以兵拒之：此一路不必忧矣。又南蛮孟获，兵犯四郡，臣亦飞檄遣魏延领一军左出右入，右出左入，为疑兵之计；蛮兵惟凭勇力，其心多疑，若见疑兵，必不敢进：此一路又不足忧矣。又知孟达引兵出汉中；达与李严曾结生死之交；臣回成都时，留李严守永安宫；臣已作一书，只做李严亲笔，令人送与孟达；达必然推病不出，以慢军心：此一路又不足忧矣。又知曹真引兵犯阳平关；此地险峻，可以保守，臣已调赵云引一军守把关隘，并不出战；曹真若见我军不出，不久自退矣。——此四路兵俱不足忧。臣尚恐不能全保，又密调关兴、张苞二将，各引兵三万，屯于紧要之处，为各路救应。此数处调遣之事，皆不曾经由成都，故无人知觉。只有东吴这一路兵，未必便动：如见四路兵胜，川中危急，必来相攻；若四路不济，安肯动乎？臣料孙权想曹丕三路侵吴之怨，必不肯从其言。虽然如此，须用一舌辩之士，径往东吴，以利害说之，则先退东吴；其四路之兵，何足忧乎？但未得说吴之人，臣故踌躇。何劳陛下圣驾来临？”后主曰：“太后亦欲来见相父。今朕闻相父之言，如梦初觉，复何忧哉！”

孔明与后主共饮数杯，送后主出府。众官皆环立于门外，见后主面有喜色。后主别了孔明，上御车回朝。众皆疑惑不定。孔明见众官中，一人仰天而笑，面亦有喜色。孔明视之，乃义阳新野人，姓邓，名芝，字伯苗，现为户部尚书；汉司马邓禹之后。孔明暗令人留住邓芝。多官皆散，孔明请芝到书院中，问芝曰：“今蜀、魏、吴鼎分三国，欲讨二国，一统中兴，当先伐何国？”芝曰：“以愚意论之：魏虽汉贼，其势甚大，急难摇动，当徐徐缓图；

今主上初登宝位,民心未安,当与东吴连合,结为唇齿,一洗先帝旧怨,此乃长久之计也。未审丞相钧意若何?"孔明大笑曰:"吾思之久矣,奈未得其人。——今日方得也!"芝曰:"丞相欲其人何为?"孔明曰:"吾欲使人往结东吴。公既能明此意,必能不辱君命。使乎之任①,非公不可。"芝曰:"愚才疏智浅,恐不堪当此任。"孔明曰:"吾来日奏知天子,便请伯苗一行,切勿推辞。"芝应允而退。至次日,孔明奏准后主,差邓芝往说东吴。芝拜辞,望东吴而来。正是:吴人方见干戈息,蜀使还将玉帛②通。未知邓芝此去若何,且看下文分解。

① 使乎之任——这是一句调文的话,意思是:能够非常称职地完成使命的人选。春秋时,孔丘很欣赏卫大夫蘧伯玉派来的使者话说得得体,曾赞叹说:"使乎,使乎!"见《论语·宪问》。

② 玉帛——统指玉器、织物等财货,是古代两国和好通使时的礼品。因此玉帛一词与干戈一词相对待,表示停止战争,和好相处。

第八十六回

难张温秦宓逞天辩　破曹丕徐盛用火攻

却说东吴陆逊，自退魏兵之后，吴王拜逊为辅国将军、江陵侯，领荆州牧，自此军权皆归于逊。张昭、顾雍启奏吴王，请自改元。权从之，遂改为黄武元年。忽报魏主遣使至，权召入。使命陈说："蜀前使人求救于魏，魏一时不明，故发兵应之；今已大悔，欲起四路兵取川，东吴可来接应。若得蜀土，各分一半。"

权闻言，不能决，乃问于张昭、顾雍等。昭曰："陆伯言极有高见，可问之。"权即召陆逊至。逊奏曰："曹丕坐镇中原，急不可图；今若不从，必为仇矣。臣料魏与吴皆无诸葛亮之敌手。今且勉强应允，整军预备，只探听四路如何。若四路兵胜，川中危急，诸葛亮首尾不能救，主上则发兵以应之，先取成都，深为上策；如四路兵败，别作商议。"权从之，乃谓魏使曰："军需未办，择日便当起程。"使者拜辞而去。权令人探得西番兵出西平关，见了马超，不战自退；南蛮孟获起兵攻四郡，皆被魏延用疑兵计杀退回洞去了；上庸孟达兵至半路，忽然染病不能行；曹真兵出阳平关，赵子龙拒住各处险道，果然"一将守关，万夫莫开"。曹真屯兵于斜谷道，不能取胜而回。

孙权知了此信，乃谓文武曰："陆伯言真神算也。孤若妄动，又结怨于西蜀矣。"忽报西蜀遣邓芝到。张昭曰："此又是诸葛亮退兵之计，遣邓芝为说客也。"权曰："当何以答之?"昭曰："先于殿前立一大鼎，贮油数百斤，下用炭烧。待其油沸，可选身长面大武士一千人，各执刀在手，从宫门前直摆至殿上，却唤芝入见。休等此人开言下说词，责以郦食其说齐故事[1]，效此例烹之，看其人如何对答。”

权从其言，遂立油鼎，命武士立于左右，各执军器，召邓芝入。芝整衣冠而入。行至宫门前，只见两行武士，威风凛凛，各持钢刀、大斧、长戟、短剑，直列至殿上。芝晓其意，并无惧色，昂然而行。至殿前，又见鼎镬内热油正沸。左右武士以目视之，芝但微微而笑。近臣引至帘前，邓芝长揖不拜。权令卷起珠帘，大喝曰：“何不拜！”芝昂然而答曰：“上国天使，不拜小邦之主。”权大怒曰：“汝不自料，欲掉三寸之舌，效郦生说齐乎！可速入油鼎！”芝大笑曰：“人皆言东吴多贤，谁想惧一儒生！”权转怒曰：“孤何惧尔一匹夫耶？”芝曰：“既不惧邓伯苗，何愁来说汝等也？”权曰：“尔欲为诸葛亮作说客，来说孤绝魏向蜀，是否？”芝曰：“吾乃蜀中一儒生，特为吴国利害而来。乃设兵陈鼎，以拒一使，何其局量[2]之不能容物耶！”

权闻言惶愧，即叱退武士，命芝上殿，赐坐而问曰：“吴、魏之利害若何？愿先生教我。”芝曰：“大王欲与蜀和，还是欲与魏和？”权曰：“孤正欲与蜀主讲和；但恐蜀主年轻识浅，不能全始全终耳。”芝曰：“大王乃命世之英豪，诸葛亮亦一时之俊杰；蜀有山川之险，吴有三江之固：若二国连和，共为唇齿，进则可以兼吞天下，退则可以鼎足而立。今大王若委贽称臣于魏，魏必望大王朝

① 郦食其(yi ji)说(shui)齐故事——楚汉相争时，郦食其作为刘邦的使者，劝说齐王田广归顺于汉，齐王听信了他的话，解除战备；汉的大将韩信却乘机袭击齐，齐王认为被郦出卖，就把他烹死。

② 局量——器量，度量。

觐，求太子以为内侍；如其不从，则兴兵来攻，蜀亦顺流而进取：如此则江南之地，不复为大王有矣。若大王以愚言为不然，愚将就死于大王之前，以绝说客之名也。”言讫，撩衣下殿，望油鼎中便跳。权急命止之，请入后殿，以上宾之礼相待。权曰：“先生之言，正合孤意。孤今欲与蜀主连和，先生肯为我介绍乎？”芝曰：“适欲烹小臣者，乃大王也；今欲使小臣者，亦大王也：大王犹自狐疑未定，安能取信于人？”权曰：“孤意已决，先生勿疑。”

于是吴王留住邓芝，集多官问曰：“孤掌江南八十一州，更有荆楚之地，反不如西蜀偏僻之处也：蜀有邓芝，不辱其主；吴并无一人入蜀，以达孤意。”忽一人出班奏曰：“臣愿为使。”众视之，乃吴郡吴人，姓张，名温，字惠恕，现为中郎将。权曰：“恐卿到蜀见诸葛亮，不能达孤之情。”温曰：“孔明亦人耳，臣何畏彼哉？”权大喜，重赏张温，使同邓芝入川通好。

却说孔明自邓芝去后，奏后主曰：“邓芝此去，其事必成。吴地多贤，定有人来答礼。陛下当礼貌之，令彼回吴，以通盟好。吴若通和，魏必不敢加兵于蜀矣。吴、魏宁靖，臣当征南，平定蛮方，然后图魏。魏削则东吴亦不能久存，可以复一统之基业也。”后主然之。

忽报东吴遣张温与邓芝入川答礼。后主聚文武于丹墀，令邓芝、张温入。温自以为得志，昂然上殿，见后主施礼。后主赐锦墩，坐于殿左，设御宴待之。后主但敬礼而已。宴罢，百官送张温到馆舍。次日，孔明设宴相待。孔明谓张温曰：“先帝在日，与吴不睦，今已晏驾。当今主上，深慕吴王，欲捐旧忿，永结盟好，并力破魏。望大夫善言回奏。”张温领诺。酒至半酣，张温喜笑自若，颇有傲慢之意。

次日，后主将金帛赐与张温，设宴于城南邮亭之上，命众官相送。孔明殷勤劝酒。正饮酒间，忽一人乘醉而入，昂然长揖，入席就坐。温怪之，乃问孔明曰："此何人也？"孔明答曰："姓秦，名宓，字子勑，现为益州学士。"温笑曰："名称学士，未知胸中曾'学事'否？"宓正色而言曰："蜀中三尺小童，尚皆就学，何况于我？"温曰："且说公何所学？"宓对曰："上至天文，下至地理，三教九流，诸子百家，无所不通；古今兴废，圣贤经传，无所不览。"温笑曰："公既出大言，请即以天为问：天有头乎？"宓曰："有头。"温曰："头在何方？"宓曰："在西方。《诗》云：'乃眷西顾。'以此推之，头在西方也。"温又问："天有耳乎？"宓答曰："天处高而听卑。《诗》云：'鹤鸣九皋，声闻于天。'无耳何能听？"温又问："天有足乎？"宓曰："有足。《诗》云：'天步艰难。'无足何能步？"温又问："天有姓乎？"宓曰："岂得无姓！"温曰："何姓？"宓答曰："姓刘。"温曰："何以知之？"宓曰："天子姓刘，以故知之。"温又问曰："日生于东乎？"宓对曰："虽生于东，而没于西。"

此时秦宓语言清朗，答问如流，满座皆惊。张温无语。宓乃问曰："先生东吴名士，既以天事下问，必能深明天之理。昔混沌既分，阴阳剖判；轻清者上浮而为天，重浊者下凝而为地；至共工氏战败，头触不周山，天柱折，地维缺①：天倾西北，地陷东南。天既轻清而上浮，何以倾其西北乎？又未知轻清之外，还是何物？愿先生教我。"张温无言可对，乃避席而谢曰："不意蜀中多

① 共工氏战败，头触不周山，天柱折，地维缺——古代神话：共工氏与颛顼斗争，一怒之下，一头向不周山撞去，于是把撑天的柱子碰断了，大地的一角也被碰坏了。

出俊杰！恰闻讲论，使仆顿开茅塞。”孔明恐温羞愧，故以善言解之曰：“席间问难，皆戏谈耳。足下深知安邦定国之道，何在唇齿之戏哉！”温拜谢。孔明又令邓芝入吴答礼，就与张温同行。张、邓二人拜辞孔明，望东吴而来。

却说吴王见张温入蜀未还，乃聚文武商议。忽近臣奏曰：“蜀遣邓芝同张温入国答礼。”权召入。张温拜于殿前，备称后主、孔明之德，愿求永结盟好，特遣邓尚书又来答礼。权大喜，乃设宴待之。权问邓芝曰：“若吴、蜀二国同心灭魏，得天下太平，二主分治，岂不乐乎？”芝答曰：“‘天无二日，民无二王’。如灭魏之后，未识天命所归何人。但为君者，各修其德；为臣者，各尽其忠：则战争方息耳。”权大笑曰：“君之诚款，乃如是耶！”遂厚赠邓芝还蜀。自此吴、蜀通好。

却说魏国细作人探知此事，火速报入中原。魏主曹丕听知，大怒曰：“吴、蜀连和，必有图中原之意也。不若朕先伐之。”于是大集文武，商议起兵伐吴。此时大司马曹仁、太尉贾诩已亡。侍中辛毗出班奏曰：“中原之地，土阔民稀，而欲用兵，未见其利。今日之计，莫若养兵屯田十年，足食足兵，然后用之，则吴、蜀方可破也。”丕怒曰：“此迂儒之论也！今吴、蜀连和，早晚必来侵境，何暇等待十年！”即传旨起兵伐吴。司马懿奏曰：“吴有长江之险，非船莫渡。陛下必御驾亲征，可选大小战船，从蔡、颍而入淮，取寿春，至广陵，渡江口，径取南徐：此为上策。”丕从之。于是日夜并工，造龙舟十只，长二十馀丈，可容二千馀人；收拾战船三千馀只。魏黄初五年秋八月，会聚大小将士，令曹真为前部，张辽、张郃、文聘、徐晃等为大将先行，许褚、吕虔为中军护卫，曹休为合后，刘晔、蒋济为参谋官。前后水陆军马三十馀万，克日起兵。封司马懿为尚书仆射,留在许昌,凡国政大事,并皆听懿决断。

不说魏兵起程。却说东吴细作探知此事,报入吴国。近臣慌奏吴王曰:"今魏王曹丕,亲自乘驾龙舟,提水陆大军三十馀万,从蔡、颍出淮,必取广陵渡江,来下江南。甚为利害。"孙权大惊,即聚文武商议。顾雍曰:"今主上既与西蜀连和,可修书与诸葛孔明,令起兵出汉中,以分其势;一面遣一大将,屯兵南徐以拒之。"权曰:"非陆伯言不可当此大任。"雍曰:"陆伯言镇守荆州,不可轻动。"权曰:"孤非不知,奈眼前无替力之人。"言未尽,一人从班部内应声而出曰:"臣虽不才,愿统一军以当魏兵。若曹丕亲渡大江,臣必生擒,以献殿下;若不渡江,亦杀魏兵大半,令魏兵不敢正视东吴。"权视之,乃徐盛也。权大喜曰:"如得卿守江南一带,孤何忧哉!"遂封徐盛为安东将军,总镇都督建业、南徐军马。盛谢恩,领命而退;即传令教众官军多置器械,多设旌旗,以为守护江岸之计。

忽一人挺身出曰:"今日大王以重任委托将军,欲破魏兵以擒曹丕,将军何不早发军马渡江,于淮南之地迎敌? 直待曹丕兵至,恐无及矣。"盛视之,乃吴王侄孙韶也。韶字公礼,官授扬威将军,曾在广陵守御;年幼负气①,极有胆勇。盛曰:"曹丕势大,更有名将为先锋,不可渡江迎敌。待彼船皆集于北岸,吾自有计破之。"韶曰:"吾手下自有三千军马,更兼深知广陵路势,吾愿自去江北,与曹丕决一死战。如不胜,甘当军令。"盛不从。韶坚执要去。盛只是不肯,韶再三要行。盛怒曰:"汝如此不听号令,吾安能制诸将乎?"叱武士推出斩之。刀斧手拥孙韶出辕门之外,

① 负气——此处是意气很盛的意思。

立起皂旗。韶部将飞报孙权。权听知，急上马来救。武士恰待行刑，孙权早到，喝散刀斧手，救了孙韶。韶哭奏曰："臣往年在广陵，深知地利；不就那里与曹丕厮杀，直待他下了长江，东吴指日休矣！"权径入营来。徐盛迎接入帐，奏曰："大王命臣为都督，提兵拒魏；今扬威将军孙韶，不遵军法，违令当斩，大王何故赦之？"权曰："韶倚血气之壮，误犯军法，万希宽恕。"盛曰："法非臣所立，亦非大王所立，乃国家之典刑也。若以亲而免之，何以令众乎？"权曰："韶犯法，本应任将军处治；奈此子虽本姓俞氏，然孤兄甚爱之，赐姓孙；于孤颇有劳绩。今若杀之，负兄义矣。"盛曰："且看大王之面，寄下死罪。"权令孙韶拜谢。韶不肯拜，厉声而言曰："据吾之见，只是引军去破曹丕！便死也不服你的见识！"徐盛变色。权叱退孙韶，谓徐盛曰："便无此子，何损于兵？今后勿再用之。"言讫自回。是夜，人报徐盛说："孙韶引本部三千精兵，潜地过江去了。"盛恐有失，于吴王面上不好看，乃唤丁奉授以密计，引三千兵渡江接应。

却说魏主驾龙舟至广陵，前部曹真已领兵列于大江之岸。曹丕问曰："江岸有多少兵？"真曰："隔岸远望，并不见一人，亦无旌旗营寨。"丕曰："此必诡计也。朕自往观其虚实。"于是大开江道，放龙舟直至大江，泊于江岸。船上建龙凤日月五色旌旗，仪銮簇拥，光耀射目。曹丕端坐舟中，遥望江南，不见一人，回顾刘晔、蒋济曰："可渡江否？"晔曰："兵法'实实虚虚'。彼见大军至，如何不作整备？陛下未可造次。且待三五日，看其动静，然后发先锋渡江以探之。"丕曰："卿言正合朕意。"

是日天晚，宿于江中。当夜月黑，军士皆执灯火，明耀天地，恰如白昼。遥望江南，并不见半点儿火光。丕问左右曰："此何故也？"近臣奏曰："想闻陛下天兵来到，故望风逃窜耳。"丕暗笑。

乃至天晓，大雾迷漫，对面不见。须臾风起，雾散云收，望见江南一带皆是连城：城楼上枪刀耀日，遍城尽插旌旗号带。顷刻数次人来报："南徐沿江一带，直至石头城，一连数百里，城郭舟车，连绵不绝，一夜成就。"曹丕大惊。原来徐盛束缚芦苇为人，尽穿青衣，执旌旗，立于假城疑楼之上。魏兵见城上许多人马，如何不胆寒？丕叹曰："魏虽有武士千群，无所用之。江南人物如此，未可图也！"

正惊讶间，忽然狂风大作，白浪滔天，江水溅湿龙袍，大船将覆。曹真慌令文聘撑小舟急来救驾。龙舟上人立站不住。文聘跳上龙舟，负丕下得小舟，奔入河港。忽流星马报道："赵云引兵出阳平关，径取长安。"丕听得，大惊失色，便教回军。众军各自奔走。背后吴兵追至。丕传旨教尽弃御用之物而走。龙舟将次入淮，忽然鼓角齐鸣，喊声大震，刺斜里一彪军杀到：为首大将，乃孙韶也。魏兵不能抵当，折其大半，淹死者无数。诸将奋力救出魏主。魏主渡淮河，行不三十里，淮河中一带芦苇，预灌鱼油，尽皆火着；顺风而下，风势甚急，火焰漫空，绝住龙舟。丕大惊，急下小船傍岸时，龙舟上早已火着。丕慌忙上马。岸上一彪军杀来：为首一将，乃丁奉也。张辽急拍马来迎，被奉一箭射中其腰，却得徐晃救了，同保魏主而走，折军无数。背后孙韶、丁奉夺得马匹、车仗、船只、器械，不计其数。魏兵大败而回。吴将徐盛全获大功，吴王重加赏赐。张辽回到许昌，箭疮迸裂而亡，曹丕厚葬之，不在话下。

却说赵云引兵杀出阳平关之次，忽报丞相有文书到，说益州耆帅雍闿结连蛮王孟获，起十万蛮兵，侵掠四郡；因此宣云回军，令马超坚守阳平关，丞相欲自南征。赵云乃急收兵而回。此时孔明在成都整饬军马，亲自南征。正是：方见东吴敌北魏，又看西蜀战南蛮。未知胜负如何，且看下文分解。

第八十七回

征南寇丞相大兴师　抗天兵蛮王初受执

却说诸葛丞相在于成都，事无大小，皆亲自从公决断。两川之民，忻乐太平，夜不闭户，路不拾遗。又幸连年大熟，老幼鼓腹讴歌，凡遇差徭，争先早办：因此军需器械应用之物，无不完备；米满仓廒，财盈府库。

建兴三年，益州飞报："蛮王孟获，大起蛮兵十万，犯境侵掠。建宁太守雍闿，乃汉朝什方侯雍齿之后，今结连孟获造反。牂牁郡太守朱褒、越嶲郡太守高定，二人献了城。止有永昌太守王伉不肯反。现今雍闿、朱褒、高定三人部下人马，皆与孟获为向导官，攻打永昌郡。今王伉与功曹吕凯，会集百姓，死守此城，其势甚急。"孔明乃入朝奏后主曰："臣观南蛮不服，实国家之大患也。臣当自领大军，前去征讨。"后主曰："东有孙权，北有曹丕，今相父弃朕而去，倘吴、魏来攻，如之奈何？"孔明曰："东吴方与我国讲和，料无异心；若有异心，李严在白帝城，此人可当陆逊也。曹丕新败，锐气已丧，未能远图；且有马超守把汉中诸处关口，不必忧也。臣又留关兴、张苞等分两军为救应，保陛下万无一失。今臣先去扫荡蛮方，然后北伐，以图中原，报先帝三顾之恩，托孤之重。"后主曰："朕年幼无知，惟相父斟酌行之。"言未毕，班部内一人出曰："不可！不可！"众视之，乃南阳人也，姓王，名连，字文仪，现为谏议大夫。连谏曰："南方不毛之地[1]，瘴疫之乡；丞相秉钧衡之重任，而自远征，非所宜也。且雍闿等乃疥癣之疾，丞相只须遣一大将讨之，必然成功。"孔明曰："南蛮之地，离国甚远，人多不习王化，收伏甚难，吾当亲去征之。可刚可柔，别有斟酌，非可容易[2]托人。"

王连再三苦劝，孔明不从。是日，孔明辞了后主，令蒋琬为参军，费祎为长史，董厥、樊建二人为掾史；赵云、魏延为大将，总督军马；王平、张翼为副将；并川将数十员：共起川兵五十万，前望益州进发。忽有关公第三子关索，入军来见孔明曰："自荆州失陷，逃难在鲍家庄养病。每要赴川见先帝报仇，疮痕未合，不能起行。近已安痊，打探得东吴仇人已皆诛戮，径来西川见帝，恰在途中遇见征南之兵，特来投见。"孔明闻之，嗟讶不已；一面遣人申报朝廷，就令关索为前部先锋，一同征南。大队人马，各依队伍而行。饥餐渴饮，夜住晓行；所经之处，秋毫无犯。

却说雍闿听知孔明自统大军而来，即与高定、朱褒商议，分兵三路：高定取中路，雍闿在左，朱褒在右；三路各引兵五六万迎敌。于是高定令鄂焕为前部先锋。焕身长九尺，面貌丑恶，使一枝方天戟，有万夫不当之勇；领本部兵，离了大寨，来迎蜀兵。

却说孔明统大军已到益州界分。前部先锋魏延，副将张翼、王平，才入界口，正遇鄂焕军马。两阵对圆，魏延出马大骂曰："反贼早早受降！"鄂焕拍马与魏延交锋。战不数合，延诈败走，焕随后赶来。走不数里，喊声大震。张翼、王平两路军杀来，绝

① 不毛之地——指荒瘠未开垦的地方。不毛，不生长五谷。

② 容易——轻率、随便。

其后路。延复回,三员将并力拒战,生擒鄂焕。解到大寨,入见孔明。孔明令去其缚,以酒食待之。问曰:“汝是何人部将?”焕曰:“某是高定部将。”孔明曰:“吾知高定乃忠义之士,今为雍闿所惑,以致如此。吾今放汝回去,令高太守早早归降,免遭大祸。”鄂焕拜谢而去,回见高定,说孔明之德。定亦感激不已。次日,雍闿至寨。礼毕,闿曰:“如何得鄂焕回也?”定曰:“诸葛亮以义放之。”闿曰:“此乃诸葛亮反间之计:欲令我两人不和,故施此谋也。”定半信不信,心中犹豫。忽报蜀将搦战,闿自引三万兵出迎。战不数合,闿拨马便走,延率兵大进,追杀二十馀里。次日,雍闿又起兵来迎。孔明一连三日不出。至第四日,雍闿、高定分兵两路,来取蜀寨。

却说孔明令魏延两路伺候;果然雍闿、高定两路兵来,被伏兵杀伤大半,生擒者无数,都解到大寨来。雍闿的人,囚在一边;高定的人,囚在一边。却令军士谣说:“但是高定的人免死,雍闿的人尽杀。”众军皆闻此言。少时,孔明令取雍闿的人到帐前,问曰:“汝等皆是何人部从?”众伪曰:“高定部下人也。”孔明教皆免其死,与酒食赏劳,令人送出界首,纵放回寨。孔明又唤高定的人问之。众皆告曰:“吾等实是高定部下军士。”孔明亦皆免其死,赐以酒食;却扬言曰:“雍闿今日使人投降,要献汝主并朱褒首级以为功劳,吾甚不忍。汝等既是高定部下军,吾放汝等回去,再不可背反。若再擒来,决不轻恕。”

众皆拜谢而去;回到本寨,入见高定,说知此事。定乃密遣人去雍闿寨中探听,却有一般放回的人,言说孔明之德;因此雍闿部军,多有归顺高定之心。虽然如此,高定心中不稳,又令一人来孔明寨中探听虚实。被伏路军捉来见孔明。孔明故意认做雍闿的人,唤入帐中问曰:“汝元帅既约下献高定、朱褒二人首级，因何误了日期？汝这厮不精细，如何做得细作！”军士含糊答应。孔明以酒食赐之，修密书一封，付军士曰：“汝持此书付雍闿，教他早早下手，休得误事。”细作拜谢而去，回见高定，呈上孔明之书，说雍闿如此如此。定看书毕，大怒曰：“吾以真心待之，彼反欲害吾，情理难容！”便唤鄂焕商议。焕曰：“孔明乃仁人，背之不祥。我等谋反作恶，皆雍闿之故；不如杀闿以投孔明。”定曰：“如何下手？”焕曰：“可设一席，令人去请雍闿。彼若无异心，必坦然而来；若其不来，必有异心。我主可攻其前，某伏于寨后小路候之：闿可擒矣。”高定从其言，设席请雍闿。闿果疑前日放回军士之言，惧而不来。是夜高定引兵杀投雍闿寨中。原来有孔明放回免死的人，皆想高定之德，乘时助战。雍闿军不战自乱。闿上马望山路而走。行不二里，鼓声响处，一彪军出，乃鄂焕也：挺方天戟，骤马当先。雍闿措手不及，被焕一戟刺于马下，就枭其首级。闿部下军士皆降高定。定引两部军来降孔明，献雍闿首级于帐下。孔明高坐于帐上，喝令左右推转高定，斩首报来。定曰：“某感丞相大恩，今将雍闿首级来降，何故斩也？”孔明大笑曰：“汝来诈降。敢瞒吾耶！”定曰：“丞相何以知吾诈降？”孔明于匣中取出一缄，与高定曰：“朱褒已使人密献降书，说你与雍闿结生死之交，岂肯一旦便杀此人？吾故知汝诈也。”定叫屈曰：“朱褒乃反间之计也。丞相切不可信！”孔明曰：“吾亦难凭一面之词。汝若捉得朱褒，方表真心。”定曰：“丞相休疑。某去擒朱褒来见丞相，若何？”孔明曰：“若如此，吾疑心方息也。”

高定即引部将鄂焕并本部兵，杀奔朱褒营来。比及离寨约有十里，山后一彪军到，乃朱褒也。褒见高定军来，慌忙与高定答话。定大骂曰：“汝如何写书与诸葛丞相处，使反间之计害吾耶？”褒目瞪口呆，不能回答。忽然鄂焕于马后转过，一戟刺朱褒于马下。定厉声而言曰:“如不顺者皆戮之!”于是众军一齐拜降。定引两部军来见孔明,献朱褒首级于帐下。孔明大笑曰:“吾故使汝杀此二贼,以表忠心。”遂命高定为益州太守,总摄三郡;令鄂焕为牙将。三路军马已平。

于是永昌太守王伉出城迎接孔明。孔明入城已毕,问曰:“谁与公守此城,以保无虞?”伉曰:“某今日得此郡无危者,皆赖永昌不韦人,姓吕,名凯,字季平。皆此人之力。”孔明遂请吕凯至。凯入见,礼毕。孔明曰:“久闻公乃永昌高士,多亏公保守此城。今欲平蛮方,公有何高见?”吕凯遂取一图,呈与孔明曰:“某自历仕以来,知南人欲反久矣,故密遣人入其境,察看可屯兵交战之处,画成一图,名曰‘平蛮指掌图’。今敢献与明公。明公试观之,可为征蛮之一助也。”孔明大喜,就用吕凯为行军教授,兼向导官。于是孔明提兵大进,深入南蛮之境。

正行军之次,忽报天子差使命至。孔明请入中军,但见一人素袍白衣而进,乃马谡也。——为兄马良新亡,因此挂孝。——谡曰:“奉主上敕命,赐众军酒帛。”孔明接诏已毕,依命一一给散,遂留马谡在帐叙话。孔明问曰:“吾奉天子诏,削平蛮方;久闻幼常高见,望乞赐教。”谡曰:“愚有片言,望丞相察之:南蛮恃其地远山险,不服久矣;虽今日破之,明日复叛。丞相大军到彼,必然平服;但班师之日,必用北伐曹丕;蛮兵若知内虚,其反必速。夫用兵之道:‘攻心为上,攻城为下;心战为上,兵战为下。’愿丞相但服其心足矣。”孔明叹曰:“幼常足知吾肺腑也!”于是孔明遂令马谡为参军,即统大兵前进。

却说蛮王孟获,听知孔明智破雍闿等,遂聚三洞元帅商议:第一洞乃金环三结元帅,第二洞乃董荼那元帅,第三洞乃阿会喃元帅。三洞元帅入见孟获，获曰："今诸葛丞相领大军来侵我境界，不得不并力敌之。汝三人可分兵三路而进。如得胜者，便为洞主。"于是分金环三结取中路，董荼那取左路，阿会喃取右路：各引五万蛮兵，依令而行。

却说孔明正在寨中议事，忽哨马飞报，说三洞元帅分兵三路到来。孔明听毕，即唤赵云、魏延至，却都不分付；更唤王平、马忠至，嘱之曰："今蛮兵三路而来，吾欲令子龙、文长去；此二人不识地理，未敢用之。王平可往左路迎敌，马忠可往右路迎敌。吾却使子龙、文长随后接应。今日整顿军马，来日平明进发。"二人听令而去。又唤张嶷、张翼分付曰："汝二人同领一军，往中路迎敌。今日整点军马，来日与王平、马忠约会而进。——吾欲令子龙、文长去取，奈二人不识地理，故未敢用之。"张嶷、张翼听令去了。

赵云、魏延见孔明不用，各有愠色。孔明曰："吾非不用汝二人，但恐以中年涉险，为蛮人所算，失其锐气耳。"赵云曰："倘我等识地理，若何？"孔明曰："汝二人只宜小心，休得妄动。"二人怏怏而退。赵云请魏延到自己寨内商议曰："吾二人为先锋，却说不识地理而不肯用。今用此后辈，吾等岂不羞乎？"延曰："吾二人只今就上马，亲去探之；捉住土人，便教引进，以敌蛮兵，大事可成。"云从之，遂上马径取中路而来。方行不数里，远远望见尘头大起。二人上山坡看时，果见数十骑蛮兵，纵马而来。二人两路冲出。蛮兵见了，大惊而走。赵云、魏延各生擒几人，回到本寨，以酒食待之，却细问其故。蛮兵告曰："前面是金环三结元帅大寨，正在山口。寨边东西两路，却通五溪洞并董荼那、阿会喃各寨之后。"

赵云、魏延听知此话，遂点精兵五千，教擒来蛮兵引路。比及起军时，已是二更天气；月明星朗，趁着月色而行。刚到金环三结大寨之时，约有四更，蛮兵方起造饭，准备天明厮杀。忽然赵云、魏延两路杀入，蛮兵大乱。赵云直杀入中军，正逢金环三结元帅；交马只一合，被云一枪刺落马下，就枭其首级。馀军溃散。魏延便分兵一半，望东路抄董荼那寨来。赵云分兵一半，望西路抄阿会喃寨来。比及杀到蛮兵大寨之时，天已平明。

先说魏延杀奔董荼那寨来：董荼那听知寨后有军杀至，便引兵出寨拒敌。忽然寨前门一声喊起，蛮兵大乱。原来王平军马早已到了。两下夹攻，蛮兵大败。董荼那夺路走脱，魏延追赶不上。

却说赵云引兵杀到阿会喃寨后之时，马忠已杀至寨前。两下夹攻，蛮兵大败，阿会喃乘乱走脱。各自收军，回见孔明。孔明问曰："三洞蛮兵，走了两洞之主；金环三结元帅首级安在?"赵云将首级献功。众皆言曰："董荼那、阿会喃皆弃马越岭而去，因此赶他不上。"孔明大笑曰："二人吾已擒下了。"赵、魏二人并诸将皆不信。少顷，张嶷解董荼那到，张翼解阿会喃到。众皆惊讶。孔明曰："吾观吕凯图本，已知他各人下的寨子，故以言激子龙、文长之锐气，故教深入重地，先破金环三结，随即分兵左右寨后抄出，以王平、马忠应之。非子龙、文长不可当此任也。吾料董荼那、阿会喃必从便径往山路而走，故遣张嶷、张翼以伏兵待之，令关索以兵接应，擒此二人。"诸将皆拜伏曰："丞相机算，神鬼莫测!"

孔明令押过董荼那、阿会喃至帐下，尽去其缚，以酒食衣服赐之，令各自归洞，勿得助恶。二人泣拜，各投小路而去。孔明谓诸将曰："来日孟获必然亲自引兵厮杀，便可就此擒之。"乃唤赵云、魏延至，付与计策，各引五千兵去了。又唤王平、关索同引一军，授计而去。孔明分拨已毕，坐于帐上待之。

却说蛮王孟获在帐中正坐，忽哨马报来，说三洞元帅，俱被孔明捉将去了；部下之兵，各自溃散。获大怒，遂起蛮兵迤逦进发，正遇王平军马。两阵对圆，王平出马横刀望之：只见门旗开处，数百南蛮骑将两势摆开。中间孟获出马：头顶嵌宝紫金冠，身披缨络红锦袍，腰系碾玉狮子带，脚穿鹰嘴抹绿靴，骑一匹卷毛赤兔马，悬两口松纹镶宝剑，昂然观望，回顾左右蛮将曰："人每说诸葛亮善能用兵；今观此阵，旌旗杂乱，队伍交错；刀枪器械，无一可能胜吾者：始知前日之言谬也。早知如此，吾反多时矣。谁敢去擒蜀将，以振军威?"言未尽，一将应声而出，名唤忙牙长；使一口截头大刀，骑一匹黄骠马，来取王平。二将交锋，战不数合，王平便走。孟获驱兵大进，迤逦追赶。关索略战又走，约退二十馀里。孟获正追杀之间，忽然喊声大起，左有张嶷，右有张翼，两路兵杀出，截断归路。王平、关索复兵杀回。前后夹攻，蛮兵大败。孟获引部将死战得脱，望锦带山而逃。背后三路兵追杀将来。获正奔走之间，前面喊声大起，一彪军拦住：为首大将乃常山赵子龙也。获见了大惊，慌忙奔锦带山小路而走。子龙冲杀一阵，蛮兵大败，生擒者无数。孟获止与数十骑奔入山谷之中，背后追兵至近，前面路狭，马不能行，乃弃了马匹，爬山越岭而逃。忽然山谷中一声鼓响，乃是魏延受了孔明计策，引五百步军，伏于此处。孟获抵敌不住，被魏延生擒活捉了。从骑皆降。

魏延解孟获到大寨来见孔明。孔明早已杀牛宰羊，设宴在寨；却教帐中排开七重围子手①，刀枪剑戟，灿若霜雪；又执御赐

① 围子手——即"围宿军"的俗称。元代早期，皇城还没有筑立，朝会时用军士围护，叫围宿军。这是小说中保留着元代制度俗语的痕迹。

黄金钺斧，曲柄伞盖，前后羽葆鼓吹，左右排开御林军，布列得十分严整。孔明端坐于帐上，只见蛮兵纷纷穰穰，解到无数。孔明唤到帐中，尽去其缚，抚谕曰："汝等皆是好百姓，不幸被孟获所拘，今受惊唬。吾想汝等父母、兄弟、妻子必倚门而望；若听知阵败，定然割肚牵肠，眼中流血。吾今尽放汝等回去，以安各人父母、兄弟、妻子之心。"言讫，各赐酒食米粮而遣之。蛮兵深感其恩，泣拜而去。孔明教唤武士押过孟获来。不移时，前推后拥，缚至帐前。获跪于帐下。孔明曰："先帝待汝不薄，汝何敢背反?"获曰："两川之地，皆是他人所占土地，汝主倚强夺之，自称为帝。吾世居此处，汝等无礼，侵我土地：何为反耶?"孔明曰："吾今擒汝，汝心服否?"获曰："山僻路狭，误遭汝手，如何肯服!"孔明曰："汝既不服，吾放汝去，若何?"获曰："汝放我回去，再整军马，共决雌雄；若能再擒吾，吾方服也。"孔明即令去其缚，与衣服穿了，赐以酒食，给与鞍马，差人送出路，径望本寨而去。正是：寇入掌中还放去，人居化外未能降。未知再来交战若何，且看下文分解。

第八十八回

渡泸水再缚番王　识诈降三擒孟获

却说孔明放了孟获，众将上帐问曰："孟获乃南蛮渠魁，今幸被擒，南方便定；丞相何故放之？"孔明笑曰："吾擒此人，如囊中取物耳。直须降伏其心，自然平矣。"诸将闻言，皆未肯信。

当日孟获行至泸水，正遇手下败残的蛮兵，皆来寻探。众兵见了孟获，且惊且喜，拜问曰："大王如何能勾回来？"获曰："蜀人监我在帐中，被我杀死十馀人，乘夜黑而走；正行间，逢着一哨马军，亦被我杀之，夺了此马：因此得脱。"众皆大喜，拥孟获渡了泸水，下住寨栅，会集各洞酋长，陆续招聚原放回的蛮兵，约有十馀万骑。此时董荼那、阿会喃已在洞中。孟获使人去请，二人惧怕，只得也引洞兵来。获传令曰："吾已知诸葛亮之计矣，不可与战，战则中他诡计。彼川兵远来劳苦，况即日天炎，彼兵岂能久住？吾等有此泸水之险，将船筏尽拘在南岸，一带皆筑土城，深沟高垒，看诸葛亮如何施谋！"众酋长从其计，尽拘船筏于南岸，一带筑起土城；有依山傍崖之地，高竖敌楼；楼上多设弓弩炮石，准备久处之计。粮草皆是各洞供运。孟获以为万全之策，坦然不忧。

却说孔明提兵大进，前军已至泸水，哨马飞报说："泸水之内，并无船筏；又兼水势甚急，隔岸一带筑起土城，皆有蛮兵守把。"时值五月，天气炎热，南方之地，分外炎酷，军马衣甲，皆穿不得。孔明自至泸水边观毕,回到本寨,聚诸将至帐中,传令曰:“今孟获兵屯泸水之南,深沟高垒,以拒我兵;吾既提兵至此,如何空回? 汝等各各引兵,依山傍树,拣林木茂盛之处,与我将息人马。”乃遣吕凯离泸水百里,拣阴凉之地,分作四个寨子;使王平、张嶷、张翼、关索各守一寨,内外皆搭草棚,遮盖马匹,将士乘凉,以避暑气。参军蒋琬看了,入问孔明曰:“某看吕凯所造之寨甚不好:正犯昔日先帝败于东吴时之地势矣。倘蛮兵偷渡泸水,前来劫寨,若用火攻,如何解救?”孔明笑曰:“公勿多疑,吾自有妙算。”蒋琬等皆不晓其意。

忽报蜀中差马岱解暑药并粮米到。孔明令入。岱参拜毕,一面将米药分派四寨。孔明问曰:“汝将带多少军来?”马岱曰:“有三千军。”孔明曰:“吾军累战疲困,欲用汝军,未知肯向前否?”岱曰:“皆是朝廷军马,何分彼我? 丞相要用,虽死不辞。”孔明曰:“今孟获拒住泸水,无路可渡。吾欲先断其粮道,令彼军自乱。”岱曰:“如何断得?”孔明曰:“离此一百五十里,泸水下流沙口,此处水慢,可以扎筏而渡。汝提本部三千军渡水,直入蛮洞,先断其粮,然后会合董荼那、阿会喃两个洞主,便为内应。不可有误。”

马岱欣然去了,领兵前到沙口,驱兵渡水;因见水浅,大半不下筏,只裸衣而过,半渡皆倒;急救傍岸,口鼻出血而死。马岱大惊,连夜回告孔明。孔明随唤向导土人问之。土人曰:“目今炎天,毒聚泸水,日间甚热,毒气正发:有人渡水,必中其毒;或饮此水,其人必死。若要渡时,须待夜静水冷,毒气不起,饱食渡之,方可无事。”孔明遂令土人引路,又选精壮军五六百,随着马岱,来到泸水沙口,扎起木筏,半夜渡水,果然无事。岱领着二千壮军,令土人引路,径取蛮洞运粮总路口夹山峪而来。那夹山峪,两下是山,中间一条路,止容一人一马而过。马岱占了夹山峪,分拨军士,立起寨栅。洞蛮不知,正解粮到,被岱前后截住,夺粮百馀车。蛮人报入孟获大寨中。

此时孟获在寨中,终日饮酒取乐,不理军务,谓众酋长曰:"吾若与诸葛亮对敌,必中奸计。今靠此泸水之险,深沟高垒以待之;蜀人受不过酷热,必然退走。那时吾与汝等随后击之,便可擒诸葛亮也。"言讫,呵呵大笑。忽然班内一酋长曰:"沙口水浅,倘蜀兵透漏过来,深为利害;当分军守把。"获笑曰:"汝是本处土人,如何不知?吾正要蜀兵来渡此水,渡则必死于水中矣。"酋长又曰:"倘有土人说与夜渡之法,当复何如?"获曰:"不必多疑。吾境内之人,安肯助敌人耶?"正言之间,忽报蜀兵不知多少,暗渡泸水,绝断了夹山粮道,打着"平北将军马岱"旗号。获笑曰:"量此小辈,何足道哉!"即遣副将忙牙长,引三千兵投夹山峪来。

却说马岱望见蛮兵已到,遂将二千军摆在山前。两阵对圆,忙牙长出马,与马岱交锋;只一合,被岱一刀,斩于马下。蛮兵大败走回,来见孟获,细言其事。获唤诸将问曰:"谁敢去敌马岱?"言未毕,董荼那出曰:"某愿往。"孟获大喜,遂与三千兵而去。获又恐有人再渡泸水,即遣阿会喃,引三千兵,去守把沙口。

却说董荼那引蛮兵到了夹山峪下寨,马岱引兵来迎。部内军有认得是董荼那,说与马岱如此如此。岱纵马向前大骂曰:"无义背恩之徒!吾丞相饶汝性命,今又背反,岂不自羞!"董荼那满面惭愧,无言可答,不战而退。马岱掩杀一阵而回。董荼那回见孟获曰:"马岱英雄,抵敌不住。"获大怒曰:"吾知汝原受诸葛亮之恩,今故不战而退——正是卖阵之计!"喝教推出斩了。众酋长再三哀告,方才免死,叱武士将董荼那打了一百大棍,放归本寨。诸多酋长皆来告董荼那曰:“我等虽居蛮方,未尝敢犯中国;中国亦不曾侵我。今因孟获势力相逼,不得已而造反。想孔明神机莫测,曹操、孙权尚自惧之,何况我等蛮方乎?况我等皆受其活命之恩,无可为报。今欲舍一死命,杀孟获去投孔明,以免洞中百姓涂炭之苦。”董荼那曰:“未知汝等心下若何?”内有原蒙孔明放回的人,一齐同声应曰:“愿往!”于是董荼那手执钢刀,引百馀人,直奔大寨而来,时孟获大醉于帐中。董荼那引众人持刀而入,帐下有两将侍立。董荼那以刀指曰:“汝等亦受诸葛丞相活命之恩,宜当报效。”二将曰:“不须将军下手,某当生擒孟获,去献丞相。”于是一齐入帐,将孟获执缚已定,押到泸水边,驾船直过北岸,先使人报知孔明。

却说孔明已有细作探知此事,于是密传号令,教各寨将士,整顿军器,方教为首酋长解孟获入来,其馀皆回本寨听候。董荼那先入中军见孔明,细说其事。孔明重加赏劳,用好言抚慰,遣董荼那引众酋长去了,然后令刀斧手推孟获入。孔明笑曰:“汝前者有言:‘但再擒得,便肯降服。’今日如何?”获曰:“此非汝之能也;乃吾手下之人自相残害,以致如此:如何肯服!”孔明曰:“吾今再放汝去,若何?”孟获曰:“吾虽蛮人,颇知兵法;若丞相端的肯放吾回洞中,吾当率兵再决胜负。若丞相这番再擒得我,那时倾心吐胆归降,并不敢改移也。”孔明曰:“这番生擒,如又不服,必无轻恕。”令左右去其绳索,仍前赐以酒食,列坐于帐上。孔明曰:“吾自出茅庐,战无不胜,攻无不取。汝蛮邦之人,何为不服?”获默然不答。

孔明酒后,唤孟获同上马出寨,观看诸营寨栅所屯粮草,所积军器。孔明指谓孟获曰:“汝不降吾,真愚人也。吾有如此之精兵猛将,粮草兵器,汝安能胜吾哉?汝若早降,吾当奏闻天子,令汝不失王位，子子孙孙，永镇蛮邦。意下若何？”获曰：“某虽肯降，怎奈洞中之人未肯心服。若丞相肯放回去，就当招安本部人马，同心合胆，方可归顺。”孔明忻然，又与孟获回到大寨。饮酒至晚，获辞去；孔明亲自送至泸水边，以船送获归寨。

孟获来到本寨，先伏刀斧手于帐下，差心腹人到董荼那、阿会喃寨中，只推孔明有使命至，将二人赚到大寨帐下，尽皆杀之，弃尸于涧。孟获随即遣亲信之人，守把隘口，自引军出了夹山峪，要与马岱交战，却并不见一人；及问土人，皆言昨夜尽搬粮草复渡泸水，归大寨去了。获再回洞中，与亲弟孟优商议曰：“如今诸葛亮之虚实，吾已尽知，汝可去如此如此。”

孟优领了兄计，引百馀蛮兵，搬载金珠、宝贝、象牙、犀角之类，渡了泸水，径投孔明大寨而来；方才过了河时，前面鼓角齐鸣，一彪军摆开：为首大将乃马岱也。孟优大惊。岱问了来情，令在外厢，差人来报孔明。孔明正在帐中与马谡、吕凯、蒋琬、费祎等共议平蛮之事，忽帐下一人，报称孟获差弟孟优来进宝贝。孔明回顾马谡曰：“汝知其来意否？”谡曰：“不敢明言。——容某暗写于纸上，呈与丞相，看合钧意否？”孔明从之。马谡写讫，呈与孔明。孔明看毕，抚掌大笑曰：“擒孟获之计，吾已差派下也。——汝之所见，正与吾同。”遂唤赵云入，向耳畔分付如此如此；又唤魏延入，亦低言分付；又唤王平、马忠、关索入，亦密密地分付。

各人受了计策，皆依令而去，方召孟优入帐。优再拜于帐下曰：“家兄孟获，感丞相活命之恩，无可奉献，辄具金珠宝贝若干，权为赏军之资。续后别有进贡天子礼物。”孔明曰：“汝兄今在何处？”优曰：“为感丞相天恩，径往银坑山中收拾宝物去了，少时便回来也。”孔明曰：“汝带多少人来？”优曰：“不敢多带。只是随行百馀人，皆运货物者。"孔明尽教入帐看时，皆是青眼黑面，黄发紫须，耳带金环，髼头① 跣足，身长力大之士。孔明就令随席而坐，教诸将劝酒，殷勤相待。

却说孟获在帐中专望回音，忽报有二人回了；唤入问之，具说："诸葛亮受了礼物大喜，将随行之人，皆唤入帐中，杀牛宰羊，设宴相待。二大王令某密报大王：今夜二更，里应外合，以成大事。"

孟获听知甚喜，即点起三万蛮兵，分为三队。获唤各洞酋长分付曰："各军尽带火具。今晚到了蜀寨时，放火为号。吾当自取中军，以擒诸葛亮。"诸多蛮将，受了计策，黄昏左侧，各渡泸水而来。孟获带领心腹蛮将百馀人，径投孔明大寨，于路并无一军阻当。前至寨门，获率众将骤马而入，——乃是空寨，并不见一人。获撞入中军，只见帐中灯烛荧煌，孟优并番兵尽皆醉倒。原来孟优被孔明教马谡、吕凯二人管待，令乐人搬做杂剧，殷勤劝酒，酒内下药，尽皆昏倒，浑如醉死之人。孟获入帐问之，内有醒者，但指口而已。获知中计，急救了孟优等一干人；却待奔回中队，前面喊声大震，火光骤起，蛮兵各自逃窜。一彪军杀到，乃是蜀将王平。获大惊，急奔左队时，火光冲天，一彪军杀到，为首蜀将乃是魏延。获慌忙望右队而来，只见火光又起，又一彪军杀到，为首蜀将乃是赵云。三路军夹攻将来，四下无路。孟获弃了军士，匹马望泸水而逃。正见泸水上数十个蛮兵，驾一小舟，获慌令近岸。人马方才下船，一声号起，将孟获缚住。原来马岱受了计策，引本部兵扮作蛮兵，撑船在此，诱擒孟获。

于是孔明招安蛮兵，降者无数。孔明一一抚慰，并不加害。

---

① 髼(péng)头——一般写作"蓬头"，头发散乱。

就教救灭了馀火。须臾,马岱擒孟获至;赵云擒孟优至;魏延、马忠、王平、关索擒诸洞酋长至。孔明指孟获而笑曰:“汝先令汝弟以礼诈降,如何瞒得过吾! 今番又被我擒,汝可服否?”获曰:“此乃吾弟贪口腹之故,误中汝毒,因此失了大事。吾若自来,弟以兵应之,必然成功。此乃天败,非吾之不能也:如何肯服!”孔明曰:“今已三次,如何不服?”孟获低头无语。孔明笑曰:“吾再放汝回去。”孟获曰:“丞相若肯放吾兄弟回去,收拾家下亲丁,和丞相大战一场:那时擒得,方才死心塌地而降。”孔明曰:“再若擒住,必不轻恕。汝可小心在意,勤攻韬略之书,再整亲信之士,早用良策,勿生后悔。”遂令武士去其绳索,放起孟获,并孟优及各洞酋长,一齐都放。孟获等拜谢去了。此时蜀兵已渡泸水。孟获等过了泸水,只见岸口陈兵列将,旗帜纷纷。获到营前,马岱高坐,以剑指之曰:“这番拿住,必无轻放!”孟获到了自己寨时,赵云早已袭了此寨,布列兵马。云坐于大旗下,按剑而言曰:“丞相如此相待,休忘大恩!”获喏喏连声而去。将出界口山坡,魏延引一千精兵,摆在坡上,勒马厉声而言曰:“吾今已深入巢穴,夺汝险要;汝尚自愚迷,抗拒大军! 这回拿住,碎尸万段,决不轻饶!”孟获等抱头鼠窜,望本洞而去。后人有诗赞曰:

　　五月驱兵入不毛,月明泸水瘴烟高。誓将雄略酬三顾,
　　岂惮征蛮七纵劳。

却说孔明渡了泸水,下寨已毕,大赏三军,聚众将于帐下曰:“孟获第二番擒来,吾令遍观各营虚实,正欲令其来劫营也。吾知孟获颇晓兵法,吾以兵马粮草炫耀,实令孟获看吾破绽,必用火攻。彼令其弟诈降,欲为内应耳。吾三番擒之而不杀,诚欲服其心,不欲灭其类也。吾今明告汝等。——勿得辞劳,可用心报国。”众将拜伏曰:“丞相智、仁、勇三者足备,虽子牙、张良不能及

也。”孔明曰:“吾今安敢望古人耶?皆赖汝等之力,共成功业耳。”帐下诸将听得孔明之言,尽皆喜悦。

却说孟获受了三擒之气,忿忿归到银坑洞中,即差心腹人赍金珠宝贝,往八番九十三甸等处,并蛮方部落,借使牌刀獠丁军健数十万,克日齐备,各队人马,云堆雾拥,俱听孟获调用。伏路军探知其事,来报孔明。孔明笑曰:“吾正欲令蛮兵皆至,见吾之能也。”遂上小车而行。正是:若非洞主威风猛,怎显军师手段高!未知胜负如何,且看下文分解。

第八十九回

武乡侯四番用计　南蛮王五次遭擒

却说孔明自驾小车，引数百骑前来探路。前有一河，名曰西洱河：水势虽慢，并无一只船筏。孔明令伐木为筏而渡，其木到水皆沉。孔明遂问吕凯，凯曰："闻西洱河上流有一山，其山多竹，大者数围。可令人伐之，于河上搭起竹桥，以渡军马。"孔明即调三万人入山，伐竹数十万根，顺水放下，于河面狭处，搭起竹桥，阔十馀丈。乃调大军于河北岸一字儿下寨，便以河为壕堑，以浮桥为门，垒土为城；过桥南岸，一字下三个大营，以待蛮兵。

却说孟获引数十万蛮兵，恨怒而来。将近西洱河，孟获引前部一万刀牌獠丁，直扣前寨搦战。孔明头戴纶巾，身披鹤氅，手执羽扇，乘驷马车，左右众将簇拥而出。孔明见孟获身穿犀皮甲，头顶朱红盔，左手挽牌，右手执刀，骑赤毛牛，口中辱骂；手下万馀洞丁，各舞刀牌，往来冲突。孔明急令退回本寨，四面紧闭，不许出战。蛮兵皆裸衣赤身，直到寨门前叫骂。诸将大怒，皆来禀孔明曰："某等情愿出寨决一死战！"孔明不许。诸将再三欲战，孔明止曰："蛮方之人，不遵王化，今此一来，狂恶正盛，不可迎也；用宜坚守数日，待其猖獗少懈，吾自有妙计破之。"

于是蜀兵坚守数日。孔明在高阜处探之，窥见蛮兵已多懈怠，乃聚诸将曰："汝等敢出战否？"众将欣然要出。孔明先唤赵云、魏延入帐，向耳畔低言，分付如此如此。二人受了计策先进。

却唤王平、马忠入帐，受计去了。又唤马岱分付曰："吾今弃此三寨，退过河北；吾军一退，汝可便拆浮桥，移于下流，却渡赵云、魏延军马过河来接应。"岱受计而去。又唤张翼曰："吾军退去，寨中多设灯火。孟获知之，必来追赶，汝却断其后。"张翼受计而退。孔明只教关索护车。众军退去，寨中多设灯火。蛮兵望见，不敢冲突。

次日平明，孟获引大队蛮兵径到蜀寨之时，只见三个大寨，皆无人马，于内弃下粮草车仗数百馀辆。孟优曰："诸葛弃寨而走，莫非有计否?"孟获曰："吾料诸葛亮弃辎重而去，必因国中有紧急之事：若非吴侵，定是魏伐。故虚张灯火以为疑兵，弃车仗而去也。可速追之，不可错过。"于是孟获自驱前部，直到西洱河边。望见河北岸上，寨中旗帜整齐如故，灿若云锦；沿河一带，又设锦城。蛮兵哨见，皆不敢进。获谓优曰："此是诸葛亮惧吾追赶，故就河北岸少住，不二日必走矣。"遂将蛮兵屯于河岸；又使人去山上砍竹为筏，以备渡河；却将敢战之兵，皆移于寨前面。——却不知蜀兵早已入自己之境。

是日，狂风大起。四壁厢火明鼓响，蜀兵杀到。蛮兵獠丁，自相冲突。孟获大惊，急引宗族洞丁杀开条路，径奔旧寨。忽一彪军从寨中杀出，乃是赵云。获慌忙回西洱河，望山僻处而走。又一彪军杀出，乃是马岱。孟获只剩得数十个败残兵，望山谷中而逃。见南、北、西三处尘头火光，因此不敢前进，只得望东奔走。方才转过山口，见一大林之前，数十从人，引一辆小车；车上端坐孔明，呵呵大笑曰："蛮王孟获！天败至此，吾已等候多时也！"获大怒，回顾左右曰："吾遭此人诡计，受辱三次；今幸得这里相遇。汝等奋力前去，连人带车砍为粉碎！"数骑蛮兵，猛力向前。孟获当先呐喊，抢到大林之前，踉踏一声，踏了陷坑，一齐塌倒。大林之内，转出魏延，引数百军来，一个个拖出，用索缚定。孔明先到寨中，招安蛮兵，并诸甸酋长洞丁——此时大半皆归本乡去了——除死伤外，其馀尽皆归降。孔明以酒肉相待，以好言抚慰，尽令放回。蛮兵皆感叹而去。少顷，张翼解孟优至。孔明诲之曰："汝兄愚迷，汝当谏之。今被吾擒了四番，有何面目再见人耶！"孟优羞惭满面，伏地告求免死。孔明曰："吾杀汝不在今日。吾且饶汝性命，劝谕汝兄。"令武士解其绳索，放起孟优。优泣拜而去。

不一时，魏延解孟获至。孔明大怒曰："你今番又被吾擒了，有何理说！"获曰："吾今误中诡计，死不瞑目！"孔明叱武士推出斩之。获全无惧色，回顾孔明曰："若敢再放吾回去，必然报四番之恨！"孔明大笑，令左右去其缚，赐酒压惊，就坐于帐中。孔明问曰："吾今四次以礼相待，汝尚然不服，何也？"获曰："吾虽是化外之人，不似丞相专施诡计，吾如何肯服？"孔明曰："吾再放汝回去，复能战乎？"获曰："丞相若再拿住吾，吾那时倾心降服，尽献本洞之物犒军，誓不反乱。"

孔明即笑而遣之。获忻然拜谢而去。于是聚得诸洞壮丁数千人，望南迤逦而行。早望见尘头起处，一队兵到：乃是兄弟孟优，重整残兵，来与兄报仇。兄弟二人，抱头相哭，诉说前事。优曰："我兵屡败，蜀兵屡胜，难以抵当。只可就山阴洞中，退避不出。蜀兵受不过暑气，自然退矣。"获问曰："何处可避？"优曰："此去西南有一洞，名曰秃龙洞。洞主朵思大王，与弟甚厚，可投之。"于是孟获先教孟优到秃龙洞，见了朵思大王。朵思慌引洞兵出迎。孟获入洞，礼毕，诉说前事。朵思曰："大王宽心。若蜀兵到来，令他一人一骑不得还乡，与诸葛亮皆死于此处！"获大喜，问计于朵思。朵思曰："此洞中止有两条路：东北上一路，就是大王所来之路，地势平坦，土厚水甜，人马可行；若以木石垒断洞口，虽有百万之众，不能进也。西北上有一条路，山险岭恶，道路窄狭；其中虽有小路，多藏毒蛇恶蝎；黄昏时分，烟瘴大起，直至巳、午时方收，惟未、申、酉三时，可以往来；水不可饮，人马难行。此处更有四个毒泉：一名哑泉，其水颇甜，人若饮之，则不能言，不过旬日必死；二曰灭泉，此水与汤无异，人若沐浴，则皮肉皆烂，见骨必死；三曰黑泉，其水微清，人若溅之在身，则手足皆黑而死；四曰柔泉，其水如冰，人若饮之，咽喉无暖气，身躯软弱如绵而死。此处虫鸟皆无，惟有汉伏波将军曾到；自此以后，更无一人到此。今垒断东北大路，令大王稳居敝洞，若蜀兵见东路截断，必从西路而入；于路无水，若见此四泉，定然饮水：虽百万之众，皆无归矣。——何用刀兵耶！"孟获大喜，以手加额曰："今日方有容身之地！"又望北指曰："任诸葛神机妙算，难以施设！四泉之水，足以报败兵之恨也！"自此，孟获、孟优终日与朵思大王筵宴。

却说孔明连日不见孟获兵出，遂传号令教大军离西洱河，望南进发。此时正当六月炎天，其热如火。有后人咏南方苦热诗曰：

山泽欲焦枯，火光覆太虚。不知天地外，署气更何如！

又有诗曰：

赤帝施权柄，阴云不敢生。云蒸孤鹤喘，海热巨鳌惊。

忍舍溪边坐？慵抛竹里行。如何沙塞客，擐甲复长征！

孔明统领大军，正行之际，忽哨马飞报："孟获退往秃龙洞中不出，将洞口要路垒断，内有兵把守；山恶岭峻，不能前进。"孔明请吕凯问之，凯曰："某曾闻此洞有条路，实不知详细。"蒋琬曰："孟获四次遭擒，既已丧胆，安敢再出？况今天气炎热，军马疲乏，征之无益；不如班师回国。"孔明曰："若如此，正中孟获之计也。吾军一退，彼必乘势追之。今已到此，安有复回之理！"遂令王平领数百军为前部；却教新降蛮兵引路，寻西北小径而入。前到一泉，人马皆渴，争饮此水。王平探有此路，回报孔明。比及到大寨之时，皆不能言，但指口而已。

孔明大惊，知是中毒，遂自驾小车，引数十人前来看时，见一潭清水，深不见底，水气凛凛，军不敢试。孔明下车，登高望之，四壁峰岭，鸟雀不闻，心中大疑。忽望见远远山冈之上，有一古庙。孔明攀藤附葛而到，见一石屋之中，塑一将军端坐，旁有石碑，乃汉伏波将军马援之庙：因平蛮到此，土人立庙祀之。孔明再拜曰："亮受先帝托孤之重，今承圣旨，到此平蛮；欲待蛮方既平，然后伐魏吞吴，重安汉室。今军士不识地理，误饮毒水，不能出声。万望尊神，念本朝恩义，通灵显圣，护佑三军！"

祈祷已毕，出庙寻土人问之。隐隐望见对山一老叟扶杖而来，形容甚异。孔明请老叟入庙，礼毕，对坐于石上。孔明问曰："丈者高姓？"老叟曰："老夫久闻大国丞相隆名，幸得拜见。蛮方之人，多蒙丞相活命，皆感恩不浅。"孔明问泉水之故，老叟答曰："军所饮水，乃哑泉之水也：饮之难言，数日而死。此泉之外，又有三泉：东南有一泉，其水至冷，人若饮之，咽喉无暖气，身躯软弱而死，名曰柔泉；正南有一泉，人若溅之在身，手足皆黑而死，名曰黑泉；西南有一泉，沸如热汤，人若浴之，皮肉尽脱而死，名曰灭泉。敝处有此四泉，毒气所聚，无药可治。又烟瘴甚起，惟未、申、酉三个时辰可往来；馀者时辰，皆瘴气密布，触之即死。"

孔明曰："如此则蛮方不可平矣。蛮方不平，安能并吞吴、魏，再兴汉室？有负先帝托孤之重，生不如死也！"老叟曰："丞相勿忧。老夫指引一处,可以解之。”孔明曰:“老丈有何高见,望乞指教。”老叟曰:“此去正西数里,有一山谷,入内行二十里,有一溪名曰万安溪。上有一高士,号为‘万安隐者’;此人不出溪有数十馀年矣。其草庵后有一泉,名安乐泉。人若中毒,汲其水饮之即愈。有人或生疥癞,或感瘴气,于万安溪内浴之,自然无事。更兼庵前有一等草,名曰‘薤叶芸香’。人若口含一叶,则瘴气不染。丞相可速往求之。”孔明拜谢,问曰:“承丈者如此活命之德,感刻不胜。愿闻高姓?”老叟入庙曰:“吾乃本处山神,奉伏波将军之命,特来指引。”言讫,喝开庙后石壁而入。孔明惊讶不已,再拜庙神,寻旧路上车,回到大寨。

次日,孔明备信香①、礼物,引王平及众哑军,连夜望山神所言去处,迤逦而进。入山谷小径,约行二十馀里,但见长松大柏,茂竹奇花,环绕一庄;篱落之中,有数间茅屋,闻得馨香喷鼻。孔明大喜,到庄前扣户,有一小童出。孔明方欲通姓名,早有一人,竹冠草履,白袍皂绦,碧眼黄发,忻然出曰:“来者莫非汉丞相否?”孔明笑曰:“高士何以知之?”隐者曰:“久闻丞相大纛南征,安得不知!”遂邀孔明入草堂。礼毕,分宾主坐定。孔明告曰:“亮受昭烈皇帝托孤之重,今承嗣君圣旨,领大军至此,欲服蛮邦,使归王化。不期孟获潜入洞中,军士误饮哑泉之水。夜来蒙伏波将军显圣,言高士有药泉,可以治之。望乞矜念,赐神水以救众兵残生。”隐者曰:“量老夫山野废人,何劳丞相枉驾。此泉就在庵后。”教取来饮。

于是童子引王平等一起哑军,来到溪边,汲水饮之;随即吐

① 信香——迷信的说法:虔诚地烧香,这香烟就可作为信使,达到神的面前,使神知道烧香人的愿望。

出恶涎，便能言语。童子又引众军到万安溪中沐浴。隐者于庵中进柏子茶、松花菜，以待孔明。隐者告曰："此间蛮洞多毒蛇恶蝎，柳花飘入溪泉之间，水不可饮；但掘地为泉，汲水饮之方可。"孔明求"薤叶芸香"，隐者令众军尽意采取："各人口含一叶，自然瘴气不侵。"孔明拜求隐者姓名。隐者笑曰："某乃孟获之兄孟节是也。"孔明愕然。隐者又曰："丞相休疑，容伸片言：某一父母所生三人：长即老夫孟节，次孟获，又次孟优。父母皆亡。二弟强恶，不归王化。某屡谏不从，故更名改姓，隐居于此。今辱弟造反，又劳丞相深入不毛之地，如此生受[1]，孟节合该万死，故先于丞相之前请罪。"孔明叹曰："方信盗跖、下惠[2]之事，今亦有之。"遂与孟节曰："吾申奏天子，立公为王，可乎？"节曰："为嫌功名而逃于此，岂复有贪富贵之意！"孔明乃具金帛赠之。孟节坚辞不受。孔明嗟叹不已，拜别而回。后人有诗曰：

高士幽栖独闭关，武侯曾此破诸蛮。至今古木无人境，犹有寒烟锁旧山。

孔明回到大寨之中，令军士掘地取水。掘下二十馀丈，并无滴水；凡掘十馀处，皆是如此。军心惊慌。孔明夜半焚香告天曰："臣亮不才，仰承大汉之福，受命平蛮。今途中乏水，军马枯渴。倘上天不绝大汉，即赐甘泉！若气运已终，臣亮等愿死于此处！"是夜祝罢，平明视之，皆得满井甘泉。后人有诗曰：

为国平蛮统大兵，心存正道合神明。耿恭拜井甘泉出，诸葛虔诚水夜生。

---

① 生受——难为、烦劳的意思。

② 盗跖(zhi)、下惠——都是春秋时候的人。旧说相传：二人虽是兄弟，为人却完全不同。下惠，即柳下惠，被目为有名的"贤人"，盗跖则被目为"大盗"。

孔明军马既得甘泉,遂安然由小径直入秃龙洞前下寨。

蛮兵探知,来报孟获曰:“蜀兵不染瘴疫之气,又无枯渴之患,诸泉皆不应。”朵思大王闻知不信,自与孟获来高山望之。只见蜀兵安然无事,大桶小担,搬运水浆,饮马造饭。朵思见之,毛发耸然,回顾孟获曰:“此乃神兵也!”获曰:“吾兄弟二人与蜀兵决一死战,就殒于军前,安肯束手受缚!”朵思曰:“若大王兵败,吾妻子亦休矣。当杀牛宰马,大赏洞丁,不避水火,直冲蜀寨,方可得胜。”

于是大赏蛮兵。正欲起程,忽报洞后迤西银冶洞二十一洞主杨锋引三万兵来助战。孟获大喜曰:“邻兵助我,我必胜矣!”即与朵思大王出洞迎接。杨锋引兵入曰:“吾有精兵三万,皆披铁甲,能飞山越岭,足以敌蜀兵百万;我有五子,皆武艺足备:愿助大王。”锋令五子入拜,皆彪躯虎体,威风抖擞。孟获大喜,遂设席相待杨锋父子。酒至半酣,锋曰:“军中少乐,吾随军有蛮姑,善舞刀牌,以助一笑。”获忻然从之。须臾,数十蛮姑,皆披发跣足,从帐外舞跳而入,群蛮拍手以歌和之。杨锋令二子把盏。二子举杯诣孟获、孟优前。二人接杯,方欲饮酒,锋大喝一声,二子早将孟获、孟优执下座来。朵思大王却待要走,已被杨锋擒了。蛮姑横截于帐上,谁敢近前。获曰:“‘兔死狐悲,物伤其类’。吾与汝皆是各洞之主,往日无冤,何故害我?”锋曰:“吾兄弟子侄皆感诸葛丞相活命之恩,无可以报。今汝反叛,何不擒献!”

于是各洞蛮兵,皆走回本乡。杨锋将孟获、孟优、朵思等解赴孔明寨来。孔明令入,杨锋等拜于帐下曰:“某等子侄皆感丞相恩德,故擒孟获、孟优等呈献。”孔明重赏之,令驱孟获入。孔明笑曰:“汝今番心服乎?”获曰:“非汝之能,乃吾洞中之人,自相残害,以致如此。要杀便杀,只是不服!”孔明曰:“汝赚吾入无水之地,更以哑泉、灭泉、黑泉、柔泉如此之毒,吾军无恙,岂非天意乎?汝何如此执迷?”获又曰:“吾祖居银坑山中,有三江之险,重关之固。汝若就彼擒之,吾当子子孙孙,倾心服事。”孔明曰:“吾再放汝回去,重整兵马,与吾共决胜负;如那时擒住,汝再不服,当灭九族。”叱左右去其缚,放起孟获。获再拜而去。孔明又将孟优并朵思大王皆释其缚,赐酒食压惊。二人悚惧,不敢正视。孔明令鞍马送回。正是:深临险地非容易,更展奇谋岂偶然!未知孟获整兵再来,胜负如何,且看下文分解。

第九十回

驱巨兽六破蛮兵　烧藤甲七擒孟获

却说孔明放了孟获等一干人，杨锋父子皆封官爵，重赏洞兵。杨锋等拜谢而去。孟获等连夜奔回银坑洞。那洞外有三江：乃是泸水、甘南水、西城水。三路水会合，故为三江。其洞北近平坦三百馀里，多产万物。洞西二百里，有盐井。西南二百里，直抵泸、甘。正南三百里，乃是梁都洞，洞中有山，环抱其洞；山上出银矿，故名为银坑山。山中置宫殿楼台，以为蛮王巢穴。其中建一祖庙，名曰"家鬼"。四时杀牛宰马享祭，名为"卜鬼"。每年常以蜀人并外乡之人祭之。若人患病，不肯服药，只祷师巫，名为"药鬼"。其处无刑法，但犯罪即斩。有女长成，却于溪中沐浴，男女自相混淆，任其自配，父母不禁，名为"学艺"。年岁雨水均调，则种稻谷；倘若不熟，杀蛇为羹，煮象为饭。每方隅之中，上户号曰"洞主"，次曰"酋长"。每月初一、十五两日，皆在三江城中买卖，转易货物。其风俗如此。

却说孟获在洞中，聚集宗党千馀人，谓之曰："吾屡受辱于蜀兵，立誓欲报之。汝等有何高见？"言未毕，一人应曰："吾举一人，可破诸葛亮。"众视之，乃孟获妻弟，现为八番部长，名曰"带来洞主"。获大喜，急问何人。带来洞主曰："此去西南八纳洞，洞主木鹿大王，深通法术：出则骑象，能呼风唤雨，常有虎豹豺狼、毒蛇恶蝎跟随。手下更有三万神兵，甚是英勇。大王可修书具礼，某亲往求之。此人若允，何惧蜀兵哉！”获忻然，令国舅赍书而去。却令朵思大王守把三江城，以为前面屏障。

却说孔明提兵直至三江城，遥望见此城三面傍江，一面通旱；即遣魏延、赵云同领一军，于旱路打城。军到城下时，城上弓弩齐发：原来洞中之人，多习弓弩，一弩齐发十矢，箭头上皆用毒药；但有中箭者，皮肉皆烂，见五脏而死。赵云、魏延不能取胜，回见孔明，言药箭之事。孔明自乘小车，到军前看了虚实，回到寨中，令军退数里下寨。蛮兵望见蜀兵远退，皆大笑作贺，只疑蜀兵惧怯而退，因此夜间安心稳睡，不去哨探。

却说孔明约军退后，即闭寨不出。一连五日，并无号令。黄昏左侧，忽起微风。孔明传令曰：“每军要衣襟一幅，限一更时分应点。无者立斩。”诸将皆不知其意，众军依令预备。初更时分，又传令曰：“每军衣襟一幅，包土一包。无者立斩。”众军亦不知其意，只得依令预备。孔明又传令曰：“诸军包土，俱在三江城下交割。先到者有赏。”众军闻令，皆包净土，飞奔城下。孔明令积土为蹬道①，先上城者为头功。于是蜀兵十馀万，并降兵万馀，将所包之土，一齐弃于城下。一霎时，积土成山，接连城上。一声暗号，蜀兵皆上城。蛮兵急放弩时，大半早被执下，馀者弃城而走。朵思大王死于乱军之中。蜀将督军分路剿杀。孔明取了三江城，所得珍宝，皆赏三军。败残蛮兵逃回见孟获说：“朵思大王身死，失了三江城。”获大惊。

正虑之间，人报蜀兵已渡江，现在本洞前下寨。孟获甚是慌张。忽然屏风后一人大笑而出曰：“既为男子，何无智也？我虽是一妇人，愿与你出战。”获视之，乃妻祝融夫人也。夫人世居南

---

① 蹬道——有阶踏的坡道。

蛮，乃祝融氏① 之后；善使飞刀，百发百中。孟获起身称谢。夫人忻然上马，引宗党猛将数百员、生力洞兵五万，出银坑宫阙，来与蜀兵对敌。方才转过洞口，一彪军拦住：为首蜀将，乃是张嶷。蛮兵见之，却早两路摆开。祝融夫人背插五口飞刀，手挺丈八长标，坐下卷毛赤兔马。张嶷见之，暗暗称奇。二人骤马交锋。战不数合，夫人拨马便走。张嶷赶去，空中一把飞刀落下。嶷急用手隔，正中左臂，翻身落马。蛮兵发一声喊，将张嶷执缚去了。马忠听得张嶷被执，急出救时，早被蛮兵捆住。望见祝融夫人挺标勒马而立，忠忿怒向前去战，坐下马绊倒，亦被擒了。都解入洞中来见孟获。获设席庆贺。夫人叱刀斧手推出张嶷、马忠要斩。获止曰："诸葛亮放吾五次，今番若杀彼将，是不义也。且囚在洞中，待擒住诸葛亮，杀之未迟。"夫人从其言，笑饮作乐。

却说败残兵来见孔明，告知其事。孔明即唤马岱、赵云、魏延三人受计，各自领军前去。次日，蛮兵报入洞中，说赵云搦战。祝融夫人即上马出迎。二人战不数合，云拨马便走。夫人恐有埋伏，勒兵而回。魏延又引军来搦战，夫人纵马相迎。正交锋紧急，延诈败而逃，夫人只不赶。次日，赵云又引军来搦战，夫人领洞兵出迎。二人战不数合，云诈败而走，夫人按标不赶。欲收兵回洞时，魏延引军齐声辱骂，夫人急挺标来取魏延。延拨马便走。夫人忿怒赶来，延骤马奔入山僻小路。忽然背后一声响亮，延回头视之，夫人仰鞍落马：原来马岱埋伏在此，用绊马索绊倒。就里擒缚，解投大寨而来。蛮将洞兵皆来救时，赵云一阵杀散。孔明端坐于帐上，马岱解祝融夫人到，孔明急令武士去其缚，请在别帐赐酒压惊，遣使往告孟获，欲送夫人换张嶷、马忠二将。

① 祝融氏——传说中的远古帝王之一。

孟获允诺，即放出张嶷、马忠，还了孔明。孔明遂送夫人入洞。孟获接入，又喜又恼。忽报八纳洞主到。孟获出洞迎接，见其人骑着白象，身穿金珠缨络，腰悬两口大刀，领着一班喂养虎豹豺狼之士，簇拥而入。获再拜哀告，诉说前事。木鹿大王许以报仇。获大喜，设宴相待。次日，木鹿大王引本洞兵带猛兽而出。赵云、魏延听知蛮兵出，遂将军马布成阵势。二将并辔立于阵前视之，只见蛮兵旗帜器械皆别：人多不穿衣甲，尽裸身赤体，面目丑陋；身带四把尖刀；军中不鸣鼓角，但筛金为号；木鹿大王腰挂两把宝刀，手执蒂钟，身骑白象，从大旗中而出。赵云见了，谓魏延曰："我等上阵一生，未尝见如此人物。"二人正沉吟之际，只见木鹿大王口中不知念甚咒语，手摇蒂钟。忽然狂风大作，飞砂走石，如同骤雨；一声画角响，虎豹豺狼，毒蛇猛兽，乘风而出，张牙舞爪，冲将过来。蜀兵如何抵当，往后便退。蛮兵随后追杀，直赶到三江界路方回。赵云、魏延收聚败兵，来孔明帐前请罪，细说此事。

孔明笑曰："非汝二人之罪。吾未出茅庐之时，先知南蛮有驱虎豹之法。吾在蜀中已办下破此阵之物也：随军有二十辆车，俱封记在此。今日且用一半；留下一半，后有别用。"遂令左右取了十辆红油柜车到帐下，留十辆黑油柜车在后。众皆不知其意。孔明将柜打开，皆是木刻彩画巨兽，俱用五色绒线为毛衣，钢铁为牙爪，一个可骑坐十人。孔明选了精壮军士一千馀人，领了一百，口内装烟火之物，藏在军中。次日，孔明驱兵大进，布于洞口。蛮兵探知，入洞报与蛮王。木鹿大王自谓无敌，即与孟获引洞兵而出。孔明纶巾羽扇，身衣道袍，端坐于车上。孟获指曰："车上坐的便是诸葛亮！若擒住此人，大事定矣！"木鹿大王口中念咒，手摇蒂钟。顷刻之间，狂风大作，猛兽突出。孔明将羽扇一摇，其风便回吹彼阵中去了，蜀阵中假兽拥出。蛮洞真兽见蜀阵巨兽口吐火焰，鼻出黑烟，身摇铜铃，张牙舞爪而来，诸恶兽不敢前进，皆奔回蛮洞，反将蛮兵冲倒无数。孔明驱兵大进，鼓角齐鸣，望前追杀。木鹿大王死于乱军之中。洞内孟获宗党，皆弃宫阙，扒山越岭而走。孔明大军占了银坑洞。

次日，孔明正要分兵缉擒孟获，忽报："蛮王孟获妻弟带来洞主，因劝孟获归降，获不从，今将孟获并祝融夫人及宗党数百馀人尽皆擒来，献与丞相。"孔明听知，即唤张嶷、马忠，分付如此如此。二将受了计，引二千精壮兵，伏于两廊。孔明即令守门将，俱放进来。带来洞主引刀斧手解孟获等数百人，拜于殿下。孔明大喝曰："与吾擒下！"两廊壮兵齐出，二人捉一人，尽被执缚。孔明大笑曰："量汝些小诡计，如何瞒得过我！汝见二次俱是本洞人擒汝来降，吾不加害；汝只道吾深信，故来诈降，欲就洞中杀吾！"喝令武士搜其身畔，果然各带利刀。孔明问孟获曰："汝原说在汝家擒住，方始心服；今日如何？"获曰："此是我等自来送死，非汝之能也。吾心未服。"孔明曰："吾擒住六番，尚然不服，欲待何时耶？"获曰："汝第七次擒住，吾方倾心归服，誓不反矣。"孔明曰："巢穴已破，吾何虑哉！"令武士尽去其缚，叱之曰："这番擒住，再若支吾，必不轻恕！"孟获等抱头鼠窜而去。

却说败残蛮兵有千馀人，大半中伤而逃，正遇蛮王孟获。获收了败兵，心中稍喜，却与带来洞主商议曰："吾今洞府已被蜀兵所占，今投何地安身？"带来洞主曰："止有一国可以破蜀。"获喜曰："何处可去？"带来洞主曰："此去东南七百里，有一国，名乌戈国。国主兀突骨，身长丈二，不食五谷，以生蛇恶兽为饭；身有鳞甲，刀箭不能侵。其手下军士，俱穿藤甲；其藤生于山涧之中，盘于石壁之上；国人采取，浸于油中，半年方取出晒之；晒干复浸，凡十馀遍，却才造成铠甲；穿在身上，渡江不沉，经水不湿，刀箭皆不能入：因此号为'藤甲军'。今大王可往求之。若得彼相助，擒诸葛亮如利刀破竹也。"孟获大喜，遂投乌戈国，来见兀突骨。其洞无宇舍，皆居土穴之内。孟获入洞，再拜哀告前事。兀突骨曰："吾起本洞之兵，与汝报仇。"获欣然拜谢。于是兀突骨唤两个领兵俘长：一名土安，一名奚泥，起三万兵，皆穿藤甲，离乌戈国望东北而来。行至一江，名桃花水，两岸有桃树，历年落叶于水中，若别国人饮之尽死，惟乌戈国人饮之，倍添精神。兀突骨兵至桃花渡口下寨，以待蜀兵。

却说孔明令蛮人哨探孟获消息，回报曰："孟获请乌戈国主，引三万藤甲军，现屯于桃花渡口。孟获又在各番聚集蛮兵，并力拒战。"孔明听说，提兵大进，直至桃花渡口。隔岸望见蛮兵，不类人形，甚是丑恶；又问土人，言说即日桃叶正落，水不可饮。孔明退五里下寨，留魏延守寨。

次日，乌戈国主引一彪藤甲军过河来，金鼓大震。魏延引兵出迎。蛮兵卷地而至。蜀兵以弩箭射到藤甲之上，皆不能透，俱落于地；刀砍枪刺，亦不能入。蛮兵皆使利刀钢叉，蜀兵如何抵当，尽皆败走。蛮兵不赶而回。魏延复回，赶到桃花渡口，只见蛮兵带甲渡水而去；内有困乏者，将甲脱下，放在水面，以身坐其上而渡。魏延急回大寨，来禀孔明，细言其事。孔明请吕凯并土人问之。凯曰："某素闻南蛮中有一乌戈国，无人伦者也。更有藤甲护身，急切难伤。又有桃叶恶水，本国人饮之，反添精神；别国人饮之即死：如此蛮方，纵使全胜，有何益焉？不如班师早回。"孔明笑曰："吾非容易到此，岂可便去！吾明日自有平蛮之策。"于是令赵云助魏延守寨，且休轻出。

次日，孔明令土人引路，自乘小车到桃花渡口北岸山僻去处，遍观地理。山险岭峻之处，车不能行，孔明弃车步行。忽到一山，望见一谷，形如长蛇，皆光峭石壁，并无树木，中间一条大路。孔明问土人曰："此谷何名？"土人答曰："此处名为盘蛇谷。出谷则三江城大路，谷前名塔郎甸。"孔明大喜曰："此乃天赐吾成功于此也！"遂回旧路，上车归寨，唤马岱分付曰："与汝黑油柜车十辆，须用竹竿千条，柜内之物，如此如此。可将本部兵去把住盘蛇谷两头，依法而行。与汝半月限，一切完备。至期如此施设。倘有走漏，定按军法。"马岱受计而去。又唤赵云分付曰："汝去盘蛇谷后，三江大路口如此守把。所用之物，克日完备。"赵云受计而去。又唤魏延分付曰："汝可引本部兵去桃花渡口下寨。如蛮兵渡水来敌，汝便弃了寨，望白旗处而走。限半个月内，须要连输十五阵，弃七个寨栅。若输十四阵，也休来见我。"魏延领命，心中不乐，怏怏而去。孔明又唤张翼另引一军，依所指之处，筑立寨栅去了；却令张嶷、马忠引本洞所降千人，如此行之。各人都依计而行。

却说孟获与乌戈国主兀突骨曰："诸葛亮多有巧计，只是埋伏。今后交战，分付三军：但见山谷之中，林木多处，不可轻进。"兀突骨曰："大王说的有理。吾已知道中国人多行诡计。今后依此言行之。吾在前面厮杀，汝在背后教道。"两人商议已定。忽报蜀兵在桃花渡口北岸立起营寨。兀突骨即差二俘长引藤甲军渡了河，来与蜀兵交战。不数合，魏延败走。蛮兵恐有埋伏，不赶自回。次日，魏延又去立了营寨。蛮兵哨得，又引众军渡过河来战。延出迎之。不数合，延败走。蛮兵追杀十馀里，见四下并无动静，便在蜀寨中屯住。次日，二俘长请兀突骨到寨，说知此事。兀突骨即引兵大进，将魏延追一阵。蜀兵皆弃甲抛戈而走，只见前有白旗。延引败兵，急奔到白旗处，早有一寨，就寨中屯住。兀突骨驱兵追至，魏延引兵弃寨而走。蛮兵得了蜀寨。次日，又望前追杀。魏延回兵交战，不三合又败，只看白旗处而走，又有一寨，延就寨屯住。次日，蛮兵又至。延略战又走。蛮兵占了蜀寨。

话休絮烦，魏延且战且走，已败十五阵，连弃七个营寨。蛮兵大进追杀。兀突骨自在军前破敌，于路但见林木茂盛之处，便不敢进；却使人远望，果见树阴之中，旌旗招飐。兀突骨谓孟获曰："果不出大王所料。"孟获大笑曰："诸葛亮今番被吾识破！大王连日胜了他十五阵，夺了七个营寨，蜀兵望风而走。诸葛亮已是计穷；只此一进，大事定矣！"兀突骨大喜，遂不以蜀兵为念。至第十六日，魏延引败残兵，来与藤甲军对敌。兀突骨骑象当先，头戴日月狼须帽，身披金珠缨络，两肋下露出生鳞甲，眼目中微有光芒，手指魏延大骂。延拨马便走。后面蛮兵大进。魏延引兵转过了盘蛇谷，望白旗而走。兀突骨统引兵众，随后追杀。兀突骨望见山上并无草木，料无埋伏，放心追杀。赶到谷中，见数十辆黑油柜车在当路。蛮兵报曰："此是蜀兵运粮道路，因大王兵至，撇下粮车而走。"兀突骨大喜，催兵追赶。将出谷口，不见蜀兵，只见横木乱石滚下，垒断谷口。兀突骨令兵开路而进，忽见前面大小车辆，装载干柴，尽皆火起。兀突骨忙教退兵，只闻后军发喊，报说谷口已被干柴垒断，车中原来皆是火药，一齐烧着。兀突骨见无草木，心尚不慌，令寻路而走。只见山上两边乱丢火把，火把到处，地中药线皆着，就地飞起铁炮。满谷中火光乱舞，但逢藤甲，无有不着。将兀突骨并三万藤甲军，烧得互相拥抱，死于盘蛇谷中。孔明在山上往下看时，只见蛮兵被火烧的伸拳舒腿，大半被铁炮打的头脸粉碎，皆死于谷中，臭不可闻。

孔明垂泪而叹曰:“吾虽有功于社稷,必损寿矣!”左右将士,无不感叹。

却说孟获在寨中,正望蛮兵回报。忽然千馀人笑拜于寨前,言说:“乌戈国兵与蜀兵大战,将诸葛亮围在盘蛇谷中了。特请大王前去接应。我等皆是本洞之人,不得已而降蜀;今知大王前到,特来助战。”孟获大喜,即引宗党并所聚番人,连夜上马;就令蛮兵引路。方到盘蛇谷时,只见火光甚起,臭气难闻。获知中计,急退兵时,左边张嶷,右边马忠,两路军杀出。获方欲抵敌,一声喊起,蛮兵中大半皆是蜀兵,将蛮王宗党并聚集的番人,尽皆擒了。孟获匹马杀出重围,望山径而走。

正走之间,见山凹里一簇人马,拥出一辆小车;车中端坐一人,纶巾羽扇,身衣道袍,乃孔明也。孔明大喝曰:“反贼孟获!今番如何?”获急回马走。旁边闪过一将,拦住去路,乃是马岱。孟获措手不及,被马岱生擒活捉了。此时王平、张翼已引一军赶到蛮寨中,将祝融夫人并一应老小皆活捉而来。

孔明归到寨中,升帐而坐,谓众将曰:“吾今此计,不得已而用之,大损阴德。我料敌人必算吾于林木多处埋伏,吾却空设旌旗,实无兵马,疑其心也。吾令魏文长连输十五阵者,坚其心也。吾见盘蛇谷止一条路,两壁厢皆是光石,并无树木,下面都是沙土,因令马岱将黑油柜安排于谷中,车中油柜内,皆是预先造下的火炮,名曰‘地雷’,一炮中藏九炮,三十步埋之,中用竹竿通节,以引药线;才一发动,山损石裂。吾又令赵子龙预备草车,安排于谷口。又于山上准备大木乱石。却令魏延赚兀突骨并藤甲军入谷,放出魏延,即断其路,随后焚之。吾闻:‘利于水者必不利于火。’藤甲虽刀箭不能入,乃油浸之物,见火必着。蛮兵如此顽皮,非火攻安能取胜?——使乌戈国之人不留种类者,是吾之大罪也!”众将拜伏曰:“丞相天机,鬼神莫测也!”孔明令押过孟获来。孟获跪于帐下。孔明令去其缚,教且在别帐与酒食压惊。孔明唤管酒食官至坐榻前,如此如此,分付而去。

却说孟获与祝融夫人并孟优、带来洞主、一切宗党在别帐饮酒。忽一人入帐谓孟获曰:“丞相面羞,不欲与公相见。特令我来放公回去,再招人马来决胜负。公今可速去。”孟获垂泪言曰:“七擒七纵,自古未尝有也。吾虽化外之人,颇知礼义,直如此无羞耻乎?”遂同兄弟妻子宗党人等,皆匍匐跪于帐下,肉袒[①]谢罪曰:“丞相天威,南人不复反矣!”孔明曰:“公今服乎?”获泣谢曰:“某子子孙孙皆感覆载生成之恩,安得不服!”孔明乃请孟获上帐,设宴庆贺,就令永为洞主。所夺之地,尽皆退还。孟获宗党及诸蛮兵,无不感戴,皆欣然跳跃而去。后人有诗赞孔明曰:

羽扇纶巾拥碧幢,七擒妙策制蛮王。至今溪洞传威德,为选高原立庙堂。

长史费祎入谏曰:“今丞相亲提士卒,深入不毛,收服蛮方;目今蛮王既已归服,何不置官吏,与孟获一同守之?”孔明曰:“如此有三不易:留外人则当留兵,兵无所食,一不易也;蛮人伤破,父兄死亡,留外人而不留兵,必成祸患,二不易也;蛮人累有废杀之罪,自有嫌疑,留外人终不相信,三不易也。今吾不留人,不运粮,与相安于无事而已。”众人尽服。于是蛮方皆感孔明恩德,乃为孔明立生祠,四时享祭,皆呼之为“慈父”;各送珍珠金宝、丹漆药材、耕牛战马,以资军用,誓不再反。南方已定。

却说孔明犒军已毕,班师回蜀,令魏延引本部兵为前锋。延

① 肉袒——把上衣脱掉一部分,露出身体,表示请罪,愿意接受刑罚。这里是甘愿降服的意思。

引兵方至泸水,忽然阴云四合,水面上一阵狂风骤起,飞沙走石,军不能进。延退兵回报孔明。孔明遂请孟获问之。正是:塞外蛮人方帖服,水边鬼卒又猖狂。未知孟获所言若何,且看下文分解。

第九十一回

祭泸水汉相班师　伐中原武侯上表

却说孔明班师回国，孟获率引大小洞主酋长，及诸部落，罗拜相送。前军至泸水，时值九月秋天，忽然阴云布合，狂风骤起；兵不能渡，回报孔明。孔明遂问孟获，获曰："此水原有猖神作祸，往来者必须祭之。"孔明曰："用何物祭享？"获曰："旧时国中因猖神作祸，用七七四十九颗人头并黑牛白羊祭之，自然风恬浪静，更兼连年丰稔。"孔明曰："吾今事已平定，安可妄杀一人？"遂自到泸水岸边观看。果见阴风大起，波涛汹涌，人马皆惊。孔明甚疑，即寻土人问之。土人告说："自丞相经过之后，夜夜只闻得水边鬼哭神号。自黄昏直至天晓，哭声不绝。瘴烟之内，阴鬼无数。因此作祸，无人敢渡。"孔明曰："此乃我之罪愆也。前者马岱引蜀兵千馀，皆死于水中；更兼杀死南人，尽弃此处：狂魂怨鬼，不能解释，以致如此。吾今晚当亲自往祭。"土人曰："须依旧例，杀四十九颗人头为祭，则怨鬼自散也。"孔明曰："本为人死而成怨鬼，岂可又杀生人耶？吾自有主意。"唤行厨宰杀牛马；和面为剂，塑成人头，内以牛羊等肉代之，名曰"馒头"。当夜于泸水岸上，设香案，铺祭物，列灯四十九盏，扬幡招魂；将馒头等物，陈设于地。三更时分，孔明金冠鹤氅，亲自临祭，令董厥读祭文。其文曰：

维大汉建兴三年秋九月一日，武乡侯、领益州牧、丞相诸葛亮，谨陈祭仪，享于故殁王事蜀中将校及南人亡者阴魂曰：

我大汉皇帝，威胜五霸，明继三王。昨自远方侵境，异俗起兵；纵虿尾以兴妖，恣狼心而逞乱。我奉王命，问罪遐荒；大举貔貅，悉除蝼蚁；雄军云集，狂寇冰消；才闻破竹之声，便是失猿之势。但士卒儿郎，尽是九州豪杰；官僚将校，皆为四海英雄：习武从戎，投明事主，莫不同申三令，共展七擒；齐坚奉国之诚，并效忠君之志。何期汝等偶失兵机，缘落奸计：或为流矢所中，魂掩泉台；或为刀剑所伤，魄归长夜：生则有勇，死则成名。今凯歌欲还，献俘将及。汝等英灵尚在，祈祷必闻：随我旌旗，逐我部曲，同回上国，各认本乡，受骨肉之蒸尝，领家人之祭祀；莫作他乡之鬼，徒为异域之魂。我当奏之天子，使汝等各家尽霑恩露，年给衣粮，月赐廪禄：用兹酬答，以慰汝心。至于本境土神，南方亡鬼，血食有常，凭依不远；生者既凛天威，死者亦归王化，想宜宁帖，毋致号啕。聊表丹诚，敬陈祭祀。呜呼，哀哉！伏惟尚飨！

读毕祭文，孔明放声大哭，极其痛切，情动三军，无不下泪。孟获等众，尽皆哭泣。只见愁云怨雾之中，隐隐有数千鬼魂，皆随风而散。于是孔明令左右将祭物尽弃于泸水之中。

次日，孔明引大军俱到泸水南岸，但见云收雾散，风静浪平。蜀兵安然尽渡泸水，果然"鞭敲金镫响，人唱凯歌还"。行到永昌，孔明留王伉、吕凯守四郡；发付孟获领众自回，嘱其勤政驭下，善抚居民，勿失农务。孟获涕泣拜别而去。孔明自引大军回成都。后主排銮驾出郭三十里迎接，下辇立于道傍，以候孔明。孔明慌下车伏道而言曰："臣不能速平南方，使主上怀忧，臣之罪也。”后主扶起孔明，并车而回，设太平筵会，重赏三军。自此远邦进贡来朝者二百馀处。孔明奏准后主，将殁于王事者之家，一一优恤。人心欢悦，朝野清平。

却说魏主曹丕，在位七年，即蜀汉建兴四年也。丕先纳夫人甄氏，即袁绍次子袁熙之妇，前破邺城时所得。后生一子，名睿，字元仲，自幼聪明，丕甚爱之。后丕又纳安平广宗人郭永之女为贵妃，甚有颜色；其父尝曰：“吾女乃女中之王也。”故号为“女王”。自丕纳为贵妃，因甄夫人失宠，郭贵妃欲谋为后，却与幸臣张韬商议。时丕有疾，韬乃诈称于甄夫人宫中掘得桐木偶人，上书天子年月日时，为魇镇[1]之事。丕大怒，遂将甄夫人赐死，立郭贵妃为后。因无出[2]，养曹睿为己子。虽甚爱之，不立为嗣。睿年至十五岁，弓马熟娴。当年春二月，丕带睿出猎。行于山坞之间，赶出子母二鹿，丕一箭射倒母鹿，回观小鹿驰于曹睿马前。丕大呼曰：“吾儿何不射之？”睿在马上泣告曰：“陛下已杀其母，臣安忍复杀其子也。”丕闻之，掷弓于地曰：“吾儿真仁德之主也！”于是遂封睿为平原王。

夏五月，丕感寒疾，医治不痊，乃召中军大将军曹真、镇军大将军陈群、抚军大将军司马懿三人入寝宫。丕唤曹睿至，指谓曹真等曰：“今朕病已沉重，不能复生。此子年幼，卿等三人可善辅之，勿负朕心。”三人皆告曰：“陛下何出此言？臣等愿竭力以事陛下，至千秋万岁。”丕曰：“今年许昌城门无故自崩，乃不祥之兆，朕故自知必死也。”正言间，内侍奏征东大将军曹休入宫问

---

① 魇(yǎn)镇——据迷信说法，可以暗害人的一种巫术。

② 无出——指郭贵妃自己没有生育儿子。

安。丕召入谓曰:“卿等皆国家柱石之臣也,若能同心辅朕之子,朕死亦瞑目矣!”言讫,堕泪而薨。时年四十岁,在位七年。于是曹真、陈群、司马懿、曹休等,一面举哀,一面拥立曹睿为大魏皇帝。谥父丕为文皇帝,谥母甄氏为文昭皇后。封钟繇为太傅,曹真为大将军,曹休为大司马,华歆为太尉,王朗为司徒,陈群为司空,司马懿为骠骑大将军。其馀文武官僚,各各封赠。大赦天下。时雍、凉二州缺人守把,司马懿上表乞守西凉等处。曹睿从之,遂封懿提督雍、凉等处兵马。领诏去讫。

早有细作飞报入川。孔明大惊曰:“曹丕已死,孺子曹睿即位,馀皆不足虑:司马懿深有谋略,今督雍、凉兵马,倘训练成时,必为蜀中之大患。不如先起兵伐之。”参军马谡曰:“今丞相平南方回,军马疲敝,只宜存恤,岂可复远征?某有一计,使司马懿自死于曹睿之手,未知丞相钧意允否?”孔明问是何计,马谡曰:“司马懿虽是魏国大臣,曹睿素怀疑忌。何不密遣人往洛阳、邺郡等处,布散流言,道此人欲反;更作司马懿告示天下榜文,遍贴诸处:使曹睿心疑,必然杀此人也。”孔明从之,即遣人密行此计去了。

却说邺城门上,忽一日见贴下告示一道。守门者揭了,来奏曹睿。睿观之,其文曰:

> 骠骑大将军总领雍、凉等处兵马事司马懿,谨以信义布告天下:昔太祖武皇帝,创立基业,本欲立陈思王子建为社稷主;不幸奸谗交集,岁久潜龙。皇孙曹睿,素无德行,妄自居尊,有负太祖之遗意。今吾应天顺人,克日兴师,以慰万民之望。告示到日,各宜归命新君。如不顺者,当灭九族!先此告闻,想宜知悉。

曹睿览毕,大惊失色,急问群臣。太尉华歆奏曰:"司马懿上表乞守雍、凉,正为此也。先时太祖武皇帝尝谓臣曰:'司马懿鹰视狼顾,不可付以兵权;久必为国家大祸。'今日反情已萌,可速诛之。"王朗奏曰:"司马懿深明韬略,善晓兵机,素有大志;若不早除,久必为祸。"睿乃降旨,欲兴兵御驾亲征。忽班部中闪出大将军曹真奏曰:"不可。文皇帝托孤于臣等数人,是知司马仲达无异志也。今事未知真假,遽尔加兵,乃逼之反耳。或者蜀、吴奸细行反间之计,使我君臣自乱,彼却乘虚而击,未可知也。陛下幸察之。"睿曰:"司马懿若果谋反,将奈何?"真曰:"如陛下心疑,可仿汉高伪游云梦之计[1]。御驾幸安邑,司马懿必然来迎;观其动静,就车前擒之,可也。"睿从之,遂命曹真监国,亲自领御林军十万,径到安邑。

司马懿不知其故,欲令天子知其威严,乃整兵马,率甲士数万来迎。近臣奏曰:"司马懿果率兵十馀万,前来抗拒,实有反心矣。"睿慌命曹休先领兵迎之。司马懿见兵马前来,只疑车驾亲至,伏道而迎。曹休出曰:"仲达受先帝托孤之重,何故反耶?"懿大惊失色,汗流遍体,乃问其故。休备言前事。懿曰:"此吴、蜀奸细反间之计,欲使我君臣自相残害,彼却乘虚而袭。某当自见天子辨之。"遂急退了军马,至睿车前俯伏泣奏曰:"臣受先帝托孤之重,安敢有异心?必是吴、蜀之奸计。臣请提一旅之师,先破蜀,后伐吴,报先帝与陛下,以明臣心。"睿疑虑未决。华歆奏曰:"不可付之兵权。可即罢归田里。"睿依言,将司马懿削职回乡,命曹休总督雍、凉军马。曹睿驾回洛阳。

---

① 汉高伪游云梦之计——汉高祖刘邦怀疑楚王韩信谋反,用陈平的计策,假装到云梦去巡游,骗韩信迎接,因而逮住韩信。

却说细作探知此事,报入川中。孔明闻之大喜曰:“吾欲伐魏久矣,奈有司马懿总雍、凉之兵。今既中计遭贬,吾有何忧!”次日,后主早朝,大会官僚,孔明出班,上《出师表》一道。表曰:

臣亮言:先帝创业未半,而中道崩殂;今天下三分,益州罢敝,此诚危急存亡之秋也。然侍卫之臣,不懈于内;忠志之士,忘身于外者:盖追先帝之殊遇,欲报之于陛下也。诚宜开张圣听,以光先帝遗德,恢弘志士之气;不宜妄自菲薄,引喻失义,以塞忠谏之路也。宫中府中[1],俱为一体;陟罚臧否,不宜异同:若有作奸犯科,及为忠善者,宜付有司,论其刑赏,以昭陛下平明之治;不宜偏私,使内外异法也。侍中、侍郎郭攸之、费祎、董允等,此皆良实,志虑忠纯,是以先帝简拔以遗陛下:愚以为宫中之事,事无大小,悉以咨之,然后施行,必得裨补阙漏,有所广益。将军向宠,性行淑均,晓畅军事,试用之于昔日,先帝称之曰“能”,是以众议举宠以为督:愚以为营中之事,事无大小,悉以咨之,必能使行阵和穆,优劣得所也。亲贤臣,远小人,此先汉所以兴隆也;亲小人,远贤臣,此后汉所以倾颓也。先帝在时,每与臣论此事,未尝不叹息痛恨于桓、灵也! 侍中、尚书、长史、参军[2],此悉贞亮死节之臣也,愿陛下亲之、信之,则汉室之隆,可计日而待也。

臣本布衣,躬耕南阳,苟全性命于乱世,不求闻达于诸

① 宫中府中——宫中,指皇宫。府中,指丞相府。

② 侍中、尚书、长史、参军——侍中指郭攸之、费祎等;尚书指陈震;长史指张裔;参军指蒋琬。

侯。先帝不以臣卑鄙,猥自枉屈,三顾臣于草庐之中,谘臣以当世之事,由是感激,遂许先帝以驱驰。后值倾覆,受任于败军之际,奉命于危难之间:尔来二十有一年矣。先帝知臣谨慎,故临崩寄臣以大事也。受命以来,夙夜忧虑,恐付托不效,以伤先帝之明;故五月渡泸,深入不毛。今南方已定,甲兵已足,当奖帅三军,北定中原,庶竭驽钝,攘除奸凶,兴复汉室,还于旧都:此臣所以报先帝而忠陛下之职分也。至于斟酌损益,进尽忠言,则攸之、祎、允之任也。愿陛下托臣以讨贼兴复之效,不效则治臣之罪,以告先帝之灵;若无兴复之言,则责攸之、祎、允等之咎,以彰其慢。陛下亦宜自谋,以谘诹善道,察纳雅言,深追先帝遗诏。臣不胜受恩感激! 今当远离,临表涕泣,不知所云。

后主览表曰:“相父南征,远涉艰难;方始回都,坐未安席;今又欲北征,恐劳神思。”孔明曰:“臣受先帝托孤之重,夙夜未尝有怠。今南方已平,可无内顾之忧;不就此时讨贼,恢复中原,更待何日?”忽班部中太史谯周出奏曰:“臣夜观天象,北方旺气正盛,星曜倍明,未可图也。”乃顾孔明曰:“丞相深明天文,何故强为?”孔明曰:“天道变易不常,岂可拘执? 吾今且驻军马于汉中,观其动静而后行。”谯周苦谏不从。于是孔明乃留郭攸之、董允、费祎等为侍中,总摄宫中之事。又留向宠为大将,总督御林军马;蒋琬为参军;张裔为长史,掌丞相府事;杜琼为谏议大夫;杜微、杨洪为尚书;孟光、来敏为祭酒;尹默、李譔为博士;郤正、费诗为秘书;谯周为太史:内外文武官僚一百馀员,同理蜀中之事。

孔明受诏归府,唤诸将听令:前督部——镇北将军、领丞相司马、凉州刺史、都亭侯魏延;前军都督——领扶风太守张翼;牙门将——裨将军王平;后军领兵使——安汉将军、领建宁太守李恢，副将——定远将军、领汉中太守吕义；兼管运粮左军领兵使——平北将军、陈仓侯马岱，副将——飞卫将军廖化；右军领兵使——奋威将军、博阳亭侯马忠，抚戎将军、关内侯张嶷；行中军师——车骑大将军、都乡侯刘琰；中监军——扬武将军邓芝；中参军——安远将军马谡；前将军——都亭侯袁綝；左将军——高阳侯吴懿；右将军——玄都侯高翔；后将军——安乐侯吴班；领长史——绥军将军杨仪；前将军——征南将军刘巴；前护军——偏将军、汉城亭侯许允；左护军——笃信中郎将丁咸；右护军——偏将军刘敏；后护军——典军中郎将官雝；行参军——昭武中郎将胡济；行参军——谏议将军阎晏；行参军——偏将军爨习；行参军——裨将军杜义，武略中郎将杜祺，绥戎都尉盛敎；从事——武略中郎将樊岐；典军书记——樊建；丞相令史——董厥；帐前左护卫使——龙骧将军关兴；右护卫使——虎翼将军张苞。——以上一应官员，都随着平北大都督、丞相、武乡侯、领益州牧、知内外事诸葛亮。分拨已定，又檄李严等守川口以拒东吴。选定建兴五年春三月丙寅日，出师伐魏。忽帐下一老将，厉声而进曰："我虽年迈，尚有廉颇之勇，马援之雄。此二古人皆不服老，何故不用我耶？"众视之，乃赵云也。孔明曰："吾自平南回都，马孟起病故，吾甚惜之，以为折一臂也。今将军年纪已高，倘稍有参差，动摇一世英名，减却蜀中锐气。"云厉声曰："吾自随先帝以来，临阵不退，遇敌则先。大丈夫得死于疆场者，幸也，吾何恨焉？愿为前部先锋！"孔明再三苦劝不住。云曰："如不教我为先锋，就撞死于阶下！"孔明曰："将军既要为先锋，须得一人同去——"言未尽，一人应曰："某虽不才，愿助老将军先引一军前去破敌。"孔明视之，乃邓芝也。孔明大喜，即拨精兵五千，副将十员，随赵云、邓芝去讫。孔明出师，后主引百官送于北门外十里。

孔明辞了后主，旌旗蔽野，戈戟如林，率军望汉中迤逦进发。

却说边庭探知此事，报入洛阳。是日曹睿设朝，近臣奏曰："边官报称：诸葛亮率领大兵三十馀万，出屯汉中，令赵云、邓芝为前部先锋，引兵入境。"睿大惊，问群臣曰："谁可为将，以退蜀兵？"忽一人应声而出曰："臣父死于汉中，切齿之恨，未尝得报。今蜀兵犯境，臣愿引本部猛将，更乞陛下赐关西之兵，前往破蜀：上为国家效力，下报父仇，臣万死不恨！"众视之，乃夏侯渊之子夏侯楙也。楙字子休；其性最急，又最吝；自幼嗣与夏侯惇为子。后夏侯渊为黄忠所斩，曹操怜之，以女清河公主招楙为驸马，因此朝中钦敬。虽掌兵权，未尝临阵。当时自请出征，曹睿即命为大都督，调关西诸路军马前去迎敌。司徒王朗谏曰："不可。夏侯驸马素不曾经战，今付以大任，非其所宜。更兼诸葛亮足智多谋，深通韬略，不可轻敌。"夏侯楙叱曰："司徒莫非结连诸葛亮，欲为内应耶？吾自幼从父学习韬略，深通兵法。汝何欺我年幼？吾若不生擒诸葛亮，誓不回见天子！"王朗等皆不敢言。夏侯楙辞了魏主，星夜到长安，调关西诸路军马二十馀万，来敌孔明。正是：欲秉白旄麾将士，却教黄吻掌兵权。未知胜负如何，且看下文分解。

第九十二回

赵子龙力斩五将　诸葛亮智取三城

却说孔明率兵前至沔阳，经过马超坟墓，乃令其弟马岱挂孝，孔明亲自祭之。祭毕，回到寨中，商议进兵。忽哨马报道："魏主曹睿遣驸马夏侯楙，调关中诸路军马，前来拒敌。"魏延上帐献策曰："夏侯楙乃膏粱子弟①，懦弱无谋。延愿得精兵五千，取路出褒中，循秦岭以东，当子午谷而投北，不过十日，可到长安。夏侯楙若闻某骤至，必然弃城望横门邸阁而走。某却从东方而来，丞相可大驱士马，自斜谷而进：如此行之，则咸阳以西，一举可定也。"孔明笑曰："此非万全之计也。汝欺中原无好人物，倘有人进言，于山僻中以兵截杀，非惟五千人受害，亦大伤锐气。决不可用。"魏延又曰："丞相兵从大路进发，彼必尽起关中之兵，于路迎敌：则旷日持久，何时而得中原？"孔明曰："吾从陇右取平坦大路，依法进兵，何忧不胜！"遂不用魏延之计。魏延怏怏不悦。孔明差人令赵云进兵。

却说夏侯楙在长安聚集诸路军马。时有西凉大将韩德，善使开山大斧，有万夫不当之勇，引西羌诸路兵八万到来；见了夏

---

① 膏粱子弟——膏，肥肉；粱，精粮。膏粱子弟，指过惯骄奢享受生活的富贵人家子弟。

侯楙，楙重赏之，就遣为先锋。德有四子，皆精通武艺，弓马过人：长子韩瑛，次子韩瑶，三子韩琼，四子韩琪。韩德带四子并西羌兵八万，取路至凤鸣山，正遇蜀兵。两阵对圆。韩德出马，四子列于两边。德厉声大骂曰："反国之贼，安敢犯吾境界！"赵云大怒，挺枪纵马，单搦韩德交战。长子韩瑛，跃马来迎；战不三合，被赵云一枪刺死于马下。次子韩瑶见之，纵马挥刀来战。赵云施逞旧日虎威，抖擞精神迎战。瑶抵敌不住。三子韩琼，急挺方天戟骤马前来夹攻。云全然不惧，枪法不乱。四子韩琪，见二兄战云不下，也纵马抡两口日月刀而来，围住赵云。云在中央独战三将。少时，韩琪中枪落马，韩阵中偏将急出救去。云拖枪便走。韩琼按戟，急取弓箭射之，连放三箭，皆被云用枪拨落。琼大怒，仍绰方天戟纵马赶来；却被云一箭射中面门，落马而死。韩瑶纵马举宝刀便砍赵云。云弃枪于地，闪过宝刀，生擒韩瑶归阵，复纵马取枪杀过阵来。韩德见四子皆丧于赵云之手，肝胆皆裂，先走入阵去。西凉兵素知赵云之名，今见其英勇如昔，谁敢交锋？赵云马到处，阵阵倒退。赵云匹马单枪，往来冲突，如入无人之境。后人有诗赞曰：

忆昔常山赵子龙，年登七十建奇功。独诛四将来冲阵，犹似当阳救主雄。

邓芝见赵云大胜，率蜀兵掩杀，西凉兵大败而走。韩德险被赵云擒住，弃甲步行而逃。云与邓芝收军回寨。芝贺曰："将军寿已七旬，英勇如昨。今日阵前力斩四将，世所罕有！"云曰："丞相以吾年迈，不肯见用，吾故聊以自表耳。"遂差人解韩瑶，申报捷书，以达孔明。

却说韩德引败军回见夏侯楙，哭告其事。楙自统兵来迎赵云。探马报入蜀寨，说夏侯楙引兵到。云上马绰枪，引千馀军，就凤鸣山前摆成阵势。当日，夏侯楙戴金盔，坐白马，手提大砍刀，立在门旗之下。见赵云跃马挺枪，往来驰骋，楙欲自战。韩德曰："杀吾四子之仇，如何不报！"纵马轮开山大斧，直取赵云。云奋怒挺枪来迎；战不三合，枪起处，刺死韩德于马下，急拨马直取夏侯楙。楙慌忙闪入本阵。邓芝驱兵掩杀，魏兵又折一阵，退十馀里下寨。楙连夜与众将商议曰："吾久闻赵云之名，未尝见面；今日年老，英雄尚在，方信当阳长坂之事。似此无人可敌，如之奈何？"参军程武——乃程昱之子也——进言曰："某料赵云有勇无谋，不足为虑。来日都督再引兵出，先伏两军于左右；都督临阵先退，诱赵云到伏兵处；都督却登山指挥四面军马，重叠围住，云可擒矣。"楙从其言，遂遣董禧引三万军伏于左，薛则引三万军伏于右：二人埋伏已定。

次日，夏侯楙复整金鼓旗幡，率兵而进。赵云、邓芝出迎。芝在马上谓赵云曰："昨夜魏兵大败而走，今日复来，必有诈也。老将军防之。"子龙曰："量此乳臭小儿，何足道哉！吾今日必当擒之！"便跃马而出。魏将潘遂出迎，战不三合，拨马便走。赵云赶去，魏阵中八员将一齐来迎。放过夏侯楙先走，八将陆续奔走。赵云乘势追杀，邓芝引兵继进。赵云深入重地，只听得四面喊声大震。邓芝急收军退回，左有董禧，右有薛则，两路兵杀到。邓芝兵少，不能解救。赵云被困在垓心，东冲西突，魏兵越厚。时云手下止有千馀人，杀到山坡之下，只见夏侯楙在山上指挥三军。赵云投东则望东指，投西则望西指：因此赵云不能突围——乃引兵杀上山来。半山中擂木炮石打将下来，不能上山。赵云从辰时杀至酉时，不得脱走，只得下马少歇，且待月明再战。却才卸甲而坐，月光方出，忽四下火光冲天，鼓声大震，矢石如雨，魏兵杀到，皆叫曰："赵云早降！"云急上马迎敌。四面军马渐渐逼近，八方弩箭交射甚急，人马皆不能向前。云仰天叹曰："吾不服老，死于此地矣！"忽东北角上喊声大起，魏兵纷纷乱窜：一彪军杀到，为首大将持丈八点钢矛，马项下挂一颗人头。云视之，乃张苞也。苞见了赵云，言曰："丞相恐老将军有失，特遣某引五千兵接应。闻老将军被困，故杀透重围。正遇魏将薛则拦路，被某杀之。"云大喜，即与张苞杀出西北角来。只见魏兵弃戈奔走：一彪军从外呐喊杀入，为首大将提偃月青龙刀，手挽人头。云视之，乃关兴也。兴曰："奉丞相之命，恐老将军有失，特引五千兵前来接应。却才阵上逢着魏将董禧，被吾一刀斩之，枭首在此。丞相随后便到也。"云曰："二将军已建奇功，何不趁今日擒住夏侯楙，以定大事？"张苞闻言，遂引兵去了。兴曰："我也干功去。"遂亦引兵去了。云回顾左右曰："他两个是吾子侄辈，尚且争先干功；吾乃国家上将，朝廷旧臣，反不如此小儿耶？吾当舍老命以报先帝之恩！"于是引兵来捉夏侯楙。当夜三路兵夹攻，大破魏军一阵。邓芝引兵接应，杀得尸横遍野，血流成河。夏侯楙乃无谋之人，更兼年幼，不曾经战，见军大乱，遂引帐下骁将百馀人，望南安郡而走。众军因见无主，尽皆逃窜。兴、苞二将闻夏侯楙望南安郡去了，连夜赶来。楙走入城中，令紧闭城门，驱兵守御。兴、苞二人赶到，将城围住；赵云随后也到：三面攻打。少时，邓芝亦引兵到。一连围了十日，攻打不下。忽报丞相留后军住沔阳，左军屯阳平，右军屯石城，自引中军来到。赵云、邓芝、关兴、张苞皆来拜问孔明，说连日攻城不下。

孔明遂乘小车亲到城边周围看了一遍，回寨升帐而坐。众将环立听令。孔明曰："此郡壕深城峻，不易攻也。吾正事不在此城，汝等如只久攻，倘魏兵分道而出，以取汉中，吾军危矣。"邓芝曰："夏侯楙乃魏之驸马，若擒此人，胜斩百将。今困于此，岂可弃之而去?”孔明曰:“吾自有计。——此处西连天水郡,北抵安定郡:二处太守,不知何人?”探卒答曰:“天水太守马遵,安定太守崔谅。”孔明大喜,乃唤魏延受计,如此如此;又唤关兴、张苞受计,如此如此;又唤心腹军士二人受计,如此行之。各将领命,引兵而去。孔明却在南安城外,令军运柴草堆于城下,口称烧城。魏兵闻知,皆大笑不惧。

却说安定太守崔谅,在城中闻蜀兵围了南安,困住夏侯楙,十分慌惧,即点军马约共四千,守住城池。忽见一人自正南而来,口称有机密事。崔谅唤入问之,答曰:“某是夏侯都督帐下心腹将裴绪。今奉都督将令,特来求救于天水、安定二郡。南安甚急,每日城上纵火为号,专望二郡救兵,并不见到;因复差某杀出重围,来此告急。可星夜起兵为外应。都督若见二郡兵到,却开城门接应也。”谅曰:“有都督文书否?”绪贴肉取出,汗已湿透;略教一视,急令手下换了乏马,便出城望天水而去。不二日,又有报马到,告天水太守已起兵救援南安去了,教安定早早接应。崔谅与府官商议。多官曰:“若不去救,失了南安,送了夏侯驸马,皆我两郡之罪也:只得救之。”谅即点起人马,离城而去,只留文官守城。崔谅提兵向南安大路进发,遥望见火光冲天,催兵星夜前进。离南安尚有五十馀里,忽闻前后喊声大震,哨马报道:“前面关兴截住去路,背后张苞杀来!”安定之兵,四下逃窜。谅大惊,乃领手下百馀人,往小路死战得脱,奔回安定。方到城壕边,城上乱箭射下来。蜀将魏延在城上叫曰:“吾已取了城也!何不早降?”原来魏延扮作安定军,夤夜赚开城门,蜀兵尽入,因此得了安定。

崔谅慌投天水郡来。行不到一程,前面一彪军摆开。大旗之下，一人纶巾羽扇，道袍鹤氅，端坐于车上。谅视之，乃孔明也，急拨回马走。关兴、张苞两路兵追到，只叫："早降!"崔谅见四面皆是蜀兵，不得已遂降，同归大寨。孔明以上宾相待。孔明曰："南安太守与足下交厚否?"谅曰："此人乃杨阜之族弟杨陵也；与某邻郡，交契甚厚。"孔明曰："今欲烦足下入城，说杨陵擒夏侯楙，可乎?"谅曰："丞相若令某去，可暂退军马，容某入城说之。"孔明从其言，即时传令，教四面军马各退二十里下寨。崔谅匹马到城边叫开城门，入到府中，与杨陵礼毕，细言其事。陵曰："我等受魏主大恩，安忍背之？可将计就计而行。"遂引崔谅到夏侯楙处，备细说知。楙曰："当用何计?"杨陵曰："只推某献城门，赚蜀兵入，却就城中杀之。"

崔谅依计而行，出城见孔明，说："杨陵献城门，放大军入城，以擒夏侯楙。杨陵本欲自捉，因手下勇士不多，未敢轻动。"孔明曰："此事至易：今有足下原降兵百馀人，于内暗藏蜀将扮作安定军马，带入城去，先伏于夏侯楙府下；却暗约杨陵，待半夜之时，献开城门，里应外合。"崔谅暗思："若不带蜀将去，恐孔明生疑。且带入去，就内先斩之，举火为号，赚孔明入来，杀之可也。"因此应允。孔明嘱曰："吾遣亲信将关兴、张苞随足下先去，只推救军杀入城中，以安夏侯楙之心；但举火，吾当亲入城去擒之。"时值黄昏，关兴、张苞受了孔明密计，披挂上马，各执兵器，杂在安定军中，随崔谅来到南安城下。杨陵在城上撑起悬空板，倚定护心栏，问曰："何处军马?"崔谅曰："安定救军来到。"谅先射一号箭上城，箭上带着密书曰："今诸葛亮先遣二将，伏于城中，要里应外合；且不可惊动，恐泄漏计策。待入府中图之。"杨陵将书见了夏侯楙，细言其事。楙曰："既然诸葛亮中计，可教刀斧手百馀人，伏于府中。如二将随崔太守到府下马，闭门斩之；却于城上举火,赚诸葛亮入城。伏兵齐出,亮可擒矣。”安排已毕,杨陵回到城上言曰:“既是安定军马,可放入城。”关兴跟崔谅先行,张苞在后。杨陵下城,在门边迎接。兴手起刀落,斩杨陵于马下。崔谅大惊,急拨马奔到吊桥边,张苞大喝曰:“贼子休走! 汝等诡计,如何瞒得丞相耶!”手起一枪,刺崔谅于马下。关兴早到城上,放起火来。四面蜀兵齐入。夏侯楙措手不及,开南门并力杀出。一彪军拦住,为首大将,乃是王平;交马只一合,生擒夏侯楙于马上,馀皆杀死。

孔明入南安,招谕军民,秋毫无犯。众将各各献功。孔明将夏侯楙囚于车中。邓芝问曰:“丞相何故知崔谅诈也?”孔明曰:“吾已知此人无降心,故意使入城。彼必尽情告与夏侯楙,欲将计就计而行。吾见来情,足知其诈,复使二将同去,以稳其心。此人若有真心,必然阻当;彼忻然同去者,恐吾疑也。他意中度二将同去,赚入城内杀之未迟;又令吾军有托,放心而进。吾已暗嘱二将,就城门下图之。城内必无准备,吾军随后便到:此出其不意也。”众将拜服。孔明曰:“赚崔谅者,吾使心腹人诈作魏将裴绪也。吾又去赚天水郡,至今未到,不知何故。今可乘势取之。”乃留吴懿守南安,刘琰守安定,替出魏延军马去取天水郡。

却说天水郡太守马遵,听知夏侯楙困在南安城中,乃聚文武官商议。功曹梁绪、主簿尹赏、主记梁虔等曰:“夏侯驸马乃金枝玉叶,倘有疏虞,难逃坐视之罪。太守何不尽起本部兵以救之?”马遵正疑虑间,忽报夏侯驸马差心腹将裴绪到。绪入府,取公文付马遵,说:“都督求安定、天水两郡之兵,星夜救应。”言讫,匆匆而去。次日又有报马到,称说:“安定兵已先去了,教太守火急前来会合。”马遵正欲起兵,忽一人自外而入曰:“太守中诸葛亮之计矣!”众视之,乃天水冀人也,姓姜名维,字伯约。父名冏,昔日曾为天水郡功曹,因羌人乱,没于王事。维自幼博览群书,兵法武艺,无所不通;奉母至孝,郡人敬之;后为中郎将,就参本郡军事。当日姜维谓马遵曰:“近闻诸葛亮杀败夏侯楙,困于南安,水泄不通,安得有人自重围之中而出?又且裴绪乃无名下将,从不曾见;况安定报马,又无公文:以此察之,此人乃蜀将诈称魏将。赚得太守出城,料城中无备,必然暗伏一军于左近,乘虚而取天水也。”马遵大悟曰:“非伯约之言,则误中奸计矣!”维笑曰:“太守放心。某有一计,可擒诸葛亮,解南安之危。”正是:运筹又遇强中手,斗智还逢意外人。未知其计如何,且看下文分解。

第九十三回

姜伯约归降孔明　武乡侯骂死王朗

却说姜维献计于马遵曰："诸葛亮必伏兵于郡后，赚我兵出城，乘虚袭我。某愿请精兵三千，伏于要路。太守随后发兵出城，不可远去，止行三十里便回；但看火起为号，前后夹攻，可获大胜。如诸葛亮自来，必为某所擒矣。"遵用其计，付精兵与姜维去讫，然后自与梁虔引兵出城等候；只留梁绪、尹赏守城。原来孔明果遣赵云引一军埋伏于山僻之中，只待天水人马离城，便乘虚袭之。当日细作回报赵云，说天水太守马遵，起兵出城，只留文官守城。赵云大喜，又令人报与张翼、高翔，教于要路截杀马遵。——此二处兵亦是孔明预先埋伏。

却说赵云引五千兵，径投天水郡城下，高叫曰："吾乃常山赵子龙也！汝知中计，早献城池，免遭诛戮！"城上梁绪大笑曰："汝中吾姜伯约之计，尚然不知耶？"云恰待攻城，忽然喊声大震，四面火光冲天。当先一员少年将军，挺枪跃马而言曰："汝见天水姜伯约乎！"云挺枪直取姜维。战不数合，维精神倍长。云大惊，暗忖曰："谁想此处有这般人物！"正战时，两路军夹攻来，乃是马遵、梁虔引军杀回。赵云首尾不能相顾，冲开条路，引败兵奔走，姜维赶来。亏得张翼、高翔两路军杀出，接应回去。赵云归见孔明，说中了敌人之计。孔明惊问曰："此是何人，识吾玄机？"有南安人告曰："此人姓姜，名维，字伯约，天水冀人也；事母至孝，文武双全，智勇足备，真当世之英杰也。”赵云又夸奖姜维枪法，与他人大不同。孔明曰：“吾今欲取天水，不想有此人。”遂起大军前来。

却说姜维回见马遵曰：“赵云败去，孔明必然自来。彼料我军必在城中。今可将本部军马，分为四枝：某引一军伏于城东，如彼兵到则截之。太守与梁虔、尹赏各引一军城外埋伏。梁绪率百姓在城上守御。”分拨已定。

却说孔明因虑姜维，自为前部，望天水郡进发。将到城边，孔明传令曰：“凡攻城池，以初到之日，激励三军，鼓噪直上。若迟延日久，锐气尽隳，急难破矣。”于是大军径到城下。因见城上旗帜整齐，未敢轻攻。候至半夜，忽然四下火光冲天，喊声震地，正不知何处兵来。只见城上亦鼓噪呐喊相应，蜀兵乱窜。孔明急上马，有关兴、张苞二将保护，杀出重围。回头看时，正东上军马，一带火光，势若长蛇。孔明令关兴探视，回报曰：“此姜维兵也。”孔明叹曰：“兵不在多，在人之调遣耳。此人真将才也！”收兵归寨，思之良久，乃唤安定人问曰：“姜维之母，现在何处？”答曰：“维母今居冀县。”孔明唤魏延分付曰：“汝可引一军，虚张声势，诈取冀县。若姜维到，可放入城。”又问：“此地何处紧要？”安定人曰：“天水钱粮，皆在上邽；若打破上邽，则粮道自绝矣。”孔明大喜，教赵云引一军去攻上邽。孔明离城三十里下寨。早有人报入天水郡，说蜀兵分为三路：一军守此郡，一军取上邽，一军取冀城。姜维闻之，哀告马遵曰：“维母现在冀城，恐母有失。维乞一军往救此城，兼保老母。”马遵从之，遂令姜维引三千军去保冀城；梁虔引三千军去保上邽。

却说姜维引兵至冀城，前面一彪军摆开，为首蜀将，乃是魏延。二将交锋数合,延诈败奔走。维入城闭门,率兵守护,拜见老母,并不出战。赵云亦放过梁虔入上邽城去了。孔明乃令人去南安郡,取夏侯楙至帐下。孔明曰:“汝惧死乎?”楙慌拜伏乞命。孔明曰:“目今天水姜维现守冀城,使人持书来说:‘但得驸马在,我愿归降。’吾今饶汝性命,汝肯招安姜维否?”楙曰:“情愿招安。”孔明乃与衣服鞍马,不令人跟随,放之自去。楙得脱出寨,欲寻路而走,奈不知路径。正行之间,逢数人奔走。楙问之,答曰:“我等是冀县百姓;今被姜维献了城池,归降诸葛亮,蜀将魏延纵火劫财,我等因此弃家奔走,投上邽去也。”楙又问曰:“今守天水城是谁?”土人曰:“天水城中乃马太守也。”楙闻之,纵马望天水而行。又见百姓携男抱女远来,所说皆同。楙至天水城下叫门,城上人认得是夏侯楙,慌忙开门迎接。马遵惊拜问之。楙细言姜维之事;又将百姓所言说了。遵叹曰:“不想姜维反投蜀矣!”梁绪曰:“彼意欲救都督,故以此言虚降。”楙曰:“今维已降,何为虚也?”正踌躇间,时已初更,蜀兵又来攻城。火光中见姜维在城下挺枪勒马,大叫曰:“请夏侯都督答话!”夏侯楙与马遵等皆到城上,见姜维耀武扬威大叫曰:“我为都督而降,都督何背前言?”楙曰:“汝受魏恩,何故降蜀?有何前言耶?”维应曰:“汝写书教我降蜀,何出此言?汝要脱身,却将我陷了!我今降蜀,加为上将,安有还魏之理?”言讫,驱兵打城,至晓方退。——原来夜间妆姜维者,乃孔明之计,令部卒形貌相似者,假扮姜维攻城,因火光之中,不辨真伪。

孔明却引兵来攻冀城。城中粮少,军食不敷。姜维在城上,见蜀军大车小辆,搬运粮草,入魏延寨中去了。维引三千兵出城,径来劫粮。蜀兵尽弃了粮车,寻路而走。姜维夺得粮车,欲要入城,忽然一彪军拦住,为首蜀将张翼也。二将交锋,战不数合,王平引一军又到,两下夹攻。维力穷抵敌不住,夺路归城;城上早插蜀兵旗号:原来已被魏延袭了。维杀条路奔天水城,手下尚有十馀骑;又遇张苞杀了一阵,维止剩得匹马单枪,来到天水城下叫门。城上军见是姜维,慌报马遵。遵曰:“此是姜维来赚我城门也。”令城上乱箭射下。姜维回顾蜀兵至近,遂飞奔上邽城来。城上梁虔见了姜维,大骂曰:“反国之贼,安敢来赚我城池! 吾已知汝降蜀矣!”遂乱箭射下。姜维不能分说,仰天长叹,两眼泪流,拨马望长安而走。行不数里,前至一派大树茂林之处,一声喊起,数千兵拥出:为首蜀将关兴,截住去路。维人困马乏,不能抵当,勒回马便走。忽然一辆小车从山坡中转出。其人头戴纶巾,身披鹤氅,手摇羽扇,乃孔明也。孔明唤姜维曰:“伯约此时何尚不降?”维寻思良久,前有孔明,后有关兴,又无去路,只得下马投降。孔明慌忙下车而迎,执维手曰:“吾自出茅庐以来,遍求贤者,欲传授平生之学,恨未得其人。今遇伯约,吾愿足矣。”维大喜拜谢。

孔明遂同姜维回寨,升帐商议取天水、上邽之计。维曰:“天水城中尹赏、梁绪,与某至厚;当写密书二封,射入城中,使其内乱,城可得矣。”孔明从之。姜维写了二封密书,拴在箭上,纵马直至城下,射入城中。小校拾得,呈与马遵。遵大疑,与夏侯楙商议曰:“梁绪、尹赏与姜维结连,欲为内应,都督宜早决之。”楙曰:“可杀二人。”尹赏知此消息,乃谓梁绪曰:“不如纳城降蜀,以图进用。”是夜,夏侯楙数次使人请梁、尹二人说话。二人料知事急,遂披挂上马,各执兵器,引本部军大开城门,放蜀兵入。夏侯楙、马遵惊慌,引数百人出西门,弃城投羌胡城而去。梁绪、尹赏迎接孔明入城。安民已毕,孔明问取上邽之计。梁绪曰:“此城乃某亲弟梁虔守之,愿招来降。”孔明大喜。绪当日到上邽唤梁虔出城来降孔明。孔明重加赏劳，就令梁绪为天水太守，尹赏为冀城令，梁虔为上邽令。孔明分拨已毕，整兵进发。诸将问曰：“丞相何不去擒夏侯楙？”孔明曰：“吾放夏侯楙，如放一鸭耳。今得伯约，得一凤也！”

孔明自得三城之后，威声大震，远近州郡，望风归降。孔明整顿军马，尽提汉中之兵，前出祁山，兵临渭水之西。细作报入洛阳。

时魏主曹睿太和元年，升殿设朝。近臣奏曰：“夏侯驸马已失三郡，逃窜羌中去了。今蜀兵已到祁山，前军临渭水之西，乞早发兵破敌。”睿大惊，乃问群臣曰：“谁可为朕退蜀兵耶？”司徒王朗出班奏曰：“臣观先帝每用大将军曹真，所到必克；今陛下何不拜为大都督，以退蜀兵？”睿准奏，乃宣曹真曰：“先帝托孤与卿，今蜀兵入寇中原，卿安忍坐视乎？”真奏曰：“臣才疏智浅，不称其职。”王朗曰：“将军乃社稷之臣，不可固辞。老臣虽驽钝①，愿随将军一往。”真又奏曰：“臣受大恩，安敢推辞？但乞一人为副将。”睿曰：“卿自举之。”真乃保太原阳曲人，姓郭，名淮，字伯济，官封射亭侯，领雍州刺史。睿从之，遂拜曹真为大都督，赐节钺；命郭淮为副都督，王朗为军师。——朗时年已七十六岁矣。——选拨东西二京军马二十万与曹真。真命宗弟曹遵为先锋，又命荡寇将军朱赞为副先锋。当年十一月出师，魏王曹睿亲自送出西门之外方回。

曹真领大军来到长安，过渭河之西下寨。真与王朗、郭淮共议退兵之策。朗曰：“来日可严整队伍，大展旌旗。老夫自出，只

① 驽(nú)钝——驽，劣马；钝，钝刀。驽钝，自谦才德低劣。

用一席话，管教诸葛亮拱手而降，蜀兵不战自退。”真大喜，是夜传令：来日四更造饭，平明务要队伍整齐，人马威仪，旌旗鼓角，各按次序。当时使人先下战书。次日，两军相迎，列成阵势于祁山之前。蜀军见魏兵甚是雄壮，与夏侯楙大不相同。

三军鼓角已罢，司徒王朗乘马而出。上首乃都督曹真，下首乃副都督郭淮；两个先锋压住阵角。探子马出军前，大叫曰：“请对阵主将答话！”只见蜀兵门旗开处，关兴、张苞分左右而出，立马于两边；次后一队队骁将分列；门旗影下，中央一辆四轮车，孔明端坐车中，纶巾羽扇，素衣皂绦，飘然而出。孔明举目见魏阵前三个麾盖，旗上大书姓名：中央白髯老者，乃军师、司徒王朗。孔明暗忖曰：“王朗必下说词，吾当随机应之。”遂教推车出阵外，令护军小校传曰：“汉丞相与司徒会话。”王朗纵马而出。孔明于车上拱手，朗在马上欠身答礼。朗曰：“久闻公之大名，今幸一会。公既知天命、识时务，何故兴无名之兵？”孔明曰：“吾奉诏讨贼，何谓无名？”朗曰：“天数有变，神器更易，而归有德之人，此自然之理也。曩自桓、灵以来，黄巾倡乱，天下争横。降至初平、建安之岁，董卓造逆，傕、汜继虐；袁术僭号于寿春，袁绍称雄于邺土；刘表占据荆州，吕布虎吞徐郡：盗贼蜂起，奸雄鹰扬，社稷有累卵之危，生灵有倒悬之急。我太祖武皇帝，扫清六合，席卷八荒；万姓倾心，四方仰德：非以权势取之，实天命所归也。世祖文帝，神文圣武，以膺大统，应天合人，法尧禅舜，处中国以临万邦，岂非天心人意乎？今公蕴大才、抱大器，自欲比于管、乐，何乃强欲逆天理、背人情而行事耶？岂不闻古人云：‘顺天者昌，逆天者亡。’今我大魏带甲百万，良将千员。谅腐草之萤光，怎及天心之皓月？公可倒戈卸甲，以礼来降，不失封侯之位。国安民乐，岂不美哉！”

孔明在车上大笑曰:“吾以为汉朝大老元臣,必有高论,岂期出此鄙言！吾有一言,诸军静听:昔日桓、灵之世,汉统陵替,宦官酿祸;国乱岁凶,四方扰攘。黄巾之后,董卓、傕、汜等接踵而起,迁劫汉帝,残暴生灵。因庙堂之上,朽木为官,殿陛之间,禽兽食禄;狼心狗行之辈,滚滚[①]当道,奴颜婢膝之徒,纷纷秉政。以致社稷丘墟,苍生涂炭。吾素知汝所行:世居东海之滨,初举孝廉入仕;理合匡君辅国,安汉兴刘;何期反助逆贼,同谋篡位！罪恶深重,天地不容！天下之人,愿食汝肉！今幸天意不绝炎汉,昭烈皇帝继统西川。吾今奉嗣君之旨,兴师讨贼。汝既为谄谀之臣,只可潜身缩首,苟图衣食;安敢在行伍之前,妄称天数耶！皓首匹夫！苍髯老贼！汝即日将归于九泉之下,何面目见二十四帝乎！老贼速退！可教反臣与吾共决胜负！”

王朗听罢,气满胸膛,大叫一声,撞死于马下。后人有诗赞孔明曰:

兵马出西秦,雄才敌万人。轻摇三寸舌,骂死老奸臣。

孔明以扇指曹真曰:“吾不逼汝。汝可整顿军马,来日决战。”言讫回车。于是两军皆退。曹真将王朗尸首,用棺木盛贮,送回长安去了。副都督郭淮曰:“诸葛亮料吾军中治丧,今夜必来劫寨。可分兵四路:两路兵从山僻小路,乘虚去劫蜀寨;两路兵伏于本寨外,左右击之。”曹真大喜曰:“此计与吾相合。”遂传令唤曹遵、朱赞两个先锋分付曰:“汝二人各引一万军,抄出祁山之后。但见蜀兵望吾寨而来,汝可进兵去劫蜀寨。如蜀兵不动,便撤兵回,不可轻进。”二人受计,引兵而去。真谓淮曰:“我两个各引一枝军,伏于寨外,寨中虚堆柴草,只留数人。如蜀兵到,放

---

① 滚滚——即衮衮,为数繁多、连续不断的意思。

火为号。"诸将皆分左右,各自准备去了。

却说孔明归帐,先唤赵云、魏延听令。孔明曰:"汝二人各引本部军去劫魏寨。"魏延进曰:"曹真深明兵法,必料我乘丧劫寨。他岂不提防?"孔明笑曰:"吾正欲曹真知吾去劫寨也。彼必伏兵在祁山之后,待我兵过去,却来袭我寨;吾故令汝二人,引兵前去,过山脚后路,远下营寨,任魏兵来劫吾寨。汝看火起为号,分兵两路:文长拒住山口;子龙引兵杀回,必遇魏兵,却放彼走回,汝乘势攻之,彼必自相掩杀。可获全胜。"二将引兵受计而去。又唤关兴、张苞分付曰:"汝二人各引一军,伏于祁山要路;放过魏兵,却从魏兵来路,杀奔魏寨而去。"二人引兵受计去了。又令马岱、王平、张翼、张嶷四将,伏于寨外,四面迎击魏兵。孔明乃虚立寨栅,居中堆起柴草,以备火号;自引诸将退于寨后,以观动静。

却说魏先锋曹遵、朱赞黄昏离寨,迤逦前进。二更左侧,遥望山前隐隐有军行动。曹遵自思曰:"郭都督真神机妙算!"遂催兵急进。到蜀寨时,将及三更。曹遵先杀入寨,却是空寨,并无一人。料知中计,急撤军回。寨中火起。朱赞兵到,自相掩杀,人马大乱。曹遵与朱赞交马,方知自相践踏。急合兵时,忽四面喊声大震,王平、马岱、张嶷、张翼杀到。曹、朱二人引心腹军百馀骑,望大路奔走。忽然鼓角齐鸣,一彪军截住去路,为首大将乃常山赵子龙也,大叫曰:"贼将那里去?早早受死!"曹、朱二人夺路而走。忽喊声又起,魏延又引一彪军杀到。曹、朱二人大败,夺路奔回本寨。守寨军士,只道蜀兵来劫寨,慌忙放起号火。左边曹真杀至,右边郭淮杀至,自相掩杀。背后三路蜀兵杀到:中央魏延,左边关兴,右边张苞,大杀一阵。魏兵败走十馀里,魏将死者极多。孔明全获大胜,方始收兵。曹真、郭淮收拾败军回寨,商议曰:“今魏兵势孤,蜀兵势大,将何策以退之?”淮曰:“胜负乃兵家常事,不足为忧。某有一计,使蜀兵首尾不能相顾,定然自走矣。”正是:可怜魏将难成事,欲向西方索救兵。未知其计如何,且看下文分解。

第九十四回

诸葛亮乘雪破羌兵　司马懿克日擒孟达

却说郭淮谓曹真曰："西羌之人，自太祖时连年入贡，文皇帝亦有恩惠加之；我等今可据住险阻，遣人从小路直入羌中求救，许以和亲，羌人必起兵袭蜀兵之后。吾却以大兵击之，首尾夹攻，岂不大胜？"真从之，即遣人星夜驰书赴羌。

却说西羌国王彻里吉，自曹操时年年入贡；手下有一文一武：文乃雅丹丞相，武乃越吉元帅。时魏使赍金珠并书到国，先来见雅丹丞相，送了礼物，具言求救之意。雅丹引见国王，呈上书礼。彻里吉览了书，与众商议。雅丹曰："我与魏国素相往来，今曹都督求救，且许和亲，理合依允。"彻里吉从其言，即命雅丹与越吉元帅起羌兵一十五万，皆惯使弓弩、枪刀、蒺藜、飞锤等器；又有战车，用铁叶裹钉，装载粮食军器什物：或用骆驼驾车，或用骡马驾车，号为"铁车兵"。二人辞了国王，领兵直扣西平关。守关蜀将韩祯，急差人赍文报知孔明。

孔明闻报，问众将曰："谁敢去退羌兵？"张苞、关兴应曰："某等愿往。"孔明曰："汝二人要去，奈路途不熟。"遂唤马岱曰："汝素知羌人之性，久居彼处，可作向导。"便起精兵五万，与兴、苞二人同往。兴、苞等引兵而去。行有数日，早遇羌兵。关兴先引百馀骑登山坡看时，只见羌兵把铁车首尾相连，随处结寨；车上遍排兵器，就似城池一般。兴睹之良久，无破敌之策，回寨与张苞、马岱商议。岱曰:“且待来日见阵,观看虚实,另作计议。”次早,分兵三路:关兴在中,张苞在左,马岱在右,三路兵齐进。羌兵阵里,越吉元帅手挽铁锤,腰悬宝雕弓,跃马奋勇而出。关兴招三路兵径进。忽见羌兵分在两边,中央放出铁车,如潮涌一般,弓弩一齐骤发。蜀兵大败,马岱、张苞两军先退;关兴一军,被羌兵一裹,直围入西北角上去了。

兴在垓心,左冲右突,不能得脱;铁车密围,就如城池。蜀兵你我不能相顾。兴望山谷中寻路而走。看看天晚,但见一簇皂旗,蜂拥而来,一员羌将,手提铁锤大叫曰:“小将休走! 吾乃越吉元帅也!”关兴急走到前面,尽力纵马加鞭,正遇断涧,只得回马来战越吉。兴终是胆寒,抵敌不住,望涧中而逃;被越吉赶到,一铁锤打来,兴急闪过,正中马胯。那马望涧中便倒,兴落于水中。忽听得一声响处,背后越吉连人带马,平白地倒下水来。兴就水中挣起看时,只见岸上一员大将,杀退羌兵。兴提刀待砍越吉,吉跃水而走。关兴得了越吉马,牵到岸上,整顿鞍辔,绰刀上马。只见那员将,尚在前面追杀羌兵。兴自思此人救我性命,当与相见,遂拍马赶来。看看至近,只见云雾之中,隐隐有一大将,面如重枣,眉若卧蚕,绿袍金铠,提青龙刀,骑赤兔马,手绰美髯——分明认得是父亲关公。兴大惊。忽见关公以手望东南指曰:“吾儿可速望此路去。吾当护汝归寨。”言讫不见。关兴望东南急走。至半夜,忽一彪军到,乃张苞也,问兴曰:“你曾见二伯父否?”兴曰:“你何由知之?”苞曰:“我被铁车军追急,忽见伯父自空而下,惊退羌兵,指曰:‘汝从这条路去救吾儿。’因此引军径来寻你。”关兴亦说前事,共相嗟异。二人同归寨内。马岱接着,对二人说:“此军无计可退。我守住寨栅,你二人去禀丞相,用计破之。”于是兴、苞二人,星夜来见孔明,备说此事。

孔明随命赵云、魏延各引一军埋伏去讫；然后点三万军，带了姜维、张翼、关兴、张苞，亲自来到马岱寨中歇定。次日上高阜处观看，见铁车连络不绝，人马纵横，往来驰骤。孔明曰："此不难破也。"唤马岱、张翼分付如此如此。二人去了，乃唤姜维曰："伯约知破车之法否？"维曰："羌人惟恃一勇力，岂知妙计乎？"孔明笑曰："汝知吾心也。今彤云密布，朔风紧急，天将降雪，吾计可施矣。"便令关兴、张苞二人引兵埋伏去讫；令姜维领兵出战：但有铁车兵来，退后便走；寨口虚立旌旗，不设军马。准备已定。

是时十二月终，果然天降大雪。姜维引军出，越吉引铁车兵来。姜维即退走。羌兵赶到寨前，姜维从寨后而去。羌兵直到寨外观看，听得寨内鼓琴之声，四壁皆空竖旌旗，急回报越吉。越吉心疑，未敢轻进。雅丹丞相曰："此诸葛亮诡计，虚设疑兵耳。可以攻之。"越吉引兵至寨前，但见孔明携琴上车，引数骑入寨，望后而走。羌兵抢入寨栅，直赶过山口，见小车隐隐转入林中去了。雅丹谓越吉曰："这等兵虽有埋伏，不足为惧。"遂引大兵追赶。又见姜维兵俱在雪地之中奔走。越吉大怒，催兵急追。山路被雪漫盖，一望平坦。正赶之间，忽报蜀兵自山后而出。雅丹曰："纵有些小伏兵，何足惧哉！"只顾催趱兵马，往前进发。忽然一声响，如山崩地陷，羌兵俱落于坑堑之中；背后铁车正行得紧溜，急难收止，并拥而来，自相践踏。后兵急要回时，左边关兴，右边张苞，两军冲出，万弩齐发；背后姜维、马岱、张翼三路兵又杀到。铁车兵大乱。越吉元帅望后面山谷中而逃，正逢关兴；交马只一合，被兴举刀大喝一声，砍死于马下。雅丹丞相早被马岱活捉，解投大寨来。羌兵四散逃窜。孔明升帐，马岱押过雅丹来。孔明叱武士去其缚，赐酒压惊，用好言抚慰。雅丹深感其德。孔明曰:“吾主乃大汉皇帝,今命吾讨贼,尔如何反助逆?吾今放汝回去,说与汝主:吾国与尔乃邻邦,永结盟好,勿听反贼之言。”遂将所获羌兵及车马器械,尽给还雅丹,俱放回国。众皆拜谢而去。孔明引三军连夜投祁山大寨而来,命关兴、张苞引军先行;一面差人赍表奏报捷音。

却说曹真连日望羌人消息,忽有伏路军来报说:“蜀兵拔寨收拾起程。”郭淮大喜曰:“此因羌兵攻击,故尔退去。”遂分两路追赶。前面蜀兵乱走,魏兵随后追袭。先锋曹遵正赶之间,忽然鼓声大震,一彪军闪出,为首大将乃魏延也,大叫曰:“反贼休走!”曹遵大惊,拍马交锋;不三合,被魏延一刀斩于马下。副先锋朱赞引兵追赶,忽然一彪军闪出,为首大将乃赵云也。朱赞措手不及,被云一枪刺死。曹真、郭淮见两路先锋有失,欲收兵回;背后喊声大震,鼓角齐鸣:关兴、张苞两路兵杀出,围了曹真、郭淮,痛杀一阵。曹、郭二人,引败兵冲路走脱。蜀兵全胜,直追到渭水,夺了魏寨。曹真折了两个先锋,哀伤不已;只得写本申朝,乞拨援兵。

却说魏主曹睿设朝,近臣奏曰:“大都督曹真,数败于蜀,折了两个先锋,羌兵又折了无数,其势甚急。今上表求救,请陛下裁处。”睿大惊,急问退军之策。华歆奏曰:“须是陛下御驾亲征,大会诸侯,人皆用命,方可退也。不然,长安有失,关中危矣!”太傅钟繇奏曰:“凡为将者,智过于人,则能制人。孙子云:‘知彼知己,百战百胜。’臣量曹真虽久用兵,非诸葛亮对手。臣以全家良贱,保举一人,可退蜀兵。未知圣意准否?”睿曰:“卿乃大老元臣;有何贤士,可退蜀兵,早召来与朕分忧。”钟繇奏曰:“向者,诸葛亮欲兴师犯境,但惧此人,故散流言,使陛下疑而去之,方敢长驱大进。今若复用之,则亮自退矣。”睿问何人。繇曰:“骠骑大将军司马懿也。”睿叹曰:“此事朕亦悔之。今仲达现在何地?”繇曰:“近闻仲达在宛城闲住。”睿即降诏,遣使持节,复司马懿官职,加为平西都督,就起南阳诸路军马,前赴长安。睿御驾亲征,令司马懿克日到彼聚会。使命星夜望宛城去了。

却说孔明自出师以来,累获全胜,心中甚喜;正在祁山寨中,会聚议事,忽报镇守永安宫李严令子李丰来见。孔明只道东吴犯境,心甚惊疑,唤入帐中问之。丰曰:“特来报喜。”孔明曰:“有何喜?”丰曰:“昔日孟达降魏,乃不得已也。彼时曹丕爱其才,时以骏马金珠赐之,曾同辇出入,封为散骑常侍,领新城太守,镇守上庸、金城等处,委以西南之任。自丕死后,曹睿即位,朝中多人嫉妒,孟达日夜不安,常谓诸将曰:‘我本蜀将,势逼于此。’今累差心腹人,持书来见家父,教早晚代禀丞相:前者五路下川之时,曾有此意;今在新城,听知丞相伐魏,欲起金城、新城、上庸三处军马,就彼举事,径取洛阳;丞相取长安,两京大定矣。今某引来人并累次书信呈上。”孔明大喜,厚赏李丰等。忽细作人报说:“魏主曹睿,一面驾幸长安;一面诏司马懿复职,加为平西都督,起本处之兵,于长安聚会。”孔明大惊。参军马谡曰:“量曹睿何足道!若来长安,可就而擒之。丞相何故惊讶?”孔明曰:“吾岂惧曹睿耶?所患者惟司马懿一人而已。今孟达欲举大事,若遇司马懿,事必败矣。达非司马懿对手,必被所擒。孟达若死,中原不易得也。”马谡曰:“何不急修书,令孟达提防?”孔明从之,即修书令来人星夜回报孟达。

却说孟达在新城,专望心腹人回报。一日,心腹人到来,将孔明回书呈上。孟达拆封视之。书略曰:

近得书，足知公忠义之心，不忘故旧，吾甚喜慰。若成大事，则公汉朝中兴第一功臣也。然极宜谨密，不可轻易托人。慎之！戒之！近闻曹睿复诏司马懿起宛、洛之兵，若闻公举事，必先至矣。须万全提备，勿视为等闲也。

孟达览毕，笑曰："人言孔明心多，今观此事可知矣。"乃具回书，令心腹人来答孔明。孔明唤入帐中。其人呈上回书。孔明拆封视之。书曰：

适承钧教，安敢少怠。窃谓司马懿之事，不必惧也：宛城离洛阳约八百里，至新城一千二百里。若司马懿闻达举事，须表奏魏主：往复一月间事，达城池已固，诸将与三军皆在深险之地。司马懿即来，达何惧哉？丞相宽怀，惟听捷报！

孔明看毕，掷书于地而顿足曰："孟达必死于司马懿之手矣！"马谡问曰："丞相何谓也？"孔明曰："兵法云：'攻其不备，出其不意。'岂容料在一月之期？曹睿既委任司马懿，逢寇即除，何待奏闻？若知孟达反，不须十日，兵必到矣，安能措手耶？"众将皆服。孔明急令来人回报曰："若未举事，切莫教同事者知之；知则必败。"其人拜辞，归新城去了。

却说司马懿在宛城闲住，闻知魏兵累败于蜀，乃仰天长叹。懿长子司马师，字子元；次子司马昭，字子尚：二人素有大志，通晓兵书。当日侍立于侧，见懿长叹，乃问曰："父亲何为长叹？"懿曰："汝辈岂知大事耶？"司马师曰："莫非叹魏主不用乎？"司马昭笑曰："早晚必来宣召父亲也。"言未已，忽报天使持节至。懿听诏毕，遂调宛城诸路军马。忽又报金城太守申仪家人，有机密事求见。懿唤入密室问之，其人细说孟达欲反之事。更有孟达心腹人李辅并达外甥邓贤，随状出首。司马懿听毕，以手加额曰："此乃皇上齐天之洪福也！诸葛亮兵在祁山，杀得内外人皆胆落；今天子不得已而幸长安，若旦夕不用吾时，孟达一举，两京休矣！此贼必通谋诸葛亮：吾先擒之，诸葛亮定然心寒，自退兵也。"长子司马师曰："父亲可急写表申奏天子。"懿曰："若等圣旨，往复一月之间，事无及矣。"即传令教人马起程，一日要行二日之路，如迟立斩；一面令参军梁畿赍檄星夜去新城，教孟达等准备征进，使其不疑。梁畿先行，懿随后发兵。行了二日，山坡下转出一军，乃是右将军徐晃。晃下马见懿，说："天子驾到长安，亲拒蜀兵，今都督何往？"懿低言曰："今孟达造反，吾去擒之耳。"晃曰："某愿为先锋。"懿大喜，合兵一处。徐晃为前部，懿在中军，二子押后。又行了二日，前军哨马捉住孟达心腹人，搜出孔明回书，来见司马懿。懿曰："吾不杀汝，汝从头细说。"其人只得将孔明、孟达往复之事，一一告说。懿看了孔明回书，大惊曰："世间能者所见皆同。吾机先被孔明识破。幸得天子有福，获此消息：孟达今无能为矣。"遂星夜催军前行。

却说孟达在新城，约下金城太守申仪、上庸太守申耽，克日举事。耽、仪二人佯许之，每日调练军马，只待魏兵到，便为内应；却报孟达言：军器粮草，俱未完备，不敢约期起事。达信之不疑。忽报参军梁畿来到，孟达迎入城中。畿传司马懿将令曰："司马都督今奉天子诏，起诸路军以退蜀兵。太守可集本部军马听候调遣。"达问曰："都督何日起程？"畿曰："此时约离宛城，望长安去了。"达暗喜曰："吾大事成矣！"遂设宴待了梁畿，送出城外，即报申耽、申仪知道，明日举事，换上大汉旗号，发诸路军马，径取洛阳。忽报："城外尘土冲天，不知何处兵来。"孟达登城视之，只见一彪军，打着"右将军徐晃"旗号，飞奔城下。达大惊，急扯起吊桥。徐晃坐下马收拾不住,直来到壕边,高叫曰:“反贼孟达,早早受降!”达大怒,急开弓射之,正中徐晃头额,魏将救去。城上乱箭射下,魏兵方退。孟达恰待开门追赶,四面旌旗蔽日,司马懿兵到。达仰天长叹曰:“果不出孔明所料也!”于是闭门坚守。

却说徐晃被孟达射中头额,众军救到寨中,取了箭头,令医调治;当晚身死,时年五十九岁。司马懿令人扶柩还洛阳安葬。次日,孟达登城遍视,只见魏兵四面围得铁桶相似。达行坐不安,惊疑未定,忽见两路兵自外杀来,旗上大书“申耽”、“申仪”。孟达只道是救军到,忙引本部兵大开城门杀出。耽、仪大叫曰:“反贼休走! 早早受死!”达见事变,拨马望城中便走,城上乱箭射下。李辅、邓贤二人在城上大骂曰:“吾等已献了城也!”达夺路而走,申耽赶来。达人困马乏,措手不及,被申耽一枪刺于马下,枭其首级。馀军皆降。李辅、邓贤大开城门,迎接司马懿入城。抚民劳军已毕,遂遣人奏知魏主曹睿。睿大喜,教将孟达首级去洛阳城市示众;加申耽、申仪官职,就随司马懿征进;命李辅、邓贤守新城、上庸。

却说司马懿引兵到长安城外下寨。懿入城来见魏主。睿大喜曰:“朕一时不明,误中反间之计,悔之无及。今达造反,非卿等制之,两京休矣!”懿奏曰:“臣闻申仪密告反情,意欲表奏陛下,恐往复迟滞,故不待圣旨,星夜而去。若待奏闻,则中诸葛亮之计也。”言罢,将孔明回孟达密书奉上。睿看毕,大喜曰:“卿之学识,过于孙、吴矣!”赐金钺斧一对,后遇机密重事,不必奏闻,便宜行事。就令司马懿出关破蜀。懿奏曰:“臣举一大将,可为先锋。”睿曰:“卿举何人?”懿曰:“右将军张郃,可当此任。”睿笑曰:“朕正欲用之。”遂命张郃为前部先锋,随司马懿离长安来破蜀兵。正是:既有谋臣能用智,又求猛将助施威。未知胜负如何,且看下文分解。

第九十五回

马谡拒谏失街亭　武侯弹琴退仲达

却说魏主曹睿令张郃为先锋，与司马懿一同征进；一面令辛毗、孙礼二人领兵五万，往助曹真。二人奉诏而去。且说司马懿引二十万军，出关下寨，请先锋张郃至帐下曰："诸葛亮平生谨慎，未敢造次行事。若是吾用兵，先从子午谷径取长安，早得多时矣。他非无谋，但怕有失，不肯弄险。今必出军斜谷，来取郿城。若取郿城，必分兵两路，一军取箕谷矣。吾已发檄文，令子丹拒守郿城，若兵来不可出战；令孙礼、辛毗截住箕谷道口，若兵来则出奇兵击之。"郃曰："今将军当于何处进兵？"懿曰："吾素知秦岭之西，有一条路，地名街亭；傍有一城，名列柳城：此二处皆是汉中咽喉。诸葛亮欺子丹无备，定从此进。吾与汝径取街亭，望阳平关不远矣。亮若知吾断其街亭要路，绝其粮道，则陇西一境，不能安守，必然连夜奔回汉中去也。彼若回动，吾提兵于小路击之，可得全胜；若不归时，吾却将诸处小路，尽皆垒断，俱以兵守之。一月无粮，蜀兵皆饿死，亮必被吾擒矣。"张郃大悟，拜伏于地曰："都督神算也！"懿曰："虽然如此，诸葛亮不比孟达。将军为先锋，不可轻进。当传与诸将：循山西路，远远哨探。如无伏兵，方可前进。若是怠忽，必中诸葛亮之计。"张郃受计引军而行。

却说孔明在祁山寨中，忽报新城探细人来到。孔明急唤入问之,细作告曰:“司马懿倍道而行,八日已到新城,孟达措手不及;又被申耽、申仪、李辅、邓贤为内应:孟达被乱军所杀。今司马懿撤兵到长安,见了魏主,同张郃引兵出关,来拒我师也。”孔明大惊曰:“孟达作事不密,死固当然。今司马懿出关,必取街亭,断吾咽喉之路。”便问:“谁敢引兵去守街亭?”言未毕,参军马谡曰:“某愿往。”孔明曰:“街亭虽小,干系甚重:倘街亭有失,吾大军皆休矣。汝虽深通谋略,此地奈无城郭,又无险阻,守之极难。”谡曰:“某自幼熟读兵书,颇知兵法。岂一街亭不能守耶?”孔明曰:“司马懿非等闲之辈;更有先锋张郃,乃魏之名将:恐汝不能敌之。”谡曰:“休道司马懿、张郃,便是曹睿亲来,有何惧哉!若有差失,乞斩全家。”孔明曰:“军中无戏言。”谡曰:“愿立军令状。”孔明从之。谡遂写了军令状呈上。孔明曰:“吾与汝二万五千精兵,再拨一员上将,相助你去。”即唤王平分付曰:“吾素知汝平生谨慎,故特以此重任相托。汝可小心谨守此地:下寨必当要道之处,使贼兵急切不能偷过。安营既毕,便画四至八道地理形状图本来我看。凡事商议停当而行,不可轻易。如所守无危,则是取长安第一功也。戒之!戒之!”二人拜辞引兵而去。

孔明寻思,恐二人有失,又唤高翔曰:“街亭东北上有一城,名列柳城,乃山僻小路,此可以屯兵扎寨。与汝一万兵,去此城屯扎。但街亭危,可引兵救之。”高翔引兵而去。孔明又思:高翔非张郃对手,必得一员大将,屯兵于街亭之右,方可防之,遂唤魏延引本部兵去街亭之后屯扎。延曰:“某为前部,理合当先破敌,何故置某于安闲之地?”孔明曰:“前锋破敌,乃偏裨之事耳。今令汝接应街亭,当阳平关冲要道路,总守汉中咽喉:此乃大任也,何为安闲乎?汝勿以等闲视之,失吾大事。切宜小心在意!”魏延大喜,引兵而去。孔明恰才心安,乃唤赵云、邓芝分付曰:“今司马懿出兵,与旧日不同。汝二人各引一军出箕谷,以为疑兵。如逢魏兵,或战、或不战,以惊其心。吾自统大军,由斜谷径取郿城;若得郿城,长安可破矣。"二人受命而去。孔明令姜维作先锋,兵出斜谷。

却说马谡、王平二人兵到街亭,看了地势。马谡笑曰:"丞相何故多心也?量此山僻之处,魏兵如何敢来!"王平曰:"虽然魏兵不敢来,可就此五路总口下寨;却令军士伐木为栅,以图久计。"谡曰:"当道岂是下寨之地?此处侧边一山,四面皆不相连,且树木极广,此乃天赐之险也:可就山上屯军。"平曰:"参军差矣。若屯兵当道,筑起城垣,贼兵总有十万,不能偷过;今若弃此要路,屯兵于山上,倘魏兵骤至,四面围定,将何策保之?"谡大笑曰:"汝真女子之见!兵法云:'凭高视下,势如劈竹。'若魏兵到来,吾教他片甲不回!"平曰:"吾累随丞相经阵,每到之处,丞相尽意指教。今观此山,乃绝地也:若魏兵断我汲水之道,军士不战自乱矣。"谡曰:"汝莫乱道!孙子云:'置之死地而后生。'若魏兵绝我汲水之道,蜀兵岂不死战?以一可当百也。吾素读兵书,丞相诸事尚问于我,汝奈何相阻耶!"平曰:"若参军欲在山上下寨,可分兵与我,自于山西下一小寨,为掎角之势。倘魏兵至,可以相应。"马谡不从。忽然山中居民,成群结队,飞奔而来,报说魏兵已到。王平欲辞去。马谡曰:"汝既不听吾令,与汝五千兵自去下寨。待吾破了魏兵,到丞相面前须分不得功!"王平引兵离山十里下寨,画成图本,星夜差人去禀孔明,具说马谡自于山上下寨。

却说司马懿在城中,令次子司马昭去探前路:若街亭有兵守御,即当按兵不行。司马昭奉令探了一遍,回见父曰:"街亭有兵守把。”懿叹曰:“诸葛亮真乃神人,吾不如也!”昭笑曰:“父亲何故自堕志气耶? ——男料街亭易取。”懿问曰:“汝安敢出此大言?”昭曰:“男亲自哨见,当道并无寨栅,军皆屯于山上,故知可破也。”懿大喜曰:“若兵果在山上,乃天使吾成功矣!”遂更换衣服,引百馀骑亲自来看。是夜天晴月朗,直至山下,周围巡哨了一遍,方回。马谡在山上见之,大笑曰:“彼若有命,不来围山!”传令与诸将:“倘兵来,只见山顶上红旗招动,即四面皆下。”

却说司马懿回到寨中,使人打听是何将引兵守街亭。回报曰:“乃马良之弟马谡也。”懿笑曰:“徒有虚名,乃庸才耳! 孔明用如此人物,如何不误事!”又问:“街亭左右别有军否?”探马报曰:“离山十里有王平安营。”懿乃命张郃引一军,当住王平来路。又令申耽、申仪引两路兵围山,先断了汲水道路;待蜀兵自乱,然后乘势击之。当夜调度已定。次日天明,张郃引兵先往背后去了。司马懿大驱军马,一拥而进,把山四面围定。马谡在山上看时,只见魏兵漫山遍野,旌旗队伍,甚是严整。蜀兵见之,尽皆丧胆,不敢下山。马谡将红旗招动,军将你我相推,无一人敢动。谡大怒,自杀二将。众军惊惧,只得努力下山来冲魏兵。魏兵端然不动。蜀兵又退上山去。马谡见事不谐,教军紧守寨门,只等外应。

却说王平见魏兵到,引军杀来,正遇张郃;战有数十馀合,平力穷势孤,只得退去。魏兵自辰时困至戌时,山上无水,军不得食,寨中大乱。嚷到半夜时分,山南蜀兵大开寨门,下山降魏。马谡禁止不住。司马懿又令人于沿山放火,山上蜀兵愈乱。马谡料守不住,只得驱残兵杀下山西逃奔。司马懿放条大路,让过马谡。背后张郃引兵追来。赶到三十馀里,前面鼓角齐鸣,一彪军出,放过马谡,拦住张郃;视之,乃魏延也。延挥刀纵马,直取张郃。郃回军便走。延驱兵赶来,复夺街亭。赶到五十馀里,一声喊起,两边伏兵齐出:左边司马懿,右边司马昭,却抄在魏延背后,把延困在垓心。张郃复来,三路兵合在一处。魏延左冲右突,不得脱身,折兵大半。正危急间,忽一彪军杀入,乃王平也。延大喜曰:"吾得生矣!"二将合兵一处,大杀一阵,魏兵方退。二将慌忙奔回寨时,营中皆是魏兵旌旗。申耽、申仪从营中杀出。王平、魏延径奔列柳城,来投高翔。此时高翔闻知街亭有失,尽起列柳城之兵,前来救应,正遇延、平二人,诉说前事。高翔曰:"不如今晚去劫魏寨,再复街亭。"当时三人在山坡下商议已定。待天色将晚,兵分三路。魏延引兵先进,径到街亭,不见一人,心中大疑,未敢轻进,且伏在路口等候。忽见高翔兵到,二人共说魏兵不知在何处。正没理会,又不见王平兵到。忽然一声炮响,火光冲天,鼓声震地:魏兵齐出,把魏延、高翔围在垓心。二人往来冲突,不得脱身。忽听得山坡后喊声若雷,一彪军杀入,乃是王平,救了高、魏二人,径奔列柳城来。比及奔到城下时,城边早有一军杀到,旗上大书"魏都督郭淮"字样。原来郭淮与曹真商议,恐司马懿得了全功,乃分淮来取街亭;闻知司马懿、张郃成了此功,遂引兵径袭列柳城。正遇三将,大杀一阵。蜀兵伤者极多。魏延恐阳平关有失,慌与王平、高翔望阳平关来。

却说郭淮收了军马,乃谓左右曰:"吾虽不得街亭,却取了列柳城,亦是大功。"引兵径到城下叫门,只见城上一声炮响,旗帜皆竖,当头一面大旗,上书"平西都督司马懿"。懿撑起悬空板,倚定护心木栏干,大笑曰:"郭伯济来何迟也?"淮大惊曰:"仲达神机,吾不及也!"遂入城。相见已毕,懿曰:"今街亭已失,诸葛亮必走。公可速与子丹星夜追之。"郭淮从其言,出城而去。懿唤张郃曰:"子丹、伯济,恐吾全获大功,故来取此城池。吾非独欲成功，乃侥幸而已。吾料魏延、王平、马谡、高翔等辈，必先去据阳平关。吾若去取此关，诸葛亮必随后掩杀，中其计矣。兵法云：‘归师勿掩，穷寇莫追。’汝可从小路抄箕谷退兵。吾自引兵当斜谷之兵。若彼败走，不可相拒，只宜中途截住：蜀兵辎重，可尽得也。”张郃受计，引兵一半去了。懿下令：“竟取斜谷，由西城而进。——西城虽山僻小县，乃蜀兵屯粮之所，又南安、天水、安定三郡总路。——若得此城，三郡可复矣。”于是司马懿留申耽、申仪守列柳城，自领大军望斜谷进发。

却说孔明自令马谡等守街亭去后，犹豫不定。忽报王平使人送图本至。孔明唤入，左右呈上图本。孔明就文几上拆开视之，拍案大惊曰：“马谡无知，坑陷吾军矣！”左右问曰：“丞相何故失惊？”孔明曰：“吾观此图本，失却要路，占山为寨。倘魏兵大至，四面围合，断汲水道路，不须二日，军自乱矣。若街亭有失，吾等安归？”长史杨仪进曰：“某虽不才，愿替马幼常回。”孔明将安营之法，一一分付与杨仪。——正待要行，忽报马到来，说：“街亭、列柳城，尽皆失了！”孔明跌足长叹曰：“大事去矣！——此吾之过也！”急唤关兴、张苞分付曰：“汝二人各引三千精兵，投武功山小路而行。如遇魏兵，不可大击，只鼓噪呐喊，为疑兵惊之。彼当自走，亦不可追。待军退尽，便投阳平关去。”又令张翼先引军去修理剑阁，以备归路。又密传号令，教大军暗暗收拾行装，以备起程。又令马岱、姜维断后，先伏于山谷中，待诸军退尽，方始收兵。又差心腹人，分路报与天水、南安、安定三郡官吏军民，皆入汉中。又遣心腹人到冀县搬取姜维老母，送入汉中。

孔明分拨已定，先引五千兵退去西城县搬运粮草。忽然十馀次飞马报到，说：“司马懿引大军十五万，望西城蜂拥而来！”时孔明身边别无大将,只有一班文官,所引五千军,已分一半先运粮草去了,只剩二千五百军在城中。众官听得这个消息,尽皆失色。孔明登城望之,果然尘土冲天,魏兵分两路望西城县杀来。孔明传令,教"将旌旗尽皆隐匿;诸军各守城铺①,如有妄行出入,及高言大语者,斩之!大开四门,每一门用二十军士,扮作百姓,洒扫街道。如魏兵到时,不可擅动,吾自有计。"孔明乃披鹤氅,戴纶巾,引二小童携琴一张,于城上敌楼前,凭栏而坐,焚香操琴。

却说司马懿前军哨到城下,见了如此模样,皆不敢进,急报与司马懿。懿笑而不信,遂止住三军,自飞马远远望之。果见孔明坐于城楼之上,笑容可掬,焚香操琴。左有一童子,手捧宝剑;右有一童子,手执麈尾。城门内外,有二十馀百姓,低头洒扫,傍若无人。懿看毕大疑,便到中军,教后军作前军,前军作后军,望北山路而退。次子司马昭曰:"莫非诸葛亮无军,故作此态?父亲何故便退兵?"懿曰:"亮平生谨慎,不曾弄险。今大开城门,必有埋伏。我兵若进,中其计也。汝辈岂知?宜速退。"于是两路兵尽皆退去。孔明见魏军远去,抚掌而笑。众官无不骇然,乃问孔明曰:"司马懿乃魏之名将,今统十五万精兵到此,见了丞相,便速退去,何也?"孔明曰:"此人料吾生平谨慎,必不弄险;见如此模样,疑有伏兵,所以退去。吾非行险,盖因不得已而用之。此人必引军投山北小路去也。吾已令兴、苞二人在彼等候。"众皆惊服曰:"丞相之机,神鬼莫测。若某等之见,必弃城而走矣。"孔明曰:"吾兵止有二千五百,若弃城而走,必不能远遁。得不为司马懿所擒乎?"后人有诗赞曰:

---

① 城铺——城上巡哨的岗棚。

瑶琴三尺胜雄师，诸葛西城退敌时。十五万人回马处，
土人指点到今疑。

言讫，拍手大笑，曰："吾若为司马懿，必不便退也。"遂下令，教西城百姓，随军入汉中：司马懿必将复来。于是孔明离西城望汉中而走。天水、安定、南安三郡官吏军民，陆续而来。

却说司马懿望武功山小路而走。忽然山坡后喊杀连天，鼓声震地。懿回顾二子曰："吾若不走，必中诸葛亮之计矣。"只见大路上一军杀来，旗上大书："右护卫使虎翼将军张苞"。魏兵皆弃甲抛戈而走。行不到一程，山谷中喊声震地，鼓角喧天，前面一杆大旗，上书："左护卫使龙骧将军关兴"。山谷应声，不知蜀兵多少；更兼魏军心疑，不敢久停，只得尽弃辎重而去。兴、苞二人皆遵将令，不敢追袭，多得军器粮草而归。司马懿见山谷中皆有蜀兵，不敢出大路，遂回街亭。此时曹真听知孔明退兵，急引兵追赶。山背后一声炮响，蜀兵漫山遍野而来：为首大将，乃是姜维、马岱。真大惊，急退军时，先锋陈造已被马岱所斩。真引兵鼠窜而还。蜀兵连夜皆奔回汉中。

却说赵云、邓芝伏兵于箕谷道中。闻孔明传令回军，云谓芝曰："魏军知吾兵退，必然来追。吾先引一军伏于其后，公却引兵打吾旗号，徐徐而退。吾一步步自有护送也。"

却说郭淮提兵再回箕谷道中，唤先锋苏颙分付曰："蜀将赵云，英勇无敌。汝可小心提防。彼军若退，必有计也。"苏颙欣然曰："都督若肯接应，某当生擒赵云。"遂引前部三千兵，奔入箕谷。看看赶上蜀兵，只见山坡后闪出红旗白字，上书："赵云"。苏颙急收兵退走。行不到数里，喊声大震，一彪军撞出；为首大将，挺枪跃马，大喝曰："汝识赵子龙否！"苏颙大惊曰："如何这里

又有赵云?”措手不及,被云一枪刺死于马下。馀军溃散。云迤逦前进,背后又一军到,乃郭淮部将万政也。云见魏兵追急,乃勒马挺枪,立于路口,待来将交锋。——蜀兵已去三十馀里。——万政认得是赵云,不敢前进。云等得天色黄昏,方才拨回马缓缓而进。郭淮兵到,万政言赵云英勇如旧,因此不敢近前。淮传令教军急赶,政令数百骑壮士赶来。行至一大林,忽听得背后大喝一声曰:“赵子龙在此!”惊得魏兵落马者百馀人,馀者皆越岭而去。万政勉强来敌,被云一箭射中盔缨,惊跌于涧中。云以枪指之曰:“吾饶汝性命回去! 快教郭淮赶来!”万政脱命而回。云护送车仗人马,望汉中而去,沿途并无遗失。曹真、郭淮复夺三郡,以为己功。

却说司马懿分兵而进。此时蜀兵尽回汉中去了,懿引一军复到西城,因问遗下居民及山僻隐者,皆言孔明止有二千五百军在城中,又无武将,只有几个文官,别无埋伏。武功山小民告曰:“关兴、张苞,只各有三千军,转山呐喊,鼓噪惊追,又无别军,并不敢厮杀。”懿悔之不及,仰天叹曰:“吾不如孔明也!”遂安抚了诸处官民,引兵径还长安,朝见魏主。睿曰:“今日复得陇西诸郡,皆卿之功也。”懿奏曰:“今蜀兵皆在汉中,未尽剿灭。臣乞大兵并力收川,以报陛下。”睿大喜,令懿即便兴兵。忽班内一人出奏曰:“臣有一计,足可定蜀降吴。”正是:蜀中将相方归国,魏地君臣又逞谋。未知献计者是谁,且看下文分解。

第九十六回

孔明挥泪斩马谡　周鲂断发赚曹休

却说献计者，乃尚书孙资也。曹睿问曰："卿有何妙计？"资奏曰："昔太祖武皇帝收张鲁时，危而后济；常对群臣曰：'南郑之地，真为天狱[①]。'中斜谷道为五百里石穴，非用武之地。今若尽起天下之兵伐蜀，则东吴又将入寇。不如以现在之兵，分命大将据守险要，养精蓄锐。不过数年，中国日盛，吴、蜀二国必自相残害：那时图之，岂非胜算？乞陛下裁之。"睿乃问司马懿曰："此论若何？"懿奏曰："孙尚书所言极当。"睿从之，命懿分拨诸将守把险要，留郭淮、张郃守长安。大赏三军，驾回洛阳。

却说孔明回到汉中，计点军士，只少赵云、邓芝，心中甚忧；乃令关兴、张苞，各引一军接应。二人正欲起身，忽报赵云、邓芝到来，并不曾折一人一骑；辎重等器，亦无遗失。孔明大喜，亲引诸将出迎。赵云慌忙下马伏地曰："败军之将，何劳丞相远接？"孔明急扶起，执手而言曰："是吾不识贤愚，以致如此！——各处兵将败损，惟子龙不折一人一骑，何也？"邓芝告曰："某引兵先行，子龙独自断后，斩将立功，敌人惊怕，因此军资什物，不曾遗弃。"孔明曰："真将军也！"遂取金五十斤以赠赵云，又取绢一万

---

① 天狱——天然的牢狱。形容地势险恶，出入都极为困难。

匹赏云部卒。云辞曰:“三军无尺寸之功,某等俱各有罪;若反受赏,乃丞相赏罚不明也。且请寄库,候今冬赐与诸军未迟。”孔明叹曰:“先帝在日,常称子龙之德,今果如此!”乃倍加钦敬。

忽报马谡、王平、魏延、高翔至。孔明先唤王平入帐,责之曰:“吾令汝同马谡守街亭,汝何不谏之,致使失事?”平曰:“某再三相劝,要在当道筑土城,安营守把。参军大怒不从,某因此自引五千军离山十里下寨。魏兵骤至,把山四面围合,某引兵冲杀十馀次,皆不能入。次日土崩瓦解,降者无数。某孤军难立,故投魏文长求救。半途又被魏兵困在山谷之中,某奋死杀出。比及归寨,早被魏兵占了。及投列柳城时,路逢高翔,遂分兵三路去劫魏寨,指望克复街亭。因见街亭并无伏路军,以此心疑。登高望之,只见魏延、高翔被魏兵围住,某即杀入重围,救出二将,就同参军并在一处。某恐失却阳平关,因此急来回守。——非某之不谏也。丞相不信,可问各部将校。”孔明喝退,又唤马谡入帐。谡自缚跪于帐前。孔明变色曰:“汝自幼饱读兵书,熟谙战法。吾累次丁宁告戒:街亭是吾根本。汝以全家之命,领此重任。汝若早听王平之言,岂有此祸?今败军折将,失地陷城,皆汝之过也!若不明正军律,何以服众?汝今犯法,休得怨吾。汝死之后,汝之家小,吾按月给与禄粮,汝不必挂心。”叱左右推出斩之。谡泣曰:“丞相视某如子,某以丞相为父。某之死罪,实已难逃;愿丞相思舜帝殛鲧用禹① 之义,某虽死亦无恨于九泉!”言讫大哭。孔明挥泪曰:“吾与汝义同兄弟,汝之子即吾之子也,不必多嘱。”左右推出马谡于辕门之外,将斩。参军蒋琬自成都

---

① 舜帝殛(jí)鲧用禹——相传:鲧治水失败,舜帝杀鲧,又用鲧的儿子禹去治水,终成大功。

至,见武士欲斩马谡,大惊,高叫:“留人!”入见孔明曰:“昔楚杀得臣而文公喜[1]。今天下未定,而戮智谋之臣,岂不可惜乎?”孔明流涕而答曰:“昔孙武所以能制胜于天下者,用法明也。今四方分争,兵戈方始,若复废法,何以讨贼耶?合当斩之。”须臾,武士献马谡首级于阶下。孔明大哭不已。蒋琬问曰:“今幼常得罪,既正军法,丞相何故哭耶?”孔明曰:“吾非为马谡而哭。吾想先帝在白帝城临危之时,曾嘱吾曰:‘马谡言过其实,不可大用。’今果应此言。乃深恨已之不明,追思先帝之言,因此痛哭耳!”大小将士,无不流涕。马谡亡年三十九岁,时建兴六年夏五月也。后人有诗曰:

失守街亭罪不轻,堪嗟马谡枉谈兵。辕门斩首严军法,拭泪犹思先帝明。

却说孔明斩了马谡,将首级遍示各营已毕,用线缝在尸上,具棺葬之,自修祭文享祀;将谡家小加意抚恤,按月给与禄米。于是孔明自作表文,令蒋琬申奏后主,请自贬丞相之职。琬回成都,入见后主,进上孔明表章。后主拆视之。表曰:

臣本庸才,叨窃非据,亲秉旄钺,以励三军。不能训章明法,临事而惧,至有街亭违命之阙,箕谷不戒之失。咎皆在臣,授任无方。臣明不知人,恤事多闇。《春秋》责帅,臣职是当。请自贬三等,以督厥咎。臣不胜惭愧,俯伏待命!

后主览毕曰:“胜负兵家常事,丞相何出此言?”侍中费祎奏曰:“臣闻治国者,必以奉法为重。法若不行,何以服人?丞相败

① 楚杀得臣而文公喜——成得臣是楚国的大将,由于对晋战争失利,回国被迫自杀。晋文公听到这个消息,大为高兴。

绩，自行贬降，正其宜也。”后主从之，乃诏贬孔明为右将军，行丞相事，照旧总督军马，就命费祎赍诏到汉中。孔明受诏贬降讫，祎恐孔明羞赧，乃贺曰：“蜀中之民，知丞相初拔四县，深以为喜。”孔明变色曰：“是何言也！得而复失，与不得同。公以此贺我，实足使我愧赧耳。”祎又曰：“近闻丞相得姜维，天子甚喜。”孔明怒曰：“兵败师还，不曾夺得寸土，此吾之大罪也。量得一姜维，于魏何损？”祎又曰：“丞相现统雄师数十万，可再伐魏乎？”孔明曰：“昔大军屯于祁山、箕谷之时，我兵多于贼兵，而不能破贼，反为贼所破：此病不在兵之多寡，在主将耳。今欲减兵省将，明罚思过，转变通之道于将来；如其不然，虽兵多何用？自今以后，诸人有远虑于国者，但勤攻吾之阙，责吾之短，则事可定，贼可灭，功可翘足而待矣。”费祎诸将皆服其论。费祎自回成都。孔明在汉中，惜军爱民，励兵讲武，置造攻城渡水之器，聚积粮草，预备战筏，以为后图。细作探知，报入洛阳。

魏主曹睿闻知，即召司马懿商议收川之策。懿曰：“蜀未可攻也。方今天道亢炎，蜀兵必不出；若我军深入其地，彼守其险要，急切难下。”睿曰：“倘蜀兵再来入寇，如之奈何？”懿曰：“臣已算定今番诸葛亮必效韩信暗度陈仓[①]之计。臣举一人往陈仓道口，筑城守御，万无一失：此人身长九尺，猿臂善射，深有谋略。若诸葛亮入寇，此人足可当之。”睿大喜，问曰：“此何人也？”懿奏曰：“乃太原人，姓郝，名昭，字伯道，现为杂号将军，镇守河西。”

睿从之，加郝昭为镇西将军，命守把陈仓道口，遣使持诏去

---

① 暗度陈仓——陈仓，地名，在今陕西省境。刘邦将进兵攻打项羽，韩信设计：表面上去修栈道的道路，以转移对方的注意；暗中却将兵马偷过陈仓。

讫。忽报扬州司马大都督曹休上表,说东吴鄱阳太守周鲂,愿以郡来降,密遣人陈言七事,说东吴可破,乞早发兵取之。睿就御床上展开,与司马懿同观。懿奏曰:“此言极有理,吴当灭矣!臣愿引一军往助曹休。”忽班中一人进曰:“吴人之言,反覆不一,未可深信。周鲂智谋之士,必不肯降。此特诱兵之诡计也。”众视之,乃建威将军贾逵也。懿曰:“此言亦不可不听,机会亦不可错失。”魏主曰:“仲达可与贾逵同助曹休。”二人领命去讫。于是曹休引大军径取皖城;贾逵引前将军满宠、东莞太守胡质,径取阳城,直向东关;司马懿引本部军径取江陵。

却说吴主孙权,在武昌东关,会多官商议曰:“今有鄱阳太守周鲂密表,奏称魏扬州都督曹休,有入寇之意。今鲂诈施诡计,暗陈七事,引诱魏兵深入重地,可设伏兵擒之。今魏兵分三路而来,诸卿有何高见?”顾雍进曰:“此大任非陆伯言不敢当也。”权大喜,乃召陆逊,封为辅国大将军、平北都元帅,统御林大兵,摄行王事:授以白旄黄钺,文武百官,皆听约束。权亲自与逊执鞭。逊领命谢恩毕,乃保二人为左右都督,分兵以迎三道。权问何人,逊曰:“奋威将军朱桓,绥南将军全琮,二人可为辅佐。”权从之,即命朱桓为左都督,全琮为右都督。于是陆逊总率江南八十一州并荆湖之众七十馀万,令朱桓在左,全琮在右,逊自居中,三路进兵。朱桓献策曰:“曹休以亲见任,非智勇之将也。今听周鲂诱言,深入重地,元帅以兵击之,曹休必败。败后必走两条路:左乃夹石,右乃挂车。此二条路,皆山僻小径,最为险峻。某愿与全子璜各引一军,伏于山险,先以柴木大石塞断其路,曹休可擒矣。若擒了曹休,便长驱直进,唾手而得寿春,以窥许、洛,此万世一时也。”逊曰:“此非善策,吾自有妙用。”于是朱桓怀不平而退。逊令诸葛瑾等拒守江陵,以敌司马懿。诸路俱各调拨停当。

却说曹休兵临皖城,周鲂来迎,径到曹休帐下。休问曰:“近得足下之书,所陈七事,深为有理,奏闻天子,故起大军三路进发。若得江东之地,足下之功不小。有人言足下多谋,诚恐所言不实。——吾料足下必不欺我。”周鲂大哭,急掣从人所佩剑欲自刎。休急止之。鲂仗剑而言曰:“吾所陈七事,恨不能吐出心肝。今反生疑,必有吴人使反间之计也。若听其言,吾必死矣。吾之忠心,惟天可表!”言讫,又欲自刎。曹休大惊,慌忙抱住曰:“吾戏言耳,足下何故如此!”鲂乃用剑割发掷于地曰:“吾以忠心待公,公以吾为戏,吾割父母所遗之发,以表此心!”曹休乃深信之,设宴相待。席罢,周鲂辞去。忽报建威将军贾逵来见,休令入,问曰:“汝此来何为?”逵曰:“某料东吴之兵,必尽屯于皖城。都督不可轻进,待某两下夹攻,贼兵可破矣。”休怒曰:“汝欲夺吾功耶?”逵曰:“又闻周鲂截发为誓,此乃诈也,——昔要离断臂,刺杀庆忌①。——未可深信。”休大怒曰:“吾正欲进兵,汝何出此言以慢军心!”叱左右推出斩之。众将告曰:“未及进兵,先斩大将,于军不利。且乞暂免。”休从之,将贾逵兵留在寨中调用,自引一军来取东关。时周鲂听知贾逵削去兵权,暗喜曰:“曹休若用贾逵之言,则东吴败矣! 今天使我成功也!”即遣人密到皖城,报知陆逊。逊唤诸将听令曰:“前面石亭,虽是山路,足可埋

① 要离断臂,刺杀庆忌——要离,春秋时吴国人,奉吴公子光的命令,去刺吴王僚的儿子庆忌。他为了骗取庆忌的信任,故意砍断了自己的一只手臂,说是公子光砍的。后来果然把庆忌刺杀了。

伏。早先去占石亭阔处,布成阵势,以待魏军。”遂令徐盛为先锋,引兵前进。

却说曹休命周鲂引兵而进,正行间,休问曰:“前至何处?”鲂曰:“前面石亭也,堪以屯兵。”休从之,遂率大军并车仗等器,尽赴石亭驻扎。次日,哨马报道:“前面吴兵不知多少,据住山口。”休大惊曰:“周鲂言无兵,为何有准备?”急寻鲂问之。人报周鲂引数十人,不知何处去了。休大悔曰:“吾中贼之计矣! ——虽然如此,亦不足惧!”遂令大将张普为先锋,引数千兵来与吴兵交战。两阵对圆,张普出马骂曰:“贼将早降!”徐盛出马相迎。战无数合,普抵敌不住,勒马收兵,回见曹休,言徐盛勇不可当。休曰:“吾当以奇兵胜之。”——就令张普引二万军伏于石亭之南,又令薛乔引二万军伏于石亭之北——“明日吾自引一千兵搦战,却佯输诈败,诱到北山之前,放炮为号,三面夹攻,必获大胜。”二将受计,各引二万军到晚埋伏去了。

却说陆逊唤朱桓、全琮分付曰:“汝二人各引三万军,从石亭山路抄到曹休寨后,放火为号;吾亲率大军从中路而进:可擒曹休也。”当日黄昏,二将受计引兵而进。二更时分,朱桓引一军正抄到魏寨后,迎着张普伏兵。普不知是吴兵,径来问时,被朱桓一刀斩于马下。魏兵便走。桓令后军放火。全琮引一军抄到魏寨后,正撞在薛乔阵里,就那里大杀一阵。薛乔败走,魏兵大损,奔回本寨。后面朱桓、全琮两路杀来。曹休寨中大乱,自相冲击。休慌上马,望夹石道奔走。徐盛引大队军马,从正路杀来。魏兵死者不可胜数,逃命者尽弃衣甲。曹休大惊,在夹石道中,奋力奔走。忽见一彪军从小路冲出,为首大将,乃贾逵也。休惊慌少息,自愧曰:“吾不用公言,果遭此败!”逵曰:“都督可速出此道:若被吴兵以木石塞断,吾等皆危矣!”于是曹休骤马而行,贾逵断后。逵于林木盛茂处,及险峻小径,多设旌旗以为疑兵。及至徐盛赶到,见山坡下闪出旗角,疑有埋伏,不敢追赶,收兵而回。——因此救了曹休。司马懿听知休败,亦引兵退去。

却说陆逊正望捷音,须臾,徐盛、朱桓、全琮皆到。所得车仗、牛马、驴骡、军资、器械,不计其数,降兵数万馀人。逊大喜,即同太守周鲂并诸将班师还吴。吴主孙权,领文武官僚出武昌城迎接,以御盖覆逊而入。诸将尽皆升赏。权见周鲂无发,慰劳曰:"卿断发成此大事,功名当书于竹帛也。"即封周鲂为关内侯;大设筵会,劳军庆贺。陆逊奏曰:"今曹休大败,魏已丧胆;可修国书,遣使入川,教诸葛亮进兵攻之。"权从其言,遂遣使赍书入川去。正是:只因东国能施计,致令西川又动兵。未知孔明再来伐魏,胜负如何,且看下文分解。

第九十七回

讨魏国武侯再上表　破曹兵姜维诈献书

却说蜀汉建兴六年秋九月，魏都督曹休被东吴陆逊大破于石亭，车仗马匹，军资器械，并皆罄尽。休惶恐之甚，气忧成病，到洛阳，疽发背而死。魏主曹睿敕令厚葬。司马懿引兵还，众将接入问曰："曹都督兵败，即元帅之干系，何故急回耶？"懿曰："吾料诸葛亮知吾兵败，必乘虚来取长安。倘陇西紧急，何人救之？吾故回耳。"众皆以为惧怯，哂笑而退。

却说东吴遣使致书蜀中，请兵伐魏，并言大破曹休之事：一者显自己威风，二者通和会之好。后主大喜，令人持书至汉中，报知孔明。时孔明兵强马壮，粮草丰足，所用之物，一切完备，正要出师。听知此信，即设宴大会诸将，计议出师。忽一阵大风，自东北角上而起，把庭前松树吹折。众皆大惊。孔明就占一课，曰："此风主损一大将！"诸将未信。正饮酒间，忽报镇南将军赵云长子赵统、次子赵广，来见丞相。孔明大惊，掷杯于地曰："子龙休矣！"二子入见，拜哭曰："某父昨夜三更病重而死。"孔明跌足而哭曰："子龙身故，国家损一栋梁，吾去一臂也！"众将无不挥涕。孔明令二子入成都面君报丧。后主闻云死，放声大哭曰："朕昔年幼，非子龙则死于乱军之中矣！"即下诏追赠大将军，谥封顺平侯，敕葬于成都锦屏山之东；建立庙堂，四时享祭。后人有诗曰：

常山有虎将，智勇匹关张：汉水功勋在，当阳姓字彰。

两番扶幼主，一念答先皇。青史书忠烈，应流百世芳。

却说后主思念赵云昔日之功，祭葬甚厚；封赵统为虎贲中郎，赵广为牙门将，就令守坟。二人辞谢而去。忽近臣奏曰："诸葛丞相将军马分拨已定，即日将出师伐魏。"后主问在朝诸臣，诸臣多言未可轻动。后主疑虑未决。忽奏丞相令杨仪赍出师表至。后主宣入，仪呈上表章。后主就御案上拆视，其表曰：

先帝虑汉、贼不两立，王业不偏安，故托臣以讨贼也。以先帝之明，量臣之才，故知臣伐贼，才弱敌强也。然不伐贼，王业亦亡。惟坐而待亡，孰与伐之？是故托臣而弗疑也。臣受命之日，寝不安席，食不甘味；思惟北征，宜先入南：故五月渡泸，深入不毛，并日而食。——臣非不自惜也：顾王业不可偏安于蜀都，故冒危难以奉先帝之遗意。而议者谓为非计。今贼适疲于西，又务于东，兵法"乘劳"：此进趋之时也。谨陈其事如左：

高帝明并日月，谋臣渊深，然涉险被创，危然后安；今陛下未及高帝，谋臣不如良、平，而欲以长策取胜，坐定天下：此臣之未解一也。刘繇、王朗，各据州郡，论安言计，动引圣人，群疑满腹，众难塞胸；今岁不战，明年不征，使孙权坐大，遂并江东：此臣之未解二也。曹操智计，殊绝于人，其用兵也，仿佛孙、吴，然困于南阳，险于乌巢，危于祁连，逼于黎阳，几败北山，殆死潼关，然后伪定一时耳；况臣才弱，而欲以不危而定之：此臣之未解三也。曹操五攻昌霸不下，四越巢湖不成，任用李服而李服图之，委任夏侯而夏侯败亡，先帝每称操为能，犹有此失；况臣驽下，何能必胜：此臣之未解四也。自臣到汉中，中间期年耳，然丧赵云、阳群、马玉、阎芝、丁立、白寿、刘郃、邓铜等，及曲长屯将七十馀人，突将无前，賨、叟、青羌，散骑武骑一千馀人，此皆数十年之内，所纠合四方之精锐，非一州之所有；若复数年，则损三分之二也。——当何以图敌：此臣之未解五也。今民穷兵疲，而事不可息；事不可息，则住与行，劳费正等；而不及今图之，欲以一州之地，与贼持久：此臣之未解六也。

夫难平者，事也。昔先帝败军于楚，当此之时，曹操拊手，谓天下已定。——然后先帝东连吴、越，西取巴、蜀，举兵北征，夏侯授首：此操之失计，而汉事将成也。——然后吴更违盟，关羽毁败，秭归蹉跌，曹丕称帝：凡事如是，难可逆见。臣鞠躬尽瘁，死而后已；至于成败利钝，非臣之明所能逆睹也。

后主览表甚喜，即敕令孔明出师。孔明受命，起三十万精兵，令魏延总督前部先锋，径奔陈仓道口而来。

早有细作报入洛阳。司马懿奏知魏主，大会文武商议。大将军曹真出班奏曰："臣昨守陇西，功微罪大，不胜惶恐。今乞引大军往擒诸葛亮。臣近得一员大将，使六十斤大刀，骑千里征骁马，开两石铁胎弓，暗藏三个流星锤，百发百中，有万夫不当之勇，乃陇西狄道人，姓王，名双，字子全。臣保此人为先锋。"睿大喜，便召王双上殿。视之，身长九尺，面黑睛黄，熊腰虎背。睿笑曰："朕得此大将，有何虑哉！"遂赐锦袍金甲，封为虎威将军、前部大先锋。曹真为大都督。真谢恩出朝，遂引十五万精兵，会合郭淮、张郃，分道守把隘口。

却说蜀兵前队哨至陈仓，回报孔明，说："陈仓口已筑起一城,内有大将郝昭守把,深沟高垒,遍排鹿角,十分谨严;不如弃了此城,从太白岭鸟道出祁山甚便。”孔明曰:“陈仓正北是街亭;必得此城,方可进兵。”命魏延引兵到城下,四面攻之。连日不能破。魏延复来告孔明,说城难打。孔明大怒,欲斩魏延。忽帐下一人告曰:“某虽无才,随丞相多年,未尝报效。愿去陈仓城中,说郝昭来降,不用张弓只箭。”众视之,乃部曲靳祥也。孔明曰:“汝用何言以说之?”祥曰:“郝昭与某,同是陇西人氏,自幼交契。某今到彼,以利害说之,必来降矣。”孔明即令前去。靳祥骤马径到城下,叫曰:“郝伯道故人靳祥来见。”城上人报知郝昭。昭令开门放入,登城相见。昭问曰:“故人因何到此?”祥曰:“吾在西蜀孔明帐下,参赞军机,待以上宾之礼。特令某来见公,有言相告。”昭勃然变色曰:“诸葛亮乃我国仇敌也! 吾事魏,汝事蜀:各事其主,昔时为昆仲,今时为仇敌! 汝再不必多言,便请出城!”靳祥又欲开言,郝昭已出敌楼上了。魏军急催上马,赶出城外。祥回头视之,见昭倚定护心木栏杆。祥勒马以鞭指之曰:“伯道贤弟,何太情薄耶?”昭曰:“魏国法度,兄所知也。吾受国恩,但有死而已,兄不必下说词。早回见诸葛亮,教快来攻城:吾不惧也!”祥回告孔明曰:“郝昭未等某开言,便先阻却。”孔明曰:“汝可再去见他,以利害说之。”祥又到城下,请郝昭相见。昭出到敌楼上。祥勒马高叫曰:“伯道贤弟,听吾忠言:汝据守一孤城,怎拒数十万之众? 今不早降,后悔无及! 且不顺大汉而事奸魏,抑何不知天命、不辨清浊乎? 愿伯道思之。”郝昭大怒,拈弓搭箭,指靳祥而喝曰:“吾前言已定,汝不必再言! 可速退! ——吾不射汝!”

靳祥回见孔明,具言郝昭如此光景。孔明大怒曰:“匹夫无礼太甚! 岂欺吾无攻城之具耶?”随叫土人问曰:“陈仓城中,有多少人马?”土人告曰:“虽不知的数,约有三千人。”孔明笑曰:“量此小城,安能御我! 休等他救兵到,火速攻之!”于是军中起百乘云梯,一乘上可立十数人,周围用木板遮护。军士各把短梯软索,听军中擂鼓,一齐上城。郝昭在敌楼上,望见蜀兵装起云梯,四面而来,即令三千军各执火箭,分布四面;待云梯近城,一齐射之。孔明只道城中无备,故大造云梯,令三军鼓噪呐喊而进;不期城上火箭齐发,云梯尽着,梯上军士多被烧死。城上矢石如雨,蜀兵皆退。孔明大怒曰:“汝烧吾云梯,吾却用‘冲车’之法!”于是连夜安排下冲车。次日,又四面鼓噪呐喊而进。郝昭急命运石凿眼,用葛绳穿定飞打,冲车皆被打折。孔明又令人运土填城壕,教廖化引三千锹镬军,从夜间掘地道,暗入城去。郝昭又于城中掘重壕横截之。如此昼夜相攻,二十馀日,无计可破。孔明正在营中忧闷,忽报:“东边救兵到了,旗上书:‘魏先锋大将王双’。”孔明问曰:“谁可迎之?”魏延出曰:“某愿往。”孔明曰:“汝乃先锋大将,未可轻出。”又问:“谁敢迎之?”裨将谢雄应声而出。孔明与三千军去了。孔明又问曰:“谁敢再去?”裨将龚起应声要去。孔明亦与三千兵去了。孔明恐城内郝昭引兵冲出,乃把人马退二十里下寨。

却说谢雄引军前行,正遇王双;战不三合,被双一刀劈死。蜀兵败走,双随后赶来。龚起接着,交马只三合,亦被双所斩。败兵回报孔明。孔明大惊,忙令廖化、王平、张嶷三人出迎。两阵对圆,张嶷出马,王平、廖化压住阵角。王双纵马来与张嶷交马,数合不分胜负。双诈败便走,嶷随后赶去。王平见张嶷中计,忙叫曰:“休赶!”嶷急回马时,王双流星锤早到,正中其背。嶷伏鞍而走,双回马赶来。王平、廖化截住,救得张嶷回阵。王双驱兵大杀一阵,蜀兵折伤甚多。嶷吐血数口,回见孔明,说:

“王双英雄无敌;如今将二万兵就陈仓城外下寨,四围立起排栅,筑起重城,深挖壕堑,守御甚严。”孔明见折二将,张嶷又被打伤,即唤姜维曰:“陈仓道口这条路不可行。别求何策?”维曰:“陈仓城池坚固,郝昭守御甚密,又得王双相助,实不可取。不若令一大将,依山傍水,下寨固守;再令良将守把要道,以防街亭之攻;却统大军去袭祁山,某却如此如此用计,可捉曹真也。”孔明从其言,即令王平、李恢,引二枝兵守街亭小路;魏延引一军守陈仓口。马岱为先锋,关兴、张苞为前后救应使,从小径出斜谷望祁山进发。

却说曹真因思前番被司马懿夺了功劳,因此到洛阳分调郭淮、孙礼东西守把;又听的陈仓告急,已令王双去救。闻知王双斩将立功,大喜,乃令中护军大将费耀,权摄前部总督,诸将各自守把隘口。忽报山谷中捉得细作来见。曹真令押入,跪于帐前。其人告曰:“小人不是奸细,有机密来见都督,误被伏路军捉来。乞退左右。”真乃教去其缚,左右暂退。其人曰:“小人乃姜伯约心腹人也。蒙本官遣送密书。”真曰:“书安在?”其人于贴肉衣内取出呈上。真拆视曰:

罪将姜维百拜,书呈大都督曹麾下:维念世食魏禄,忝守边城;叨窃厚恩,无门补报。昨日误遭诸葛亮之计,陷身于巅崖之中。思念旧国,何日忘之!今幸蜀兵西出,诸葛亮甚不相疑。赖都督亲提大兵而来:如遇敌人,可以诈败;维当在后,以举火为号,先烧蜀人粮草,却以大兵翻身掩之,则诸葛亮可擒也。非敢立功报国,实欲自赎前罪。倘蒙照察,速赐来命。

曹真看毕,大喜曰:“天使吾成功也!”遂重赏来人,便令回报，依期会合。真唤费耀商议曰："今姜维暗献密书，令吾如此如此。"耀曰："诸葛亮多谋，姜维智广，或者是诸葛亮所使，恐其中有诈。"真曰："他原是魏人，不得已而降蜀，又何疑乎？"耀曰："都督不可轻去，只守定本寨。某愿引一军接应姜维。如成功，尽归都督；倘有奸计，某自支当。"真大喜，遂令费耀引五万兵，望斜谷而进。行了两三程，屯下军马，令人哨探。当日申时分，回报："斜谷道中，有蜀兵来也。"耀忙催兵进。蜀兵未及交战先退。耀引兵追之，蜀兵又来。方欲对阵，蜀兵又退：如此者三次，俄延至次日申时分。魏军一日一夜，不曾敢歇，只恐蜀兵攻击。方欲屯军造饭，忽然四面喊声大震，鼓角齐鸣，蜀兵漫山遍野而来。门旗开处，闪出一辆四轮车，孔明端坐其中，令人请魏军主将答话。耀纵马而出，遥见孔明，心中暗喜，回顾左右曰："如蜀兵掩至，便退后走。若见山后火起，却回身杀去，自有兵来相应。"分付毕，跃马出呼曰："前者败将，今何敢又来！"孔明曰："唤汝曹真来答话！"耀骂曰："曹都督乃金枝玉叶，安肯与反贼相见耶！"孔明大怒，把羽扇一招，左有马岱，右有张嶷，两路兵冲出。魏兵便退。行不到三十里，望见蜀兵背后火起，喊声不绝。费耀只道号火，便回身杀来。蜀兵齐退。耀提刀在前，只望喊处追赶。将次近火，山路中鼓角喧天，喊声震地，两军杀出：左有关兴，右有张苞。山上矢石如雨，往下射来。魏兵大败。费耀知是中计，急退军望山谷中而走，人马困乏。背后关兴引生力军赶来，魏兵自相践踏及落涧身死者，不知其数。耀逃命而走，正遇山坡口一彪军，乃是姜维。耀大骂曰："反贼无信！吾不幸误中汝奸计也！"维笑曰："吾欲擒曹真，误赚汝矣！速下马受降！"耀骤马夺路，望山谷中而走。忽见谷口火光冲天，背后追兵又至。耀自刎身死，馀众尽降。孔明连夜驱兵，直出祁山前下寨，收住军马，重赏姜维。

维曰:“某恨不得杀曹真也!”孔明亦曰:“可惜大计小用矣。”

却说曹真听知折了费耀,悔之不及,遂与郭淮商议退兵之策。于是孙礼、辛毗星夜具表申奏魏主,言蜀兵又出祁山,曹真损兵折将,势甚危急。睿大惊,即召司马懿入内曰:“曹真损兵折将,蜀兵又出祁山。卿有何策,可以退之?”懿曰:“臣已有退诸葛亮之计。不用魏军扬武耀威,蜀兵自然走矣。”正是:已见子丹无胜术,全凭仲达有良谋。未知其计如何,且看下文分解。

第九十八回

追汉军王双受诛　袭陈仓武侯取胜

却说司马懿奏曰:"臣尝奏陛下,言孔明必出陈仓,故以郝昭守之,今果然矣。彼若从陈仓入寇,运粮甚便。今幸有郝昭、王双守把,不敢从此路运粮。其馀小道,搬运艰难。臣算蜀兵行粮止有一月,利在急战。我军只宜久守。陛下可降诏,令曹真坚守诸路关隘,不要出战。不须一月,蜀兵自走。那时乘虚而击之,诸葛亮可擒也。"睿欣然曰:"卿既有先见之明,何不自引一军以袭之?"懿曰:"臣非惜身重命,实欲存下此兵,以防东吴陆逊耳。孙权不久必将僭号称尊;如称尊号,恐陛下伐之,定先入寇也:臣故欲以兵待之。"正言间,忽近臣奏曰:"曹都督奏报军情。"懿曰:"陛下可即令人告戒曹真:凡追赶蜀兵,必须观其虚实,不可深入重地,以中诸葛亮之计。"睿即时下诏,遣太常卿韩暨持节告戒曹真:"切不可战,务在谨守;只待蜀兵退去,方才击之。"司马懿送韩暨于城外,嘱之曰:"吾以此功让与子丹;公见子丹,休言是吾所陈之意,只道天子降诏,教保守为上。追赶之人,大要仔细,勿遣性急气躁者追之。"暨辞去。

却说曹真正升帐议事,忽报天子遣太常卿韩暨持节至。真出寨接入,受诏已毕,退与郭淮、孙礼计议。淮笑曰:"此乃司马仲达之见也。"真曰:"此见若何?"淮曰:"此言深识诸葛亮用兵之法。久后能御蜀兵者,必仲达也。"真曰:"倘蜀兵不退,又将如何?”淮曰:“可密令人去教王双,引兵于小路巡哨,彼自不敢运粮。待其粮尽兵退,乘势追击,可获全胜。”孙礼曰:“某去祁山虚妆做运粮兵,车上尽装干柴茅草,以硫黄焰硝灌之,却教人虚报陇西运粮到。若蜀人无粮,必然来抢。待入其中,放火烧车,外以伏兵应之,可胜矣。”真喜曰:“此计大妙!”即令孙礼引兵依计而行。又遣人教王双引兵于小路上巡哨,郭淮引兵提调箕谷、街亭,令诸路军马守把险要。真又令张辽子张虎为先锋,乐进子乐綝为副先锋,同守头营,不许出战。

却说孔明在祁山寨中,每日令人挑战,魏兵坚守不出。孔明唤姜维等商议曰:“魏兵坚守不出,是料吾军中无粮也。今陈仓转运不通,其馀小路盘涉艰难,吾算随军粮草,不敷一月用度,如之奈何?”正踌躇间,忽报:“陇西魏军运粮数千车于祁山之西,运粮官乃孙礼也。”孔明曰:“其人如何?”有魏人告曰:“此人曾随魏主出猎于大石山,忽惊起一猛虎,直奔御前,孙礼下马拔剑斩之。从此封为上将军。——乃曹真心腹人也。”孔明笑曰:“此是魏将料吾乏粮,故用此计:车上装载者,必是茅草引火之物。吾平生专用火攻,彼乃欲以此计诱我耶?彼若知吾军去劫粮车,必来劫吾寨矣。可将计就计而行。”遂唤马岱分付曰:“汝引三千军径到魏兵屯粮之所,不可入营,但于上风头放火。若烧着车仗,魏兵必来围吾寨。”又差马忠、张嶷各引五千兵在外围住,内外夹攻。三人受计去了。又唤关兴、张苞分付曰:“魏兵头营接连四通之路。今晚若西山火起,魏兵必来劫吾营。汝二人却伏于魏寨左右,只等他兵出寨,汝二人便可劫之。”又唤吴班、吴懿分付曰:“汝二人各引一军伏于营外。如魏兵到,可截其归路。”孔明分拨已毕,自在祁山上凭高而坐。魏兵探知蜀兵要来劫粮,慌忙报与孙礼。礼令人飞报曹真。真遣人去头营分付张虎、乐綝:"看今夜山西火起,蜀兵必来救应。可以出军,如此如此。"二将受计,令人登楼专看号火。

却说孙礼把军伏于山西,只待蜀兵到。是夜二更,马岱引三千兵来,人皆衔枚,马尽勒口,径到山西。见许多车仗,重重叠叠,攒绕成营,车仗虚插旌旗。正值西南风起,岱令军士径去营南放火,车仗尽着,火光冲天。孙礼只道蜀兵到魏寨内放号火,急引兵一齐掩至。背后鼓角喧天,两路兵杀来:乃是马忠、张嶷,把魏军围在垓心。孙礼大惊。又听的魏军中喊声起,一彪军从火光边杀来,乃是马岱。内外夹攻,魏兵大败。火紧风急,人马乱窜,死者无数。孙礼引中伤军,突烟冒火而走。

却说张虎在营中,望见火光,大开寨门,与乐綝尽引人马,杀奔蜀寨来,——寨中却不见一人。急收军回时,吴班、吴懿两路兵杀出,断其归路。张、乐二将急冲出重围,奔回本寨,只见土城之上,箭如飞蝗,——原来却被关兴、张苞袭了营寨。魏兵大败,皆投曹真寨来。方欲入寨,只见一彪败军飞奔而来,乃是孙礼;遂同入寨见真,各言中计之事。真听知,谨守大寨,更不出战。蜀兵得胜,回见孔明。

孔明令人密授计与魏延,一面教拔寨齐起。杨仪曰:"今已大胜,挫尽魏兵锐气,何故反欲收军?"孔明曰:"吾兵无粮,利在急战。今彼坚守不出,吾受其病矣。彼今虽暂时兵败,中原必有添益;若以轻骑袭吾粮道,那时要归不能。今乘魏兵新败,不敢正视蜀兵,便可出其不意,乘机退去。所忧者但魏延一军,在陈仓道口拒住王双,急不能脱身;吾已令人授以密计,教斩王双,使魏人不敢来追。只今后队先行。"当夜,孔明只留金鼓守在寨中打更。一夜兵已尽退,只落空营。

却说曹真正在寨中忧闷,忽报左将军张郃领军到。郃下马入帐,谓真曰:“某奉圣旨,特来听调。”真曰:“曾别仲达否?”郃曰:“仲达分付云:‘吾军胜,蜀兵必不便去;若吾军败,蜀兵必即去矣。’今吾军失利之后,都督曾往哨探蜀兵消息否?”真曰:“未也。”于是即令人往探之,果是虚营,只插着数十面旌旗,兵已去了二日也。曹真懊悔无及。

且说魏延受了密计,当夜二更拔寨,急回汉中。早有细作报知王双。双大驱军马,并力追赶。追到二十馀里,看看赶上,见魏延旗号在前,双大叫曰:“魏延休走!”蜀兵更不回头。双拍马赶来。背后魏兵叫曰:“城外寨中火起,恐中敌人奸计。”双急勒马回时,只见一片火光冲天,慌令退军。行到山坡左侧,忽一骑马从林中骤出,大喝曰:“魏延在此!”王双大惊,措手不及,被延一刀砍于马下。魏兵疑有埋伏,四散逃走。延手下止有三十骑人马,望汉中缓缓而行。后人有诗赞曰:

孔明妙算胜孙庞,耿若长星照一方。进退行兵神莫测,陈仓道口斩王双。

原来魏延受了孔明密计:先教存下三十骑,伏于王双营边;只待王双起兵赶时,却去他营中放火;待他回寨,出其不意,突出斩之。魏延斩了王双,引兵回到汉中见孔明,交割了人马。孔明设宴大会,不在话下。

且说张郃追蜀兵不上,回到寨中。忽有陈仓城郝昭差人申报,言王双被斩。曹真闻知,伤感不已,因此忧成疾病,遂回洛阳;命郭淮、孙礼、张郃守长安诸道。

却说吴王孙权设朝,有细作人报说:“蜀诸葛丞相出兵两次,魏都督曹真兵损将亡。”于是群臣皆劝吴王兴师伐魏,以图中原。

权犹疑未决。张昭奏曰:“近闻武昌东山,凤凰来仪;大江之中,黄龙屡现。主公德配唐、虞,明并文、武:可即皇帝位,然后兴兵。”多官皆应曰:“子布之言是也。”遂选定夏四月丙寅日,筑坛于武昌南郊。是日,群臣请权登坛即皇帝位,改黄武八年为黄龙元年。谥父孙坚为武烈皇帝,母吴氏为武烈皇后,兄孙策为长沙桓王。立子孙登为皇太子。命诸葛瑾长子诸葛恪为太子左辅,张昭次子张休为太子右弼。

恪字元逊,身长七尺,极聪明,善应对。权甚爱之。年六岁时,值东吴筵会,恪随父在座。权见诸葛瑾面长,乃令人牵一驴来,用粉笔书其面曰:“诸葛子瑜”。众皆大笑。恪趋至前,取粉笔添二字于其下曰:“诸葛子瑜之驴”。满座之人,无不惊讶。权大喜,遂将驴赐之。又一日,大宴官僚,权命恪把盏。巡至张昭面前,昭不饮,曰:“此非养老之礼也。”权谓恪曰:“汝能强子布饮乎?”恪领命,乃谓昭曰:“昔姜尚父年九十,秉旄仗钺,未尝言老。今临阵之日,先生在后;饮酒之日,先生在前:何谓不养老也?”昭无言可答,只得强饮。权因此爱之,故命辅太子。张昭佐吴王,位列三公之上,故以其子张休为太子右弼。又以顾雍为丞相,陆逊为上将军,辅太子守武昌。权复还建业。群臣共议伐魏之策。张昭奏曰:“陛下初登宝位,未可动兵。只宜修文偃武,增设学校,以安民心;遣使入川,与蜀同盟,共分天下,缓缓图之。”

权从其言,即令使命星夜入川,来见后主。礼毕,细奏其事。后主闻知,遂与群臣商议。众议皆谓孙权僭逆,宜绝其盟好。蒋琬曰:“可令人问于丞相。”后主即遣使到汉中问孔明。孔明曰:“可令人赍礼物入吴作贺,乞遣陆逊兴师伐魏。魏必命司马懿拒之。懿若南拒东吴,我再出祁山,长安可图也。”后主依言,遂令太尉陈震,将名马、玉带、金珠、宝贝,入吴作贺。震至东吴,见了孙权,呈上国书。权大喜,设宴相待,打发回蜀。权召陆逊入,告以西蜀约会兴兵伐魏之事。逊曰:"此乃孔明惧司马懿之谋也。既与同盟,不得不从。今却虚作起兵之势,遥与西蜀为应。待孔明攻魏急,吾可乘虚取中原也。"即时下令,教荆襄各处都要训练人马,择日兴师。

却说陈震回到汉中,报知孔明。孔明尚忧陈仓不可轻进,先令人去哨探。回报说:"陈仓城中郝昭病重。"孔明曰:"大事成矣。"遂唤魏延、姜维分付曰:"汝二人领五千兵,星夜直奔陈仓城下;如见火起,并力攻城。"二人俱未深信,又来告曰:"何日可行?"孔明曰:"三日都要完备;不须辞我,即便起行。"二人受计去了。又唤关兴、张苞至,附耳低言,如此如此。二人各受密计而去。

且说郭淮闻郝昭病重,乃与张郃商议曰:"郝昭病重,你可速去替他。我自写表申奏朝廷,别行定夺。"张郃引着三千兵,急来替郝昭。时郝昭病危,当夜正呻吟之间,忽报蜀军到城下了。昭急令人上城守把。时各门上火起,城中大乱。昭听知惊死。蜀兵一拥入城。

却说魏延、姜维领兵到陈仓城下看时,并不见一面旗号,又无打更之人。二人惊疑,不敢攻城。忽听得城上一声炮响,四面旗帜齐竖。只见一人纶巾羽扇,鹤氅道袍,大叫曰:"汝二人来的迟了!"二人视之,乃孔明也。二人慌忙下马,拜伏于地曰:"丞相真神计也!"孔明令放入城,谓二人曰:"吾打探得郝昭病重,吾令汝三日内领兵取城,此乃稳众人之心也。吾却令关兴、张苞,只推点军,暗出汉中。吾即藏于军中,星夜倍道径到城下,使彼不能调兵。吾早有细作在城内放火、发喊相助,令魏兵惊疑不定。

兵无主将，必自乱矣。吾因而取之，易如反掌。兵法云：'出其不意，攻其无备。'正谓此也。"魏延、姜维拜伏。孔明怜郝昭之死，令彼妻小扶灵柩回魏，以表其忠。

孔明谓魏延、姜维曰："汝二人且莫卸甲，可引兵去袭散关。把关之人，若知兵到，必然惊走。若稍迟便有魏兵至关，即难攻矣。"魏延、姜维受命，引兵径到散关。把关之人，果然尽走。二人上关才要卸甲，遥见关外尘头大起，魏兵到来。二人相谓曰："丞相神算，不可测度！"急登楼视之，乃魏将张郃也。二人乃分兵守住险道。张郃见蜀兵把住要路，遂令退军。魏延随后追杀一阵，魏兵死者无数，张郃大败而去。延回到关上，令人报知孔明。孔明先自领兵，出陈仓斜谷，取了建威。后面蜀兵陆续进发。后主又命大将陈式来助。孔明驱大兵复出祁山。安下营寨，孔明聚众言曰："吾二次出祁山，不得其利；今又到此，吾料魏人必依旧战之地，与吾相敌。彼意疑我取雍、郿二处，必以兵拒守；吾观阴平、武都二郡，与汉连接，若得此城，亦可分魏兵之势。何人敢取之？"姜维曰："某愿往。"王平应曰："某亦愿往。"孔明大喜，遂令姜维引兵一万取武都，王平引兵一万取阴平。二人领兵去了。

再说张郃回到长安，见郭淮、孙礼，说："陈仓已失，郝昭已亡，散关亦被蜀兵夺了。今孔明复出祁山，分道进兵。"淮大惊曰："若如此，必取雍、郿矣！"乃留张郃守长安，令孙礼保雍城。淮自引兵星夜来郿城守御，一面上表入洛阳告急。

却说魏主曹睿设朝，近臣奏曰："陈仓城已失，郝昭已亡，诸葛亮又出祁山，散关亦被蜀兵夺了。"睿大惊。忽又奏满宠等有表，说："东吴孙权僭称帝号，与蜀同盟。今遣陆逊在武昌训练人马,听候调用。只在旦夕,必入寇矣。"睿闻知两处危急,举止失措,甚是惊慌。此时曹真病未痊,即召司马懿商议。懿奏曰:"以臣愚意所料,东吴必不举兵。"睿曰:"卿何以知之?"懿曰:"孔明尝思报猇亭之仇,非不欲吞吴也,只恐中原乘虚击彼,故暂与东吴结盟。陆逊亦知其意,故假作兴兵之势以应之,实是坐观成败耳。陛下不必防吴,只须防蜀。"睿曰:"卿真高见!"遂封懿为大都督,总摄陇西诸路军马,令近臣取曹真总兵将印来。懿曰:"臣自去取之。"遂辞帝出朝,径到曹真府下,先令人入府报知,懿方进见。问病毕,懿曰:"东吴、西蜀会合,兴兵入寇,今孔明又出祁山下寨,明公知之乎?"真惊讶曰:"吾家人知我病重,不令我知。似此国家危急,何不拜仲达为都督,以退蜀兵耶?"懿曰:"某才薄智浅,不称其职。"真曰:"取印与仲达。"懿曰:"都督少虑。某愿助一臂之力,——只不敢受此印也。"真跃起曰:"如仲达不领此任,中国必危矣!吾当抱病见帝以保之!"懿曰:"天子已有恩命,但懿不敢受耳。"真大喜曰:"仲达今领此任,可退蜀兵。"懿见真再三让印,遂受之,入内辞了魏主,引兵往长安来与孔明决战。正是:旧帅印为新帅取,两路兵惟一路来。未知胜负如何,且看下文分解。

第九十九回

诸葛亮大破魏兵　司马懿入寇西蜀

蜀汉建兴七年夏四月，孔明兵在祁山，分作三寨，专候魏兵。

却说司马懿引兵到长安，张郃接见，备言前事。懿令郃为先锋，戴陵为副将，引十万兵到祁山，于渭水之南下寨。郭淮、孙礼入寨参见。懿问曰："汝等曾与蜀兵对阵否？"二人答曰："未也。"懿曰："蜀兵千里而来，利在速战；今来此不战，必有谋也。陇西诸路，曾有信息否？"淮曰："已有细作探得各郡十分用心，日夜提防，并无他事。只有武都、阴平二处，未曾回报。"懿曰："吾自差人与孔明交战。汝二人急从小路去救二郡，却掩在蜀兵之后，彼必自乱矣。"二人受计，引兵五千，从陇西小路来救武都、阴平，就袭蜀兵之后。郭淮于路谓孙礼曰："仲达比孔明如何？"礼曰："孔明胜仲达多矣。"淮曰："孔明虽胜，此一计足显仲达有过人之智。蜀兵如正攻两郡，我等从后抄到，彼岂不自乱乎？"正言间，忽哨马来报："阴平已被王平打破了。武都已被姜维打破了。前离蜀兵不远。"礼曰："蜀兵既已打破了城池，如何陈兵于外？必有诈也。不如速退。"郭淮从之。——方传令教军退时，忽然一声炮响，山背后闪出一枝军马来，旗上大书："汉丞相诸葛亮"，中央一辆四轮车，孔明端坐于上；左有关兴，右有张苞。孙、郭二人见之，大惊。孔明大笑曰："郭淮、孙礼休走！司马懿之计，安能瞒得过吾？他每日令人在前交战，却教汝等袭吾军后。武都、阴平吾已取了。汝二人不早来降，欲驱兵与吾决战耶？"郭淮、孙礼听毕，大慌。忽然背后喊杀连天，王平、姜维引兵从后杀来。兴、苞二将又引军从前面杀来。两下夹攻，魏兵大败。郭、孙二人弃马爬山而走。张苞望见，骤马赶来；不期连人带马，跌入涧内。后军急忙救起，头已跌破。孔明令人送回成都养病。

却说郭、孙二人走脱，回见司马懿曰："武都、阴平二郡已失。孔明伏于要路，前后攻杀，因此大败，弃马步行，方得逃回。"懿曰："非汝等之罪，孔明智在吾先。可再引兵守把雍、郿二城，切勿出战。吾自有破敌之策。"二人拜辞而去。懿又唤张郃、戴陵分付曰："今孔明得了武都、阴平，必然抚百姓以安民心，不在营中矣。汝二人各引一万精兵，今夜起身，抄在蜀兵营后，一齐奋勇杀将过来；吾却引军在前布阵，只待蜀兵势乱，吾大驱士马，攻杀进去：两军并力，可夺蜀寨也。若得此地山势，破敌何难？"二人受计引兵而去。戴陵在左，张郃在右，各取小路进发，深入蜀兵之后。三更时分，来到大路，两军相遇，合兵一处，却从蜀兵背后杀来。行不到三十里，前军不行。张、戴二人自纵马视之，只见数百辆草车横截去路。郃曰："此必有准备。可急取路而回。"才传令退军，只见满山火光齐明，鼓角大震，伏兵四下皆出，把二人围住。孔明在祁山上大叫曰："戴陵、张郃可听吾言：司马懿料吾往武都、阴平抚民，不在营中，故令汝二人来劫吾寨，却中吾之计也。汝二人乃无名下将，吾不杀害，下马早降！"郃大怒，指孔明而骂曰："汝乃山野村夫，侵吾大国境界，如何敢发此言！吾若捉住汝时，碎尸万段！"言讫，纵马挺枪，杀上山来。山上矢石如雨。郃不能上山，乃拍马舞枪，冲出重围，无人敢当。蜀兵困戴陵在垓心。郃杀出旧路，不见戴陵，即奋勇翻身又杀入重围，救出戴陵而回。孔明在山上，见郃在万军之中，往来冲突，英勇倍加，乃谓左右曰："尝闻张翼德大战张郃，人皆惊惧。吾今日见之，方知其勇也。若留下此人，必为蜀中之害。吾当除之。"遂收军还营。

却说司马懿引兵布成阵势，只待蜀兵乱动，一齐攻之。忽见张郃、戴陵狼狈而来，告曰："孔明先如此提防，因此大败而归。"懿大惊曰："孔明真神人也！——不如且退。"即传令教大军尽回本寨，坚守不出。

且说孔明大胜，所得器械、马匹，不计其数，乃引大军回寨。每日令魏延挑战，魏兵不出。一连半月，不曾交兵。孔明正在帐中思虑，忽报天子遣侍中费祎赍诏至。孔明接入营中，焚香礼毕，开诏读曰：

> 街亭之役，咎由马谡；而君引愆，深自贬抑。重违君意，听顺所守。前年耀师，馘斩王双；今岁爰征，郭淮遁走；降集氐、羌，复兴二郡：威震凶暴，功勋显然。方今天下骚扰，元恶未枭，君受大任，干国之重，而久自抑损，非所以光扬洪烈矣。今复君丞相，君其勿辞！

孔明听诏毕，谓费祎曰："吾国事未成，安可复丞相之职？"坚辞不受。祎曰："丞相若不受职，拂了天子之意，又冷淡了将士之心。宜且权受。"孔明方才拜受。祎辞去。

孔明见司马懿不出，思得一计，传令教各处皆拔寨而起。当有细作报知司马懿，说孔明退兵了。懿曰："孔明必有大谋，不可轻动。"张郃曰："此必因粮尽而回，如何不追？"懿曰："吾料孔明上年大收，今又麦熟，粮草丰足；虽然转运艰难，亦可支吾半载，安肯便走？彼见吾连日不战，故作此计引诱。可令人远远哨之。"军士探知，回报说："孔明离此三十里下寨。"懿曰："吾料孔明果不走。且坚守寨栅，不可轻进。”住了旬日，绝无音信，并不见蜀将来战。懿再令人哨探，回报说：“蜀兵已起营去了。”懿未信，乃更换衣服，杂在军中，亲自来看，果见蜀兵又退三十里下寨。懿回营谓张郃曰：“此乃孔明之计也，不可追赶。”又住了旬日，再令人哨探。回报说：“蜀兵又退三十里下寨。”郃曰：“孔明用缓兵之计，渐退汉中，都督何故怀疑，不早追之？郃愿往决一战！”懿曰：“孔明诡计极多，倘有差失，丧我军之锐气。不可轻进。”郃曰：“某去若败，甘当军令。”懿曰：“既汝要去，可分兵两枝：汝引一枝先行，须要奋力死战；吾随后接应，以防伏兵。汝次日先进，到半途驻扎，后日交战，使兵力不乏。”遂分兵已毕。次日，张郃、戴陵引副将数十员、精兵三万，奋勇先进，到半路下寨。司马懿留下许多军马守寨，只引五千精兵，随后进发。

原来孔明密令人哨探，见魏兵半路而歇。是夜，孔明唤众将商议曰：“今魏兵来追，必然死战，汝等须以一当十，吾以伏兵截其后：非智勇之将，不可当此任。”言毕，以目视魏延。延低头不语。王平出曰：“某愿当之。”孔明曰：“若有失，如何？”平曰：“愿当军令。”孔明叹曰：“王平肯舍身亲冒矢石，真忠臣也！虽然如此，奈魏兵分两枝前后而来，断吾伏兵在中；平纵然智勇，只可当一头，岂可分身两处？须再得一将同去为妙。怎奈军中再无舍死当先之人！”言未毕，一将出曰：“某愿往！”孔明视之，乃张翼也。孔明曰：“张郃乃魏之名将，有万夫不当之勇，汝非敌手。”翼曰：“若有失事，愿献首于帐下。”孔明曰：“汝既敢去，可与王平各引一万精兵伏于山谷中；只待魏兵赶上，任他过尽，汝等却引伏兵从后掩杀。若司马懿随后赶来，却分兵两头：张翼引一军当住后队，王平引一军截其前队。两军须要死战。——吾自有别计相助。”二人受计引兵而去。孔明又唤姜维、廖化分付曰：“与汝二人一个锦囊，引三千精兵，偃旗息鼓，伏于前山之上。如见魏兵围住王平、张翼，十分危急，不必去救，只开锦囊看视，自有解危之策。”二人受计引兵而去。又令吴班、吴懿、马忠、张嶷四将，附耳分付曰：“如来日魏兵到，锐气正盛，不可便迎，且战且走。只看关兴引兵来掠阵之时，汝等便回军赶杀，吾自有兵接应。”四将受计引兵而去。又唤关兴分付曰：“汝引五千精兵，伏于山谷；只看山上红旗飐动，却引兵杀出。”兴受计引兵而去。

却说张郃、戴陵领兵前来，骤如风雨。马忠、张嶷、吴懿、吴班四将接着，出马交锋。张郃大怒，驱兵追杀。蜀兵且战且走。魏兵追赶约有二十馀里，时值六月天气，十分炎热，人马汗如泼水。走到五十里外，魏兵尽皆气喘。孔明在山上把红旗一招，关兴引兵杀出。马忠等四将，一齐引兵掩杀回来。张郃、戴陵死战不退。忽然喊声大震，两路军杀出，乃王平、张翼也。各奋勇追杀，截其后路。郃大叫众将曰：“汝等到此，不决一死战，更待何时！”魏兵奋力冲突，不得脱身。忽然背后鼓角喧天，司马懿自领精兵杀到。懿指挥众将，把王平、张翼围在垓心。翼大呼曰：“丞相真神人也！计已算定，必有良谋。吾等当决一死战！”即分兵两路：平引一军截住张郃、戴陵，翼引一军力当司马懿。两头死战，叫杀连天。姜维、廖化在山上探望，见魏兵势大，蜀兵力危，渐渐抵当不住。维谓化曰：“如此危急，可开锦囊看计。”二人拆开视之，内书云：“若司马懿兵来围王平、张翼至急，汝二人可分兵两枝，竟袭司马懿之营；懿必急退，汝可乘乱攻之。营虽不得，可获全胜。”二人大喜，即分兵两路，径袭司马懿营中而去。

原来司马懿亦恐中孔明之计，沿途不住的令人传报。懿正催战间，忽流星马飞报，言蜀兵两路竟取大寨去了。懿大惊失色，乃谓众将曰：“吾料孔明有计，汝等不信，勉强追来，却误了大事!"即提兵急回。军心惶惶乱走。张翼随后掩杀,魏兵大败。张郃、戴陵见势孤,亦望山僻小路而走,蜀兵大胜。背后关兴引兵接应诸路。司马懿大败一阵,奔入寨时,蜀兵已自回去。懿收聚败军,责骂诸将曰:"汝等不知兵法,只凭血气之勇,强欲出战,致有此败。今后切不许妄动,再有不遵,决正军法!"众皆羞惭而退。这一阵,魏军死者极多,遗弃马匹器械无数。

却说孔明收得胜军马入寨,又欲起兵进取。忽报有人自成都来,说张苞身死。孔明闻知,放声大哭,口中吐血,昏绝于地。众人救醒。孔明自此得病卧床不起。诸将无不感激。后人有诗叹曰:

悍勇张苞欲建功,可怜天不助英雄! 武侯泪向西风洒,
为念无人佐鞠躬。

旬日之后,孔明唤董厥、樊建等入帐分付曰:"吾自觉昏沉,不能理事;不如且回汉中养病,再作良图。汝等切勿走泄:司马懿若知,必来攻击。"遂传号令,教当夜暗暗拔寨,皆回汉中。孔明去了五日,懿方得知,乃长叹曰:"孔明真有神出鬼没之计,吾不能及也!"于是司马懿留诸将在寨中,分兵守把各处隘口;懿自班师回。

却说孔明将大军屯于汉中,自回成都养病;文武官僚出城迎接,送入丞相府中,后主御驾自来问病,命御医调治,日渐痊可。

建兴八年秋七月,魏都督曹真病可,乃上表说:"蜀兵数次侵界,屡犯中原,若不剿除,必为后患。今时值秋凉,人马安闲,正当征伐。臣愿与司马懿同领大军,径入汉中,殄灭① 奸党,以清

① 殄(tiǎn)灭——歼灭、消灭。

边境。"魏主大喜,问侍中刘晔曰:"子丹劝朕伐蜀,若何?"晔奏曰:"大将军之言是也。今若不剿除,后必为大患。陛下便可行之。"睿点头。晔出内回家,有众大臣相探,问曰:"闻天子与公计议兴兵伐蜀,此事如何?"晔应曰:"无此事也。蜀有山川之险,非可易图;空费军马之劳,于国无益。"众官皆默然而出。杨暨入内奏曰:"昨闻刘晔劝陛下伐蜀;今日与众臣议,又言不可伐:是欺陛下也。陛下何不召而问之?"睿即召刘晔入内问曰:"卿劝朕伐蜀;今又言不可,何也?"晔曰:"臣细详之,蜀不可伐。"睿大笑。少时,杨暨出内。晔奏曰:"臣昨日劝陛下伐蜀,乃国之大事,岂可妄泄于人?夫兵者,诡道也:事未发切宜秘之。"睿大悟曰:"卿言是也。"自此愈加敬重。旬日内,司马懿入朝,魏主将曹真表奏之事,逐一言之。懿奏曰:"臣料东吴未敢动兵,今日正可乘此去伐蜀。"睿即拜曹真为大司马、征西大都督,司马懿为大将军、征西副都督,刘晔为军师。三人拜辞魏主,引四十万大兵,前行至长安,径奔剑阁,来取汉中。其馀郭淮、孙礼等,各取路而行。

汉中人报入成都。此时孔明病好多时,每日操练人马,习学八阵之法,尽皆精熟,欲取中原;听得这个消息,遂唤张嶷、王平分付曰:"汝二人先引一千兵去守陈仓古道,以当魏兵;吾却提大兵便来接应。"二人告曰:"人报魏军四十万,诈称八十万,声势甚大,如何只与一千兵去守隘口?倘魏兵大至,何以拒之?"孔明曰:"吾欲多与,恐士卒辛苦耳。"嶷与平面面相觑,皆不敢去。孔明曰:"若有疏失,非汝等之罪。不必多言,可疾去。"二人又哀告曰:"丞相欲杀某二人,就此请杀,只不敢去。"孔明笑曰:"何其愚也!吾令汝等去,自有主见:吾昨夜仰观天文,见毕星躔于太阴之分,此月内必有大雨淋漓;魏兵虽有四十万,安敢深入山险之地?因此不用多军,决不受害。吾将大军皆在汉中安居一月,待魏兵退，那时以大兵掩之：以逸待劳，吾十万之众可胜魏兵四十万也。”二人听毕，方大喜，拜辞而去。孔明随统大军出汉中，传令教各处隘口，预备干柴草料细粮，俱够一月人马支用，以防秋雨；将大军宽限一月，先给衣食，伺候出征。

却说曹真、司马懿同领大军，径到陈仓城内，不见一间房屋；寻土人问之，皆言孔明回时放火烧毁。曹真便要从陈仓道进发。懿曰：“不可轻进。我夜观天文，见毕星躔于太阴之分，此月内必有大雨；若深入重地，常胜则可，倘有疏虞，人马受苦，要退则难。且宜在城中搭起窝铺[1]住扎，以防阴雨。”真从其言。未及半月，天雨大降，淋漓不止。陈仓城外，平地水深三尺，军器尽湿，人不得睡，昼夜不安。大雨连降三十日，马无草料，死者无数，军士怨声不绝。传入洛阳，魏主设坛，求晴不得。黄门侍郎王肃上疏曰：

> 前志有之：“千里馈粮，士有饥色；樵苏后爨[2]，师不宿饱。”此谓平途之行军者也。又况于深入险阻，凿路而前，则其为劳，必相百也。今又加之以霖雨，山坂峻滑，众逼而不展，粮远而难继：实行军之大忌也。闻曹真发已逾月，而行方半谷，治道功大，战士悉作：是彼偏得以逸待劳，乃兵家之所惮也。言之前代，则武王伐纣，出关而复还；论之近事，则武、文征权，临江而不济：岂非顺天知时，通于权变者哉？愿陛下念水雨艰剧之故，休息士卒；后日有衅，乘时用之。所谓“悦以犯难，民忘其死”者也。

---

① 窝铺——临时搭盖，供部队歇宿，可避风雨的草棚。

② 樵苏后爨(cuàn)二句——樵，砍柴；苏，打草；爨，烧火作饭。二句是说：现打柴草，然后烧饭，兵士就不能吃饱饭睡觉。

魏主览表，正在犹豫，杨阜、华歆亦上疏谏。魏主即下诏，遣使诏曹真、司马懿还朝。

却说曹真与司马懿商议曰："今连阴三十日，军无战心，各有思归之意，如何禁止？"懿曰："不如且回。"真曰："倘孔明追来，怎生退之？"懿曰："先伏两军断后，方可回兵。"正议间，忽使命来召。二人遂将大军前队作后队，后队作前队，徐徐而退。

却说孔明计算一月秋雨将尽，天尚未晴，自提一军屯于城固，又传令教大军会于赤坡驻扎。孔明升帐唤众将言曰："吾料魏兵必走，魏主必下诏来取曹真、司马懿兵回。吾若追之，必有准备；不如任他且去，再作良图。"忽王平令人报来，说魏兵已回。孔明分付来人，传与王平："不可追袭。吾自有破魏兵之策。"正是：魏兵纵使能埋伏，汉相原来不肯追。未知孔明怎生破魏，且看下文分解。

第一百回

汉兵劫寨破曹真　武侯斗阵辱仲达

却说众将闻孔明不追魏兵，俱入帐告曰：“魏兵苦雨，不能屯扎，因此回去，正好乘势追之。丞相如何不追？”孔明曰：“司马懿善能用兵，今军退必有埋伏。吾若追之，正中其计。不如纵他远去，吾却分兵径出斜谷而取祁山，使魏人不提防也。”众将曰：“取长安之地，别有路途；丞相只取祁山，何也？”孔明曰：“祁山乃长安之首也：陇西诸郡，倘有兵来，必经由此地；更兼前临渭滨，后靠斜谷，左出右入，可以伏兵，乃用武之地。吾故欲先取此，得地利也。”众将皆拜服。孔明令魏延、张嶷、杜琼、陈式出箕谷；马岱、王平、张翼、马忠出斜谷：俱会于祁山。调拨已定，孔明自提大军，令关兴、廖化为先锋，随后进发。

却说曹真、司马懿二人，在后监督人马，令一军入陈仓古道探视，回报说蜀兵不来。又行旬日，后面埋伏众将皆回，说蜀兵全无音耗。真曰：“连绵秋雨，栈道断绝，蜀人岂知吾等退军耶？”懿曰：“蜀兵随后出矣。”真曰：“何以知之？”懿曰：“连日晴明，蜀兵不赶，料吾有伏兵也，故纵我兵远去；待我兵过尽，他却夺祁山矣。”曹真不信。懿曰：“子丹如何不信？吾料孔明必从两谷而来。吾与子丹各守一谷口，十日为期。若无蜀兵来，我面涂红粉，身穿女衣，来营中伏罪。”真曰：“若有蜀兵来，我愿将天子所赐玉带一条、御马一匹与你。”即分兵两路：真引兵屯于祁山之西,斜谷口;懿引军屯于祁山之东,箕谷口。各下寨已毕。懿先引一枝兵伏于山谷中;其馀军马,各于要路安营。懿更换衣装,杂在众军之内,遍观各营。忽到一营,有一偏将仰天而怨曰:"大雨淋了许多时,不肯回去;今又在这里顿住,强要赌赛,却不苦了官军!"懿闻言,归寨升帐,聚众将皆到帐下,挨出那将来。懿叱之曰:"朝廷养军千日,用在一时。汝安敢出怨言,以慢军心!"其人不招。懿叫出同伴之人对证,那将不能抵赖。懿曰:"吾非赌赛;欲胜蜀兵,令汝各人有功回朝。汝乃妄出怨言,自取罪戾!"喝令武士推出斩之。须臾,献首帐下。众将悚然。懿曰:"汝等诸将皆要尽心以防蜀兵。听吾中军炮响,四面皆进。"众将受令而退。

却说魏延、张嶷、陈式、杜琼四将,引二万兵,取箕谷而进。正行之间,忽报参谋邓芝到来。四将问其故,芝曰:"丞相有令:如出箕谷,提防魏兵埋伏,不可轻进。"陈式曰:"丞相用兵何多疑耶?吾料魏兵连遭大雨,衣甲皆毁,必然急归;安得又有埋伏?今吾兵倍道而进,可获大胜,如何又教休进?"芝曰:"丞相计无不中,谋无不成,汝安敢违令?"式笑曰:"丞相若果多谋,不致街亭之失!"魏延想起孔明向日不听其计,亦笑曰:"丞相若听吾言,径出子午谷,此时休说长安,连洛阳皆得矣! 今执定要出祁山,有何益耶?既令进兵,今又教休进,何其号令不明!"式曰:"吾自有五千兵,径出箕谷,先到祁山下寨,看丞相羞也不羞!"芝再三阻当,式只不听,径自引五千兵出箕谷去了。邓芝只得飞报孔明。

却说陈式引兵行不数里,忽听的一声炮响,四面伏兵皆出。式急退时,魏兵塞满谷口,围得铁桶相似。式左冲右突,不能得脱。忽闻喊声大震,一彪军杀入,乃是魏延。救了陈式,回到谷中，五千兵只剩得四五百带伤人马。背后魏兵赶来，却得杜琼、张嶷引兵接应，魏兵方退。陈、魏二人方信孔明先见如神，懊悔不及。

且说邓芝回见孔明，言魏延、陈式如此无礼。孔明笑曰："魏延素有反相，吾知彼常有不平之意；因怜其勇而用之。——久后必生患害。"正言间，忽流星马报到，说陈式折了四千馀人，止有四五百带伤人马，屯在谷中。孔明令邓芝再来箕谷抚慰陈式，防其生变；一面唤马岱、王平分付曰："斜谷若有魏兵守把，汝二人引本部军越山岭，夜行昼伏，速出祁山之左，举火为号。"又唤马忠、张翼分付曰："汝等亦从山僻小路，昼伏夜行，径出祁山之右，举火为号，与马岱、王平会合，共劫曹真营寨。吾自从谷中三面攻之，魏兵可破也。"四人领命分头引兵去了。孔明又唤关兴、廖化分付曰：如此如此。二人受了密计，引兵而去。孔明自领精兵倍道而行。正行间，又唤吴班、吴懿授与密计，亦引兵先行。

却说曹真心中不信蜀兵来，以此怠慢，纵令军士歇息；只等十日无事，要羞司马懿。不觉守了七日，忽有人报谷中有些小蜀兵出来。真令副将秦良引五千兵哨探，不许纵令蜀兵近界。秦良领命，引兵刚到谷口，哨见蜀兵退去。良急引兵赶来，行到五六十里，不见蜀兵，心下疑惑，教军士下马歇息。忽哨马报说："前面有蜀兵埋伏。"良上马看时，只见山中尘土大起，急令军士提防。不一时，四壁厢喊声大震：前面吴班、吴懿引兵杀出，背后关兴、廖化引兵杀来。左右是山，皆无走路。山上蜀兵大叫："下马投降者免死！"魏兵大半多降。秦良死战，被廖化一刀斩于马下。孔明把降兵拘于后军，却将魏兵衣甲与蜀兵五千人穿了，扮作魏兵，令关兴、廖化、吴班、吴懿四将引着，径奔曹真寨来；先令报马入寨说："只有些小蜀兵，尽赶去了。"真大喜。忽报司马都督差心腹人至。真唤入问之。其人告曰:“今都督用埋伏计,杀蜀兵四千馀人。司马都督致意将军,教休将赌赛为念,务要用心提备。”真曰:“吾这里并无一个蜀兵。”遂打发来人回去。忽又报秦良引兵回来了。真自出帐迎之。比及到寨,人报前后两把火起。真急回寨后看时,关兴、廖化、吴班、吴懿四将,指麾蜀军,就营前杀将进来;马岱、王平从后面杀来;马忠、张翼亦引兵杀到。魏军措手不及,各自逃生。众将保曹真望东而走,背后蜀兵赶来。曹真正奔走,忽然喊声大震,一彪军杀到。真胆战心惊,视之,乃司马懿也。懿大战一场,蜀兵方退。真得脱,羞惭无地。懿曰:“诸葛亮夺了祁山地势,吾等不可久居此处;宜去渭滨安营,再作良图。”真曰:“仲达何以知吾遭此大败也?”懿曰:“见来人报称子丹说并无一个蜀兵,吾料孔明暗来劫寨,因此知之,故相接应。今果中计。切莫言赌赛之事,只同心报国。”曹真甚是惶恐,气成疾病,卧床不起。兵屯渭滨,懿恐军心有乱,不敢教真引兵。

却说孔明大驱士马,复出祁山。劳军已毕,魏延、陈式、杜琼、张嶷入帐拜伏请罪。孔明曰:“是谁失陷了军来?”延曰:“陈式不听号令,潜入谷口,以此大败。”式曰:“此事魏延教我行来。”孔明曰:“他倒救你,你反攀他! 将令已违,不必巧说!”即叱武士推出陈式斩之。须臾,悬首于帐前,以示诸将。——此时孔明不杀魏延,欲留之以为后用也。孔明既斩了陈式,正议进兵,忽有细作报说曹真卧病不起,现在营中治疗。孔明大喜,谓诸将曰:“若曹真病轻,必便回长安。今魏兵不退,必为病重,故留于军中,以安众人之心。吾写下一书,教秦良的降兵持与曹真,真若见之,必然死矣!”遂唤降兵至帐下,问曰:“汝等皆是魏军,父母妻子多在中原,不宜久居蜀中。今放汝等回家,若何?”众军泣泪拜谢。孔明曰:“曹子丹与吾有约;吾有一书,汝等带回,送与子丹,必有重赏。”魏军领了书,奔回本寨,将孔明书呈与曹真。真扶病而起,拆封视之。其书曰:

汉丞相、武乡侯诸葛亮,致书于大司马曹子丹之前:窃谓夫为将者,能去能就,能柔能刚;能进能退,能弱能强。不动如山岳,难测如阴阳;无穷如天地,充实如太仓;浩渺如四海,眩曜如三光。预知天文之旱涝,先识地理之平康;察阵势之期会,揣敌人之短长。嗟尔无学后辈,上逆穹苍;助篡国之反贼,称帝号于洛阳;走残兵于斜谷,遭霖雨于陈仓;水陆困乏,人马猖狂;抛盈郊之戈甲,弃满地之刀枪;都督心崩而胆裂,将军鼠窜而狼忙! 无面见关中之父老,何颜入相府之厅堂! 史官秉笔而记录,百姓众口而传扬:仲达闻阵而惕惕,子丹望风而遑遑! 吾军兵强而马壮,大将虎奋以龙骧;扫秦川为平壤,荡魏国作丘荒!

曹真看毕,恨气填胸;至晚,死于军中。司马懿用兵车装载,差人送赴洛阳安葬。魏主闻知曹真已死,即下诏催司马懿出战。懿提大军来与孔明交锋,隔日先下战书。

孔明谓诸将曰:“曹真必死矣。”遂批回“来日交锋”,使者去了。孔明当夜教姜维受了密计:如此而行;又唤关兴分付:如此如此。次日,孔明尽起祁山之兵前到渭滨:一边是河,一边是山,中央平川旷野,好片战场! 两军相迎,以弓箭射住阵角。三通鼓罢,魏阵中门旗开处,司马懿出马,众将随后而出。只见孔明端坐于四轮车上,手摇羽扇。懿曰:“吾主上法尧禅舜,相传二帝,坐镇中原,容汝蜀、吴二国者,乃吾主宽慈仁厚,恐伤百姓也。汝乃南阳一耕夫,不识天数,强要相侵,理宜殄灭! 如省心改过,宜即早回,各守疆界,以成鼎足之势,免致生灵涂炭,汝等皆得全生!”孔明笑曰:“吾受先帝托孤之重,安肯不倾心竭力以讨贼乎!汝曹氏不久为汉所灭。汝祖父皆为汉臣,世食汉禄,不思报效,反助篡逆,岂不自耻?”懿羞惭满面曰:“吾与汝决一雌雄!汝若能胜,吾誓不为大将!汝若败时,早归故里,吾并不加害。”

孔明曰:“汝欲斗将?斗兵?斗阵法?”懿曰:“先斗阵法。”孔明曰:“先布阵我看。”懿入中军帐下,手执黄旗招飐,左右军动,排成一阵。复上马出阵,问曰:“汝识吾阵否?”孔明笑曰:“吾军中末将,亦能布之。——此乃‘混元一气阵’也。”懿曰:“汝布阵我看。”孔明入阵,把羽扇一摇,复出阵前,问曰:“汝识我阵否?”懿曰:“量此‘八卦阵’,如何不识!”孔明曰:“识便识了,敢打我阵否?”懿曰:“既识之,如何不敢打!”孔明曰:“汝只管打来。”司马懿回到本阵中,唤戴陵、张虎、乐綝三将,分付曰:“今孔明所布之阵,按休、生、伤、杜、景、死、惊、开八门。汝三人可从正东‘生门’打入,往西南‘休门’杀出,复从正北‘开门’杀入:此阵可破。汝等小心在意!”于是戴陵在中,张虎在前,乐綝在后,各引三十骑,从生门打入。两军呐喊相助。三人杀入蜀阵,只见阵如连城,冲突不出。三人慌引骑转过阵脚,往西南冲去,却被蜀兵射住,冲突不出。阵中重重叠叠,都有门户,那里分东西南北?三将不能相顾,只管乱撞,但见愁云漠漠,惨雾蒙蒙。喊声起处,魏军一个个皆被缚了,送到中军。孔明坐于帐中,左右将张虎、戴陵、乐綝并九十个军,皆缚在帐下。孔明笑曰:“吾纵然捉得汝等,何足为奇!吾放汝等回见司马懿,教他再读兵书,重观战策,那时来决雌雄,未为迟也。汝等性命既饶,当留下军器战马。”遂将众人衣服脱了,以墨涂面,步行出阵。司马懿见之大怒,回顾诸将曰:“如此挫败锐气,有何面目回见中原大臣耶!”即指挥三军,奋死掠阵。懿自拔剑在手,引百馀骁将,催督冲杀。两军恰才相会,忽然阵后鼓角齐鸣,喊声大震,一彪军从西南上杀来,乃关兴也。懿分后军当之,复催军向前厮杀。忽然魏兵大乱:原来姜维引一彪军悄地杀来,蜀兵三路夹攻。懿大惊,急忙退军。蜀兵周围杀到,懿引三军望南死命冲出。魏兵十伤六七。司马懿退在渭滨南岸下寨,坚守不出。

孔明收得胜之兵,回到祁山时,永安城李严遣都尉苟安解送粮米,至军中交割。苟安好酒,于路怠慢,违限十日。孔明大怒曰:"吾军中专以粮为大事,误了三日,便该处斩! 汝今误了十日,有何理说?"喝令推出斩之。长史杨仪曰:"苟安乃李严用人,又兼钱粮多出于西川,若杀此人,后无人敢送粮也。"孔明乃叱武士去其缚,杖八十放之。苟安被责,心中怀恨,连夜引亲随五六骑,径奔魏寨投降。懿唤入,苟安拜告前事。懿曰:"虽然如此,孔明多谋,汝言难信。汝能为我干一件大功,吾那时奏准天子,保汝为上将。"安曰:"但有甚事,即当效力。"懿曰:"汝可回成都布散流言,说孔明有怨上之意,早晚欲称为帝,使汝主召回孔明:即是汝之功矣。"苟安允诺,径回成都,见了宦官,布散流言,说孔明自倚大功,早晚必将篡国。宦官闻知大惊,即入内奏帝,细言前事。后主惊讶曰:"似此如之奈何?"宦官曰:"可诏还成都,削其兵权,免生叛逆。"后主下诏,宣孔明班师回朝。蒋琬出班奏曰:"丞相自出师以来,累建大功,何故宣回?"后主曰:"朕有机密事,必须与丞相面议。"即遣使赍诏星夜宣孔明回。使命径到祁山大寨,孔明接入,受诏已毕,仰天叹曰:"主上年幼,必有佞臣在侧! 吾正欲建功,何故取回? 我如不回,是欺主矣。若奉命而退,日后再难得此机会也。"姜维问曰:"若大军退,司马懿乘势掩杀,当复如何?"孔明曰:"吾今退军,可分五路而退。今日先退此营，假如营内一千兵，却掘二千灶，明日掘三千灶，后日掘四千灶：每日退军，添灶而行。”杨仪曰：“昔孙膑擒庞涓，用添兵减灶之法而取胜；今丞相退兵，何故增灶？”孔明曰：“司马懿善能用兵，知吾兵退，必然追赶；心中疑吾有伏兵，定于旧营内数灶；见每日增灶，兵又不知退与不退，则疑而不敢追。吾徐徐而退，自无损兵之患。”遂传令退军。

却说司马懿料苟安行计停当，只待蜀兵退时，一齐掩杀。正踌躇间，忽报蜀寨空虚，人马皆去。懿因孔明多谋，不敢轻追，自引百馀骑前来蜀营内踏看，教军士数灶，仍回本寨；次日，又教军士赶到那个营内，查点灶数。回报说：“这营内之灶，比前又增一分。”司马懿谓诸将曰：“吾料孔明多谋，今果添兵增灶，吾若追之，必中其计；不如且退，再作良图。”于是回军不追。孔明不折一人，望成都而后。次后，川口土人来报司马懿，说孔明退兵之时，未见添兵，只见增灶。懿仰天长叹曰：“孔明效虞诩[1]之法，瞒过吾也！其谋略吾不如之！”遂引大军还洛阳。正是：棋逢敌手难相胜，将遇良才不敢骄。未知孔明退回成都，竟是如何，且看下文分解。

---

① 虞诩——东汉武都太守。羌兵曾在陈仓、崤谷拦截虞诩；虞诩用每天“增灶”的计策，迷惑对方，使之不敢追击，最后打败了羌兵。

第一百一回

出陇上诸葛妆神　奔剑阁张郃中计

却说孔明用减兵添灶之法，退兵到汉中；司马懿恐有埋伏，不敢追赶，亦收兵回长安去了，因此蜀兵不曾折了一人。孔明大赏三军已毕，回到成都，入见后主，奏曰："老臣出了祁山，欲取长安，忽承陛下降诏召回，不知有何大事？"后主无言可对；良久，乃曰："朕久不见丞相之面，心甚思慕，故特诏回，一无他事。"孔明曰："此非陛下本心，必有奸臣谗谮，言臣有异志也。"后主闻言，默然无语。孔明曰："老臣受先帝厚恩，誓以死报。今若内有奸邪，臣安能讨贼乎？"后主曰："朕因过听[1]宦官之言，一时召回丞相。今日茅塞方开，悔之不及矣！"孔明遂唤众宦官究问，方知是苟安流言；急令人捕之，已投魏国去了。孔明将妄奏的宦官诛戮，馀皆废出宫外；又深责蒋琬、费祎等不能觉察奸邪，规谏天子。二人唯唯服罪。孔明拜辞后主，复到汉中，一面发檄令李严应付粮草，仍运赴军前；一面再议出师。杨仪曰："前数兴兵，军力罢敝，粮又不继；今不如分兵两班，以三个月为期：且如二十万之兵，只领十万出祁山，住了三个月，却教这十万替回，循环相转。若此则兵力不乏，然后徐徐而进，中原可图矣。"孔明曰："此言正合我意。吾伐中原，非一朝一夕之事，正当为此长久之计。"

---

① 过听——误听。

遂下令，分兵两班，限一百日为期，循环相转，违限者按军法处治。

建兴九年春二月，孔明复出师伐魏。时魏太和五年也。魏主曹睿知孔明又伐中原，急召司马懿商议。懿曰："今子丹已亡，臣愿竭一人之力，剿除寇贼，以报陛下。"睿大喜，设宴待之。次日，人报蜀兵寇急。睿即命司马懿出师御敌，亲排銮驾送出城外。懿辞了魏主，径到长安，大会诸路人马，计议破蜀兵之策。张郃曰："吾愿引一军去守雍、郿，以拒蜀兵。"懿曰："吾前军不能独当孔明之众，而又分兵为前后，非胜算也。不如留兵守上邽，馀众悉往祁山。公肯为先锋否?"郃大喜曰："吾素怀忠义，欲尽心报国，惜未遇知己；今都督肯委重任，虽万死不辞!"于是司马懿令张郃为先锋，总督大军。又令郭淮守陇西诸郡，其馀众将各分道而进。前军哨马报说："孔明率大军望祁山进发，前部先锋王平、张嶷，径出陈仓，过剑阁，由散关望斜谷而来。"司马懿谓张郃曰："今孔明长驱大进，必将割陇西小麦，以资军粮。汝可结营守祁山，吾与郭淮巡略天水诸郡，以防蜀兵割麦。"郃领诺，遂引四万兵守祁山。懿引大军望陇西而去。

却说孔明兵至祁山，安营已毕，见渭滨有魏军提备，乃谓诸将曰："此必是司马懿也。即今营中乏粮，屡遣人催并李严运米应付，却只是不到。吾料陇上麦熟，可密引兵割之。"于是留王平、张嶷、吴班、吴懿四将守祁山营，孔明自引姜维、魏延等诸将，前到卤城。卤城太守素知孔明，慌忙开城出降。孔明抚慰毕，问曰："此时何处麦熟?"太守告曰："陇上麦已熟。"孔明乃留张翼、马忠守卤城，自引诸将并三军望陇上而来。前军回报说："司马懿引兵在此。"孔明惊曰："此人预知吾来割麦也!"即沐浴更衣，推过一般三辆四轮车来，车上皆要一样妆饰。——此车乃孔明在蜀中预先造下的。当下令姜维引一千军护车,五百军擂鼓,伏在上邽之后;马岱在左,魏延在右,亦各引一千军护车,五百军擂鼓。每一辆车,用二十四人,皂衣跣足,披发仗剑,手执七星皂旛,在左右推车。三人各受计,引兵推车而去。孔明又令三万军皆执镰刀、驮绳,伺候割麦。却选二十四个精壮之士,各穿皂衣,披发跣足,仗剑簇拥四轮车,为推车使者。令关兴结束做天蓬①模样,手执七星皂旛,步行于车前。孔明端坐于上,望魏营而来。

哨探军见之大惊,不知是人是鬼,火速报知司马懿。懿自出营视之,只见孔明簪冠鹤氅,手摇羽扇,端坐于四轮车上;左右二十四人,披发仗剑;前面一人,手执皂旛,隐隐似天神一般。懿曰:"这个又是孔明作怪也!"遂拨二千人马分付曰:"汝等疾去,连车带人,尽情都捉来!"魏兵领命,一齐追赶。孔明见魏兵赶来,便教回车,遥望蜀营缓缓而行。魏兵皆骤马追赶,但见阴风习习,冷雾漫漫。尽力赶了一程,追之不上。各人大惊,都勒住马言曰:"奇怪!我等急急赶了三十里,只见在前,追之不上。如之奈何?"孔明见兵不来,又令推车过来,朝着魏兵歇下。魏兵犹豫良久,又放马赶来。孔明复回车慢慢而行。魏兵又赶了二十里,只见在前,不曾赶上,尽皆痴呆。孔明教回过车,朝着魏军,推车倒行。魏兵又欲追赶。后面司马懿自引一军到,传令曰:"孔明善会八门遁甲,能驱六丁六甲之神。此乃六甲天书内'缩地'② 之法也。众军不可追之。"众军方勒马回时,左势下战鼓大震,一彪军杀来。懿急令兵拒之,只见蜀兵队里二十四人,披

---

① 天蓬——指天蓬元帅,古代神怪传说中的天神。

② 缩地——古代神仙传说:东汉人费长房,有仙术,一天之内,能和千里以外几个地方的人见面,说是"缩地术"。

发仗剑，皂衣跣足，拥出一辆四轮车；车上端坐孔明，簪冠鹤氅，手摇羽扇。懿大惊曰："方才那个车上坐着孔明，赶了五十里，追之不上；如何这里又有孔明？怪哉！怪哉！"言未毕，右势下战鼓又鸣，一彪军杀来，四轮车上亦坐着一个孔明，左右亦有二十四人，皂衣跣足，披发仗剑，拥车而来。懿心中大疑，回顾诸将曰："此必神兵也！"众军心下大乱，不敢交战，各自奔走。

正行之际，忽然鼓声大震，又一彪军杀来：当先一辆四轮车，孔明端坐于上，左右前后推车使者，同前一般。魏兵无不骇然。司马懿不知是人是鬼，又不知多少蜀兵，十分惊惧，急急引兵奔入上邽，闭门不出。此时孔明早令三万精兵将陇上小麦割尽，运赴卤城打晒去了。司马懿在上邽城中，三日不敢出城。后见蜀兵退去，方敢令军出哨；于路捉得一蜀兵，来见司马懿。懿问之，其人告曰："某乃割麦之人，因走失马匹，被捉前来。"懿曰："前者是何神兵？"答曰："三路伏兵，皆不是孔明，乃姜维、马岱、魏延也。——每一路只有一千军护车，五百军擂鼓。——只是先来诱阵的车上乃孔明也。"懿仰天长叹曰："孔明有神出鬼没之机！"忽报副都督郭淮入见。懿接入，礼毕，淮曰："吾闻蜀兵不多，现在卤城打麦，可以击之。"懿细言前事。淮笑曰："只瞒过一时；今已识破，何足道哉！吾引一军攻其后，公引一军攻其前，卤城可破，孔明可擒矣。"懿从之，遂分兵两路而来。

却说孔明引军在卤城打晒小麦，忽唤诸将听令曰："今夜敌人必来攻城。吾料卤城东西麦田之内，足可伏兵；谁敢为我一往？"姜维、魏延、马忠、马岱四将出曰："某等愿往。"孔明大喜，乃命姜维、魏延各引二千兵，伏在东南、西北两处；马岱、马忠各引二千兵，伏在西南、东北两处："只听炮响，四角一齐杀来。"四将受计，引兵去了。孔明自引百馀人，各带火炮出城，伏在麦田之内等候。

却说司马懿引兵径到卤城下，日已昏黑，乃谓诸将曰："若白日进兵，城中必有准备；今可乘夜晚攻之。此处城低壕浅，可便打破。"遂屯兵城外。一更时分，郭淮亦引兵到。两下合兵，一声鼓响，把卤城围得铁桶相似。城上万弩齐发，矢石如雨，魏兵不敢前进。忽然魏军中信炮连声，三军大惊，又不知何处兵来。淮令人去麦田搜时，四角上火光冲天，喊声大震，四路蜀兵，一齐杀至；卤城四门大开，城内兵杀出：里应外合，大杀了一阵，魏兵死者无数。司马懿引败兵奋死突出重围，占住了山头；郭淮亦引败兵奔到山后扎住。孔明入城，令四将于四角下安营。郭淮告司马懿曰："今与蜀兵相持许久，无策可退；目下又被杀了一阵，折伤三千馀人；若不早图，日后难退矣。"懿曰："当复如何？"淮曰："可发檄文调雍、凉人马并力剿杀。吾愿引军袭剑阁，截其归路，使彼粮草不通，三军慌乱：那时乘势击之，敌可灭矣。"懿从之，即发檄文星夜往雍、凉调拨人马。不一日，大将孙礼引雍、凉诸郡人马到。懿即令孙礼约会郭淮去袭剑阁。

却说孔明在卤城相拒日久，不见魏兵出战，乃唤姜维、马岱入城听令曰："今魏兵守住山险，不与我战：一者料吾麦尽无粮；二者令兵去袭剑阁，断吾粮道也。汝二人各引一万军先去守住险要，魏兵见有准备，自然退去。"二人引兵去了。长史杨仪入帐告曰："向者丞相令大兵一百日一换，今已限足，汉中兵已出川口，前路公文已到，只待会兵交换：现存八万军，内四万该与换班。"孔明曰："既有令，便教速行。"众军闻知，各各收拾起程。忽报孙礼引雍、凉人马二十万来助战，去袭剑阁，司马懿自引兵来攻卤城了。蜀兵无不惊骇。杨仪入告孔明曰："魏兵来得甚急，丞相可将换班军且留下退敌，待新来兵到，然后换之。"孔明曰：

“不可。吾用兵命将，以信为本；既有令在先，岂可失信？且蜀兵应去者，皆准备归计，其父母妻子倚扉而望；吾今便有大难，决不留他。”即传令教应去之兵，当日便行。众军闻之，皆大呼曰：“丞相如此施恩于众，我等愿且不回，各舍一命，大杀魏兵，以报丞相！”孔明曰：“尔等该还家，岂可复留于此？”众军皆要出战，不愿回家。孔明曰：“汝等既要与我出战，可出城安营，待魏兵到，莫待他息喘，便急攻之：此以逸待劳之法也。”众兵领命，各执兵器，欢喜出城，列阵而待。

却说西凉人马倍道而来，走的人马困乏；方欲下营歇息，被蜀兵一拥而进，人人奋勇，将锐兵骁，雍、凉兵抵敌不住，望后便退。蜀兵奋力追杀，杀得那雍、凉兵尸横遍野，血流成渠。孔明出城，收聚得胜之兵，入城赏劳。忽报永安李严有书告急。孔明大惊，拆封视之。书云：

近闻东吴令人入洛阳，与魏连和；魏令吴取蜀，幸吴尚未起兵。今严探知消息，伏望丞相，早作良图。

孔明览毕，甚是惊疑，乃聚诸将曰：“若东吴兴兵寇蜀，吾须索[①] 速回也。”即传令，教祁山大寨人马，且退回西川：“司马懿知吾屯军在此，必不敢追赶。”于是王平、张嶷、吴班、吴懿，分兵两路，徐徐退入西川去了。

张郃见蜀兵退去，恐有计策，不敢来追，乃引兵往见司马懿曰：“今蜀兵退去，不知何意？”懿曰：“孔明诡计极多，不可轻动。不如坚守，待他粮尽，自然退去。”大将魏平出曰：“蜀兵拔祁山之营而退，正可乘势追之，都督按兵不动，畏蜀如虎，奈天下笑何？”懿坚执不从。

---

① 须索——定要、必须的意思。

却说孔明知祁山兵已回，遂令杨仪、马忠入帐，授以密计，令先引一万弓弩手，去剑阁木门道，两下埋伏；若魏兵追到，听吾炮响，急滚下木石，先截其去路，两头一齐射之。二人引兵去了。又唤魏延、关兴引兵断后，城上四面遍插旌旗，城内乱堆柴草，虚放烟火。大兵尽望木门道而去。

魏营巡哨军来报司马懿曰："蜀兵大队已退，但不知城中还有多少兵。"懿自往视之，见城上插旗，城中烟起，笑曰："此乃空城也。"令人探之，果是空城。懿大喜曰："孔明已退，谁敢追之？"先锋张郃曰："吾愿往。"懿阻曰："公性急躁，不可去。"郃曰："都督出关之时，命吾为先锋；今日正是立功之际，却不用吾，何也？"懿曰："蜀兵退去，险阻处必有埋伏，须十分仔细，方可追之。"郃曰："吾已知得，不必挂虑。"懿曰："公自欲去，莫要追悔。"郃曰："大丈夫舍身报国，虽万死无恨。"懿曰："公既坚执要去，可引五千兵先行；却教魏平引二万马步兵后行，以防埋伏。吾却引三千兵随后策应。"张郃领命，引兵火速望前追赶。行到三十馀里，忽然背后一声喊起，树林内闪出一彪军，为首大将，横刀勒马大叫曰："贼将引兵那里去！"郃回头视之，乃魏延也。郃大怒，回马交锋。不十合，延诈败而走。郃又追赶三十馀里，勒马回顾，全无伏兵，又策马前追。方转过山坡，忽喊声大起，一彪军闪出，为首大将，乃关兴也，横刀勒马大叫曰："张郃休赶！有吾在此！"郃就拍马交锋。不十合，兴拨马便走。郃随后追之。赶到一密林内，郃心疑，令人四下哨探，并无伏兵；于是放心又赶。不想魏延却抄在前面；郃又与战十馀合，延又败走。郃奋怒追来，又被关兴抄在前面，截住去路。郃大怒，拍马交锋，战有十合，——蜀兵尽弃衣甲什物等件，塞满道路，魏军皆下马争取。延、兴二将，轮流交战，张郃奋勇追赶。看看天晚，赶到木门道口，魏延拨回马，高声大骂曰："张郃逆贼！吾不与汝相拒，汝只顾赶来，吾今与汝决一死战！"郃十分忿怒，挺枪骤马，直取魏延。延挥刀来迎。战不十合，延大败，尽弃衣甲、头盔，匹马引败兵望木门道中而走。张郃杀得性起，又见魏延大败而逃，乃骤马赶来。此时天色昏黑，一声炮响，山上火光冲天，大石乱柴滚将下来，阻截去路。郃大惊曰："我中计矣！"急回马时，背后已被木石塞满了归路，中间只有一段空地，两边皆是峭壁，郃进退无路。忽一声梆子响，两下万弩齐发，将张郃并百馀个部将，皆射死于木门道中。后人有诗曰：

伏弩齐飞万点星，木门道上射雄兵。至今剑阁行人过，犹说军师旧日名。

却说张郃已死，随后魏兵追到，见塞了道路，已知张郃中计。众军勒回马急退。忽听得山头上大叫曰："诸葛丞相在此！"众军仰视，只见孔明立于火光之中，指众军而言曰："吾今日围猎，欲射一'马'，误中一'獐'。汝各人安心而去；上覆仲达：早晚必为吾所擒矣。"魏兵回见司马懿，细告前事。懿悲伤不已，仰天叹曰："张儁乂身死，吾之过也！"乃收兵回洛阳。魏主闻张郃死，挥泪叹息，令人收其尸，厚葬之。

却说孔明入汉中，欲归成都见后主。都护李严妄奏后主曰："臣已办备军粮，行将运赴丞相军前，不知丞相何故忽然班师。"后主闻奏，即命尚书费祎入汉中见孔明，问班师之故。祎至汉中，宣后主之意。孔明大惊曰："李严发书告急，说东吴将兴兵寇川，因此回师。"费祎曰："李严奏称军粮已办，丞相无故回师，天子因此命某来问耳。"孔明大怒，令人访察：乃是李严因军粮不济，怕丞相见罪，故发书取回，却又妄奏天子，遮饰己过。孔明大怒曰："匹夫为一己之故，废国家大事！"令人召至，欲斩之。费祎劝曰："丞相念先帝托孤之意，姑且宽恕。"孔明从之。费祎即具表启奏后主。后主览表，勃然大怒，叱武士推李严出斩之。参军蒋琬出班奏曰："李严乃先帝托孤之臣，乞望恩宽恕。"后主从之，即谪为庶人，徙于梓潼郡闲住。

孔明回到成都，用李严子李丰为长史；积草屯粮，讲阵论武，整治军器，存恤[1] 将士：三年然后出征。两川人民军士，皆仰其恩德。光阴荏苒，不觉三年：时建兴十二年春二月。孔明入朝奏曰："臣今存恤军士，已经三年。粮草丰足，军器完备，人马雄壮，可以伐魏。今番若不扫清奸党，恢复中原，誓不见陛下也！"后主曰："方今已成鼎足之势，吴、魏不曾入寇，相父何不安享太平？"孔明曰："臣受先帝知遇之恩，梦寐之间，未尝不设伐魏之策。竭力尽忠，为陛下克复中原，重兴汉室：臣之愿也。"言未毕，班部中一人出曰："丞相不可兴兵。"众视之，乃谯周也。正是：武侯尽瘁惟忧国，太史知机又论天。未知谯周有何议论，且看下文分解。

① 存恤——慰问、抚恤。

第一百二回

司马懿占北原渭桥　诸葛亮造木牛流马

却说谯周官居太史，颇明天文；见孔明又欲出师，乃奏后主曰："臣今职掌司天台，但有祸福，不可不奏：近有群鸟数万，自南飞来，投于汉水而死，此不祥之兆；臣又观天象，见奎星躔于太白之分，盛气在北，不利伐魏；又成都人民，皆闻柏树夜哭：有此数般灾异，丞相只宜谨守，不可妄动。"孔明曰："吾受先帝托孤之重，当竭力讨贼，岂可以虚妄之灾氛，而废国家大事耶！"遂命有司设太牢祭于昭烈之庙，涕泣拜告曰："臣亮五出祁山，未得寸土，负罪非轻！今臣复统全师，再出祁山，誓竭力尽心，剿灭汉贼，恢复中原，鞠躬尽瘁，死而后已！"祭毕，拜辞后主，星夜至汉中，聚集诸将，商议出师。忽报关兴病亡。孔明放声大哭，昏倒于地，半晌方苏。众将再三劝解，孔明叹曰："可怜忠义之人，天不与以寿！我今番出师，又少一员大将也！"后人有诗叹曰：

生死人常理，蜉蝣一样空。但存忠孝节，何必寿乔松。

孔明引蜀兵三十四万，分五路而进，令姜维、魏延为先锋，皆出祁山取齐；令李恢先运粮草于斜谷道口伺候。

却说魏国因旧岁有青龙自摩坡井内而出，改为青龙元年；此时乃青龙二年春二月也。近臣奏曰："边官飞报蜀兵三十馀万，分五路复出祁山。"魏主曹睿大惊，急召司马懿至，谓曰："蜀人三年不曾入寇；今诸葛亮又出祁山，如之奈何？"懿奏曰："臣夜观天象,见中原旺气正盛,奎星犯太白,不利于西川。今孔明自负才智,逆天而行,乃自取败亡也。臣托陛下洪福,当往破之。——但愿保四人同去。"睿曰:"卿保何人?"懿曰:"夏侯渊有四子:长名霸,字仲权;次名威,字季权;三名惠,字稚权;四名和,字义权。霸、威二人,弓马熟娴;惠、和二人,谙知韬略:此四人常欲为父报仇。臣今保夏侯霸、夏侯威为左右先锋,夏侯惠、夏侯和为行军司马,共赞军机,以退蜀兵。"睿曰:"向者夏侯楙驸马违误军机,失陷了许多人马,至今羞惭不回。今此四人,亦与楙同否?"懿曰:"此四人非夏侯楙所可比也。"睿乃从其请,即命司马懿为大都督,凡将士悉听量才委用,各处兵马皆听调遣。懿受命,辞朝出城。睿又以手诏赐懿曰:

> 卿到渭滨,宜坚壁固守,勿与交锋。蜀兵不得志,必诈退诱敌,卿慎勿追。待彼粮尽,必将自走,然后乘虚攻之,则取胜不难,亦免军马疲劳之苦:计莫善于此也。

司马懿顿首受诏,即日到长安,聚集各处军马共四十万,皆来渭滨下寨;又拨五万军,于渭水上搭起九座浮桥,令先锋夏侯霸、夏侯威过渭水安营;又于大营之后东原,筑起一城,以防不虞。懿正与众将商议间,忽报郭淮、孙礼来见。懿迎入,礼毕,淮曰:"今蜀兵现在祁山,倘跨渭登原,接连北山,阻绝陇道,大可虞也。"懿曰:"所言甚善。公可就总督陇西军马,据北原下寨,深沟高垒,按兵休动;只待彼兵粮尽,方可攻之。"郭淮、孙礼领命,引兵下寨去了。

却说孔明复出祁山,下五个大寨,按左、右、中、前、后;自斜谷直至剑阁,一连又下十四个大寨,分屯军马,以为久计。每日令人巡哨。忽报郭淮、孙礼领陇西之兵,于北原下寨。孔明谓诸将曰："魏兵于北原安营者，惧吾取此路，阻绝陇道也。吾今虚攻北原，却暗取渭滨。令人扎木筏百馀只，上载草把，选惯熟水手五千人驾之。我夤夜只攻北原，司马懿必引兵来救。彼若少败，我把后军先渡过岸去，然后把前军下于筏中，休要上岸，顺水取浮桥放火烧断，以攻其后。吾自引一军去取前营之门。若得渭水之南，则进兵不难矣。"诸将遵令而行。早有巡哨军飞报司马懿。懿唤诸将议曰："孔明如此设施，其中有计：彼以取北原为名，顺水来烧浮桥，乱吾后，却攻吾前也。"即传令与夏侯霸、夏侯威曰："若听得北原发喊，便提兵于渭水南山之中，待蜀兵至击之。"又令张虎、乐綝，引二千弓弩手伏于渭水浮桥北岸："若蜀兵乘木筏顺水而来，可一齐射之，休令近桥。"又传令郭淮、孙礼曰："孔明来北原暗渡渭水，汝新立之营，人马不多，可尽伏于半路。若蜀兵于午后渡水，黄昏时分，必来攻汝。汝诈败而走，蜀兵必追。汝等皆以弓弩射之。吾水陆并进。若蜀兵大至，只看吾指挥而击之。"各处下令已毕，又令二子司马师、司马昭，引兵救应前营。懿自引一军救北原。

却说孔明令魏延、马岱引兵渡渭水攻北原；令吴班、吴懿引木筏兵去烧浮桥；令王平、张嶷为前队，姜维、马忠为中队，廖化、张翼为后队：兵分三路，去攻渭水旱营。是日午时，人马离大寨，尽渡渭水，列成阵势，缓缓而行。却说魏延、马岱将近北原，天色已昏。孙礼哨见，便弃营而走。魏延知有准备，急退军时，四下喊声大震：左有司马懿，右有郭淮，两路兵杀来。魏延、马岱奋力杀出，蜀兵多半落于水中，馀众奔逃无路。幸得吴懿兵杀来，救了败兵过岸拒住。吴班分一半兵撑筏顺水来烧浮桥，却被张虎、乐綝在岸上乱箭射住。吴班中箭，落水而死。馀军跳水逃命，木筏尽被魏兵夺去。此时王平、张嶷，不知北原兵败，直奔到魏营，已有二更天气，只听得喊声四起。王平谓张嶷曰："军马攻打北原，未知胜负。渭南之寨，现在面前，如何不见一个魏兵？莫非司马懿知道了，先作准备也？我等且看浮桥火起，方可进兵。"二人勒住军马，忽背后一骑马来报，说："丞相教军马急回。北原兵、浮桥兵，俱失了。"王平、张嶷大惊，急退军时，却被魏兵抄在背后，一声炮响，一齐杀来，火光冲天。王平、张嶷引兵相迎，两军混战一场。平、嶷二人奋力杀出，蜀兵折伤大半。孔明回到祁山大寨，收聚败兵，约折了万馀人，心中忧闷。

忽报费祎自成都来见丞相。孔明请入。费祎礼毕，孔明曰："吾有一书，正欲烦公去东吴投递，不知肯去否？"祎曰："丞相之命，岂敢推辞？"孔明即修书付费祎去了。祎持书径到建业，入见吴主孙权，呈上孔明之书。权拆视之，书略曰：

> 汉室不幸，王纲失纪，曹贼篡逆，蔓延及今。亮受昭烈皇帝寄托之重，敢不竭力尽忠：今大兵已会于祁山，狂寇将亡于渭水。伏望陛下念同盟之义，命将北征，共取中原，同分天下。书不尽言，万希圣听！

权览毕，大喜，乃谓费祎曰："朕久欲兴兵，未得会合孔明。今既有书到，即日朕自亲征，入居巢门，取魏新城；再令陆逊、诸葛瑾等屯兵于江夏、沔口取襄阳；孙韶、张承等出兵广陵取淮阳等处：三处一齐进军，共三十万，克日兴师。"费祎拜谢曰："诚如此，则中原不日自破矣！"权设宴款待费祎。饮宴间，权问曰："丞相军前，用谁当先破敌？"祎曰："魏延为首。"权笑曰："此人勇有馀，而心不正。若一朝无孔明，彼必为祸。——孔明岂未知耶？"祎曰："陛下之言极当！臣今归去，即当以此言告孔明。"遂拜辞孙权，回到祁山，见了孔明，具言吴主起大兵三十万，御驾亲征，兵分三路而进。孔明又问曰："吴主别有所言否？"费祎将论魏延之语告之。孔明叹曰:“真聪明之主也!吾非不知此人。——为惜其勇,故用之耳。”祎曰:“丞相早宜区处。”孔明曰:“吾自有法。”祎辞别孔明,自回成都。

孔明正与诸将商议征进,忽报有魏将来投降。孔明唤入问之,答曰:“某乃魏国偏将军郑文也。近与秦朗同领人马,听司马懿调用。不料懿徇私偏向,加秦朗为前将军,而视文如草芥,因此不平,特来投降丞相。愿赐收录。”言未已,人报秦朗引兵在寨外,单搦郑文交战。孔明曰:“此人武艺比汝若何?”郑文曰:“某当立斩之。”孔明曰:“汝若先杀秦朗,吾方不疑。”郑文欣然上马出营,与秦朗交锋。孔明亲自出营视之。只见秦朗挺枪大骂曰:“反贼盗我战马来此,可早早还我!”言讫,直取郑文。文拍马舞刀相迎,只一合,斩秦朗于马下。魏军各自逃走。郑文提首级入营。孔明回到帐中坐定,唤郑文至,勃然大怒,叱左右:“推出斩之!”郑文曰:“小将无罪!”孔明曰:“吾向识秦朗;汝今斩者,并非秦朗。——安敢欺我!”文拜告曰:“此实秦朗之弟秦明也。”孔明笑曰:“司马懿令汝来诈降,于中取事,却如何瞒得我过!若不实说,必然斩汝!”郑文只得诉告其实是诈降,泣求免死。孔明曰:“汝既求生,可修书一封,教司马懿自来劫营,吾便饶汝性命。若捉住司马懿,便是汝之功,还当重用。”郑文只得写了一书,呈与孔明。孔明令将郑文监下。樊建问曰:“丞相何以知此人诈降?”孔明曰:“司马懿不轻用人。若加秦朗为前将军,必武艺高强;今与郑文交马只一合,便为文所杀,必不是秦朗也。以故知其诈。”众皆拜服。

孔明选一舌辩军士,附耳分付如此如此。军士领命,持书径来魏寨,求见司马懿。懿唤入,拆书看毕,问曰:“汝何人也?”答曰:“某乃中原人,流落蜀中:郑文与某同乡。今孔明因郑文有功,用为先锋。郑文特托某来献书,约于明日晚间,举火为号,望乞都督尽提大军前来劫寨,郑文在内为应。"司马懿反覆诘问,又将来书仔细检看,果然是实;即赐军士酒食,分付曰:"本日二更为期,我自来劫寨。大事若成,必重用汝。"军士拜别,回到本寨告知孔明。孔明仗剑步罡,祷祝已毕,唤王平、张嶷分付如此如此;又唤马忠、马岱分付如此如此;又唤魏延分付如此如此。孔明自引数十人,坐于高山之上,指挥众军。

却说司马懿见了郑文之书,便欲引二子提大兵来劫蜀寨。长子司马师谏曰:"父亲何故据片纸而亲入重地?倘有疏虞,如之奈何?不如令别将先去,父亲为后应可也。"懿从之,遂令秦朗引一万兵,去劫蜀寨,懿自引兵接应。是夜初更,风清月朗;将及二更时分,忽然阴云四合,黑气漫空,对面不见。懿大喜曰:"天使我成功也!"于是人尽衔枚,马皆勒口,长驱大进。秦朗当先,引一万兵直杀入蜀寨中,并不见一人。朗知中计,忙叫退兵。四下火把齐明,喊声震地:左有王平、张嶷,右有马岱、马忠,两路兵杀来。秦朗死战,不能得出。背后司马懿见蜀寨火光冲天,喊声不绝,又不知魏兵胜负,只顾催兵接应,望火光中杀来。忽然一声喊起,鼓角喧天,火炮震地:左有魏延,右有姜维,两路杀出。魏兵大败,十伤八九,四散逃奔。此时秦朗所引一万兵,都被蜀兵围住,箭如飞蝗。秦朗死于乱军之中。司马懿引败兵奔入本寨。

三更以后,天复清朗。孔明在山头上鸣金收军。原来二更时阴云暗黑,乃孔明用遁甲之法;后收兵已了,天复清朗,乃孔明驱六丁六甲扫荡浮云也。

当下孔明得胜回寨,命将郑文斩了,再议取渭南之策。每日令兵搦战，魏军只不出迎。孔明自乘小车，来祁山前、渭水东西，踏看地理。忽到一谷口，见其形如葫芦之状，内中可容千馀人；两山又合一谷，可容四五百人；背后两山环抱，只可通一人一骑。孔明看了，心中大喜，问向导官曰："此处是何地名？"答曰："此名上方谷，又号葫芦谷。"孔明回到帐中，唤裨将杜睿、胡忠二人，附耳授以密计。令唤集随军匠作一千馀人，入葫芦谷中，制造"木牛""流马"应用；又令马岱领五百兵守住谷口。孔明嘱马岱曰："匠作人等，不许放出；外人不许放入。吾还不时自来点视。捉司马懿之计，只在此举。切不可走漏消息。"马岱受命而去。杜睿等二人在谷中监督匠作，依法制造。孔明每日往来指示。

忽一日，长史杨仪入告曰："即今粮米皆在剑阁，人夫牛马，搬运不便，如之奈何？"孔明笑曰："吾已运谋多时也。前者所积木料，并西川收买下的大木，教人制造'木牛''流马'，搬运粮米，甚是便利。牛马皆不水食，可以昼夜转运不绝也。"众皆惊曰："自古及今，未闻有'木牛''流马'之事。不知丞相有何妙法，造此奇物？"孔明曰："吾已令人依法制造，尚未完备。吾今先将造木牛流马之法，尺寸方圆，长短阔狭，开写明白，汝等视之。"众大喜。孔明即手书一纸，付众观看。众将环绕而视。造木牛之法云：

> 方腹曲头，一脚四足；头入领中，舌着于腹。载多而行少：独行者数十里，群行者二十里。曲者为牛头，双者为牛脚，横者为牛领，转者为牛足，覆者为牛背，方者为牛腹，垂者为牛舌，曲者为牛肋，刻者为牛齿，立者为牛角，细者为牛鞅，摄者为牛鞦轴。牛仰双辕，人行六尺，牛行四步。每牛载十人所食一月之粮，人不大劳，牛不饮食。

造流马之法云：

肋长三尺五寸,广三寸,厚二寸二分:左右同。前轴孔分墨去头四寸,径中二寸。前脚孔分墨二寸,去前轴孔四寸五分,广一寸。前杠孔去前脚孔分墨二寸七分,孔长二寸,广一寸。后轴孔去前杠分墨一尺五分,大小与前同。后脚孔分墨去后轴孔三寸五分,大小与前同。后杠孔去后脚孔分墨二寸七分,后载克去后杠孔分墨四寸五分。前杠长一尺八寸,广二寸,厚一寸五分。后杠与等。板方囊二枚,厚八分,长二尺七寸,高一尺六寸五分,广一尺六寸:每枚受米二斛三斗。从上杠孔去肋下七寸:前后同。上杠孔去下杠孔分墨一尺三寸,孔长一寸五分,广七分:八孔同。前后四脚广二寸,厚一寸五分。形制如象,靬长四寸,径面四寸三分。孔径中三脚杠,长二尺一寸,广一寸五分,厚一寸四分,同杠耳。

众将看了一遍,皆拜伏曰:"丞相真神人也!"过了数日,木牛流马皆造完备,宛然如活者一般;上山下岭,各尽其便。众军见之,无不欣喜。孔明令右将军高翔,引一千兵驾着木牛流马,自剑阁直抵祁山大寨,往来搬运粮草,供给蜀兵之用。后人有诗赞曰:

剑关险峻驱流马,斜谷崎岖驾木牛。后世若能行此法,输将安得使人愁?

却说司马懿正忧闷间,忽哨马报说:"蜀兵用木牛流马转运粮草。人不大劳,牛马不食。"懿大惊曰:"吾所以坚守不出者,为彼粮草不能接济,欲待其自毙耳。今用此法,必为久远之计,不思退矣。——如之奈何?"急唤张虎、乐綝二人分付曰:"汝二人各引五百军,从斜谷小路抄出;待蜀兵驱过木牛流马,任他过尽,一齐杀出;不可多抢,只抢三五匹便回。"二人依令,各引五百军,扮作蜀兵,夜间偷过小路,伏在谷中,果见高翔引兵驱木牛流马而来。将次过尽,两边一齐鼓噪杀出。蜀兵措手不及,弃下数匹,张虎、乐綝欢喜,驱回本寨。司马懿看了,果然进退如活的一般,乃大喜曰:“汝会用此法,难道我不会用!”便令巧匠百馀人,当面拆开,分付依其尺寸长短厚薄之法,一样制造木牛流马。不消半月,造成二千馀只,与孔明所造者一般法则,亦能奔走。遂令镇远将军岑威,引一千军驱驾木牛流马,去陇西搬运粮草,往来不绝。魏营军将,无不欢喜。

却说高翔回见孔明,说魏兵抢夺木牛流马各五六匹去了。孔明笑曰:“吾正要他抢去。——我只费了几匹木牛流马,却不久便得军中许多资助也。”诸将问曰:“丞相何以知之?”孔明曰:“司马懿见了木牛流马,必然仿我法度,一样制造。那时我又有计策。”数日后,人报魏兵也会造木牛流马,往陇西搬运粮草。孔明大喜曰:“不出吾之算也。”便唤王平分付曰:“汝引一千兵,扮作魏人,星夜偷过北原,只说是巡粮军,径到运粮之所,将护粮之人尽皆杀散;却驱木牛流马而回,径奔过北原来:此处必有魏兵追赶,汝便将木牛流马口内舌头扭转,牛马就不能行动,汝等竟弃之而走。背后魏兵赶到,牵拽不动,扛抬不去。吾再有兵到,汝却回身再将牛马舌扭过来,长驱大行。——魏兵必疑为怪也!”王平受计引兵而去。

孔明又唤张嶷分付曰:“汝引五百军,都扮作六丁六甲神兵,鬼头兽身,用五彩涂面,妆作种种怪异之状;一手执绣旗,一手仗宝剑;身挂葫芦,内藏烟火之物,伏于山傍。待木牛流马到时,放起烟火,一齐拥出,驱牛马而行。魏人见之,必疑是神鬼,不敢来追赶。”张嶷受计引兵而去。孔明又唤魏延、姜维分付曰:“汝二人同引一万兵,去北原寨口接应木牛流马,以防交战。”又唤廖化、张翼分付曰:“汝二人引五千兵,去断司马懿来路。”又唤马忠、马岱分付曰:“汝二人引二千兵去渭南搦战。”六人各各遵令而去。

且说魏将岑威引军驱木牛流马,装载粮米,正行之间,忽报前面有兵巡粮。岑威令人哨探,果是魏兵,遂放心前进。两军合在一处。忽然喊声大震,蜀兵就本队里杀起,大呼:“蜀中大将王平在此!”魏兵措手不及,被蜀兵杀死大半。岑威引败兵抵敌,被王平一刀斩了,馀皆溃散。王平引兵尽驱木牛流马而回。败兵飞奔报入北原寨内。郭淮闻军粮被劫,疾忙引军来救。王平令兵扭转木牛流马舌头,皆弃于道上,且战且走。郭淮教且莫追,只驱回木牛流马。众军一齐驱赶,却那里驱得动? 郭淮心中疑惑,正无奈何,忽鼓角喧天,喊声四起,两路兵杀来,乃魏延、姜维也。王平复引兵杀回。三路夹攻,郭淮大败而走。王平令军士将牛马舌头,重复扭转,驱赶而行。郭淮望见,方欲回兵再追,只见山后烟云突起,一队神兵拥出,一个个手执旗剑,怪异之状,驱驾木牛流马如风拥而去。郭淮大惊曰:“此必神助也!”众军见了,无不惊畏,不敢追赶。

却说司马懿闻北原兵败,急自引军来救。方到半路,忽一声炮响,两路兵自险峻处杀出,喊声震地。旗上大书:“汉将张翼廖化”。司马懿见了大惊。魏军着慌,各自逃窜。正是:路逢神将粮遭劫,身遇奇兵命又危。未知司马懿怎地抵敌,且看下文分解。

第一百三回

上方谷司马受困　五丈原诸葛禳星

却说司马懿被张翼、廖化一阵杀败，匹马单枪，望密林间而走。张翼收住后军，廖化当先追赶。看看赶上，懿着慌，绕树而转。化一刀砍去，正砍在树上；及拔出刀时，懿已走出林外。廖化随后赶出，却不知去向，但见树林之东，落下金盔一个。廖化取盔捎在马上，一直望东追赶。——原来司马懿把金盔弃于林东，却反向西走去了。廖化追了一程，不见踪迹，奔出谷口，遇见姜维，同回寨见孔明。张嶷早驱木牛流马到寨，交割已毕，获粮万馀石。廖化献上金盔，录为头功。魏延心中不悦，口出怨言。——孔明只做不知。

且说司马懿逃回寨中，心甚恼闷。忽使命赍诏至，言东吴三路入寇，朝廷正议命将抵敌，令懿等坚守勿战。懿受命已毕，深沟高垒，坚守不出。

却说曹睿闻孙权分兵三路而来，亦起兵三路迎之：令刘劭引兵救江夏，田豫引兵救襄阳，睿自与满宠率大军救合淝。满宠先引一军至巢湖口，望见东岸战船无数，旌旗整肃。宠入军中奏魏主曰："吴人必轻我远来，未曾提备；今夜可乘虚劫其水寨，必得全胜。"魏主曰："汝言正合朕意。"即令骁将张球领五千兵，各带火具，从湖口攻之；满宠引兵五千，从东岸攻之。是夜二更时分，张球、满宠各引军悄悄望湖口进发；将近水寨，一齐呐喊杀入。吴兵慌乱，不战而走；被魏军四下举火，烧毁战船、粮草、器具不计其数。诸葛瑾率败兵逃走沔口。魏兵大胜而回。次日，哨军报知陆逊。逊集诸将议曰："吾当作表申奏主上，请撤新城之围，以兵断魏军归路，吾率众攻其前：彼首尾不敌，一鼓可破也。"众服其言。陆逊即具表，遣一小校密地赍往新城。小校领命，赍着表文，行至渡口，不期被魏军伏路的捉住，解赴军中见魏主曹睿。睿搜出陆逊表文，览毕，叹曰："东吴陆逊真妙算也！"遂命将吴卒监下，令刘劭谨防孙权后兵。

却说诸葛瑾大败一阵，又值暑天，人马多生疾病；乃修书一封，令人转达陆逊，议欲撤兵还国。逊看书毕，谓来人曰："拜上将军：吾自有主意。"使者回报诸葛瑾。瑾问："陆将军作何举动？"使者曰："但见陆将军催督众人于营外种豆菽，自与诸将在辕门射戏。"瑾大惊，亲自往陆逊营中，与逊相见，问曰："今曹睿亲来，兵势甚盛，都督何以御之？"逊曰："吾前遣人奉表于主上，不料为敌人所获。机谋既泄，彼必知备；与战无益，不如且退。已差人奉表约主上缓缓退兵矣。"瑾曰："都督既有此意，即宜速退，何又迟延？"逊曰："吾军欲退，当徐徐而动。今若便退，魏人必乘势追赶：此取败之道也。足下宜先督船只诈为拒敌之意，吾悉以人马向襄阳而进，为疑敌之计，然后徐徐退归江东，魏兵自不敢近耳。"瑾依其计，辞逊归本营，整顿船只，预备起行。陆逊整肃部伍，张扬声势，望襄阳进发。早有细作报知魏主，说吴兵已动，须用提防。魏将闻之，皆要出战。魏主素知陆逊之才，谕众将曰："陆逊有谋，莫非用诱敌之计？不可轻进。"众将乃止。数日后，哨卒报来："东吴三路兵马皆退矣。"魏主未信，再令人探之，回报果然尽退。魏主曰："陆逊用兵，不亚孙、吴。——东南未可平也。”因敕诸将，各守险要，自引大军屯合淝，以伺其变。

却说孔明在祁山，欲为久驻之计，乃令蜀兵与魏民相杂种田：军一分，民二分，并不侵犯，魏民皆安心乐业。司马师入告其父曰：“蜀兵劫去我许多粮米，今又令蜀兵与我民相杂屯田于渭滨，以为久计：似此真为国家大患。父亲何不与孔明约期大战一场，以决雌雄？”懿曰：“吾奉旨坚守，不可轻动。”正议间，忽报魏延将着元帅前日所失金盔，前来骂战。众将忿怒，俱欲出战。懿笑曰：“圣人云：‘小不忍则乱大谋。’但坚守为上。”诸将依令不出。魏延辱骂良久方回。孔明见司马懿不肯出战，乃密令马岱造成木栅，营中掘下深堑，多积干柴引火之物；周围山上，多用柴草虚搭窝铺，内外皆伏地雷。置备停当，孔明附耳嘱之曰：“可将葫芦谷后路塞断，暗伏兵于谷中。若司马懿追到，任他入谷，便将地雷干柴一齐放起火来。”又令军士昼举七星号带于谷口，夜设七盏明灯于山上，以为暗号。马岱受计引兵而去。孔明又唤魏延分付曰：“汝可引五百兵去魏寨讨战，务要诱司马懿出战。不可取胜，只可诈败。懿必追赶，汝却望七星旗处而入；若是夜间，则望七盏灯处而走。只要引得司马懿入葫芦谷内，吾自有擒之之计。”魏延受计，引兵而去。孔明又唤高翔分付曰：“汝将木牛流马或二三十为一群，或四五十为一群，各装米粮，于山路往来行走。如魏兵抢去，便是汝之功。”高翔领计，驱驾木牛流马去了。孔明将祁山兵一一调去，只推屯田；分付：“如别兵来战，只许诈败；若司马懿自来，方并力只攻渭南，断其归路。”孔明分拨已毕，自引一军近上方谷下营。

且说夏侯惠、夏侯和二人入寨告司马懿曰：“今蜀兵四散结营，各处屯田，以为久计；若不趁此时除之，纵令安居日久，深根固蒂，难以摇动。”懿曰：“此必又是孔明之计。”二人曰：“都督若如此疑虑，寇敌何时得灭？我兄弟二人，当奋力决一死战，以报国恩。”懿曰：“既如此，汝二人可分头出战。”遂令夏侯惠、夏侯和，各引五千兵去讫。懿坐待回音。

却说夏侯惠、夏侯和二人分兵两路，正行之间，忽见蜀兵驱木牛流马而来。二人一齐杀将过去，蜀兵大败奔走，木牛流马尽被魏兵抢获，解送司马懿营中。次日又劫掳得人马百馀，亦解赴大寨。懿将解到蜀兵，诘审虚实。蜀兵告曰：“孔明只料都督坚守不出，尽命我等四散屯田，以为久计。——不想却被擒获。”懿即将蜀兵尽皆放回。夏侯和曰：“何不杀之？”懿曰：“量此小卒，杀之无益。放归本寨，令说魏将宽厚仁慈，释彼战心：此吕蒙取荆州之计也。”遂传令今后凡有擒到蜀兵，俱当善遣之。——仍重赏有功将吏。诸将皆听令而去。

却说孔明令高翔佯作运粮，驱驾木牛流马，往来于上方谷内；夏侯惠等不时截杀，半月之间，连胜数阵。司马懿见蜀兵屡败，心中欢喜。一日，又擒到蜀兵数十人。懿唤至帐下问曰：“孔明今在何处？”众告曰：“诸葛丞相不在祁山，在上方谷西十里下营安住。今每日运粮屯于上方谷。”懿备细问了，即将众人放去；乃唤诸将分付曰：“孔明今不在祁山，在上方谷安营。汝等于明日，可一齐并力攻取祁山大寨。吾自引兵来接应。”众将领命，各各准备出战。司马师曰：“父亲何故反欲攻其后？”懿曰：“祁山乃蜀人之根本，若见我兵攻之，各营必尽来救；我却取上方谷烧其粮草，使彼首尾不接：必大败也。”司马师拜服。懿即发兵起行，令张虎、乐綝各引五千兵，在后救应。

且说孔明正在山上，望见魏兵或三五千一行，或一二千一行，队伍纷纷，前后顾盼，料必来取祁山大寨，乃密传令众将：“若司马懿自来，汝等便往劫魏寨，夺了渭南。”众将各各听令。

却说魏兵皆奔祁山寨来，蜀兵四下一齐呐喊奔走，虚作救应之势。司马懿见蜀兵都去救祁山寨，便引二子并中军护卫人马，杀奔上方谷来。魏延在谷口，只盼司马懿到来；忽见一枝魏兵杀到，延纵马向前视之，正是司马懿。延大喝曰：“司马懿休走！”舞刀相迎。懿挺枪接战。不上三合，延拨回马便走，懿随后赶来。延只望七星旗处而走。懿见魏延只一人，军马又少，放心追之；令司马师在左，司马昭在右，懿自居中，一齐攻杀将来。魏延引五百兵皆退入谷中去。懿追到谷口，先令人入谷中哨探。回报谷内并无伏兵，山上皆是草房。懿曰：“此必是积粮之所也。”遂大驱士马，尽入谷中。懿忽见草房上尽是干柴，前面魏延已不见了。懿心疑，谓二子曰：“倘有兵截断谷口，如之奈何？”言未已，只听得喊声大震，山上一齐丢下火把来，烧断谷口。魏兵奔逃无路。山上火箭射下，地雷一齐突出，草房内干柴都着，刮刮杂杂①，火势冲天。司马懿惊得手足无措，乃下马抱二子大哭曰：“我父子三人皆死于此处矣！”正哭之间，忽然狂风大作，黑气漫空，一声霹雳响处，骤雨倾盆。满谷之火，尽皆浇灭：地雷不震，火器无功。司马懿大喜曰：“不就此时杀出，更待何时！”即引兵奋力冲杀。张虎、乐綝亦各引兵杀来接应。马岱军少，不敢追赶。司马懿父子与张虎、乐綝合兵一处，同归渭南大寨，——不想寨栅已被蜀兵夺了。郭淮、孙礼正在浮桥上与蜀兵接战。司马懿等引兵杀到，蜀兵退去。懿烧断浮桥，据住北岸。

且说魏兵在祁山攻打蜀寨，听知司马懿大败，失了渭南营

---

① 刮刮杂杂——形容枯柴着火的声音。

寨，军心慌乱；急退时，四面蜀兵冲杀将来，魏兵大败，十伤八九，死者无数，馀众奔过渭北逃生。孔明在山上见魏延诱司马懿入谷，一霎时火光大起，心中甚喜，以为司马懿此番必死。不期天降大雨，火不能着，哨马报说司马懿父子俱逃去了。孔明叹曰：“‘谋事在人，成事在天。’不可强也！”后人有诗叹曰：

谷口风狂烈焰飘，何期骤雨降青霄。武侯妙计如能就，安得山河属晋朝！

却说司马懿在渭北寨内传令曰：“渭南寨栅，今已失了。诸将如再言出战者斩。”众将听令，据守不出。郭淮入告曰：“近日孔明引兵巡哨，必将择地安营。”懿曰：“孔明若出武功，依山而东，我等皆危矣；若出渭南，西止五丈原，方无事也。”令人探之，回报果屯五丈原。司马懿以手加额曰：“大魏皇帝之洪福也！”遂令诸将：“坚守勿出，彼久必自变。”

且说孔明自引一军屯于五丈原，累令人搦战，魏兵只不出。孔明乃取巾帼[1] 并妇人缟素之服，盛于大盒之内，修书一封，遣人送至魏寨。诸将不敢隐蔽，引来使入见司马懿。懿对众启盒视之，内有巾帼妇人之衣，并书一封。懿拆视其书，略曰：

仲达既为大将，统领中原之众，不思披坚执锐，以决雌雄，乃甘窟守土巢，谨避刀箭，与妇人又何异哉！今遣人送巾帼素衣至，如不出战，可再拜而受之。倘耻心未泯，犹有男子胸襟，早与批回，依期赴敌。

司马懿看毕，心中大怒，——乃佯笑曰：“孔明视我为妇人耶！”即受之，令重待来使。懿问曰：“孔明寝食及事之烦简若

① 巾帼——妇女头巾类。

何?”使者曰:“丞相夙兴夜寐①,罚二十以上皆亲览焉。所啖之食,日不过数升。”懿顾谓诸将曰:“孔明食少事烦,其能久乎?”使者辞去,回到五丈原,见了孔明,具说:“司马懿受了巾帼女衣,看了书札,并不嗔怒,只问丞相寝食及事之烦简,绝不提起军旅之事。某如此应对,彼言:‘食少事烦,岂能长久?’”孔明叹曰:“彼深知我也!”主簿杨颙谏曰:“某见丞相常自校簿书,窃以为不必。夫为治有体,上下不可相侵。譬之治家之道,必使仆执耕,婢典爨②,私业无旷,所求皆足,其家主从容自在,高枕饮食而已。若皆身亲其事,将形疲神困,终无一成。岂其智之不如婢仆哉?失为家主之道也。是故古人称:坐而论道,谓之三公;作而行之,谓之士大夫。昔丙吉忧牛喘,而不问横道死人③;陈平不知钱谷之数④,曰:‘自有主者。’今丞相亲理细事,汗流终日,岂不劳乎?——司马懿之言,真至言也。”孔明泣曰:“吾非不知。但受先帝托孤之重,惟恐他人不似我尽心也!”众皆垂泪。自此孔明自觉神思不宁。诸将因此未敢进兵。

却说魏将皆知孔明以巾帼女衣辱司马懿,懿受之不战。众将不忿⑤,入帐告曰:“我等皆大国名将,安忍受蜀人如此之辱!

---

① 夙兴夜寐——起早睡晚,指勤劳。

② 典爨(cuàn)——专管烧火做饭。

③ 丙吉忧牛喘,而不问横道死人——丙吉,西汉丞相。春天出行,看见路上躺着死伤的人,他不问,看见牛喘,却很关心。人家问他,他说:“这时候,天气还不太热,牛不应喘。惟恐天时不正,会影响年成。这是丞相职务所在,我应当注意。”

④ 陈平不知钱谷之数——陈平,西汉丞相。皇帝问他:“全国一年判决多少案件,收多少钱粮?”他说:“可问主管部门。丞相只主管群臣,不管这些事。”

⑤ 不忿——也作不分、不愤。古代俗语,不满、不平、不服气的意思。犹今口语“气不忿”。

即请出战,以决雌雄。"懿曰:"吾非不敢出战,而甘心受辱也。奈天子明诏,令坚守勿动。今若轻出,有违君命矣。"众将俱忿怒不平。懿曰:"汝等既要出战,待我奏准天子,同力赴敌,何如?"众皆允诺。懿乃写表遣使,直至合淝军前,奏闻魏主曹睿。睿拆表览之。表略曰:

臣才薄任重,伏蒙明旨,令臣坚守不战,以待蜀人之自敝;奈今诸葛亮遗臣以巾帼,待臣如妇人,耻辱至甚!臣谨先达圣聪:旦夕将效死一战,以报朝廷之恩,以雪三军之耻。臣不胜激切之至!

睿览讫,乃谓多官曰:"司马懿坚守不出,今何故又上表求战?"卫尉辛毗曰:"司马懿本无战心,必因诸葛亮耻辱,众将忿怒之故,特上此表,欲更乞明旨,以遏诸将之心耳。"睿然其言,即令辛毗持节至渭北寨传谕,令勿出战。司马懿接诏入帐,辛毗宣谕曰:"如再有敢言出战者,即以违旨论。"众将只得奉诏。懿暗谓辛毗曰:"公真知我心也!"于是令军中传说:魏主命辛毗持节,传谕司马懿勿得出战。蜀将闻知此事,报与孔明。孔明笑曰:"此乃司马懿安三军之法也。"姜维曰:"丞相何以知之?"孔明曰:"彼本无战心;所以请战者,以示武于众耳。岂不闻:'将在外,君命有所不受。'安有千里而请战者乎?此乃司马懿因将士忿怒,故借曹睿之意,以制众人。今又播传此言,欲懈我军心也。"

正论间,忽报费祎到。孔明请入问之,祎曰:"魏主曹睿闻东吴三路进兵,乃自引大军至合淝,令满宠、田豫、刘劭分兵三路迎敌。满宠设计尽烧东吴粮草战具,吴兵多病。陆逊上表于吴王,约会前后夹攻,不意赍表人中途被魏兵所获,因此机关泄漏,吴兵无功而退。"孔明听知此信,长叹一声,不觉昏倒于地;众将急救,半晌方苏。孔明叹曰:"吾心昏乱,旧病复发,恐不能生矣!"

是夜，孔明扶病出帐，仰观天文，十分惊慌；入帐谓姜维曰："吾命在旦夕矣！"维曰："丞相何出此言？"孔明曰："吾见三台星中，客星倍明，主星幽隐，相辅列曜，其光昏暗：天象如此，吾命可知！"维曰："天象虽则如此，丞相何不用祈禳之法挽回之？"孔明曰："吾素谙祈禳之法，但未知天意若何。汝可引甲士四十九人，各执皂旗，穿皂衣，环绕帐外；我自于帐中祈禳北斗。若七日内主灯不灭，吾寿可增一纪[①]；如灯灭，吾必死矣。闲杂人等，休教放入。凡一应需用之物，只令二小童搬运。"姜维领命，自去准备。时值八月中秋，是夜银河耿耿，玉露零零，旌旗不动，刁斗[②]无声。姜维在帐外引四十九人守护。孔明自于帐中设香花祭物，地上分布七盏大灯，外布四十九盏小灯，内安本命灯一盏。孔明拜祝曰："亮生于乱世，甘老林泉；承昭烈皇帝三顾之恩，托孤之重，不敢不竭犬马之劳，誓讨国贼。不意将星欲坠，阳寿将终。谨书尺素[③]，上告穹苍：伏望天慈，俯垂鉴听，曲延臣算[④]，使得上报君恩，下救民命，克复旧物[⑤]，永延汉祀。非敢妄祈，实由情切。"拜祝毕，就帐中俯伏待旦。次日，扶病理事，吐血不止。——日则计议军机，夜则步罡踏斗。

却说司马懿在营中坚守，忽一夜仰观天文，大喜，谓夏侯霸曰："吾见将星失位，孔明必然有病，不久便死。你可引一千军去五丈原哨探。若蜀人攘乱，不出接战，孔明必然患病矣。吾当乘

---

① 一纪——十二年。

② 刁斗——古代军中用的铜锅，白天用以炊饭，夜里用以敲打巡更。

③ 尺素——通指书札、简牍。一尺宽的素绢，古代用以写字。此指祝告的表文。

④ 曲延臣算——意思是说，请求通融一下，改变原来"注定"的寿命，延长我的年龄。

⑤ 克复旧物——得以恢复旧时的典章文物。这里是指恢复汉朝统治政权。

势击之。"霸引兵而去。孔明在帐中祈禳已及六夜,见主灯明亮,心中甚喜。姜维入帐,正见孔明披发仗剑,踏罡步斗,压镇将星。忽听得寨外呐喊,方欲令人出问,魏延飞步入告曰:"魏兵至矣!"延脚步急,竟将主灯扑灭。孔明弃剑而叹曰:"死生有命,不可得而禳也!"魏延惶恐,伏地请罪;姜维忿怒,拔剑欲杀魏延。正是:万事不由人做主,一心难与命争衡。未知魏延性命如何,且看下文分解。

第一百四回

陨大星汉丞相归天　见木像魏都督丧胆

却说姜维见魏延踏灭了灯，心中忿怒，拔剑欲杀之。孔明止之曰："此吾命当绝，非文长之过也。"维乃收剑。孔明吐血数口，卧倒床上，谓魏延曰："此是司马懿料吾有病，故令人来探视虚实。汝可急出迎敌。"魏延领命，出帐上马，引兵杀出寨来。夏侯霸见了魏延，慌忙引军退走。延追赶二十馀里方回。孔明令魏延自回本寨把守。

姜维入帐，直至孔明榻前问安。孔明曰："吾本欲竭忠尽力，恢复中原，重兴汉室；奈天意如此，吾旦夕将死。吾平生所学，已著书二十四篇，计十万四千一百一十二字，内有八务、七戒、六恐、五惧之法。吾遍观诸将，无人可授，独汝可传我书。切勿轻忽！"维哭拜而受。孔明又曰："吾有'连弩'之法，不曾用得。其法矢长八寸，一弩可发十矢，皆画成图本。汝可依法造用。"维亦拜受。孔明又曰："蜀中诸道，皆不必多忧；惟阴平之地，切须仔细。此地虽险峻，久必有失。"又唤马岱入帐，附耳低言，授以密计；嘱曰："我死之后，汝可依计行之。"岱领计而出。少顷，杨仪入。孔明唤至榻前，授与一锦囊，密嘱曰："我死，魏延必反；待其反时，汝与临阵，方开此囊。那时自有斩魏延之人也。"孔明一一调度已毕，便昏然而倒，至晚方苏，便连夜表奏后主。后主闻奏大惊，急命尚书李福，星夜至军中问安，兼询后事。李福领命，趱程赴五丈原，入见孔明，传后主之命，问安毕。孔明流涕曰："吾不幸中道丧亡，虚废国家大事，得罪于天下。我死后，公等宜竭忠辅主。国家旧制，不可改易；吾所用之人，亦不可轻废。吾兵法皆授与姜维，他自能继吾之志，为国家出力。吾命已在旦夕，当即有遗表上奏天子也。"李福领了言语，匆匆辞去。

孔明强支病体，令左右扶上小车，出寨遍观各营；自觉秋风吹面，彻骨生寒，乃长叹曰："再不能临阵讨贼矣！悠悠苍天，曷此其极！"叹息良久。回到帐中，病转沉重，乃唤杨仪分付曰："王平、廖化、张嶷、张翼、吴懿等，皆忠义之士，久经战阵，多负勤劳，堪可委用。我死之后，凡事俱依旧法而行。缓缓退兵，不可急骤。汝深通谋略，不必多嘱。姜伯约智勇足备，可以断后。"杨仪泣拜受命。孔明令取文房四宝，于卧榻上手书遗表，以达后主。表略曰：

> 伏闻生死有常，难逃定数；死之将至，愿尽愚忠：臣亮赋性愚拙，遭时艰难，分符拥节，专掌钧衡，兴师北伐，未获成功；何期病入膏肓，命垂旦夕，不及终事陛下，饮恨无穷！伏愿陛下：清心寡欲，约己爱民；达孝道于先皇，布仁恩于宇下；提拔幽隐，以进贤良；屏斥奸邪，以厚风俗。
>
> 臣家成都，有桑八百株，薄田十五顷，子弟衣食，自有馀饶。至于臣在外任，别无调度，随身衣食，悉仰于官，不别治生，以长尺寸。臣死之日，不使内有馀帛，外有赢财，以负陛下也。

孔明写毕，又嘱杨仪曰："吾死之后，不可发丧。可作一大龛，将吾尸坐于龛中；以米七粒，放吾口内；脚下用明灯一盏；军中安静如常，切勿举哀：则将星不坠。吾阴魂更自起镇之。司马懿见将星不坠，必然惊疑。吾军可令后寨先行，然后一营一营缓缓而退。若司马懿来追，汝可布成阵势，回旗返鼓。等他来到，却将我先时所雕木像，安于车上，推出军前，令大小将士，分列左右。懿见之必惊走矣。”杨仪一一领诺。是夜，孔明令人扶出，仰观北斗，遥指一星曰：“此吾之将星也。”众视之，见其色昏暗，摇摇欲坠。孔明以剑指之，口中念咒。咒毕急回帐时，不省人事。众将正慌乱间，忽尚书李福又至；见孔明昏绝，口不能言，乃大哭曰：“我误国家之大事也！”须臾，孔明复醒，开目遍视，见李福立于榻前。孔明曰：“吾已知公复来之意。”福谢曰：“福奉天子命，问丞相百年后，谁可任大事者。适因匆遽，失于谘请，故复来耳。”孔明曰：“吾死之后，可任大事者：蒋公琰其宜也。”福曰：“公琰之后，谁可继之？”孔明曰：“费文伟可继之。”福又问：“文伟之后，谁当继者？”孔明不答。众将近前视之，已薨矣。时建兴十二年秋八月二十三日也，寿五十四岁。后杜工部有诗叹曰：

长星昨夜坠前营，讣报先生此日倾。虎帐不闻施号令，麟台惟显著勋名。空馀门下三千客，辜负胸中十万兵。好看绿阴清昼里，于今无复雅歌声！

白乐天亦有诗曰：

先生晦迹卧山林，三顾那逢圣主寻。鱼到南阳方得水，龙飞天汉便为霖。托孤既尽殷勤礼，报国还倾忠义心。前后出师遗表在，令人一览泪沾襟。

初，蜀长水校尉廖立，自谓才名宜为孔明之副，尝以职位闲散，怏怏不平，怨谤无已。于是孔明废之为庶人，徙之汶山。及闻孔明亡，乃垂泣曰：“吾终为左衽[①]矣！”李严闻之，亦大哭病

① 左衽——古时，中原人的衣襟向右掩，少数民族的衣襟多向左掩。终为左衽，这里是说不再能被朝廷收用，只能终身住在偏远的少数民族中了。

死。——盖严尝望孔明复收己，得自补前过；度孔明死后，人不能用之故也。后元微之有赞孔明诗曰：

拨乱扶危主，殷勤受托孤。英才过管乐，妙策胜孙吴。凛凛《出师表》，堂堂八阵图。如公全盛德，应叹古今无！

是夜，天愁地惨，月色无光，孔明奄然归天。姜维、杨仪遵孔明遗命，不敢举哀，依法成殓，安置龛中，令心腹将卒三百人守护；随传密令，使魏延断后，各处营寨一一退去。

却说司马懿夜观天文，见一大星，赤色，光芒有角，自东北方流于西南方，坠于蜀营内，三投再起，隐隐有声。懿惊喜曰："孔明死矣！"即传令起大兵追之。方出寨门，忽又疑虑曰："孔明善会六丁六甲之法，今见我久不出战，故以此术诈死，诱我出耳。今若追之，必中其计。"遂复勒马回寨不出，只令夏侯霸暗引数十骑，往五丈原山僻哨探消息。

却说魏延在本寨中，夜作一梦，梦见头上忽生二角，醒来甚是疑异。次日，行军司马赵直至，延请入问曰："久知足下深明《易》理。——吾夜梦头生二角，不知主何吉凶？烦足下为我决之。"赵直想了半晌，答曰："此大吉之兆：麒麟头上有角，苍龙头上有角，乃变化飞腾之象也。"延大喜曰："如应公言，当有重谢！"直辞去，行不数里，正遇尚书费祎。祎问何来。直曰："适至魏文长营中，文长梦头生角，令我决其吉凶。此本非吉兆，但恐直言见怪，因以麒麟苍龙解之。"祎曰："足下何以知非吉兆？"直曰："角之字形，乃'刀'下'用'也。今头上用刀，其凶甚矣！"祎曰："君且勿泄漏。"直别去。费祎至魏延寨中，屏退左右，告曰："昨夜三更，丞相已辞世矣。临终再三嘱付，令将军断后以当司马懿,缓缓而退,不可发丧。今兵符在此,便可起兵。"延曰:"何人代理丞相之大事?"祎曰:"丞相一应大事,尽托与杨仪;用兵密法,皆授与姜伯约。此兵符乃杨仪之令也。"延曰:"丞相虽亡,吾今现在。杨仪不过一长史,安能当此大任?他只宜扶柩入川安葬。我自率大兵攻司马懿,务要成功。岂可因丞相一人而废国家大事耶?"祎曰:"丞相遗令,教且暂退,不可有违。"延怒曰:"丞相当时若依我计,取长安久矣!吾今官任前将军、征西大将军、南郑侯,安肯与长史断后!"祎曰:"将军之言虽是,然不可轻动,令敌人耻笑。待吾往见杨仪,以利害说之,令彼将兵权让与将军,何如?"延依其言。

祎辞延出营,急到大寨见杨仪,具述魏延之语。仪曰:"丞相临终,曾密嘱我曰:'魏延必有异志。'今我以兵符往,实欲探其心耳。今果应丞相之言。吾自令伯约断后可也。"于是杨仪领兵扶柩先行,令姜维断后;依孔明遗令,徐徐而退。魏延在寨中,不见费祎来回覆,心中疑惑,乃令马岱引十数骑往探消息。回报曰:"后军乃姜维总督,前军大半退入谷中去了。"延大怒曰:"竖儒安敢欺我!我必杀之!"因顾谓岱曰:"公肯相助否?"岱曰:"某亦素恨杨仪,今愿助将军攻之。"延大喜,即拔寨引本部兵望南而行。

却说夏侯霸引军至五丈原看时,不见一人,急回报司马懿曰:"蜀兵已尽退矣。"懿跌足曰:"孔明真死矣!可速追之!"夏侯霸曰:"都督不可轻追。当令偏将先往。"懿曰:"此番须吾自行。"遂引兵同二子一齐杀奔五丈原来;呐喊摇旗,杀入蜀寨时,果无一人。懿顾二子曰:"汝急催兵赶来,吾先引军前进。"于是司马师、司马昭在后催军;懿自引军当先,追到山脚下,望见蜀兵不远,乃奋力追赶。忽然山后一声炮响,喊声大震,只见蜀兵俱回旗返鼓,树影中飘出中军大旗,上书一行大字曰:"汉丞相武乡侯诸葛亮”。懿大惊失色。定睛看时,只见中军数十员上将,拥出一辆四轮车来;车上端坐孔明:纶巾羽扇,鹤氅皂绦。懿大惊曰:“孔明尚在! 吾轻入重地,堕其计矣!”急勒回马便走。背后姜维大叫:“贼将休走! 你中了我丞相之计也!”魏兵魂飞魄散,弃甲丢盔,抛戈撇戟,各逃性命,自相践踏,死者无数。司马懿奔走了五十馀里,背后两员魏将赶上,扯住马嚼环叫曰:“都督勿惊。”懿用手摸头曰:“我有头否?”二将曰:“都督休怕,蜀兵去远了。”懿喘息半晌,神色方定;睁目视之,乃夏侯霸、夏侯惠也;乃徐徐按辔,与二将寻小路奔归本寨,使众将引兵四散哨探。

过了两日,乡民奔告曰:“蜀兵退入谷中之时,哀声震地,军中扬起白旗:孔明果然死了,止留姜维引一千兵断后。——前日车上之孔明,乃木人也。”懿叹曰:“吾能料其生,不能料其死也!”因此蜀中人谚曰:“死诸葛能走生仲达①。”后人有诗叹曰:

长星半夜落天枢,奔走还疑亮未殂。关外至今人冷笑,头颅犹问有和无!

司马懿知孔明死信已确,乃复引兵追赶。行到赤岸坡,见蜀兵已去远,乃引还,顾谓众将曰:“孔明已死,我等皆高枕无忧矣!”遂班师回。一路上见孔明安营下寨之处,前后左右,整整有法,懿叹曰:“此天下奇才也!”于是引兵回长安,分调众将,各守隘口。懿自回洛阳面君去了。

却说杨仪、姜维排成阵势,缓缓退入栈阁道口,然后更衣发丧,扬幡举哀。蜀军皆撞跌② 而哭,至有哭死者。蜀兵前队正回到栈阁道口,忽见前面火光冲天,喊声震地,一彪军拦路。众

① 能走生仲达——能把活仲达(司马懿)吓跑。走,使之逃跑。

② 撞跌——撞头跺脚,表示十分沉痛悲哀的动作。

将大惊,急报杨仪。正是:已见魏营诸将去,不知蜀地甚兵来。未知来者是何处军马,且看下文分解。

第一百五回

武侯预伏锦囊计　魏主拆取承露盘

却说杨仪闻报前路有兵拦截，忙令人哨探。回报说魏延烧绝栈道，引兵拦路。仪大惊曰："丞相在日，料此人久后必反，谁想今日果然如此！今断吾归路，当复如何？"费祎曰："此人必先捏奏天子，诬吾等造反，故烧绝栈道，阻遏归路。吾等亦当表奏天子，陈魏延反情，然后图之。"姜维曰："此间有一小径，名槎山，虽崎岖险峻，可以抄出栈道之后。"一面写表奏闻天子，一面将人马望槎山小道进发。

且说后主在成都，寝食不安，动止不宁；夜作一梦，梦见成都锦屏山崩倒；遂惊觉，坐而待旦，聚集文武，入朝圆梦。谯周曰："臣昨夜仰观天文，见一星，赤色，光芒有角，自东北落于西南，主丞相有大凶之事。今陛下梦山崩，正应此兆。"后主愈加惊怖。忽报李福到，后主急召入问之。福顿首泣奏丞相已亡；将丞相临终言语，细述一遍。后主闻言大哭曰："天丧我也！"哭倒于龙床之上。侍臣扶入后宫。吴太后闻之，亦放声大哭不已。多官无不哀恸，百姓人人涕泣。后主连日伤感，不能设朝。忽报魏延表奏杨仪造反，群臣大骇，入宫启奏后主。——时吴太后亦在宫中。——后主闻奏大惊，命近臣读魏延表。其略曰：

征西大将军、南郑侯臣魏延，诚惶诚恐，顿首上言：杨仪自总兵权，率众造反，劫丞相灵柩，欲引敌人入境。臣先烧绝栈道，以兵守御。谨此奏闻。

读毕，后主曰："魏延乃勇将，足可拒杨仪等众，何故烧绝栈道？"吴太后曰："尝闻先帝有言：孔明识魏延脑后有反骨，每欲斩之；因怜其勇，故姑留用。今彼奏杨仪等造反，未可轻信。杨仪乃文人，丞相委以长史之任，必其人可用。今日若听此一面之词，杨仪等必投魏矣。此事当深虑远议，不可造次。"众官正商议间，忽报：长史杨仪有紧急表到。近臣拆表读曰：

> 长史、绥军将军臣杨仪，诚惶诚恐，顿首谨表：丞相临终，将大事委于臣，照依旧制，不敢变更，使魏延断后，姜维次之。今魏延不遵丞相遗语，自提本部人马，先入汉中，放火烧断栈道，劫丞相灵车，谋为不轨[①]。变起仓卒，谨飞章奏闻。

太后听毕，问："卿等所见若何？"蒋琬奏曰："以臣愚见：杨仪为人虽禀性过急，不能容物，至于筹度粮草，参赞军机，与丞相办事多时，今丞相临终，委以大事，决非背反之人。魏延平日恃功务高，人皆下之[②]；仪独不假借，延心怀恨；今见仪总兵，心中不服，故烧栈道，断其归路，又诬奏而图陷害。臣愿将全家良贱，保杨仪不反。——实不敢保魏延。"董允亦奏曰："魏延自恃功高，常有不平之心，口出怨言。向所以不即反者，惧丞相耳。今丞相新亡，乘机为乱，势所必然。若[③] 杨仪，才干敏达，为丞相所任用，必不背反。"后主曰："若魏延果反，当用何策御之？"蒋琬曰："丞相素疑此人，必有遗计授与杨仪。若仪无恃，安能退入谷口

① 谋为不轨——图谋造反、作乱。轨，法度。

② 人皆下之——大家都退让他，由他占先。

③ 若——这里是说了一方别说一方的转接连词，相当于"至于"。

乎？延必中计矣。陛下宽心。”不多时，魏延又表至，告称杨仪背反。正览表之间，杨仪又表到，奏称魏延背反。二人接连具表，各陈是非。忽报费祎到。后主召入，祎细奏魏延反情。后主曰：“若如此，且令董允假节释劝，用好言抚慰。”允奉诏而去。

却说魏延烧断栈道，屯兵南谷，把住隘口，自以为得计；不想杨仪、姜维星夜引兵抄到南谷之后。仪恐汉中有失，令先锋何平引三千兵先行。仪同姜维等引兵扶柩望汉中而来。

且说何平引兵径到南谷之后，擂鼓呐喊。哨马飞报魏延，说杨仪令先锋何平引兵自槎山小路抄来搦战。延大怒，急披挂上马，提刀引兵来迎。两阵对圆，何平出马大骂曰：“反贼魏延安在？”延亦骂曰：“汝助杨仪造反，何敢骂我！”平叱曰：“丞相新亡，骨肉未寒，汝焉敢造反！”乃扬鞭指川兵曰：“汝等军士，皆是西川之人，川中多有父母妻子，兄弟亲朋；丞相在日，不曾薄待汝等，今不可助反贼，宜各回家乡，听候赏赐。”众军闻言，大喊一声，散去大半。延大怒，挥刀纵马，直取何平。平挺枪来迎。战不数合，平诈败而走，延随后赶来。众军弓弩齐发，延拨马而回。见众军纷纷溃散，延转怒，拍马赶上，杀了数人，却只止遏不住；只有马岱所领三百人不动。延谓岱曰：“公真心助我，事成之后，决不相负。”遂与马岱追杀何平。平引兵飞奔而去。魏延收聚残军，与马岱商议曰：“我等投魏，若何？”岱曰：“将军之言，不智甚也。大丈夫何不自图霸业，乃轻屈膝于人耶？吾观将军智勇足备，两川之士，谁敢抵敌？吾誓同将军先取汉中，随后进攻西川。”

延大喜，遂同马岱引兵直取南郑。姜维在南郑城上，见魏延、马岱耀武扬威，蜂拥而来。维急令拽起吊桥。延、岱二人大叫：“早降！”姜维令人请杨仪商议曰：“魏延勇猛，更兼马岱相助，虽然军少,何计退之?”仪曰:“丞相临终,遗一锦囊,嘱曰:‘若魏延造反,临阵对敌之时,方可开拆,便有斩魏延之计。’今当取出一看。”遂出锦囊拆封看时,题曰:“待与魏延对敌,马上方许拆开。”维大喜曰:“既丞相有戒约,长史可收执。吾先引兵出城,列为阵势,公可便来。”姜维披挂上马,绰枪在手,引三千军,开了城门,一齐冲出,鼓声大震,排成阵势。维挺枪立马于门旗之下,高声大骂曰:“反贼魏延! 丞相不曾亏你,今日如何背反?”延横刀勒马而言曰:“伯约,不干你事。只教杨仪来!”仪在门旗影里,拆开锦囊视之,如此如此。仪大喜,轻骑而出,立马阵前,手指魏延而笑曰:“丞相在日,知汝久后必反,教我提备,今果应其言。汝敢在马上连叫三声‘谁敢杀我’,便是真大丈夫,吾就献汉中城池与汝。”延大笑曰:“杨仪匹夫听着! 若孔明在日,吾尚惧他三分;他今已亡,天下谁敢敌我? 休道连叫三声,便叫三万声,亦有何难!”遂提刀按辔,于马上大叫曰:“谁敢杀我?”一声未毕,脑后一人厉声而应曰:“吾敢杀汝!”手起刀落,斩魏延于马下。众皆骇然。斩魏延者,乃马岱也。原来孔明临终之时,授马岱以密计,只待魏延喊叫时,便出其不意斩之;当日,杨仪读罢锦囊计策,已知伏下马岱在彼,故依计而行,果然杀了魏延。后人有诗曰:

诸葛先机识魏延,已知日后反西川。锦囊遗计人难料,却见成功在马前。

却说董允未及到南郑,马岱已斩了魏延,与姜维合兵一处。杨仪具表星夜奏闻后主。后主降旨曰:“既已名正其罪,仍念前功,赐棺椁葬之。”杨仪等扶孔明灵柩到成都,后主引文武官僚,尽皆挂孝,出城二十里迎接。后主放声大哭。上至公卿大夫,下及山林百姓,男女老幼,无不痛哭,哀声震地。后主命扶柩入城,停于丞相府中。其子诸葛瞻守孝居丧。

后主还朝，杨仪自缚请罪。后主令近臣去其缚曰："若非卿能依丞相遗教，灵柩何日得归，魏延如何得灭。大事保全，皆卿之力也。"遂加杨仪为中军师。马岱有讨逆之功，即以魏延之爵爵之。仪呈上孔明遗表。后主览毕，大哭，降旨卜地安葬。费祎奏曰："丞相临终，命葬于定军山，不用墙垣砖石，亦不用一切祭物。"后主从之。择本年十月吉日，后主自送灵柩至定军山安葬。后主降诏致祭，谥号忠武侯；令建庙于沔阳，四时享祭。后杜工部有诗曰：

丞相祠堂何处寻，锦官城外柏森森。映阶碧草自春色，
隔叶黄鹂空好音。三顾频烦天下计，两朝开济老臣心。
出师未捷身先死，长使英雄泪满襟！

又杜工部诗曰：

诸葛大名垂宇宙，宗臣遗像肃清高。三分割据纡筹策，
万古云霄一羽毛。伯仲之间见伊吕，指挥若定失萧曹。
运移汉祚终难复，志决身歼军务劳。

却说后主回到成都，忽近臣奏曰："边庭报来，东吴令全琮引兵数万，屯于巴丘界口，未知何意。"后主惊曰："丞相新亡，东吴负盟侵界，如之奈何？"蒋琬奏曰："臣敢保王平、张嶷引兵数万屯于永安，以防不测。陛下再命一人去东吴报丧，以探其动静。"后主曰："须得一舌辩之士为使。"一人应声而出曰："微臣愿往。"众视之，乃南阳安众人，姓宗，名预，字德艳，官任参军、右中郎将。后主大喜，即命宗预往东吴报丧，兼探虚实。

宗预领命，径到金陵，入见吴主孙权。礼毕，只见左右人皆着素衣。权作色而言曰："吴、蜀已为一家，卿主何故而增白帝之守也？"预曰："臣以为东益巴丘之戍，西增白帝之守，皆事势宜

然，俱不足以相问也。”权笑曰：“卿不亚于邓芝。”乃谓宗预曰：“朕闻诸葛丞相归天，每日流涕，令官僚尽皆挂孝。朕恐魏人乘丧取蜀，故增巴丘守兵万人，以为救援，别无他意也。”预顿首拜谢。权曰：“朕既许以同盟，安有背义之理？”预曰：“天子因丞相新亡，特命臣来报丧。”权遂取金钺箭一枝折之，设誓曰：“朕若负前盟，子孙绝灭！”又命使赍香帛奠仪，入川致祭。

宗预拜辞吴主，同吴使还成都，入见后主，奏曰：“吴主因丞相新亡，亦自流涕，令群臣皆挂孝。其益兵巴丘者，恐魏人乘虚而入，别无异心。今折箭为誓，并不背盟。”后主大喜，重赏宗预，厚待吴使去讫。遂依孔明遗言，加蒋琬为丞相、大将军，录尚书事；加费祎为尚书令，同理丞相事；加吴懿为车骑将军，假节督汉中；姜维为辅汉将军、平襄侯，总督诸处人马，同吴懿出屯汉中，以防魏兵。其馀将校，各依旧职。

杨仪自以为年宦[①]先于蒋琬，而位出琬下；且自恃功高，未有重赏，口出怨言，谓费祎曰：“昔日丞相初亡，吾若将全师投魏，宁当寂寞如此耶！”费祎乃将此言具表密奏后主。后主大怒，命将杨仪下狱勘问，欲斩之。蒋琬奏曰：“仪虽有罪，但日前随丞相多立功劳，未可斩也，当废为庶人。”后主从之，遂贬杨仪赴汉嘉郡为民。仪羞惭自刎而死。

蜀汉建兴十三年，魏主曹睿青龙三年，吴主孙权嘉禾四年，三国各不兴兵。单说魏主封司马懿为太尉，总督军马，安镇诸边。懿拜谢回洛阳去讫。魏主在许昌，大兴土木，建盖宫殿；又于洛阳造朝阳殿、太极殿，筑总章观，俱高十丈；又立崇华殿、青

---

① 年宦——做官的年期、资历。

霄阁、凤凰楼、九龙池，命博士马钧监造，极其华丽：雕梁画栋，碧瓦金砖，光辉耀日。选天下巧匠三万馀人，民夫三十馀万，不分昼夜而造。民力疲困，怨声不绝。

睿又降旨起土木于芳林园，使公卿皆负土树木于其中。司徒董寻上表切谏曰：

> 伏自建安以来，野战死亡，或门殚户尽；虽有存者，遗孤老弱。若今宫室狭小，欲广大之，犹宜随时，不妨农务。——况作无益之物乎？陛下既尊群臣，显以冠冕，被以文绣，载以华舆，所以异于小人也。——今又使负木担土，沾体涂足，毁国之光，以崇无益：甚无谓也。孔子云："君使臣以礼，臣事君以忠。"无忠无礼，国何以立？臣知言出必死；而自比于牛之一毛，生既无益，死亦何损。秉笔流涕，心与世辞。臣有八子，臣死之后，累陛下矣。不胜战栗待命之至！

睿览表怒曰："董寻不怕死耶！"左右奏请斩之。睿曰："此人素有忠义，今且废为庶人。再有妄言者必斩！"时有太子舍人张茂，字彦材，亦上表切谏，睿命斩之。即日召马钧问曰："朕建高台峻阁，欲与神仙往来，以求长生不老之方。"钧奏曰："汉朝二十四帝，惟武帝享国最久，寿算极高，盖因服天上日精月华之气也：尝于长安宫中，建柏梁台；台上立一铜人，手捧一盘，名曰'承露盘'，接三更北斗所降沆瀣之水① ——其名曰'天浆'，又曰'甘露'。取此水用美玉为屑，调和服之，可以反老还童。"睿大喜曰："汝今可引人夫星夜至长安，拆取铜人，移置芳林园中。"

钧领命，引一万人至长安，令周围搭起木架，上柏梁台去。

① 沆瀣(hàng xiè)之水——夜间由雾气凝结而成的水，即露水。

不移时间,五千人连绳引索,旋环而上。那柏梁台高二十丈,铜柱圆十围。马钧教先拆铜人。多人并力拆下铜人来,只见铜人眼中潸然泪下。众皆大惊。忽然台边一阵狂风起处,飞砂走石,急若骤雨;一声响亮,就如天崩地裂:台倾柱倒,压死千馀人。钧取铜人及金盘回洛阳,入见魏主,献上铜人、承露盘。魏主问曰:"铜柱安在?"钧奏曰:"柱重百万斤,不能运至。"睿令将铜柱打碎,运来洛阳,铸成两个铜人,号为"翁仲"①,列于司马门外;又铸铜龙凤两个:龙高四丈,凤高三丈馀,立在殿前。又于上林苑中,种奇花异木,蓄养珍禽怪兽。少傅杨阜上表谏曰:

臣闻尧尚茅茨,而万国安居;禹卑宫室,而天下乐业;及至殷、周,或堂崇三尺,度以九筵耳:古之圣帝明王,未有极宫室之高丽,以凋敝百姓之财力者也。桀作璇室、象廊,纣为倾宫、鹿台,以丧其社稷;楚灵以筑章华而身受其祸;秦始皇作阿房而殃及其子,天下叛之,二世而灭:夫不度万民之力,以从耳目之欲,未有不亡者也。陛下当以尧、舜、禹、汤、文、武为法则,以桀、纣、楚、秦为深诫。——而乃自暇自逸,惟宫台是饰,必有危亡之祸矣。君作元首,臣为股肱,存亡一体,得失同之。臣虽驽怯,敢忘诤臣之义?言不切至,不足以感寤陛下。谨叩棺沐浴,伏俟重诛。

表上,睿不省,只催督马钧建造高台,安置铜人、承露盘。又降旨广选天下美女,入芳林园中。众官纷纷上表谏诤,睿俱不听。

却说曹睿之后毛氏,乃河内人也;先年睿为平原王时,最相

① 翁仲——历史传说:阮翁仲,秦朝人。身长一丈三尺。秦始皇命他守边界,匈奴人很怕他。死后,秦始皇给他铸了一座铜像。后来铸刻高大的铜像或石像,就都叫做翁仲。

恩爱;及即帝位,立为后;后睿因宠郭夫人,毛后失宠。郭夫人美而慧,睿甚嬖之,每日取乐,月馀不出宫闼。是岁春三月,芳林园中百花争放,睿同郭夫人到园中赏玩饮酒。郭夫人曰:"何不请皇后同乐?"睿曰:"若彼在,朕涓滴不能下咽也。"遂传谕宫娥,不许令毛后知道。毛后见睿月馀不入正宫,是日引十馀宫人,来翠花楼上消遣,只听的乐声嘹亮,乃问曰:"何处奏乐?"一宫官启曰:"乃圣上与郭夫人于御花园中赏花饮酒。"毛后闻之,心中烦恼,回宫安歇。次日,毛皇后乘小车出宫游玩,正迎见睿于曲廊之间,乃笑曰:"陛下昨游北园,其乐不浅也!"睿大怒,即命擒昨日侍奉诸人到,叱曰:"昨游北园,朕禁左右不许使毛后知道,何得又宣露!"喝令宫官将诸侍奉人尽斩之。毛后大惊,回车至宫,睿即降诏赐毛皇后死,立郭夫人为皇后。朝臣莫敢谏者。忽一日,幽州刺史毋丘俭上表,报称辽东公孙渊造反,自号为燕王,改元绍汉元年,建宫殿,立官职,兴兵入寇,摇动北方。睿大惊,即聚文武官僚,商议起兵退渊之策。正是:才将土木劳中国,又见干戈起外方。未知何以御之,且看下文分解。

第一百六回

公孙渊兵败死襄平　司马懿诈病赚曹爽

却说公孙渊乃辽东公孙度之孙，公孙康之子也。建安十二年，曹操追袁尚，未到辽东，康斩尚首级献操，操封康为襄平侯；后康死，有二子：长曰晃，次曰渊，皆幼；康弟公孙恭继职。曹丕时封恭为车骑将军、襄平侯。太和二年，渊长大，文武兼备，性刚好斗，夺其叔公孙恭之位，曹睿封渊为扬烈将军、辽东太守。后孙权遣张弥、许晏赍金珠珍玉赴辽东，封渊为燕王。渊惧中原，乃斩张、许二人，送首与曹睿。睿封渊为大司马、乐浪公。渊心不足，与众商议，自号为燕王，改元绍汉元年。副将贾范谏曰："中原待主公以上公之爵，不为卑贱；今若背反，实为不顺。更兼司马懿善能用兵，西蜀诸葛武侯且不能取胜，何况主公乎？"渊大怒，叱左右缚贾范，将斩之。参军伦直谏曰："贾范之言是也。圣人云：'国家将亡，必有妖孽。'今国中屡见怪异之事：近有犬戴巾帻，身披红衣，上屋作人行；又城南乡民造饭，饭甑之中，忽有一小儿蒸死于内；襄平北市中，地忽陷一穴，涌出一块肉，周围数尺，头面眼耳口鼻都具，独无手足，刀箭不能伤，不知何物，卜者占之曰：'有形不成，有口无声；国家亡灭，故现其形。'——有此三者，皆不祥之兆也。主公宜避凶就吉，不可轻举妄动。"渊勃然大怒，叱武士绑伦直并贾范同斩于市。令大将军卑衍为元帅，杨祚为先锋，起辽兵十五万，杀奔中原来。

边官报知魏主曹睿。睿大惊,乃召司马懿入朝计议。懿奏曰:“臣部下马步官军四万,足可破贼。”睿曰:“卿兵少路远,恐难收复。”懿曰:“兵不在多,在能设奇用智耳。臣托陛下洪福,必擒公孙渊以献陛下。”睿曰:“卿料公孙渊作何举动?”懿曰:“渊若弃城预走,是上计也;守辽东拒大军,是中计也;坐守襄平,是为下计,——必被臣所擒矣。”睿曰:“此去往复几时?”懿曰:“四千里之地,往百日,攻百日,还百日,休息六十日,大约一年足矣。”睿曰:“倘吴、蜀入寇,如之奈何?”懿曰:“臣已定下守御之策,陛下勿忧。”睿大喜,即命司马懿兴师征讨公孙渊。懿辞朝出城,令胡遵为先锋,引前部兵先到辽东下寨。哨马飞报公孙渊。渊令卑衍、杨祚分八万兵屯于辽隧,围堑二十馀里,环绕鹿角,甚是严密。胡遵令人报知司马懿。懿笑曰:“贼不与我战,欲老我兵耳[①]。我料贼众大半在此,其巢穴空虚,不若弃却此处,径奔襄平;贼必往救,却于中途击之,必获全功。”于是勒兵从小路向襄平进发。

却说卑衍与杨祚商议曰:“若魏兵来攻,休与交战。彼千里而来,粮草不继,难以持久,粮尽必退;待他退时,然后出奇兵击之,司马懿可擒也。昔司马懿与蜀兵相拒,坚守渭南,孔明竟卒于军中:今日正与此理相同。”二人正商议间,忽报:“魏兵往南去了。”卑衍大惊曰:“彼知吾襄平军少,去袭老营也。若襄平有失,我等守此处无益矣。”遂拔寨随后而起。早有探马飞报司马懿。懿笑曰:“中吾计矣!”乃令夏侯霸、夏侯威,各引一军伏于辽水之滨:“如辽兵到,两下齐出。”二人受计而往。早望见卑衍、杨祚引

① 欲老我兵耳——想把我军拖得日久士气懈怠罢了。老,指军队久驻不战,以致疲沓松懈。

兵前来。一声炮响，两边鼓噪摇旗：左有夏侯霸，右有夏侯威，一齐杀出。卑、杨二人，无心恋战，夺路而走；奔至首山，正逢公孙渊兵到，合兵一处，回马再与魏兵交战。卑衍出马骂曰："贼将休使诡计！汝敢出战否？"夏侯霸纵马挥刀来迎。战不数合，被夏侯霸一刀斩卑衍于马下，辽兵大乱。霸驱兵掩杀，公孙渊引败兵奔入襄平城去，闭门坚守不出。魏兵四面围合。

时值秋雨连绵，一月不止，平地水深三尺，运粮船自辽河口直至襄平城下。魏兵皆在水中，行坐不安。左都督裴景入帐告曰："雨水不住，营中泥泞，军不可停，请移于前面山上。"懿怒曰："捉公孙渊只在旦夕，安可移营？如有再言移营者斩！"裴景喏喏而退。少顷，右都督仇连又来告曰："军士苦水，乞太尉移营高处。"懿大怒曰："吾军令已发，汝何敢故违！"即命推出斩之，悬首于辕门外。于是军心震慑。

懿令南寨人马暂退二十里，纵城内军民出城樵采柴薪，牧放牛马。司马陈群问曰："前太尉攻上庸之时，兵分八路，八日赶至城下，遂生擒孟达而成大功；今带甲四万，数千里而来，不令攻打城池，却使久居泥泞之中，又纵贼众樵牧。某实不知太尉是何主意？"懿笑曰："公不知兵法耶？昔孟达粮多兵少，我粮少兵多，故不可不速战；出其不意，突然攻之，方可取胜。今辽兵多，我兵少，贼饥我饱，何必力攻？正当任彼自走，然后乘机击之。我今放开一条路，不绝彼之樵牧，是容彼自走也。"陈群拜服。

于是司马懿遣人赴洛阳催粮。魏主曹睿设朝，群臣皆奏曰："近日秋雨连绵，一月不止，人马疲劳，可召回司马懿，权且罢兵。"睿曰："司马太尉善能用兵，临危制变，多有良谋，捉公孙渊计日而待。卿等何必忧也？"遂不听群臣之谏，使人运粮解至司马懿军前。懿在寨中，又过数日，雨止天晴。是夜，懿出帐外，仰观天文，忽见一星，其大如斗，流光数丈，自首山东北，坠于襄平东南。各营将士，无不惊骇。懿见之大喜，乃谓众将曰："五日之后，星落处必斩公孙渊矣。——来日可并力攻城。"

众将得令，次日侵晨，引兵四面围合，筑土山，掘地道，立炮架，装云梯，日夜攻打不息，箭如急雨，射入城去。公孙渊在城中粮尽，皆宰牛马为食。人人怨恨，各无守心，欲斩渊首，献城归降。渊闻之，甚是惊忧，慌令相国王建、御史大夫柳甫，往魏寨请降。二人自城上系下，来告司马懿曰："请太尉退二十里，我君臣自来投降。"懿大怒曰："公孙渊何不自来？殊为无理！"叱武士推出斩之，将首级付与从人。从人回报，公孙渊大惊，又遣侍中卫演来到魏营。司马懿升帐，聚众将立于两边。演膝行而进，跪于帐下，告曰："愿太尉息雷霆之怒。克日先送世子公孙修为质当，然后君臣自缚来降。"懿曰："军事大要有五：能战当战，不能战当守，不能守当走，不能走当降，不能降当死耳！——何必送子为质当？"叱卫演回报公孙渊。演抱头鼠窜而去，归告公孙渊。渊大惊，乃与子公孙修密议停当，选下一千人马，当夜二更时分，开了南门，往东南而走。渊见无人，心中暗喜。行不到十里，忽听得山上一声炮响，鼓角齐鸣：一枝兵拦住，中央乃司马懿也；左有司马师，右有司马昭，二人大叫曰："反贼休走！"渊大惊，急拨马寻路欲走。早有胡遵兵到；左有夏侯霸、夏侯威，右有张虎、乐綝：四面围得铁桶相似。公孙渊父子，只得下马纳降。懿在马上顾诸将曰："吾前夜丙寅日，见大星落于此处，今夜壬申日应矣。"众将称贺曰："太尉真神机也！"懿传令斩之。公孙渊父子对面受戮。司马懿遂勒兵来取襄平。未及到城下时，胡遵早引兵入城。城中人民焚香拜迎，魏兵尽皆入城。懿坐于衙上，将公孙渊宗族，并同谋官僚人等，俱杀之，计首级七十馀颗。出榜安民。人告懿曰："贾范、伦直苦谏渊不可反叛，俱被渊所杀。"懿遂封其墓而荣其子孙。就将库内财物，赏劳三军，班师回洛阳。

却说魏主在宫中，夜至三更，忽然一阵阴风，吹灭灯光，只见毛皇后引数十个宫人哭至座前索命。睿因此得病。病渐沉重，命侍中光禄大夫刘放、孙资，掌枢密院一切事务；又召文帝子燕王曹宇为大将军，佐太子曹芳摄政。宇为人恭俭温和，未肯当此大任，坚辞不受。睿召刘放、孙资问曰："宗族之内，何人可任？"二人久得曹真之惠，乃保奏曰："惟曹子丹之子曹爽可也。"睿从之。二人又奏曰："欲用曹爽，当遣燕王归国。"睿然其言。二人遂请睿降诏，赍出谕燕王曰："有天子手诏，命燕王归国，限即日就行；若无诏不许入朝。"燕王涕泣而去。遂封曹爽为大将军，总摄朝政。睿病渐危，急令使持节诏司马懿还朝。懿受命，径到许昌，入见魏主。睿曰："朕惟恐不得见卿；今日得见，死无恨矣。"懿顿首奏曰："臣在途中，闻陛下圣体不安，恨不肋生两翼，飞至阙下。今日得睹龙颜，臣之幸也。"睿宣太子曹芳，大将军曹爽，侍中刘放、孙资等，皆至御榻之前。睿执司马懿之手曰："昔刘玄德在白帝城病危，以幼子刘禅托孤于诸葛孔明，孔明因此竭尽忠诚，至死方休：偏邦尚然如此，何况大国乎？朕幼子曹芳，年才八岁，不堪掌理社稷。幸太尉及宗兄元勋旧臣，竭力相辅，无负朕心！"又唤芳曰："仲达与朕一体，尔宜敬礼之。"遂命懿携芳近前。芳抱懿颈不放。睿曰："太尉勿忘幼子今日相恋之情！"言讫，潸然泪下。懿顿首流涕。魏主昏沉，口不能言，只以手指太子，须臾而卒；在位十三年，寿三十六岁，时魏景初三年春正月下旬也。

当下司马懿、曹爽，扶太子曹芳即皇帝位。芳字兰卿，乃睿乞养之子，秘在宫中，人莫知其所由来。于是曹芳谥睿为明帝，葬于高平陵；尊郭皇后为皇太后；改元正始元年。司马懿与曹爽辅政。爽事懿甚谨，一应大事，必先启知。爽字昭伯，自幼出入宫中；明帝见爽谨慎，甚是爱敬。爽门下有客五百人，内有五人以浮华相尚：一是何晏，字平叔；一是邓飏，字玄茂，乃邓禹之后；一是李胜，字公昭；一是丁谧，字彦靖；一是毕轨，字昭先。又有大司农桓范字元则，颇有智谋，人多称为"智囊"。——此数人皆爽所信任。何晏告爽曰："主公大权，不可委托他人，恐生后患。"爽曰："司马公与我同受先帝托孤之命，安忍背之？"晏曰："昔日先公与仲达破蜀兵之时，累受此人之气，因而致死。——主公如何不察也？"爽猛然省悟，遂与多官计议停当，入奏魏主曹芳曰："司马懿功高德重，可加为太傅。"芳从之，自是兵权皆归于爽。爽命弟曹羲为中领军，曹训为武卫将军，曹彦为散骑常侍，各引三千御林军，任其出入禁宫。又用何晏、邓飏、丁谧为尚书，毕轨为司隶校尉，李胜为河南尹：此五人日夜与爽议事。于是曹爽门下宾客日盛。司马懿推病不出，二子亦皆退职闲居。爽每日与何晏等饮酒作乐：凡用衣服器皿，与朝廷无异；各处进贡玩好珍奇之物，先取上等者入己，然后进宫；佳人美女，充满府院。——黄门张当，谄事曹爽，私选先帝侍妾七八人，送入府中；爽又选善歌舞良家子女三四十人，为家乐。又建重楼画阁，造金银器皿，用巧匠数百人，昼夜工作。

却说何晏闻平原管辂明数术，请与论《易》。时邓飏在座，问辂曰："君自谓善《易》，而语不及《易》中词义，何也？"辂曰："夫善《易》者，不言《易》也。"晏笑而赞之曰："可谓要言不烦。"因谓辂曰："试为我卜一卦：可至三公否？"又问："连梦青蝇数十，来集鼻上,此是何兆?”辂曰:“元、恺辅舜[1],周公佐周,皆以和惠谦恭,享有多福。今君侯位尊势重,而怀德者鲜,畏威者众,殆非小心求福之道。且鼻者,山也;山高而不危,所以长守贵也。今青蝇臭恶而集焉。位峻者颠,可不惧乎?愿君侯裒多益寡[2],非礼勿履:然后三公可至,青蝇可驱也。”邓飏怒曰:“此老生之常谈耳!”辂曰:“老生者见不生,常谈者见不谈。”遂拂袖而去。二人大笑曰:“真狂士也!”辂到家,与舅言之。舅大惊曰:“何、邓二人,威权甚重,汝奈何犯之?”辂曰:“吾与死人语,何所畏耶!”舅问其故。辂曰:“邓飏行步,筋不束骨,脉不制肉,起立倾倚,若无手足:此为‘鬼躁’之相。何晏视候,魂不守宅,血不华色,精爽烟浮,容若槁木:此为‘鬼幽’之相。二人早晚必有杀身之祸,何足畏也!”其舅大骂辂为狂子而去。

却说曹爽尝与何晏、邓飏等畋猎。其弟曹羲谏曰:“兄威权太甚,而好出外游猎,倘为人所算,悔之无及。”爽叱曰:“兵权在吾手中,何惧之有!”司农桓范亦谏,不听。时魏主曹芳,改正始十年为嘉平元年。曹爽一向专权,不知仲达虚实,适魏主除李胜为荆州刺史,即令李胜往辞仲达,就探消息。胜径到太傅府中,早有门吏报入。司马懿谓二子曰:“此乃曹爽使来探吾病之虚实也。”乃去冠散发,上床拥被而坐,又令二婢扶策,方请李胜入府。胜至床前拜曰:“一向不见太傅,谁想如此病重。今天子命某为

---

① 元、恺辅舜——元,指“八元”;恺,指“八恺”。历史传说:高辛氏有才子八人,叫做“八元”;高阳氏有才子八人,叫做“八恺”,都得到舜的重用,辅助舜把政事治理得很好。元,善良;恺,和好。

② 裒(póu)多益寡——裒是聚集;裒多益寡,就是多接受别人的意见,补助自己的不足。语出《易经·谦卦》。

荆州刺史，特来拜辞。”懿佯答曰：“并州近朔方，好为之备。”胜曰：“除荆州刺史，非‘并州’也。”懿笑曰：“你方从并州来？”胜曰：“汉上荆州耳。”懿大笑曰：“你从荆州来也！”胜曰：“太傅如何病得这等了？”左右曰：“太傅耳聋。”胜曰：“乞纸笔一用。”左右取纸笔与胜。胜写毕，呈上。懿看之，笑曰：“吾病的耳聋了。此去保重。”言讫，以手指口。侍婢进汤，懿将口就之，汤流满襟，乃作哽噎之声曰：“吾今衰老病笃，死在旦夕矣。二子不肖，望君教之。君若见大将军，千万看觑二子！”言讫，倒在床上，声嘶气喘。李胜拜辞仲达，回见曹爽，细言其事。爽大喜曰：“此老若死，吾无忧矣！”

司马懿见李胜去了，遂起身谓二子曰：“李胜此去，回报消息，曹爽必不忌我矣。只待他出城畋猎之时，方可图之。”不一日，曹爽请魏主曹芳去谒高平陵，祭祀先帝。大小官僚，皆随驾出城。爽引三弟，并心腹人何晏等，及御林军护驾正行，司农桓范叩马谏曰：“主公总典禁兵，不宜兄弟皆出。倘城中有变，如之奈何？”爽以鞭指而叱之曰：“谁敢为变！再勿乱言！”当日，司马懿见爽出城，心中大喜，即起旧日手下破敌之人，并家将数十，引二子上马，径来谋杀曹爽。正是：闭户忽然有起色，驱兵自此逞雄风。未知曹爽性命如何，且看下文分解。

第一百七回

魏主政归司马氏　姜维兵败牛头山

却说司马懿闻曹爽同弟曹羲、曹训、曹彦并心腹何晏、邓飏、丁谧、毕轨、李胜等及御林军，随魏主曹芳，出城谒明帝墓，就去畋猎。懿大喜，即到省中，令司徒高柔，假以节钺行大将军事，先据曹爽营；又令太仆王观行中领军事，据曹羲营。懿引旧官入后宫奏郭太后，言爽背先帝托孤之恩，奸邪乱国，其罪当废。郭太后大惊曰："天子在外，如之奈何？"懿曰："臣有奏天子之表，诛奸臣之计。太后勿忧。"太后惧怕，只得从之。懿急令太尉蒋济、尚书令司马孚，一同写表，遣黄门赍出城外，径至帝前申奏。懿自引大军据武库。早有人报知曹爽家。其妻刘氏急出厅前，唤守府官问曰："今主公在外，仲达起兵何意？"守门将潘举曰："夫人勿惊，我去问来。"乃引弓弩手数十人，登门楼望之。正见司马懿引兵过府前，举令人乱箭射下，懿不得过。偏将孙谦在后止之曰："太傅为国家大事，休得放箭。"连止三次，举方不射。司马昭护父司马懿而过，引兵出城屯于洛河，守住浮桥。

且说曹爽手下司马鲁芝，见城中事变，来与参军辛敞商议曰："今仲达如此变乱，将如之何？"敞曰："可引本部兵出城去见天子。"芝然其言。敞急入后堂。其姊辛宪英见之，问曰："汝有何事，慌速如此？"敞告曰："天子在外，太傅闭了城门，必将谋逆。"宪英曰："司马公未必谋逆，特欲杀曹将军耳。"敞惊曰："此事未知如何?”宪英曰:“曹将军非司马公之对手,必然败矣。”敞曰:“今鲁司马教我同去,未知可去否?”宪英曰:“职守,人之大义也。凡人在难①,犹或恤之;执鞭而弃其事,不祥莫大焉。”敞从其言,乃与鲁芝引数十骑,斩关夺门而出。人报知司马懿。懿恐桓范亦走,急令人召之。范与其子商议。其子曰:“车驾在外,不如南出。”范从其言,乃上马至平昌门,城门已闭,把门将乃桓范旧吏司蕃也。范袖中取出一竹版曰:“太后有诏,可即开门。”司蕃曰:“请诏验之。”范叱曰:“汝是吾故吏,何敢如此!”蕃只得开门放出。范出的城外,唤司蕃曰:“太傅造反,汝可速随我去。”蕃大惊,追之不及。人报知司马懿。懿大惊曰:“‘智囊’泄矣!如之奈何?”蒋济曰:“驽马恋栈豆②,必不能用也。”懿乃召许允、陈泰,曰:“汝去见曹爽,说太傅别无他事,只是削汝兄弟兵权而已。”许、陈二人去了。又召殿中校尉尹大目至;令蒋济作书,与目持去见爽。懿分付曰:“汝与爽厚,可领此任。汝见爽,说吾与蒋济指洛水为誓,只因兵权之事,别无他意。”尹大目依令而去。

却说曹爽正飞鹰走犬之际,忽报城内有变,太傅有表。爽大惊,几乎落马。黄门官捧表跪于天子之前。爽接表拆封,令近臣读之。表略曰:

征西大都督、太傅臣司马懿,诚惶诚恐,顿首谨表:臣昔从辽东还,先帝诏陛下与秦王及臣等,升御床,把臣臂,深以后事为念。今大将军曹爽,背弃顾命,败乱国典;内则僭拟,

① “凡人在难”四句——意思是说,看到一般的人在患难中,还会怜悯救助;在人家手下服役,遇到危难,反而丢弃职守,这是最不祥的事了。凡事情反常会带来灾祸,古人说作“不祥”。

② 驽马恋栈豆——劣马只惦着马棚里的饲料。譬喻无能的人只贪图安逸,缺乏远大的志向和谋略。

外专威权；以黄门张当为都监，专共交关；看察至尊，候伺神器；离间二宫，伤害骨肉；天下汹汹，人怀危惧：此非先帝诏陛下及嘱臣之本意也。

臣虽朽迈，敢忘往言？太尉臣济、尚书令臣孚等，皆以爽为有无君之心，兄弟不宜典兵宿卫，奏永宁宫；皇太后令，敕臣如奏施行。臣辄敕主者及黄门令，罢爽、羲、训吏兵，以侯就第，不得逗留，以稽车驾；敢有稽留，便以军法从事。臣辄力疾将兵，屯于洛水浮桥，伺察非常。谨此上闻，伏干圣听。

魏主曹芳听毕，乃唤曹爽曰："太傅之言若此，卿如何裁处？"爽手足失措，回顾二弟曰："为之奈何？"羲曰："劣弟亦曾谏兄，兄执迷不听，致有今日。司马懿谲诈无比，孔明尚不能胜，况我兄弟乎？不如自缚见之，以免一死。"言未毕，参军辛敞、司马鲁芝到。爽问之。二人告曰："城中把得铁桶相似，太傅引兵屯于洛水浮桥，势将不可复归。宜早定大计。"正言间，司农桓范骤马而至，谓爽曰："太傅已变，将军何不请天子幸许都，调外兵以讨司马懿耶？"爽曰："吾等全家皆在城中，岂可投他处求援？"范曰："匹夫临难，尚欲望活！今主公身随天子，号令天下，谁敢不应？岂可自投死地乎？"爽闻言不决，惟流涕而已。范又曰："此去许都，不过中宿。城中粮草，足支数载。今主公别营兵马，近在阙南，呼之即至。大司马之印，某将在此[①]。主公可急行，迟则休矣！"爽曰："多官勿太催逼，待吾细细思之。"少顷，侍中许允、尚书陈泰至。二人告曰："太傅只为将军权重，不过要削去兵权，别无他意。将军可早归城中。"爽默然不语。又只见殿中校尉尹大

① 某将在此——我携带在这里。

目到。目曰:“太傅指洛水为誓,并无他意。有蒋太尉书在此。将军可削去兵权,早归相府。”爽信为良言。桓范又告曰:“事急矣,休听外言而就死地!”

是夜,曹爽意不能决,乃拔剑在手,嗟叹寻思;自黄昏直流泪到晓,终是狐疑不定。桓范入帐催之曰:“主公思虑一昼夜,何尚不能决?”爽掷剑而叹曰:“我不起兵,情愿弃官,但为富家翁足矣!”范大哭,出帐曰:“曹子丹以智谋自矜!——今兄弟三人,真豚犊耳!”痛哭不已。许允、陈泰令爽先纳印绶与司马懿。爽令将印送去,主簿杨综扯住印绶而哭曰:“主公今日舍兵权自缚去降,不免东市受戮也!”爽曰:“太傅必不失信于我。”于是曹爽将印绶与许、陈二人,先赍与司马懿。众军见无将印,尽皆四散。爽手下只有数骑官僚。到浮桥时,懿传令,教曹爽兄弟三人,且回私宅;馀皆发监,听候敕旨。爽等入城时,并无一人侍从。桓范至浮桥边,懿在马上以鞭指之曰:“桓大夫何故如此?”范低头不语,入城而去。

于是司马懿请驾拔营入洛阳。曹爽兄弟三人回家之后,懿用大锁锁门,令居民八百人围守其宅。曹爽心中忧闷。羲谓爽曰:“今家中乏粮,兄可作书与太傅借粮。如肯以粮借我,必无相害之心。”爽乃作书令人持去。司马懿览毕,遂遣人送粮一百斛,运至曹爽府内。爽大喜曰:“司马公本无害我之心也!”遂不以为忧。原来司马懿先将黄门张当捉下狱中问罪。当曰:“非我一人,更有何晏、邓飏、李胜、毕轨、丁谧等五人,同谋篡逆。”懿取了张当供词,却捉何晏等勘问明白:皆称三月间欲反。懿用长枷钉了。城门守将司蕃告称:“桓范矫诏出城,口称太傅谋反。”懿曰:“诬人反情,抵罪反坐。”亦将桓范等皆下狱,然后押曹爽兄弟三人并一干人犯,皆斩于市曹,灭其三族;其家产财物,尽抄入库。

时有曹爽从弟文叔之妻,乃夏侯令女也:早寡而无子,其父欲改嫁之,女截耳自誓。及爽被诛,其父复将嫁之,女又断去其鼻。其家惊惶,谓之曰:“人生世间,如轻尘栖弱草,何至自苦如此?且夫家又被司马氏诛戮已尽,守此欲谁为哉?”女泣曰:“吾闻‘仁者不以盛衰改节,义者不以存亡易心’。曹氏盛时,尚欲保终;况今灭亡,何忍弃之?——此禽兽之行,吾岂为乎!”懿闻而贤之,听使乞子以养,为曹氏后。后人有诗曰:

弱草微尘尽达观,夏侯有女义如山。丈夫不及裙钗节,
自顾须眉亦汗颜。

却说司马懿斩了曹爽,太尉蒋济曰:“尚有鲁芝、辛敞斩关夺门而出,杨综夺印不与,皆不可纵。”懿曰:“彼各为其主,乃义人也。”遂复各人旧职。辛敞叹曰:“吾若不问于姊,失大义矣!”后人有诗赞辛宪英曰:

为臣食禄当思报,事主临危合尽忠。辛氏宪英曾劝弟,
故令千载颂高风。

司马懿饶了辛敞等,仍出榜晓谕:但有曹爽门下一应人等,尽皆免死;有官者照旧复职。军民各守家业,内外安堵。何、邓二人死于非命,果应管辂之言。后人有诗赞管辂曰:

传得圣贤真妙诀,平原管辂相通神。“鬼幽”“鬼躁”分
何邓,未丧先知是死人。

却说魏主曹芳封司马懿为丞相,加九锡。懿固辞不肯受。芳不准,令父子三人同领国事。懿忽然想起:“曹爽全家虽诛,尚有夏侯玄守备雍州等处,系爽亲族,倘骤然作乱,如何提备?——必当处置。”即下诏遣使往雍州,取征西将军夏侯玄赴洛阳议事。玄叔夏侯霸听知大惊,便引本部三千兵造反。有镇

守雍州刺史郭淮，听知夏侯霸反，即率本部兵来，与夏侯霸交战。淮出马大骂曰："汝既是大魏皇族，天子又不曾亏汝，何故背反？"霸亦骂曰："吾祖父于国家多建勤劳，今司马懿何等匹夫，灭吾兄曹爽宗族，又来取我，早晚必思篡位。吾仗义讨贼，何反之有？"淮大怒，挺枪骤马，直取夏侯霸。霸挥刀纵马来迎。战不十合，淮败走，霸随后赶来。忽听的后军呐喊，霸急回马时，陈泰引兵杀来。郭淮复回，两路夹攻。霸大败而走，折兵大半；寻思无计，遂投汉中来降后主。

有人报与姜维，维心不信，令人体访[1] 得实，方教入城。霸拜见毕，哭告前事。维曰："昔微子去周，成万古之名：公能匡扶汉室，无愧古人也。"遂设宴相待。维就席问曰："今司马懿父子掌握重权，有窥我国之志否？"霸曰："老贼方图谋逆，未暇及外。——但魏国新有二人，正在妙龄之际，若使领兵马，实吴、蜀之大患也。"维问："二人是谁？"霸告曰："一人现为秘书郎，乃颍川长社人，姓钟，名会，字士季，太傅钟繇之子，幼有胆智。繇尝率二子见文帝，——会时年七岁，其兄毓年八岁——毓见帝惶惧，汗流满面。帝问毓曰：'卿何以汗？'毓对曰：'战战惶惶，汗出如浆。'帝问会曰：'卿何以不汗？'会对曰：'战战栗栗，汗不敢出。'帝独奇之。及稍长，喜读兵书，深明韬略；司马懿与蒋济皆奇其才。一人现为掾吏，乃义阳人也，姓邓，名艾，字士载，幼年失父，素有大志，但见高山大泽，辄窥度指画，何处可以屯兵，何处可以积粮，何处可以埋伏。人皆笑之，独司马懿奇其才，遂令参赞军机。艾为人口吃，每奏事必称'艾……艾……'。懿戏谓曰：'卿称艾艾，当有几艾？'艾应声曰：'"凤兮凤兮"，故是一凤。'

---

[1] 体访——仔细察访。

其资性敏捷，大抵如此。此二人深可畏也。”维笑曰：“量此孺子，何足道哉！”

于是姜维引夏侯霸至成都，入见后主。维奏曰：“司马懿谋杀曹爽，又来赚夏侯霸，霸因此投降。目今司马懿父子专权，曹芳懦弱，魏国将危。臣在汉中有年，兵精粮足；臣愿领王师，即以霸为向导官，克服中原，重兴汉室：以报陛下之恩，以终丞相之志。”尚书令费祎谏曰：“近者，蒋琬、董允皆相继而亡，内治无人。伯约只宜待时，不宜轻动。”维曰：“不然。人生如白驹过隙①，似此迁延岁月，何日恢复中原乎？”祎又曰：“孙子云：‘知彼知己，百战百胜。’我等皆不如丞相远甚，丞相尚不能恢复中原，何况我等？”维曰：“吾久居陇上，深知羌人之心；今若结羌人为援，虽未能克复中原，自陇而西，可断而有也。”后主曰：“卿既欲伐魏，可尽忠竭力，勿堕锐气，以负朕命。”于是姜维领敕辞朝，同夏侯霸径到汉中，计议起兵。维曰：“可先遣使去羌人处通盟，然后出西平，近雍州。先筑二城于麴山之下，令兵守之，以为掎角之势。我等尽发粮草于川口，依丞相旧制，次第进兵。”是年秋八月，先差蜀将句安、李歆同引一万五千兵，往麴山前连筑二城：句安守东城，李歆守西城。

早有细作报与雍州刺史郭淮。淮一面申报洛阳，一面遣副将陈泰引兵五万，来与蜀兵交战。句安、李歆各引一军出迎；因兵少不能抵敌，退入城中。泰令兵四面围住攻打，又以兵断其汉中粮道。句安、李歆城中粮缺。郭淮自引兵亦到，看了地势，忻然而喜；回到寨中，乃与陈泰计议曰：“此城山势高阜，必然水少，

① 白驹过隙——白驹是骏马，隙是洞孔或裂缝；白驹过隙，是说良马跑过一个洞隙，只在转瞬，极言其疾速；通常用以形容时间过得很快。

须出城取水；若断其上流，蜀兵皆渴死矣。”遂令军士掘土堰断上流。城中果然无水。李歆引兵出城取水，雍州兵围困甚急。歆死战不能出，只得退入城去。句安城中亦无水，乃会了李歆，引兵出城，并在一处；大战良久，又败入城去。军士枯渴。安与歆曰：“姜都督之兵，至今未到，不知何故。”歆曰：“我当舍命杀出求救。”遂引数十骑，开了城门，杀将出来。雍州兵四面围合，歆奋死冲突，方才得脱；只落得独自一人，身带重伤，馀皆没于乱军之中。是夜北风大起，阴云布合，天降大雪，因此城内蜀兵分粮化雪而食。

却说李歆撞出重围，从西山小路行了两日，正迎着姜维人马。歆下马伏地告曰：“麴山二城，皆被魏兵围困，绝了水道。幸得天降大雪，因此化雪度日。甚是危急。”维曰：“吾非来迟；为聚羌兵未到，因此误了。”遂令人送李歆入川养病。维问夏侯霸曰：“羌兵未到，魏兵围困麴山甚急，将军有何高见？”霸曰：“若等羌兵到，麴山二城皆陷矣。吾料雍州兵，必尽来麴山攻打，雍州城定然空虚。将军可引兵径往牛头山，抄在雍州之后：郭淮、陈泰必回救雍州，则麴山之围自解矣。”维大喜曰：“此计最善！”于是姜维引兵望牛头山而去。

却说陈泰见李歆杀出城去了，乃谓郭淮曰：“李歆若告急于姜维，姜维料吾大兵皆在麴山，必抄牛头山袭吾之后。将军可引一军去取洮水，断绝蜀兵粮道；吾分兵一半，径往牛头山击之。彼若知粮道已绝，必然自走矣。”郭淮从之，遂引一军暗取洮水。陈泰引一军径往牛头山来。

却说姜维兵至牛头山，忽听的前军发喊，报说魏兵截住去路。维慌忙自到军前视之。陈泰大喝曰：“汝欲袭吾雍州！吾已等候多时了！”维大怒，挺枪纵马，直取陈泰。泰挥刀而迎。战不三合,泰败走,维挥兵掩杀。雍州兵退回,占住山头。维收兵就牛头山下寨。维每日令兵搦战,不分胜负。夏侯霸谓姜维曰:"此处不是久停之所。连日交战,不分胜负,乃诱兵之计耳,必有异谋。不如暂退,再作良图。"正言间,忽报郭淮引一军取洮水,断了粮道。维大惊,急令夏侯霸先退,维自断后。陈泰分兵五路赶来。维独拒五路总口,战住魏兵。泰勒兵上山,矢石如雨。维急退到洮水之时,郭淮引兵杀来。维引兵往来冲突。魏兵阻其去路,密如铁桶。维奋死杀出,折兵大半,飞奔上阳平关来。前面又一军杀到;为首一员大将,纵马横刀而出。——那人生得圆面大耳,方口厚唇,左目下生个黑瘤,瘤上生数十根黑毛,乃司马懿长子骠骑将军司马师也。维大怒曰:"孺子焉敢阻吾归路!"拍马挺枪,直来刺师。师挥刀相迎。只三合,杀败了司马师,维脱身径奔阳平关来。城上人开门放入姜维。司马师也来抢关,两边伏弩齐发,一弩发十矢,乃武侯临终时所遗"连弩"之法也。正是:难支此日三军败,独赖当年十矢传。未知司马师性命如何,且看下文分解。

第一百八回

丁奉雪中奋短兵　孙峻席间施密计

却说姜维正走，遇着司马师引兵拦截。原来姜维取雍州之时，郭淮飞报入朝，魏主与司马懿商议停当，懿遣长子司马师引兵五万，前来雍州助战；师听知郭淮敌退蜀兵，师料蜀兵势弱，就来半路击之。直赶到阳平关，却被姜维用武侯所传连弩法，于两边暗伏连弩百馀张，一弩发十矢，皆是药箭，两边弩箭齐发，前军连人带马射死不知其数。司马师于乱军之中，逃命而回。

却说麴山城中蜀将句安，见援兵不至，乃开门降魏。姜维折兵数万，领败兵回汉中屯扎。司马师自还洛阳。至嘉平三年秋八月，司马懿染病，渐渐沉重，乃唤二子至榻前嘱曰："吾事魏历年，官授太傅，人臣之位极矣；人皆疑吾有异志，吾尝怀恐惧。吾死之后，汝二人善理国政，慎之！慎之！"言讫而亡。长子司马师，次子司马昭，二人申奏魏主曹芳。芳厚加祭葬，优锡赠谥；封师为大将军，总领尚书机密大事，昭为骠骑上将军。

却说吴主孙权，先有太子孙登，乃徐夫人所生，于吴赤乌四年身亡，遂立次子孙和为太子，乃琅琊王夫人所生。和因与全公主不睦，被公主所谮，权废之，和忧恨而死，又立三子孙亮为太子，乃潘夫人所生。此时陆逊、诸葛瑾皆亡，一应大小事务，皆归于诸葛恪。太元元年秋八月初一日，忽起大风，江海涌涛，平地水深八尺。吴主先陵所种松柏,尽皆拔起,直飞到建业城南门外,倒卓于道上。权因此受惊成病。至次年四月内,病势沉重,乃召太傅诸葛恪、大司马吕岱至榻前,嘱以后事。嘱讫而薨。在位二十四年,寿七十一岁,乃蜀汉延熙十五年也。后人有诗曰:

紫髯碧眼号英雄,能使臣僚肯尽忠。二十四年兴大业,龙盘虎踞在江东。

孙权既亡,诸葛恪立孙亮为帝,大赦天下,改元建兴元年;谥权曰大皇帝,葬于蒋陵。早有细作探知其事,报入洛阳。司马师闻孙权已死,遂议起兵伐吴。尚书傅嘏曰:"吴有长江之险,先帝屡次征伐,皆不遂意;不如各守边疆,乃为上策。"师曰:"天道三十年一变,岂得常为鼎峙乎?吾欲伐吴。"昭曰:"今孙权新亡,孙亮幼懦,其隙正可乘也。"遂令征南大将军王昶引兵十万攻南郡,征东将军胡遵引兵十万攻东兴,镇南都督毌丘俭引兵十万攻武昌:三路进发。又遣弟司马昭为大都督,总领三路军马。是年冬十二月,司马昭兵至东吴边界,屯住人马,唤王昶、胡遵、毌丘俭到帐中计议曰:"东吴最紧要处,惟东兴郡也。今他筑起大堤,左右又筑两城,以防巢湖后面攻击,诸公须要仔细。"遂令王昶、毌丘俭各引一万兵,列在左右:"且勿进发;待取了东兴郡,那时一齐进兵。"昶、俭二人受令而去。昭又令胡遵为先锋,总领三路兵前去:"先搭浮桥,取东兴大堤;若夺得左右二城,便是大功。"遵领兵来搭浮桥。

却说吴太傅诸葛恪,听知魏兵三路而来,聚众商议。平北将军丁奉曰:"东兴乃东吴紧要处所,若有失,则南郡、武昌危矣。"恪曰:"此论正合吾意。公可就引三千水兵从江中去,吾随后令吕据、唐咨、留赞各引一万马步兵,分三路来接应。但听连珠炮响,一齐进兵。——吾自引大兵后至。"丁奉得令,即引三千水兵，分作三十只船，望东兴而来。

却说胡遵渡过浮桥，屯军于堤上，差桓嘉、韩综攻打二城。左城中乃吴将全端守把，右城中乃吴将留略守把。此二城高峻坚固，急切攻打不下。全、留二人见魏兵势大，不敢出战，死守城池。胡遵在徐塘下寨。时值严寒，天降大雪，胡遵与众将设席高会。忽报水上有三十只战船来到。遵出寨视之，见船将次傍岸，每船上约有百人。遂还帐中，谓诸将曰："不过三千人耳，何足惧哉！"只令部将哨探，仍前饮酒。丁奉将船一字儿抛在水上，乃谓部将曰："大丈夫立功名，取富贵，正在今日！"遂令众军脱去衣甲，卸了头盔，不用长枪大戟，止带短刀。魏兵见之大笑，更不准备。忽然连珠炮响了三声，丁奉扯刀当先，一跃上岸。众军皆拔短刀，随奉上岸，砍入魏寨，魏兵措手不及。韩综急拔帐前大戟迎之，早被丁奉抢入怀内，手起刀落，砍翻在地。桓嘉从左边转出，忙绰枪刺丁奉，被奉挟住枪杆。嘉弃枪而走，奉一刀飞去，正中左肩，嘉望后便倒。奉赶上，就以枪刺之。三千吴兵，在魏寨中左冲右突。胡遵急上马夺路而走。魏兵齐奔上浮桥，浮桥已断，大半落水而死；杀倒在雪地者，不知其数。车仗马匹军器，皆被吴兵所获。司马昭、王昶、毌丘俭听知东兴兵败，亦勒兵而退。

却说诸葛恪引兵至东兴，收兵赏劳了毕，乃聚诸将曰："司马昭兵败北归，正好乘势进取中原。"遂一面遣人赍书入蜀，求姜维进兵攻其北，许以平分天下；一面起大兵二十万，来伐中原。临行时，忽见一道白气，从地而起，遮断三军，对面不见。蒋延曰："此气乃白虹也，主丧兵之兆。太傅只可回朝，不可伐魏。"恪大怒曰："汝安敢出不利之言，以慢吾军心！"叱武士斩之。众皆告免，恪乃贬蒋延为庶人，仍催兵前进。丁奉曰："魏以新城为总隘口，若先取得此城，司马师破胆矣。"恪大喜，即趱兵直至新城。

守城牙门将军张特，见吴兵大至，闭门坚守。恪令兵四面围定。早有流星马报入洛阳。主簿虞松告司马师曰："今诸葛恪困新城，且未可与战。吴兵远来，人多粮少，粮尽自走矣。待其将走，然后击之，必得全胜。——但恐蜀兵犯境，不可不防。"师然其言，遂令司马昭引一军助郭淮防姜维；毌丘俭、胡遵拒住吴兵。

却说诸葛恪连月攻打新城不下，下令众将："并力攻城，怠慢者立斩。"于是诸将奋力攻打，城东北角将陷。张特在城中定下一计：乃令一舌辩之士，赍捧册籍，赴吴寨见诸葛恪，告曰："魏国之法：若敌人困城，守城将坚守一百日，而无救兵至，然后出城降敌者，家族不坐罪。今将军围城已九十馀日；望乞再容数日，某主将尽率军民出城投降。——今先具册籍呈上。"恪深信之，收了军马，遂不攻城。原来张特用缓兵之计，哄退吴兵，遂拆城中房屋，于破城处修补完备，乃登城大骂曰："吾城中尚有半年之粮，岂肯降吴狗耶！尽战无妨！"恪大怒，催兵打城。城上乱箭射下。恪额上正中一箭，翻身落马。诸将救起还寨，金疮举发。众军皆无战心；又因天气亢炎，军士多病。恪金疮稍可，欲催兵攻城。营吏告曰："人人皆病，安能战乎？"恪大怒曰："再说病者斩之！"众军闻知，逃者无数。忽报都督蔡林引本部军投魏去了。恪大惊，自乘马遍视各营，果见军士面色黄肿，各带病容。遂勒兵还吴。早有细作报知毌丘俭。俭尽起大兵，随后掩杀。吴兵大败而归。恪甚羞惭，托病不朝。吴主孙亮自幸其宅问安，文武官僚皆来拜见。恪恐人议论，先搜求众官将过失，轻则发遣边方，重则斩首示众。于是内外官僚，无不悚惧。又令心腹将张约、朱恩管御林军，以为牙爪。

却说孙峻字子远，乃孙坚弟孙静曾孙，孙恭之子也；孙权存日，甚爱之，命掌御林军马。今闻诸葛恪令张约、朱恩二人掌御林军，夺其权，心中大怒。太常卿滕胤，素与诸葛恪有隙，乃乘间说峻曰："诸葛恪专权恣虐，杀害公卿，将有不臣之心。公系宗室，何不早图之？"峻曰："我有是心久矣；今当即奏天子，请旨诛之。"

于是孙峻、滕胤入见吴主孙亮，密奏其事。亮曰："朕见此人，亦甚恐怖；常欲除之，未得其便。今卿等果有忠义，可密图之。"胤曰："陛下可设席召恪，暗伏武士于壁衣中，掷杯为号，就席间杀之，以绝后患。"亮从之。

却说诸葛恪自兵败回朝，托病居家，心神恍惚。一日，偶出中堂，忽见一人穿麻挂孝而入。恪叱问之，其人大惊无措。恪令拿下拷问，其人告曰："某因新丧父亲，入城请僧追荐；初见是寺院而入，却不想是太傅之府。——却怎生来到此处也？"恪大怒，召守门军士问之。军士告曰："某等数十人，皆荷戈把门，未尝暂离，并不见一人入来。"恪大怒，尽数斩之。是夜，恪睡卧不安，忽听得正堂中声响如霹雳。恪自出视之，见中梁折为两段。恪惊归寝室，忽然一阵阴风起处，见所杀披麻人与守门军士数十人，各提头索命。恪惊倒在地，良久方苏。次早洗面，闻水甚血臭。恪叱侍婢，连换数十盆，皆臭无异。恪正惊疑间，忽报天子有使至，宣太傅赴宴。恪令安排车仗。方欲出府，有黄犬衔住衣服，嘤嘤作声，如哭之状。恪怒曰："犬戏我也！"叱左右逐去之，遂乘车出府。行不数步，见车前一道白虹，自地而起，如白练冲天而去。恪甚惊怪。心腹将张约进车前密告曰："今日宫中设宴，未知好歹，主公不可轻入。"恪听罢，便令回车。行不到十馀步，孙峻、滕胤乘马至车前曰："太傅何故便回？"恪曰："吾忽然腹痛，不可见天子。"胤曰："朝廷为太傅军回，不曾面叙，故特设宴相召，兼议大事。太傅虽感贵恙，还当勉强一行。”恪从其言，遂同孙峻、滕胤入宫，——张约亦随入。恪见吴主孙亮，施礼毕，就席而坐。亮命进酒，恪心疑，辞曰：“病躯不胜杯酌。”孙峻曰：“太傅府中常服药酒，可取饮乎？”恪曰：“可也。”遂令从人回府取自制药酒到，恪方才放心饮之。酒至数巡，吴主孙亮托事先起。孙峻下殿，脱了长服，着短衣，内披环甲，手提利刃，上殿大呼曰：“天子有诏诛逆贼！”诸葛恪大惊，掷杯于地，欲拔剑迎之，头已落地。张约见峻斩恪，挥刀来迎。峻急闪过，刀尖伤其左指。峻转身一刀，砍中张约右臂。武士一齐拥出，砍倒张约，剁为肉泥。孙峻一面令武士收恪家眷，一面令人将张约并诸葛恪尸首，用芦席包裹，以小车载出，弃于城南门外石子岗乱冢坑内。

却说诸葛恪之妻正在房中心神恍惚，动止不宁，忽一婢女入房。恪妻问曰：“汝遍身如何血臭？”其婢忽然反目切齿，飞身跳跃，头撞屋梁，口中大叫：“吾乃诸葛恪也！被奸贼孙峻谋杀！”恪合家老幼，惊惶号哭。不一时，军马至，围住府第，将恪全家老幼，俱缚至市曹斩首。时吴建兴二年冬十月也。昔诸葛瑾存日，见恪聪明尽显于外，叹曰：“此子非保家之主也！”又魏光禄大夫张缉，曾对司马师曰：“诸葛恪不久死矣。”师问其故，缉曰：“威震其主，何能久乎？”至此果中其言。却说孙峻杀了诸葛恪，吴主孙亮封峻为丞相、大将军、富春侯，总督中外诸军事。自此权柄尽归孙峻矣。

且说姜维在成都，接得诸葛恪书，欲求相助伐魏，遂入朝，奏准后主，复起大兵，北伐中原。正是：一度兴师未奏绩，两番讨贼欲成功。未知胜负如何，且看下文分解。

第一百九回

困司马汉将奇谋　废曹芳魏家果报

蜀汉延熙十六年秋，将军姜维起兵二十万，令廖化、张翼为左右先锋，夏侯霸为参谋，张嶷为运粮使，大兵出阳平关伐魏。维与夏侯霸商议曰："向取雍州，不克而还；今若再出，必又有准备。公有何高见？"霸曰："陇上诸郡，只有南安钱粮最广；若先取之，足可为本。向者不克而还，盖因羌兵不至。今可先遣人会羌人于陇右，然后进兵出石营，从董亭直取南安。"维大喜曰："公言甚妙！"遂遣郤正为使，赍金珠蜀锦入羌，结好羌王。羌王迷当，得了礼物，便起兵五万，令羌将俄何烧戈为大先锋，引兵南安来。

魏左将军郭淮闻报，飞奏洛阳。司马师问诸将曰："谁敢去敌蜀兵？"辅国将军徐质曰："某愿往。"师素知徐质英勇过人，心中大喜，即令徐质为先锋，令司马昭为大都督，领兵望陇西进发。军至董亭，正遇姜维，两军列成阵势。徐质使开山大斧，出马挑战。蜀阵中廖化出迎。战不数合，化拖刀败回。张翼纵马挺枪而迎，战不数合，又败入阵。徐质驱兵掩杀，蜀兵大败，退三十馀里。司马昭亦收兵回，各自下寨。

姜维与夏侯霸商议曰："徐质勇甚，当以何策擒之？"霸曰："来日诈败，以埋伏之计胜之。"维曰："司马昭乃仲达之子，岂不知兵法？若见地势掩映①，必不肯追。吾见魏兵累次断吾粮道，今却用此计诱之，可斩徐质矣。”遂唤廖化分付如此如此，又唤张翼分付如此如此：二人领兵去了。一面令军士于路撒下铁蒺藜，寨外多排鹿角，示以久计。

徐质连日引兵搦战，蜀兵不出。哨马报司马昭说：“蜀兵在铁笼山后，用木牛流马搬运粮草，以为久计，只待羌兵策应。”昭唤徐质曰：“昔日所以胜蜀者，因断彼粮道也。今蜀兵在铁笼山后运粮，汝今夜引兵五千，断其粮道，蜀兵自退矣。”徐质领令，初更时分，引兵望铁笼山来，果见蜀兵二百馀人，驱百馀头木牛流马，装载粮草而行。魏兵一声喊起，徐质当先拦住。蜀兵尽弃粮草而走。质分兵一半，押送粮草回寨；自引兵一半追来。追不到十里，前面车仗横截去路。质令军士下马拆开车仗，只见两边忽然火起。质急勒马回走，后面山僻窄狭处，亦有车仗截路，火光迸起。质等冒烟突火，纵马而出。一声炮响，两路军杀来：左有廖化，右有张翼，大杀一阵，魏兵大败。徐质奋死只身而走，人困马乏。

正奔走间，前面一枝兵杀到，乃姜维也。质大惊无措，被维一枪刺倒坐下马，徐质跌下马来，被众军乱刀砍死。质所分一半押粮兵，亦被夏侯霸所擒，尽降其众。霸将魏兵衣甲马匹，令蜀兵穿了，就令骑坐，打着魏军旗号，从小路径奔回魏寨来。魏军见本部兵回，开门放入，蜀兵就寨中杀起。司马昭大惊，慌忙上马走时，前面廖化杀来。昭不能前进，急退时，姜维引兵从小路杀到。昭四下无路，只得勒兵上铁笼山据守。原来此山只有一条路，四下皆险峻难上；其上惟有一泉，止够百人之饮，——此时

① 掩映——同义复词，本义是遮掩。这里有参差交错、重叠遮隐的意思。

昭手下有六千人，被姜维绝其路口，山上泉水不敷，人马枯渴。昭仰天长叹曰："吾死于此地矣！"后人有诗曰：

妙算姜维不等闲，魏师受困铁笼间：庞涓始入马陵道，项羽初围九里山。

主簿王韬曰："昔日耿恭受困，拜井而得甘泉：将军何不效之？"昭从其言，遂上山顶泉边，再拜而祝曰："昭奉诏来退蜀兵，若昭合死，令甘泉枯竭，昭自当刎颈，教部军尽降；如寿禄未终，愿苍天早赐甘泉，以活众命！"祝毕，泉水涌出，取之不竭，因此人马不死。

却说姜维在山下困住魏兵，谓众将曰："昔日丞相在上方谷，不曾捉住司马懿，吾深为恨；今司马昭必被吾擒矣。"

却说郭淮听知司马昭困于铁笼山上，欲提兵来。陈泰曰："姜维会合羌兵，欲先取南安。今羌兵已到，将军若撤兵去救，羌兵必乘虚袭我后也。可先令人诈降羌人，于中取事；若退了此兵，方可救铁笼之围。"郭淮从之，遂令陈泰引五千兵，径到羌王寨内，解甲而入，泣拜曰："郭淮妄自尊大，常有杀泰之心，故来投降。郭淮军中虚实，某俱知之。只今夜愿引一军前去劫寨，便可成功。如兵到魏寨，自有内应。"迷当大喜，遂令俄何烧戈同陈泰来劫魏寨。俄何烧戈教泰降兵在后，令泰引羌兵为前部。是夜二更，竟到魏寨，寨门大开。陈泰一骑马先入。俄何烧戈骤马挺枪入寨之时，只叫得一声苦，连人带马，跌在陷坑里。陈泰兵从后面杀来，郭淮从左边杀来，羌兵大乱，自相践踏，死者无数，生者尽降。俄何烧戈自刎而死。郭淮、陈泰引兵直杀到羌人寨中，迷当大王急出帐上马时，被魏兵生擒活捉，来见郭淮。淮慌下马，亲去其缚，用好言抚慰曰："朝廷素以公为忠义，今何故助蜀人也？"迷当惭愧伏罪。淮乃说迷当曰："公今为前部，去解铁笼山之围,退了蜀兵,吾奏准天子,自有厚赐。”

迷当从之,遂引羌兵在前,魏兵在后,径奔铁笼山。时值三更,先令人报知姜维。维大喜,教请入相见。魏兵多半杂在羌人部内;行到蜀寨前,维令大兵皆在寨外屯扎,迷当引百馀人到中军帐前。姜维、夏侯霸二人出迎。魏将不等迷当开言,就从背后杀将起来。维大惊,急上马而走。羌、魏之兵,一齐杀入。蜀兵四分五落,各自逃生。维手无器械,腰间止有一副弓箭,走得慌忙,箭皆落了,只有空壶。维望山中而走,背后郭淮引兵赶来;见维手无寸铁,乃骤马挺枪追之。看看至近,维虚拽弓弦,连响十馀次。淮连躲数番,不见箭到,知维无箭,乃挂住钢枪,拈弓搭箭射之。维急闪过,顺手接了,就扣在弓弦上;待淮追近,望面门上尽力射去,淮应弦落马。维勒回马来杀郭淮,魏军骤至。维下手不及,只掣得淮枪而去。魏兵不敢追赶,急救淮归寨,拔出箭头,血流不止而死。司马昭下山引兵追赶,半途而回。夏侯霸随后逃至,与姜维一齐奔走。维折了许多人马,一路收扎不住,自回汉中。虽然兵败,却射死郭淮,杀死徐质,挫动魏国之威,将功补罪。

却说司马昭犒劳羌兵,发遣回国去讫,班师还洛阳,与兄司马师专制朝权,群臣莫敢不服。魏主曹芳每见师入朝,战栗不已,如针刺背。一日,芳设朝,见师带剑上殿,慌忙下榻迎之。师笑曰:“岂有君迎臣之礼也,请陛下稳便。”须臾,群臣奏事,司马师俱自剖断,并不启奏魏主。少时朝退,师昂然下殿,乘车出内,前遮后拥,不下数千人马。芳退入后殿,顾左右止有三人:乃太常夏侯玄,中书令李丰,光禄大夫张缉——缉乃张皇后之父,曹芳之皇丈也。芳叱退近侍,同三人至密室商议。芳执张缉之手而哭曰:“司马师视朕如小儿,觑百官如草芥,社稷早晚必归此人矣!”言讫大哭。李丰奏曰:“陛下勿忧。臣虽不才,愿以陛下之明诏,聚四方之英杰,以剿此贼。”夏侯玄奏曰:“臣叔夏侯霸降蜀,因惧司马兄弟谋害故耳;今若剿除此贼,臣叔必回也。臣乃国家旧戚,安敢坐视奸贼乱国,愿同奉诏讨之。”芳曰:“但恐不能耳。”三人哭奏曰:“臣等誓当同心灭贼,以报陛下!”芳脱下龙凤汗衫,咬破指尖,写了血诏,授与张缉,乃嘱曰:“朕祖武皇帝诛董承,盖为机事不密也。卿等须谨细,勿泄于外。”丰曰:“陛下何出此不利之言?臣等非董承之辈,司马师安比武祖也?陛下勿疑。”三人辞出,至东华门左侧,正见司马师带剑而来,从者数百人,皆持兵器。三人立于道傍。师问曰:“汝三人退朝何迟?”李丰曰:“圣上在内廷观书,我三人侍读故耳。”师曰:“所看何书?”丰曰:“乃夏、商、周三代之书也。”师曰:“上见此书,问何故事?”丰曰:“天子所问伊尹扶商、周公摄政之事,我等皆奏曰:‘今司马大将军,即伊尹、周公也。’”师冷笑曰:“汝等岂将吾比伊尹、周公!其心实指吾为王莽、董卓!”三人皆曰:“我等皆将军门下之人,安敢如此?”师大怒曰:“汝等乃口谀[①] 之人!适间与天子在密室中所哭何事?”三人曰:“实无此状。”师叱曰:“汝三人泪眼尚红,如何抵赖!”夏侯玄知事已泄,乃厉声大骂曰:“吾等所哭者,为汝威震其主,将谋篡逆耳!”师大怒,叱武士捉夏侯玄。玄揎拳裸袖,径击司马师,却被武士擒住。师令将各人搜检,于张缉身畔搜出一龙凤汗衫,上有血字。左右呈与司马师。师视之,乃密诏也。诏曰:

司马师弟兄,共持大权,将图篡逆。所以诏制,皆非朕

① 口谀(yú)——这里是当面吹捧、表里不一的意思。

意。各部官兵将士，可同仗忠义，讨灭贼臣，匡扶社稷。功成之日，重加爵赏。

司马师看毕，勃然大怒曰："原来汝等正欲谋害吾兄弟！情理难容！"遂令将三人腰斩于市，灭其三族。三人骂不绝口。比临东市中，牙齿尽被打落，各人含糊数骂而死。师直入后宫。魏主曹芳正与张皇后商议此事。皇后曰："内廷耳目甚多，倘事泄露，必累妾矣！"

正言间，忽见师入，皇后大惊。师按剑谓芳曰："臣父立陛下为君，功德不在周公之下；臣事陛下，亦与伊尹何别乎？今反以恩为仇，以功为过，欲与二三小臣，谋害臣兄弟，何也？"芳曰："朕无此心。"师袖中取出汗衫，掷之于地曰："此谁人所作耶！"芳魂飞天外，魄散九霄，战栗而答曰："此皆为他人所逼故也。朕岂敢兴此心？"师曰："妄诬大臣造反，当加何罪？"芳跪告曰："朕合有罪，望大将军恕之！"师曰："陛下请起。——国法未可废也。"乃指张皇后曰："此是张缉之女，理当除之！"芳大哭求免，师不从，叱左右将张后捉出，至东华门内，用白练绞死。后人有诗曰：

当年伏后出宫门，跣足哀号别至尊。司马今朝依此例，天教还报在儿孙。

次日，司马师大会群臣曰："今主上荒淫无道，亵近娼优，听信谗言，闭塞贤路：其罪甚于汉之昌邑[①]，不能主天下。吾谨按伊尹、霍光之法，别立新君，以保社稷，以安天下，如何？"众皆应曰："大将军行伊、霍之事，所谓应天顺人，谁敢违命。"师遂同多

---

① "其罪甚于汉之昌邑"二句——汉昭帝刘弗陵死，无子，大将军霍光主持立昭帝的侄子昌邑王刘贺为帝；即位不久，一味胡闹；霍光又主持废除刘贺的皇位，改立昭帝的侄孙刘询为帝，即汉宣帝。

官入永宁宫,奏闻太后。太后曰:"大将军欲立何人为君?"师曰:"臣观彭城王曹据,聪明仁孝,可以为天下之主。"太后曰:"彭城王乃老身之叔,今立为君,我何以当之?今有高贵乡公曹髦,乃文皇帝之孙;此人温恭克让,可以立之。卿等大臣,从长计议。"一人奏曰:"太后之言是也。便可立之。"众视之,乃司马师宗叔司马孚也。师遂遣使往元城召高贵乡公;请太后升太极殿,召芳责之曰:"汝荒淫无度,亵近娼优,不可承天下;当纳下玺绶,复齐王之爵,目下起程,非宣召不许入朝。"芳泣拜太后,纳了国宝,乘王车大哭而去。只有数员忠义之臣,含泪而送。后人有诗曰:

昔日曹瞒相汉时,欺他寡妇与孤儿。谁知四十馀年后,寡妇孤儿亦被欺。

却说高贵乡公曹髦,字彦士,乃文帝之孙,东海定王霖之子也。当日,司马师以太后命宣至,文武官僚备銮驾于西掖门外拜迎。髦慌忙答礼。太尉王肃曰:"主上不当答礼。"髦曰:"吾亦人臣也,安得不答礼乎?"文武扶髦上辇入宫,髦辞曰:"太后诏命,不知为何,吾安敢乘辇而入?"遂步行至太极东堂。司马师迎着,髦先下拜,师急扶起。问候已毕,引见太后。后曰:"吾见汝年幼时,有帝王之相;汝今可为天下之主:务须恭俭节用,布德施仁,勿辱先帝也。"髦再三谦辞。师令文武请髦出太极殿,是日立为新君,改嘉平六年为正元元年,大赦天下,假大将军司马师黄钺,入朝不趋,奏事不名,带剑上殿。文武百官,各有封赐。

正元二年春正月,有细作飞报,说镇东将军毌丘俭、扬州刺史文钦,以废主为名,起兵前来。司马师大惊。正是:汉臣曾有勤王志,魏将还兴讨贼师。未知如何迎敌,且看下文分解。

第一百十回

文鸯单骑退雄兵　姜维背水破大敌

却说魏正元二年正月，扬州都督、镇东将军、领淮南军马毌丘俭，——字仲恭，河东闻喜人也。——闻司马师擅行废立之事，心中大怒。长子毌丘甸曰："父亲官居方面[1]，司马师专权废主，国家有累卵之危，安可宴然自守？"俭曰："吾儿之言是也。"遂请刺史文钦商议。钦乃曹爽门下客，当日闻俭相请，即来拜谒。俭邀入后堂，礼毕，说话间，俭流泪不止。钦问其故，俭曰："司马师专权废主，天地反覆，安得不伤心乎！"钦曰："都督镇守方面，若肯仗义讨贼，钦愿舍死相助。钦中子文淑，小字阿鸯，有万夫不当之勇，常欲杀司马师兄弟，与曹爽报仇，今可令为先锋。"俭大喜，即时酹酒为誓。二人诈称太后有密诏，令淮南大小官兵将士，皆入寿春城，立一坛于西，宰白马歃血为盟，宣言司马师大逆不道，今奉太后密诏，令尽起淮南军马，仗义讨贼。众皆悦服。俭提六万兵，屯于项城。文钦领兵二万在外为游兵，往来接应。俭移檄诸郡，令各起兵相助。

却说司马师左眼肉瘤，不时痛痒，乃命医官割之，以药封闭，连日在府养病；忽闻淮南告急，乃请太尉王肃商议。肃曰："昔关云长威震华夏，孙权令吕蒙袭取荆州，抚恤将士家属，因此关公

---

① 官居方面——身任总揽一个地区的军政大权的官。

军势瓦解。今淮南将士家属，皆在中原，可急抚恤，更以兵断其归路：必有土崩之势矣。”师曰：“公言极善。但吾新割目瘤，不能自往。——若使他人，心又不稳。”时中书侍郎钟会在侧，进言曰：“淮楚兵强，其锋甚锐；若遣人领兵去退，多是不利。倘有疏虞，则大事废矣。”师蹶然[1] 起曰：“非吾自往，不可破贼！”遂留弟司马昭守洛阳，总摄朝政。师乘软舆，带病东行。令镇东将军诸葛诞，总督豫州诸军，从安风津取寿春；又令征东将军胡遵，领青州诸军，出谯、宋之地，绝其归路；又遣荆州刺史、监军王基，领前部兵，先取镇南之地。师领大军屯于襄阳，聚文武于帐下商议。光禄勋郑袤曰：“毌丘俭好谋而无断，文钦有勇而无智。今大军出其不意，江、淮之卒锐气正盛，不可轻敌；只宜深沟高垒，以挫其锐。——此亚夫之长策也。”监军王基曰：“不可。淮南之反，非军民思乱也；皆因毌丘俭势力所逼，不得已而从之。若大军一临，必然瓦解。”师曰：“此言甚妙。”遂进兵于㶏水之上，中军屯于㶏桥。基曰：“南顿极好屯兵，可提兵星夜取之。若迟则毌丘俭必先至矣。”师遂令王基前部兵来南顿城下寨。

却说毌丘俭在项城，闻知司马师自来，乃聚众商议。先锋葛雍曰：“南顿之地，依山傍水，极好屯兵；若魏兵先占，难以驱遣，可速取之。”俭然其言，起兵投南顿来。正行之间，前面流星马报说，南顿已有人马下寨。俭不信，自到军前视之，果然旌旗遍野，营寨齐整。俭回到军中，无计可施。忽哨马飞报：“东吴孙峻提兵渡江袭寿春来了。”俭大惊曰：“寿春若失，吾归何处！”是夜退兵于项城。

司马师见毌丘俭军退，聚多官商议。尚书傅嘏曰：“今俭兵

---

① 蹶(jué)然——突然而起的样子。

退者，忧吴人袭寿春也。——必回项城分兵拒守。将军可令一军取乐嘉城，一军取项城，一军取寿春，则淮南之卒必退矣。兖州刺史邓艾，足智多谋；若领兵径取乐嘉，更以重兵应之，破贼不难也。”师从之，急遣使持檄文，教邓艾起兖州之兵破乐嘉城。师随后引兵到彼会合。

却说毌丘俭在项城，不时差人去乐嘉城哨探，只恐有兵来。请文钦到营共议，钦曰：“都督勿忧。我与拙子文鸯，只消五千兵，敢保乐嘉城。”俭大喜。钦父子引五千兵投乐嘉来。前军报说：“乐嘉城西，皆是魏兵，约有万馀。遥望中军，白旄黄钺，皂盖朱幡，簇拥虎帐，内竖一面锦绣帅字旗，必是司马师也。——安立营寨，尚未完备。”时文鸯悬鞭立于父侧，闻知此语，乃告父曰：“趁彼营寨未成，可分兵两路，左右击之，可全胜也。”钦曰：“何时可去？”鸯曰：“今夜黄昏，父引二千五百兵，从城南杀来；儿引二千五百兵，从城北杀来：三更时分，要在魏寨会合。”钦从之，当晚分兵两路。且说文鸯年方十八岁，身长八尺，全装惯甲，腰悬钢鞭，绰枪上马，遥望魏寨而进。

是夜，司马师兵到乐嘉，立下营寨，等邓艾未至。师为眼下新割肉瘤，疮口疼痛，卧于帐中，令数百甲士环立护卫。三更时分，忽然寨内喊声大震，人马大乱。师急问之，人报曰：“一军从寨北斩围直入，为首一将，勇不可当！”师大惊，心如火烈，眼珠从肉瘤疮口内迸出，血流遍地，疼痛难当；又恐有乱军心，只咬被头而忍，被皆咬烂。原来文鸯军马先到，一拥而进，在寨中左冲右突；所到之处，人不敢当，有相拒者，枪搠鞭打，无不被杀。鸯只望父到，以为外应，并不见来。数番杀到中军，皆被弓弩射回。鸯直杀到天明，只听得北边鼓角喧天。鸯回顾从者曰：“父亲不在南面为应，却从北至，何也？”鸯纵马看时，只见一军行如猛风，为首一将,乃邓艾也,跃马横刀,大呼曰:“反贼休走!”鸯大怒,挺枪迎之。战有五十合,不分胜败。正斗间,魏兵大进,前后夹攻。鸯部下兵各自逃散,只文鸯单人独马,冲开魏兵,望南而走。背后数百员魏将,抖擞精神,骤马追来;将至乐嘉桥边,看看赶上。鸯忽然勒回马大喝一声,直冲入魏将阵中来;钢鞭起处,纷纷落马,各各倒退。鸯复缓缓而行。魏将聚在一处,惊讶曰:“此人尚敢退我等之众耶!——可并力追之!”于是魏将百员,复来追赶。鸯勃然大怒曰:“鼠辈何不惜命也!”提鞭拨马,杀入魏将丛中,用鞭打死数人,复回马缓辔而行。魏将连追四五番,皆被文鸯一人杀退。后人有诗曰:

长坂当年独拒曹,子龙从此显英豪。乐嘉城内争锋处,又见文鸯胆气高。

原来文钦被山路崎岖,迷入谷中,行了半夜,比及寻路而出,天色已晓:文鸯人马不知所向,只见魏兵大胜。钦不战而退。魏兵乘势追杀,钦引兵望寿春而走。

却说魏殿中校尉尹大目,乃曹爽心腹之人,因爽被司马懿谋杀,故事司马师,常有杀师报爽之心;又素与文钦交厚。今见师眼瘤突出,不能动止,乃入帐告曰:“文钦本无反心,今被毌丘俭逼迫,以致如此。某去说之,必然来降。”师从之。大目顶盔惯甲,乘马来赶文钦;看看赶上,乃高声大叫曰:“文刺史见尹大目么?”钦回头视之,大目除盔放于鞍鞒之前,以鞭指曰:“文刺史何不忍耐数日也?”——此是大目知师将亡,故来留钦。钦不解其意,厉声大骂,便欲开弓射之。大目大哭而回。钦收聚人马奔寿春时,已被诸葛诞引兵取了;欲复回项城时,胡遵、王基、邓艾三路兵皆到。钦见势危,遂投东吴孙峻去了。

却说毌丘俭在项城内,听知寿春已失,文钦势败,城外三路兵到，俭遂尽撤城中之兵出战。正与邓艾相遇，俭令葛雍出马，与艾交锋，不一合，被艾一刀斩之，引兵杀过阵来。毌丘俭死战相拒。江淮兵大乱。胡遵、王基引兵四面夹攻。毌丘俭敌不住，引十馀骑夺路而走。前至慎县城下，县令宋白开门接入，设席待之。俭大醉，被宋白令人杀了，将头献与魏兵。于是淮南平定。

司马师卧病不起，唤诸葛诞入帐，赐以印绶，加为镇东大将军，都督扬州诸路军马；一面班师回许昌。师目痛不止，每夜只见李丰、张缉、夏侯玄三人立于榻前。师心神恍惚，自料难保，遂令人往洛阳取司马昭到。昭哭拜于床下。师遗言曰："吾今权重，虽欲卸肩，不可得也。汝继我为之，大事切不可轻托他人，自取灭族之祸。"言讫，以印绶付之，泪流满面。昭急欲问时，师大叫一声，眼睛迸出而死。时正元二年二月也。于是司马昭发丧，申奏魏主曹髦。髦遣使持诏到许昌，即命暂留司马昭屯军许昌，以防东吴。昭心中犹豫未决。钟会曰："大将军新亡，人心未定，将军若留守于此，万一朝廷有变，悔之何及？"昭从之，即起兵还屯洛水之南。髦闻之大惊。太尉王肃奏曰："昭既继其兄掌大权，陛下可封爵以安之。"髦遂命王肃持诏，封司马昭为大将军、录尚书事。昭入朝谢恩毕。自此，中外大小事情，皆归于昭。

却说西蜀细作哨知此事，报入成都。姜维奏后主曰："司马师新亡，司马昭初握重权，必不敢擅离洛阳。臣请乘间伐魏，以复中原。"后主从之，遂命姜维兴师伐魏。维到汉中，整顿人马。征西大将军张翼曰："蜀地浅狭，钱粮鲜薄，不宜远征；不如据险守分，恤军爱民：此乃保国之计也。"维曰："不然。昔丞相未出茅庐，已定三分天下，然且六出祁山以图中原；不幸半途而丧，以致功业未成。今吾既受丞相遗命，当尽忠报国以继其志，虽死而无恨也。今魏有隙可乘,不就此时伐之,更待何时?”夏侯霸曰:“将军之言是也。可将轻骑先出枹罕。若得洮西南安,则诸郡可定。”张翼曰:“向者不克而还,皆因军出甚迟也。兵法云:‘攻其无备,出其不意。’今若火速进兵,使魏人不能提防,必然全胜矣。”

于是姜维引兵五万,望枹罕进发。兵至洮水,守边军士报知雍州刺史王经、征西将军陈泰。王经先起马步兵七万来迎。姜维分付张翼如此如此,又分付夏侯霸如此如此:二人领计去了;维乃自引大军背洮水列阵。王经引数员牙将出而问曰:“魏与吴、蜀,已成鼎足之势;汝累次入寇,何也?”维曰:“司马师无故废主,邻邦理宜问罪,何况仇敌之国乎?”

经回顾张明、花永、刘达、朱芳四将曰:“蜀兵背水为阵,败则皆没于水矣。姜维骁勇,汝四将可战之。彼若退动,便可追击。”四将分左右而出,来战姜维。维略战数合,拨回马望本阵中便走。王经大驱士马,一齐赶来。维引兵望着洮水而走;将次近水,大呼将士曰:“事急矣!诸将何不努力!”众将一齐奋力杀回,魏兵大败。张翼、夏侯霸抄在魏兵之后,分两路杀来,把魏兵困在垓心。维奋武扬威,杀入魏军之中,左冲右突,魏兵大乱,自相践踏,死者大半,逼入洮水者无数,斩首万馀,垒尸数里。王经引败兵百骑,奋力杀出,径往狄道城而走;奔入城中,闭门保守。姜维大获全功,犒军已毕,便欲进兵攻打狄道城。张翼谏曰:“将军功绩已成,威声大震,可以止矣。今若前进,倘不如意,正如‘画蛇添足’也。”维曰:“不然。向者兵败,尚欲进取,纵横中原;今日洮水一战,魏人胆裂,吾料狄道唾手可得。——汝勿自堕其志也。”张翼再三劝谏,维不从,遂勒兵来取狄道城。

却说雍州征西将军陈泰,正欲起兵与王经报兵败之仇,忽兖州刺史邓艾引兵到。泰接着，礼毕，艾曰："今奉大将军之命，特来助将军破敌。"泰问计于邓艾，艾曰："洮水得胜，若招羌人之众，东争关陇，传檄四郡：此吾兵之大患也。——今彼不思如此，却图狄道城；其城垣坚固，急切难攻，空劳兵费力耳。吾今陈兵于项岭，然后进兵击之，蜀兵必败矣。"陈泰曰："真妙论也！"遂先拨二十队兵，每队五十人，尽带旌旗、鼓角、烽火之类，日伏夜行，去狄道城东南高山深谷之中埋伏；只待兵来，一齐鸣鼓吹角为应，夜则举火放炮以惊之。调度已毕，专候蜀兵到来。于是陈泰、邓艾，各引二万兵相继而进。

却说姜维围住狄道城，令兵八面攻之，连攻数日不下，心中郁闷，无计可施。是日黄昏时分，忽三五次流星马报说："有两路兵来，旗上明书大字：一路是征西将军陈泰，一路是兖州刺史邓艾。"维大惊，遂请夏侯霸商议。霸曰："吾向尝为将军言：邓艾自幼深明兵法，善晓地理。今领兵到，颇为劲敌。"维曰："彼军远来，我休容他住脚，便可击之。"乃留张翼攻城，命夏侯霸引兵迎陈泰。维自引兵来迎邓艾。行不到五里，忽然东南一声炮响，鼓角震地，火光冲天。维纵马看时，只见周围皆是魏兵旗号。维大惊曰："中邓艾之计矣！"遂传令教夏侯霸、张翼各弃狄道而退。于是蜀兵皆退于汉中。维自断后，只听得背后鼓声不绝，——维退入剑阁之时，方知火鼓二十馀处，皆虚设也。——维收兵退屯于钟提。

且说后主因姜维有洮西之功，降诏封维为大将军。维受了职，上表谢恩毕，再议出师伐魏之策。正是：成功不必添蛇足，讨贼犹思奋虎威。不知此番北伐如何，且看下文分解。

第一百十一回

邓士载智败姜伯约　诸葛诞义讨司马昭

却说姜维退兵屯于钟提，魏兵屯于狄道城外。王经迎接陈泰、邓艾入城，拜谢解围之事，设宴相待，大赏三军。泰将邓艾之功，申奏魏主曹髦，髦封艾为安西将军，假节领护东羌校尉，同陈泰屯兵于雍、凉等处。邓艾上表谢恩毕，陈泰设席与邓艾作贺曰："姜维夜遁，其力已竭，不敢再出矣。"艾笑曰："吾料蜀兵必出有五。"泰问其故，艾曰："蜀兵虽退，终有乘胜之势；吾兵终有弱败之实：其必出一也。蜀兵皆是孔明教演，精锐之兵，容易调遣；吾将不时更换，军又训练不熟：其必出二也。蜀人多以船行，吾军皆在旱地，劳逸不同：其必出三也。狄道、陇西、南安、祁山四处皆是守战之地；蜀人或声东击西，指南攻北，吾兵必须分头守把；蜀兵合为一处而来，以一分当我四分：其必出四也。若蜀兵自南安、陇西，则可取羌人之谷为食；若出祁山，则有麦可就食：其必出五也。"陈泰叹服曰："公料敌如神，蜀兵何足虑哉！"于是陈泰与邓艾结为忘年之交①。艾遂将雍、凉等处之兵，每日操练；各处隘口，皆立营寨，以防不测。

却说姜维在钟提大设筵宴，会集诸将，商议伐魏之事。令史樊建谏曰："将军屡出，未获全功；今日洮西之捷，魏人已服威名，

① 忘年之交——年龄相差很多的人（即行辈不同）结交为友，等辈相待。

何故又欲出也？万一不利，前功尽弃。”维曰：“汝等只知魏国地宽人广，急不可得；却不知攻魏者有五可胜。”众问之，维答曰：“彼洮西一败，挫尽锐气，吾兵虽退，不曾损折：今若进兵，一可胜也。吾兵船载而进，不致劳困，彼兵皆从旱地来迎：二可胜也。吾兵久经训练之众，彼皆乌合之徒，不曾有法度：三可胜也。吾兵自出祁山，掠抄秋谷为食：四可胜也。彼兵须各守备，军力分开，吾兵一处而去，彼安能救：五可胜也。——不在此时伐魏，更待何日耶？”夏侯霸曰：“艾年虽幼，而机谋深远；近封为安西将军之职，必于各处准备，非同往日矣。”维厉声曰：“吾何畏彼哉！公等休长他人锐气，灭自己威风！吾意已决，必先取陇西。”众不敢谏。维自领前部，令众将随后而进。于是蜀兵尽离钟提，杀奔祁山来。哨马报说魏兵已先在祁山立下九个寨栅。维不信，引数骑凭高望之，果见祁山九寨势如长蛇，首尾相顾。维回顾左右曰：“夏侯霸之言，信不诬矣。此寨形势绝妙，止吾师诸葛丞相能之；今观邓艾所为，不在吾师之下。”遂回本寨，唤诸将曰：“魏人既有准备，必知吾来矣。吾料邓艾必在此间。汝等可虚张吾旗号，据此谷口下寨；每日令百馀骑出哨，每出哨一回，换一番衣甲、旗号，按青、黄、赤、白、黑五方旗帜相换。吾却提大兵偷出董亭，径袭南安去也。”遂令鲍素屯兵于祁山谷口，维尽率大兵，望南安进发。

却说邓艾知蜀兵出祁山，早与陈泰下寨准备；见蜀兵连日不来搦战，一日五番哨马出寨，或十里或十五里而回。艾凭高望毕，慌入帐与陈泰曰：“姜维不在此间，必取董亭袭南安去了。出寨哨马只是这几匹，更换衣甲，往来哨探，其马皆困乏，主将必无能者。陈将军可引一军攻之，其寨可破也。破了寨栅，便引兵袭董亭之路，先断姜维之后。吾当先引一军救南安，径取武城山。

若先占此山头，姜维必取上邽。上邽有一谷，名曰段谷，地狭山险，正好埋伏。彼来争武城山时，吾先伏两军于段谷，破维必矣。”泰曰：“吾守陇西二三十年，未尝如此明察地理。公之所言，真神算也！公可速去，吾自攻此处寨栅。”于是邓艾引军星夜倍道而行，径到武城山；下寨已毕，蜀兵未到，即令子邓忠，与帐前校尉师纂，各引五千兵，先去段谷埋伏，如此如此而行。二人受计而去。艾令偃旗息鼓，以待蜀兵。

却说姜维从董亭望南安而来，至武城山前，谓夏侯霸曰：“近南安有一山，名武城山；若先得了，可夺南安之势。只恐邓艾多谋，必先提防。”正疑虑间，忽然山上一声炮响，喊声大震，鼓角齐鸣，旌旗遍竖，皆是魏兵；中央风飘起一黄旗，大书“邓艾”字样。蜀兵大惊。山上数处精兵杀下，势不可当，前军大败。维急率中军人马去救时，魏兵已退。维直来武城山下搦邓艾战，山上魏兵并不下来。维令军士辱骂，至晚，方欲退军，山上鼓角齐鸣，却又不见魏兵下来。维欲上山冲杀，山上炮石甚严，不能得进。守至三更，欲回，山上鼓角又鸣。维移兵下山屯扎。比及令军搬运木石，方欲竖立为寨，山上鼓角又鸣，魏兵骤至。蜀兵大乱，自相践踏，退回旧寨。次日，姜维令军士运粮草车仗，至武城山，穿连排定，欲立起寨栅，以为屯兵之计。是夜二更，邓艾令五百人，各执火把，分两路下山，放火烧车仗。两兵混杀了一夜，营寨又立不成。维复引兵退，再与夏侯霸商议曰：“南安未得，不如先取上邽。上邽乃南安屯粮之所；若得上邽，南安自危矣。”遂留霸屯于武城山，维尽引精兵猛将，径取上邽。行了一宿，将及天明，见山势狭峻，道路崎岖，乃问向导官曰：“此处何名？”答曰：“段谷。”维大惊曰：“其名不美：‘段谷’者，‘断谷’也。倘有人断其谷口，如之奈何？”正踌躇未决，忽前军来报：“山后尘头大起，必有伏兵。”

维急令退兵。师纂、邓忠两军杀出，维且战且走，前面喊声大震，邓艾引兵杀到：三路夹攻，蜀兵大败。幸得夏侯霸引兵杀到，魏兵方退，救了姜维，欲再往祁山。霸曰："祁山寨已被陈泰打破，鲍素阵亡，全寨人马皆退回汉中去了。"维不敢取董亭，急投山僻小路而回。后面邓艾急追，维令诸军前进，自为断后。正行之际，忽然山中一军突出，乃魏将陈泰也。魏兵一声喊起，将姜维困在垓心。维人马困乏，左冲右突，不能得出。荡寇将军张嶷，闻姜维受困，引数百骑杀入重围。维因乘势杀出，嶷被魏兵乱箭射死。维得脱重围，复回汉中，因感张嶷忠勇，殁于王事，乃表赠其子孙。于是，蜀中将士多有阵亡者，皆归罪于姜维。维照武侯街亭旧例，乃上表自贬为后将军，行大将军事。

却说邓艾见蜀兵退尽，乃与陈泰设宴相贺，大赏三军。泰表邓艾之功，司马昭遣使持节，加艾官爵，赐印绶；并封其子邓忠为亭侯。

时魏主曹髦，改正元三年为甘露元年。司马昭自为天下兵马大都督，出入常令三千铁甲骁将前后簇拥，以为护卫；一应事务，不奏朝廷，就于相府裁处：自此常怀篡逆之心。有一心腹人，姓贾，名充，字公闾，乃故建威将军贾逵之子，为昭府下长史。充语昭曰："今主公掌握大柄，四方人心必然未安；且当暗访，然后徐图大事。"昭曰："吾正欲如此。汝可为我东行，只推慰劳出征军士为名，以探消息。"贾充领命，径到淮南，入见镇东大将军诸葛诞。诞字公休，乃琅琊南阳人，即武侯之族弟也；向事于魏，因武侯在蜀为相，因此不得重用；后武侯身亡，诞在魏历任重职，封高平侯，总摄两淮军马。当日，贾充托名劳军，至淮南见诸葛诞。诞设宴待之。酒至半酣，充以言挑诞曰："近来洛阳诸贤，皆以主上懦弱,不堪为君。司马大将军三辈辅国,功德弥天,可以禅代魏统。未审钧意若何?"诞大怒曰:"汝乃贾豫州之子,世食魏禄,安敢出此乱言!"充谢曰:"某以他人之言告公耳。"诞曰:"朝廷有难,吾当以死报之。"充默然。

次日辞归,见司马昭细言其事。昭大怒曰:"鼠辈安敢如此!"充曰:"诞在淮南,深得人心,久必为患,可速除之。"昭遂暗发密书与扬州刺史乐綝,一面遣使赍诏征诞为司空。诞得了诏书,已知是贾充告变,遂捉来使拷问。使者曰:"此事乐綝知之。"诞曰:"他如何得知?"使者曰:"司马将军已令人到扬州送密书与乐綝矣。"诞大怒,叱左右斩了来使,遂起部下兵千人,杀奔扬州来。将至南门,城门已闭,吊桥拽起。诞在城下叫门,城上并无一人回答。诞大怒曰:"乐綝匹夫,安敢如此!"遂令将士打城。手下十馀骁骑,下马渡壕,飞身上城,杀散军士,大开城门。于是诸葛诞引兵入城,乘风放火,杀至綝家。綝慌上楼避之。诞提剑上楼,大喝曰:"汝父乐进,昔日受魏国大恩!不思报本,反欲顺司马昭耶!"綝未及回言,为诞所杀。一面具表数司马昭之罪,使人申奏洛阳;一面大聚两淮屯田户口十馀万,并扬州新降兵四万馀人,积草屯粮,准备进兵;又令长史吴纲,送子诸葛靓入吴为质求援,务要合兵诛讨司马昭。

此时东吴丞相孙峻病亡,从弟孙綝辅政。綝字子通,为人强暴,杀大司马滕胤、将军吕据、王惇等,因此权柄皆归于綝。吴主孙亮,虽然聪明,无可奈何。于是吴纲将诸葛靓至石头城,入拜孙綝。綝问其故,纲曰:"诸葛诞乃蜀汉诸葛武侯之族弟也,向事魏国;今见司马昭欺君罔上,废主弄权,欲兴师讨之,而力不及,故特来归降。诚恐无凭,专送亲子诸葛靓为质。伏望发兵相助。"綝从其请,便遣大将全怿、全端为主将,于诠为合后,朱异、唐咨为先锋，文钦为向导，起兵七万，分三队而进。吴纲回寿春报知诸葛诞。诞大喜，遂陈兵准备。

却说诸葛诞表文到洛阳，司马昭见了大怒，欲自往讨之。贾充谏曰："主公乘父兄之基业，恩德未及四海，今弃天子而去，若一朝有变，悔之何及？不如奏请太后及天子一同出征，可保无虞。"昭喜曰："此言正合吾意。"遂入奏太后曰："诸葛诞谋反，臣与文武官僚，计议停当：请太后同天子御驾亲征，以继先帝之遗意。"太后畏惧，只得从之。次日，昭请魏主曹髦起程。髦曰："大将军都督天下军马，任从调遣，何必朕自行也？"昭曰："不然。昔日武祖纵横四海，文帝、明帝有包括宇宙之志，并吞八荒之心，凡遇大敌，必须自行。陛下正宜追配先君，扫清故孽，何自畏也？"髦畏威权，只得从之。昭遂下诏，尽起两都之兵二十六万，命镇南将军王基为正先锋，安东将军陈骞为副先锋，监军石苞为左军，兖州刺史州泰为右军，保护车驾，浩浩荡荡，杀奔淮南而来。

东吴先锋朱异，引兵迎敌。两军对圆，魏军中王基出马，朱异来迎。战不三合，朱异败走；唐咨出马，战不三合，亦大败而走。王基驱兵掩杀，吴兵大败，退五十里下寨，报入寿春城中。诸葛诞自引本部锐兵，会合文钦并二子文鸯、文虎，雄兵数万，来敌司马昭。正是：方见吴兵锐气堕，又看魏将劲兵来。未知胜负如何，且看下文分解。

第一百十二回

救寿春于诠死节　取长城伯约鏖兵

却说司马昭闻诸葛诞会合吴兵前来决战,乃召散骑长史裴秀、黄门侍郎钟会,商议破敌之策。钟会曰:“吴兵之助诸葛诞,实为利也;以利诱之,则必胜矣。”昭从其言,遂令石苞、州泰先引两军于石头城埋伏,王基、陈骞领精兵在后,却令偏将成倅引兵数万先去诱敌;又令陈俊引车仗牛马驴骡,装载赏军之物,四面聚集于阵中,如敌来则弃之。

是日,诸葛诞令吴将朱异在左,文钦在右,——见魏阵中人马不整,诞乃大驱士马径进。成倅退走,诞驱兵掩杀,见牛马驴骡,遍满郊野;南兵争取,无心恋战。忽然一声炮响,两路兵杀来:左有石苞,右有州泰。诞大惊,急欲退时,王基、陈骞精兵杀到。诞兵大败。司马昭又引兵接应。诞引败兵奔入寿春,闭门坚守。昭令兵四面围困,并力攻城。

时吴兵退屯安丰,魏主车驾驻于项城。钟会曰:“今诸葛诞虽败,寿春城中粮草尚多,更有吴兵屯安丰以为犄角之势;今吾兵四面攻围,彼缓则坚守,急则死战;吴兵或乘势夹攻:吾军无益。不如三面攻之,留南门大路,容贼自走;走而击之,可全胜也。吴兵远来,粮必不继;我引轻骑抄在其后,可不战而自破矣。”昭抚会背曰:“君真吾之子房也!”遂令王基撤退南门之兵。

却说吴兵屯于安丰,孙綝唤朱异责之曰:“量一寿春城不能救,安可并吞中原?如再不胜必斩!”朱异乃回本寨商议。于诠曰:“今寿春南门不围,某愿领一军从南门入去,助诸葛诞守城。将军与魏兵挑战,我却从城中杀出:两路夹攻,魏兵可破矣。”异然其言。于是全怿、全端、文钦等,皆愿入城。遂同于诠引兵一万,从南门而入城。魏兵不得将令,未敢轻敌,任吴兵入城,乃报知司马昭。昭曰:“此欲与朱异内外夹攻,以破我军也。”乃召王基、陈骞分付曰:“汝可引五千兵截断朱异来路,从背后击之。”二人领命而去。朱异正引兵来,忽背后喊声大震:左有王基,右有陈骞,两路军杀来。吴兵大败。朱异回见孙𬘭,𬘭大怒曰:“累败之将,要汝何用!”叱武士推出斩之。又责全端子全祎曰:“若退不得魏兵,汝父子休来见我!”于是孙𬘭自回建业去了。

钟会与昭曰:“今孙𬘭退去,外无救兵,城可围矣。”昭从之,遂催军攻围。全祎引兵欲入寿春,见魏兵势大,寻思进退无路,遂降司马昭。昭加祎为偏将军。祎感昭恩德,乃修家书与父全端、叔全怿,言孙𬘭不仁,不若降魏,将书射入城中。怿得祎书,遂与端引数千人开门出降。诸葛诞在城中忧闷,谋士蒋班、焦彝进言曰:“城中粮少兵多,不能久守,可率吴、楚之众,与魏兵决一死战。”诞大怒曰:“吾欲守,汝欲战,莫非有异心乎!再言必斩!”二人仰天长叹曰:“诞将亡矣!我等不如早降,免至一死!”是夜二更时分,蒋、焦二人逾城降魏,司马昭重用之。——因此城中虽有敢战之士,不敢言战。

诞在城中,见魏兵四下筑起土城以防淮水,只望水泛,冲倒土城,驱兵击之。不想自秋至冬,并无霖雨,淮水不泛。城中看看粮尽,文钦在小城内与二子坚守,见军士渐渐饿倒,只得来告诞曰:“粮皆尽绝,军士饿损,不如将北方之兵尽放出城,以省其食。”诞大怒曰:“汝教我尽去北军,欲谋我耶?”叱左右推出斩之。

文鸯、文虎见父被杀，各拔短刀，立杀数十人，飞身上城，一跃而下，越壕赴魏寨投降。司马昭恨文鸯昔日单骑退兵之仇，欲斩之。钟会谏曰："罪在文钦，今文钦已亡，二子势穷来归，若杀降将，是坚城内人之心也。"昭从之，遂召文鸯、文虎入帐，用好言抚慰，赐骏马锦衣，加为偏将军，封关内侯。二子拜谢，上马绕城大叫曰："我二人蒙大将军赦罪赐爵，汝等何不早降！"城内人闻言，皆计议曰："文鸯乃司马氏仇人，尚且重用，何况我等乎？"于是皆欲投降。诸葛诞闻之大怒，日夜自来巡城，以杀为威。

钟会知城中人心已变，乃入帐告昭曰："可乘此时攻城矣。"昭大喜，遂激三军，四面云集，一齐攻打。守将曾宣献了北门，放魏兵入城。诞知魏兵已入，慌引麾下数百人，自城中小路突出；至吊桥边，正撞着胡奋，手起刀落，斩诞于马下，数百人皆被缚。王基引兵杀到西门，正遇吴将于诠。基大喝曰："何不早降！"诠大怒曰："受命而出，为人救难，既不能救，又降他人，义所不为也！"乃掷盔于地，大呼曰："人生在世，得死于战场者，幸耳！"急挥刀死战三十馀合，人困马乏，为乱军所杀。后人有诗赞曰：

司马当年围寿春，降兵无数拜车尘。东吴虽有英雄士，谁及于诠肯杀身！

司马昭入寿春，将诸葛诞老小尽皆枭首，灭其三族。武士将所擒诸葛诞部卒数百人缚至。昭曰："汝等降否？"众皆大叫曰："愿与诸葛公同死，决不降汝！"昭大怒，叱武士尽缚于城外，逐一问曰："降者免死。"并无一人言降。直杀至尽，终无一人降者。昭深加叹息不已，令皆埋之。后人有诗赞曰：

忠臣矢志不偷生，诸葛公休帐下兵。《薤露》歌声应未断，遗踪直欲继田横！

却说吴兵大半降魏，裴秀告司马昭曰："吴兵老小，尽在东南江、淮之地，今若留之，久必为变；不如坑[1]之。"钟会曰："不然。古之用兵者，全国为上[2]，戮其元恶而已。若尽坑之，是不仁也。不如放归江南，以显中国之宽大。"昭曰："此妙论也。"遂将吴兵尽皆放归本国。唐咨因惧孙綝，不敢回国，亦来降魏。昭皆重用，令分布三河之地。淮南已平。正欲退兵，忽报西蜀姜维引兵来取长城，邀截粮草。昭大惊，慌与多官计议退兵之策。

时蜀汉延熙二十年，改为景耀元年[3]。姜维在汉中，选川将两员，每日操练人马：一是蒋舒，一是傅佥。二人颇有胆勇，维甚爱之。忽报淮南诸葛诞起兵讨司马昭，东吴孙綝助之，昭大起两都之兵，将魏太后并魏主一同出征去了。维大喜曰："吾今番大事济矣！"遂表奏后主，愿兴兵伐魏。中散大夫谯周听知，叹曰："近来朝廷溺于酒色，信任中贵黄皓，不理国事，只图欢乐；伯约累欲征伐，不恤军士：国将危矣！"乃作《仇国论》一篇，寄与姜维。维拆封视之。论曰：

> 或问：古往能以弱胜强者，其术何如？曰：处大国无患者，恒多慢；处小国有忧者，恒思善。多慢则生乱，思善则生治，理之常也。故周文养民，以少取多；句践恤众，以弱毙强。此其术也。
>
> 或曰：曩者楚强汉弱，约分鸿沟，张良以为民志既定则

① 坑——对丧失战斗能力的降兵，加以围歼丛埋。

② 全国为上——完整地得到敌国的土地和人民，最为有利。意思是：最好少杀人、少破坏，而取得充分的胜利成果。语出《孙子·谋攻篇》。

③ 改为景耀元年——蜀汉改元景耀，实际上是在延熙二十一年，即公元二五八年。但本回所叙姜维此次出骆谷伐魏，确在延熙二十年，即公元二五七年。

难动也，率兵追羽，终毙项氏；岂必由文王、句践之事乎？曰：商、周之际，王侯世尊，君臣久固。当此之时，虽有汉祖，安能仗剑取天下乎？及秦罢侯置守之后，民疲秦役，天下土崩，于是豪杰并争。今我与彼，皆传国易世矣，既非秦末鼎沸之时，实有六国并据之势，故可为文王，难为汉祖。时可而后动，数合而后举，故汤、武之师，不再战而克，诚重民劳而度时审也。如遂极武黩征，不幸遇难，虽有智者，不能谋之矣。

姜维看毕，大怒曰："此腐儒之论也！"掷之于地。遂提川兵来取中原。乃问傅佥曰："以公度之，可出何地？"佥曰："魏屯粮草，皆在长城；今可径取骆谷，度沈岭，直到长城，先烧粮草，然后直取秦川，则中原指日可得矣。"维曰："公之见与吾计暗合也。"即提兵径取骆谷，度沈岭，望长城而来。

却说长城镇守将军司马望，乃司马昭之族兄也。城内粮草甚多，人马却少。望听知蜀兵到，急与王真、李鹏二将，引兵离城二十里下寨。次日，蜀兵来到，望引二将出阵。姜维出马，指望而言曰："今司马昭迁主于军中，必有李傕、郭汜之意也。吾今奉朝廷明命，前来问罪，汝当早降。若还愚迷，全家诛戮！"望大声而答曰："汝等无礼，数犯上国，如不早退，令汝片甲不归！"言未毕，望背后王真挺枪出马，蜀阵中傅佥出迎。战不十合，佥卖个破绽，王真便挺枪来刺；傅佥闪过，活捉真于马上，便回本阵。李鹏大怒，纵马轮刀来救。佥故意放慢，等李鹏将近，努力掷真于地，暗掣四楞铁简在手；鹏赶上举刀待砍，傅佥偷身回顾，向李鹏面门只一简，打得眼珠迸出，死于马下。王真被蜀军乱枪刺死。姜维驱兵大进。司马望弃寨入城，闭门不出。维下令曰："军士今夜且歇一宿，以养锐气。来日须要入城。"次日平明，蜀兵争先大进，一拥至城下，用火箭火炮打入城中。城上草屋一派烧着，魏兵自乱。维又令人取干柴堆满城下，一齐放火，烈焰冲天。城已将陷，魏兵在城内嚎啕痛哭，声闻四野。

正攻打之间，忽然背后喊声大震。维勒马回看，只见魏兵鼓噪摇旗，浩浩而来。维遂令后队为前队，自立于门旗下候之。只见魏阵中一小将，全装惯带，挺枪纵马而出，——约年二十馀岁，面如傅粉，唇似抹朱，——厉声大叫曰："认得邓将军否！"维自思曰："此必是邓艾矣。"挺枪纵马来迎。二人抖擞精神，战到三四十合，不分胜负。那小将军枪法无半点放闲。维心中自思："不用此计，安得胜乎？"便拨马望左边山路中而走。那小将骤马追来，维挂住了钢枪，暗取雕弓羽箭射之。那小将眼乖，早已见了，弓弦响处，把身望前一倒，放过羽箭。维回头看时，小将已到，挺枪来刺；维一闪，那枪从肋傍边过，被维挟住。那小将弃枪，望本阵而走。维嗟叹曰："可惜！可惜！"再拨马赶来。追至阵门前，一将提刀而出曰："姜维匹夫，勿赶吾儿！邓艾在此！"维大惊。——原来小将乃艾之子邓忠也。维暗暗称奇；欲战邓艾，又恐马乏，乃虚指艾曰："吾今日识汝父子也。各且收兵，来日决战。"艾见战场不利，亦勒马应曰："既如此，各自收兵。暗算者非丈夫也。"于是两军皆退。邓艾据渭水下寨，姜维跨两山安营。艾见了蜀兵地理，乃作书于司马望曰："我等切不可战，只宜固守。待关中兵至时，蜀兵粮草皆尽，三面攻之，无不胜也。今遣长子邓忠相助守城。"一面差人于司马昭处求救。

却说姜维令人于艾寨中下战书，约来日大战，艾佯应之。次日五更，维令三军造饭，平明布阵等候。艾营中偃旗息鼓，却如无人之状。维至晚方回。次日又令人下战书，责以失期之罪。艾以酒食待使，答曰："微躯小疾，有误相持，明日会战。"次日，维又引兵来,艾仍前不出。——如此五六番。傅佥谓维曰:"此必有谋也,宜防之。"维曰:"此必捱关中兵到,三面击我耳。吾今令人持书与东吴孙綝,使并力攻之。"忽探马报说:"司马昭攻打寿春,杀了诸葛诞,吴兵皆降。昭班师回洛阳,便欲引兵来救长城。"维大惊曰:"今番伐魏,又成画饼矣。——不如且回。"正是:已叹四番难奏绩,又嗟五度未成功。未知如何退兵,且看下文分解。

第一百十三回

丁奉定计斩孙綝　姜维斗阵破邓艾

却说姜维恐救兵到，先将军器车仗，一应军需，步兵先退，然后将马军断后。细作报知邓艾。艾笑曰："姜维知大将军兵到，故先退去。不必追之，追则中彼之计也。"乃令人哨探，回报果然骆谷道狭之处，堆积柴草，准备要烧追兵。众皆称艾曰："将军真神算也！"遂遣使赍表奏闻。于是司马昭大喜，又加赏邓艾。

却说东吴大将军孙綝，听知全端、唐咨等降魏，勃然大怒，将各人家眷，尽皆斩之。吴主孙亮，时年方十六，见綝杀戮太过，心甚不然。一日出西苑，因食生梅，令黄门取蜜。须臾取至，见蜜内有鼠粪数块，召藏吏责之。藏吏叩首曰："臣封闭甚严，安有鼠粪？"亮曰："黄门曾向尔求蜜食否？"藏吏曰："黄门于数日前曾求蜜食，臣实不敢与。"亮指黄门曰："此必汝怒藏吏不与尔蜜，故置粪于蜜中，以陷之也。"黄门不服。亮曰："此事易知耳。若粪久在蜜中，则内外皆湿；若新在蜜中，则外湿内燥。"命剖视之，果然内燥，黄门服罪。亮之聪明，大抵如此。——虽然聪明，却被孙綝把持，不能主张。綝令弟威远将军孙据入苍龙宿卫，武卫将军孙恩、偏将军孙干、长水校尉孙闿分屯诸营。

一日，吴主孙亮闷坐，黄门侍郎全纪在侧，纪乃国舅也。亮因泣告曰："孙綝专权妄杀，欺朕太甚；今不图之，必为后患。"纪曰:“陛下但有用臣处,臣万死不辞。”亮曰:“卿可只今点起禁兵,与将军刘丞各把城门,朕自出杀孙綝。但此事切不可令卿母知之,卿母乃綝之姊也。倘若泄漏,误朕匪轻。”纪曰:“乞陛下草诏与臣。临行事之时,臣将诏示众,使綝手下人皆不敢妄动。”亮从之,即写密诏付纪。纪受诏归家,密告其父全尚。尚知此事,乃告妻曰:“三日内杀孙綝矣。”妻曰:“杀之是也。”口虽应之,却私令人持书报知孙綝。綝大怒,当夜便唤弟兄四人,点起精兵,先围大内①;一面将全尚、刘丞并其家小俱拿下。比及平明,吴主孙亮听得宫门外金鼓大震,内侍慌入奏曰:“孙綝引兵围了内苑。”亮大怒,指全后骂曰:“汝父兄误我大事矣!”乃拔剑欲出。全后与侍中近臣,皆牵其衣而哭,不放亮出。孙綝先将全尚、刘丞等杀讫,然后召文武于朝内,下令曰:“主上荒淫久病,昏乱无道,不可以奉宗庙,今当废之。汝诸文武,敢有不从者,以谋叛论!”众皆畏惧,应曰:“愿从将军之令。”尚书桓彝大怒,从班部中挺然而出,指孙綝大骂曰:“今上乃聪明之主,汝何敢出此乱言!吾宁死不从贼臣之命!”綝大怒,自拔剑斩之,即入内指吴主孙亮骂曰:“无道昏君! 本当诛戮以谢天下! 看先帝之面,废汝为会稽王,吾自选有德者立之!”叱中书郎李崇夺其玺绶,令邓程收之。亮大哭而去。后人有诗叹曰:

乱贼诬伊尹,奸臣冒霍光。可怜聪明主,不得莅朝堂。

孙綝遣宗正孙楷、中书郎董朝,往虎林迎请琅琊王孙休为君。休字子烈,乃孙权第六子也,在虎林夜梦乘龙上天,回顾不见龙尾,失惊而觉。次日,孙楷、董朝至,拜请回都。行至曲阿,有一老人,自称姓干,名休,叩头言曰:“事久必变,愿殿下速行。”

---

① 大内——皇宫内苑。

休谢之。行至布塞亭，孙恩将车驾来迎。休不敢乘辇，乃坐小车而入。百官拜迎道傍，休慌忙下车答礼。孙綝出令扶起，请入大殿，升御座即天子位。休再三谦让，方受玉玺。文官武将朝贺已毕，大赦天下，改元永安元年；封孙綝为丞相、荆州牧；多官各有封赏；又封兄之子孙皓为乌程侯。孙綝一门五侯，皆典禁兵，权倾人主。吴主孙休，恐其内变，阳示恩宠，内实防之。綝骄横愈甚。

冬十二月，綝奉牛酒入宫上寿①，吴主孙休不受。綝怒，乃以牛酒诣左将军张布府中共饮。酒酣，乃谓布曰："吾初废会稽王时，人皆劝吾为君。吾为今上贤，故立之。今我上寿而见拒，是将我等闲相待。吾早晚教你看！"布闻言，唯唯而已。次日，布入宫密奏孙休。休大惧，日夜不安。数日后，孙綝遣中书郎孟宗，拨与中营所管精兵一万五千，出屯武昌；又尽将武库内军器与之。于是，将军魏邈、武卫士施朔二人密奏孙休曰："綝调兵在外，又搬尽武库内军器，早晚必为变矣。"休大惊，急召张布计议。布奏曰："老将丁奉，计略过人，能断大事，可与议之。"休乃召奉入内，密告其事。奉奏曰："陛下无忧。臣有一计，为国除害。"休问何计，奉曰："来朝腊日，只推大会群臣，召綝赴席，臣自有调遣。"休大喜。奉同魏邈、施朔掌外事，张布为内应。

是夜，狂风大作，飞沙走石，将老树连根拔起。天明风定，使者奉旨来请孙綝入宫赴会。孙綝方起床，平地如人推倒，心中不悦。使者十馀人，簇拥入内。家人止之曰："一夜狂风不息，今早

---

① 上寿——古代臣下向君主或小辈向尊长敬酒、献礼，都叫"寿"，也叫"上寿"。

又无故惊倒，恐非吉兆，不可赴会。”綝曰：“吾弟兄共典禁兵，谁敢近身！倘有变动，于府中放火为号。”嘱讫，升车入内。吴主孙休忙下御座迎之，请綝高坐。酒行数巡，众惊曰：“宫外望有火起！”綝便欲起身。休止之曰：“丞相稳便。外兵自多，何足惧哉？”言未毕，左将军张布拔剑在手，引武士三十馀人，抢上殿来，口中厉声而言曰：“有诏擒反贼孙綝！”綝急欲走时，早被武士擒下。綝叩头奏曰：“愿徙交州归田里。”休叱曰：“尔何不徙滕胤、吕据、王惇耶？”命推下斩之。于是张布牵孙綝下殿东斩讫。从者皆不敢动。布宣诏曰：“罪在孙綝一人，馀皆不问。”众心乃安。布请孙休升五凤楼。丁奉、魏邈、施朔等，擒孙綝兄弟至，休命尽斩于市。宗党死者数百人，灭其三族，命军士掘开孙峻坟墓，戮其尸首。将被害诸葛恪、滕胤、吕据、王惇等家，重建坟墓，以表其忠。其牵累流远者①，皆赦还乡里。丁奉等重加封赏。

驰书报入成都。后主刘禅遣使回贺，吴使薛珝答礼。珝自蜀中归，吴主孙休问蜀中近日作何举动。珝奏曰：“近日中常侍黄皓用事，公卿多阿附之。入其朝，不闻直言；经其野，民有菜色。所谓‘燕雀处堂，不知大厦之将焚’者也。”休叹曰：“若诸葛武侯在时，何至如此乎！”于是又写国书，教人赍入成都，说司马昭不日篡魏，必将侵吴、蜀以示威，彼此各宜准备。

姜维听得此信，忻然上表，再议出师伐魏。时蜀汉景耀元年冬，大将军姜维以廖化、张翼为先锋，王含、蒋斌为左军，蒋舒、傅佥为右军，胡济为合后，维与夏侯霸总中军，共起蜀兵二十万，拜

① 流远者——流放到远地的人。

辞后主，径到汉中。与夏侯霸商议，当先攻取何地。霸曰："祁山乃用武之地，可以进兵，故丞相昔日六出祁山，因他处不可出也。"维从其言，遂令三军并望祁山进发，至谷口下寨。时邓艾正在祁山寨中，整点陇右之兵。忽流星马报到，说蜀兵现下三寨于谷口。艾听知，遂登高看了，回寨升帐，大喜曰："不出吾之所料也！"原来邓艾先度了地脉，故留蜀兵下寨之地；地中自祁山寨直至蜀寨，早挖了地道，待蜀兵至时，于中取事。此时姜维至谷口分作三寨，地道正在左寨之中，乃王含、蒋斌下寨之处。邓艾唤子邓忠，与师纂各引一万兵，为左右冲击；却唤副将郑伦，引五百掘子军①，于当夜二更，径从地道直至左营，于帐后地下拥出。

却说王含、蒋斌因立寨未定，恐魏兵来劫寨，不敢解甲而寝。忽闻中军大乱，急绰兵器上的马时，寨外邓忠引兵杀到。内外夹攻，王、蒋二将奋死抵敌不住，弃寨而走。姜维在帐中听得左寨中大喊，料道有内应外合之兵，遂急上马，立于中军帐前，传令曰："如有妄动者斩！便有敌兵到营边，休要问他，只管以弓弩射之！"一面传示右营，亦不许妄动。果然魏兵十馀次冲击，皆被射回。只冲杀到天明，魏兵不敢杀入。邓艾收兵回寨，乃叹曰："姜维深得孔明之法！兵在夜而不惊，将闻变而不乱：真将才也！"次日，王含、蒋斌收聚败兵，伏于大寨前请罪。维曰："非汝等之罪，乃吾不明地脉之故也。"又拨军马，令二将安营讫。却将伤死身尸，填于地道之中，以土掩之。令人下战书单搦邓艾来日交锋。艾忻然应之。

次日，两军列于祁山之前。维按武侯八阵之法，依天、地、

① 掘子军——掘地道的工兵。

风、云、鸟、蛇、龙、虎之形，分布已定。邓艾出马，见维布成八卦，乃亦布之，左右前后，门户一般。维持枪纵马大叫曰："汝效吾排八阵，亦能变阵否?"艾笑曰："汝道此阵只汝能布耶？吾既会布阵，岂不知变阵！"艾便勒马入阵，令执法官把旗左右招飐，变成八八六十四个门户；复出阵前曰："吾变法若何?"维曰："虽然不差，汝敢与吾八阵相围么?"艾曰："有何不敢！"两军各依队伍而进。艾在中军调遣。两军冲突，阵法不曾错动。姜维到中间，把旗一招，忽然变成"长蛇卷地阵"，将邓艾困在垓心，四面喊声大震。艾不知其阵，心中大惊。蜀兵渐渐逼近，艾引众将冲突不出。只听得蜀兵齐叫曰："邓艾早降！"艾仰天长叹曰："我一时自逞其能，中姜维之计矣！"

忽然西北角上一彪军杀入，艾见是魏兵，遂乘势杀出。——救邓艾者，乃司马望也。比及救出邓艾时，祁山九寨，皆被蜀兵所夺。艾引败兵，退于渭水南下寨。艾谓望曰："公何以知此阵法而救出我也?"望曰："吾幼年游学于荆南，曾与崔州平、石广元为友，讲论此阵。今日姜维所变者，乃'长蛇卷地阵'也。若他处击之，必不可破。吾见其头在西北，故从西北击之，自破矣。"艾谢曰："我虽学得阵法，实不知变法。公既知此法，来日以此法复夺祁山寨栅，如何?"望曰："我之所学，恐瞒不过姜维。"艾曰："来日公在阵上与他斗阵法，我却引一军暗袭祁山之后。两下混战，可夺旧寨也。"于是令郑伦为先锋，艾自引军袭山后；一面令人下战书，搦姜维来日斗阵法。维批回去讫，乃谓众将曰："吾受武侯所传密书，此阵变法共三百六十五样，按周天之数。今搦吾斗阵法，乃'班门弄斧'耳！——但中间必有诈谋，公等知之乎?"廖化曰："此必赚我斗阵法，却引一军袭我后也。"维笑曰："正合我意。"即令张翼、廖化，引一万兵去山后埋伏。

次日，姜维尽拔九寨之兵，分布于祁山之前。司马望引兵离了渭南，径到祁山之前，出马与姜维答话。维曰："汝请吾斗阵法，汝先布与吾看。"望布成了八卦。维笑曰："此即吾所布八阵之法也，汝今盗袭，何足为奇！"望曰："汝亦窃他人之法耳！"维曰："此阵凡有几变？"望笑曰："吾既能布，岂不会变？——此阵有九九八十一变。"维笑曰："汝试变来。"望入阵变了数番，复出阵曰："汝识吾变否？"维笑曰："吾阵法按周天三百六十五变。——汝乃井底之蛙，安知玄奥乎！"望自知有此变法，实不曾学全，乃勉强折辩曰："吾不信，汝试变来。"维曰："汝教邓艾出来，吾当布与他看。"望曰："邓将军自有良谋，不好阵法。"维大笑曰："有何良谋！——不过教汝赚吾在此布阵，他却引兵袭吾山后耳！"望大惊，恰欲进兵混战，被维以鞭梢一指，两翼兵先出，杀的那魏兵弃甲抛戈，各逃性命。

却说邓艾催督先锋郑伦来袭山后。伦刚转过山角，忽然一声炮响，鼓角喧天，伏兵杀出：为首大将，乃廖化也。二人未及答话，两马交处，被廖化一刀，斩郑伦于马下。邓艾大惊，急勒兵退时，张翼引一军杀到。两下夹攻，魏兵大败。艾舍命突出，身被四箭。奔到渭南寨时，司马望亦到。二人商议退兵之策。望曰："近日蜀主刘禅，宠幸中贵黄皓，日夜以酒色为乐。可用反间计召回姜维，此危可解。"艾问众谋士曰："谁可入蜀交通黄皓？"言未毕，一人应声曰："某愿往。"艾视之，乃襄阳党均也。艾大喜，即令党均赍金珠宝物，径到成都结连黄皓，布散流言，说姜维怨望天子，不久投魏。于是成都人人所说皆同。黄皓奏知后主，即遣人星夜宣姜维入朝。

却说姜维连日搦战，邓艾坚守不出。维心中甚疑。忽使命至，诏维入朝。维不知何事，只得班师回朝。邓艾、司马望知姜维中计，遂拔渭南之兵，随后掩杀。正是：乐毅伐齐遭间阻，岳飞破敌被谗回[①]。未知胜负如何，且看下文分解。

① 岳飞破敌被谗回——岳飞，南宋的大将。他全力抵抗金兵的进犯，屡破敌军，收复失地，却被秦桧陷害而死。这里是说书人的口气，所以引用了三国以后的事例。被谗回，指由于秦桧说了造谣中伤的坏话，宋高宗赵构便把岳飞从战地召回。

第一百十四回

曹髦驱车死南阙　姜维弃粮胜魏兵

却说姜维传令退兵,廖化曰:"'将在外,君命有所不受。'今虽有诏,未可动也。"张翼曰:"蜀人为大将军连年动兵,皆有怨望;不如乘此得胜之时,收回人马,以安民心,再作良图。"维曰:"善。"遂令各军依法而退。命廖化、张翼断后,以防魏兵追袭。

却说邓艾引兵追赶,只见前面蜀兵旗帜整齐,人马徐徐而退。艾叹曰:"姜维深得武侯之法也!"因此不敢追赶,勒军回祁山寨去了。

且说姜维至成都,入见后主,问召回之故。后主曰:"朕为卿在边庭,久不还师,恐劳军士,故诏卿回朝,别无他意。"维曰:"臣已得祁山之寨,正欲收功,不期半途而废。此必中邓艾反间之计矣。"后主默然不语。姜维又奏曰:"臣誓讨贼,以报国恩。陛下休听小人之言,致生疑虑。"后主良久乃曰:"朕不疑卿;卿且回汉中,俟魏国有变,再伐之可也。"姜维叹息出朝,自投汉中去讫。

却说党均回到祁山寨中,报知此事。邓艾与司马望曰:"君臣不和,必有内变。"就令党均入洛阳,报知司马昭。昭大喜,便有图蜀之心,乃问中护军贾充曰:"吾今伐蜀,如何?"充曰:"未可伐也。天子方疑主公,若一旦轻出,内难必作矣。旧年黄龙两见于宁陵井中,群臣表贺,以为祥瑞;天子曰:'非祥瑞也。龙者君象，乃上不在天，下不在田，屈于井中，是幽困之兆也。'遂作《潜龙诗》一首。诗中之意，明明道着主公。其诗曰：

'伤哉龙受困，不能跃深渊。上不飞天汉，下不见于田。蟠居于井底，鳅鳝舞其前。藏牙伏爪甲，嗟我亦同然！'"

司马昭闻之大怒，谓贾充曰："此人欲效曹芳也！若不早图，彼必害我。"充曰："某愿为主公早晚图之。"时魏甘露五年夏四月，司马昭带剑上殿，髦起迎之。群臣皆奏曰："大将军功德巍巍，合为晋公，加九锡。"髦低头不答。昭厉声曰："吾父子兄弟三人有大功于魏，今为晋公，得毋不宜耶？"髦乃应曰："敢不如命？"昭曰："《潜龙》之诗，视吾等如鳅鳝，是何礼也？"髦不能答。昭冷笑下殿，众官凛然。髦归后宫，召侍中王沈、尚书王经、散骑常侍王业三人，入内计议。髦泣曰："司马昭将怀篡逆，人所共知！朕不能坐受废辱，卿等可助朕讨之！"王经奏曰："不可。昔鲁昭公不忍季氏，败走失国①；今重权已归司马氏久矣，内外公卿，不顾顺逆之理，阿附奸贼，非一人也。且陛下宿卫寡弱，无用命之人。陛下若不隐忍，祸莫大焉。且宜缓图，不可造次。"髦曰："'是可忍也，孰不可忍也'！朕意已决，便死何惧！"言讫，即入告太后。王沈、王业谓王经曰："事已急矣。我等不可自取灭族之祸，当往司马公府下出首，以免一死。"经大怒曰："主忧臣辱，主辱臣死，敢怀二心乎？"王沈、王业见经不从，径自往报司马昭去了。

少顷，魏主曹髦出内，令护卫焦伯，聚集殿中宿卫苍头官僮

---

① 鲁昭公不忍季氏，败走失国——春秋时，鲁国大夫季孙氏（省称季氏）掌握政权，鲁君空有虚名。鲁昭公心中不服，派兵攻打季氏，结果失败，逃亡齐国。

三百余人,鼓噪而出。髦仗剑升辇,叱左右径出南阙。王经伏于辇前,大哭而谏曰:“今陛下领数百人伐昭,是驱羊而入虎口耳,空死无益。臣非惜命,实见事不可行也!”髦曰:“吾军已行,卿无阻当。”遂望云龙门而来。

只见贾充戎服乘马,左有成倅,右有成济,引数千铁甲禁兵,呐喊杀来。髦仗剑大喝曰:“吾乃天子也! 汝等突入宫庭,欲弑君耶?”禁兵见了曹髦,皆不敢动。贾充呼成济曰:“司马公养你何用? ——正为今日之事也!”济乃绰戟在手,回顾充曰:“当杀耶? 当缚耶?”充曰:“司马公有令:只要死的。”成济捻戟直奔辇前。髦大喝曰:“匹夫敢无礼乎!”言未讫,被成济一戟刺中前胸,撞出辇来;再一戟,刃从背上透出,死于辇傍。焦伯挺枪来迎,被成济一戟刺死。众皆逃走。王经随后赶来,大骂贾充曰:“逆贼安敢弑君耶!”充大怒,叱左右缚定,报知司马昭。昭入内,见髦已死,乃佯作大惊之状,以头撞辇而哭,令人报知各大臣。

时太傅司马孚入内,见髦尸,首枕其股① 而哭曰:“弑陛下者,臣之罪也!”遂将髦尸用棺椁盛贮,停于偏殿之西。昭入殿中,召群臣会议。群臣皆至,独有尚书仆射陈泰不至。昭令泰之舅尚书荀颉召之。泰大哭曰:“论者以泰比舅,今舅实不如泰也。”乃披麻带孝而入,哭拜于灵前。昭亦佯哭而问曰:“今日之事,何法处之?”泰曰:“独斩贾充,少可以谢天下耳。”昭沉吟良久,又问曰:“再思其次?”泰曰:“惟有进于此者,不知其次。”昭曰:“成济大逆不道,可剐之,灭其三族。”济大骂昭曰:“非我之

---

① 首枕其股——把死者的头枕在自己的腿上。这是古代臣下对横遭杀害的君主表示哀痛尽礼的一种做法。按:“首枕其股”措语有误。《魏书·三少帝纪》注引《汉晋春秋》作“枕帝股”,即“枕帝于股”,《晋书·宗室传》作“枕尸于股”,语意明豁。

罪,是贾充传汝之命!”昭令先割其舌。济至死叫屈不绝。弟成倅亦斩于市,尽灭三族。后人有诗叹曰:

司马当年命贾充,弑君南阙赭袍红。却将成济诛三族,只道军民尽耳聋。

昭又使人收王经全家下狱。王经正在廷尉厅下,忽见缚其母至。经叩头大哭曰:“不孝子累及慈母矣!”母大笑曰:“人谁不死?正恐不得死所耳!以此弃命,何恨之有!”次日,王经全家皆押赴东市。王经母子含笑受刑。满城士庶,无不垂泪。后人有诗曰:

汉初夸伏剑,汉末见王经:真烈心无异,坚刚志更清。

节如泰华重,命似鸿毛轻。母子声名在,应同天地倾。

太傅司马孚请以王礼葬曹髦,昭许之。贾充等劝司马昭受魏禅,即天子位。昭曰:“昔文王三分天下有其二,以服事殷,故圣人称为至德。魏武帝不肯受禅于汉,犹吾之不肯受禅于魏也。”贾充等闻言,已知司马昭留意于子司马炎矣,遂不复劝进。是年六月,司马昭立常道乡公曹璜为帝,改元景元元年。璜改名曹奂,字景明。——乃武帝曹操之孙,燕王曹宇之子也。——奂封昭为相国、晋公,赐钱十万、绢万匹。其文武多官,各有封赏。

早有细作报入蜀中。姜维闻司马昭弑了曹髦,立了曹奂,喜曰:“吾今日伐魏,又有名矣。”遂发书入吴,令起兵问司马昭弑君之罪;一面奏准后主,起兵十五万,车乘数千辆,皆置板箱于上;令廖化、张翼为先锋:化取子午谷,翼取骆谷;维自取斜谷,皆要出祁山之前取齐。三路兵并起,杀奔祁山而来。

时邓艾在祁山寨中,训练人马,闻报蜀兵三路杀到,乃聚诸将计议。参军王瓘曰:“吾有一计,不可明言,现写在此,谨呈将军台览。"艾接来展看毕,笑曰:"此计虽妙,只怕瞒不过姜维。"瓘曰:"某愿舍命前去。"艾曰:"公志若坚,必能成功。"遂拨五千兵与瓘。瓘连夜从斜谷迎来,正撞蜀兵前队哨马。瓘叫曰:"我是魏国降兵,可报与主帅。"

哨军报知姜维,维令拦住馀兵,只教为首的将来见。瓘拜伏于地曰:"某乃王经之侄王瓘也。近见司马昭弑君,将叔父一门皆戮,某痛恨入骨。今幸将军兴师问罪,故特引本部兵五千来降。愿从调遣,剿除奸党,以报叔父之恨。"维大喜,谓瓘曰:"汝既诚心来降,吾岂不诚心相待?吾军中所患者,不过粮耳。今有粮车数千,现在川口,汝可运赴祁山。吾只今去取祁山寨也。"瓘心中大喜,以为中计,忻然领诺。姜维曰:"汝去运粮,不必用五千人,但引三千人去,留下二千人引路,以打祁山。"瓘恐维疑惑,乃引三千兵去了。维令傅佥引二千魏兵随征听用。忽报夏侯霸到。霸曰:"都督何故准信王瓘之言也?吾在魏,虽不知备细,未闻王瓘是王经之侄:其中多诈,请将军察之。"维大笑曰:"我已知王瓘之诈,故分其兵势,将计就计而行。"霸曰:"公试言之。"维曰:"司马昭奸雄比于曹操,既杀王经,灭其三族,安肯存亲侄于关外领兵?故知其诈也。仲权之见,与我暗合。"于是姜维不出斜谷,却令人于路暗伏,以防王瓘奸细。不旬日,果然伏兵捉得王瓘回报邓艾下书人来见。维问了情节,搜出私书,书中约于八月二十日,从小路运粮送归大寨,却教邓艾遣兵于墰山谷中接应。维将下书人杀了,却将书中之意,改作八月十五日,约邓艾自率大兵,于墰山谷中接应。一面令人扮作魏军往魏营下书;一面令人将现有粮车数百辆卸了粮米,装载干柴茅草引火之物,用青布罩之,令傅佥引二千原降魏兵,执打运粮旗号。维却与夏侯霸各引一军,去山谷中埋伏。令蒋舒出斜谷,廖化、张翼俱各进兵，来取祁山。

却说邓艾得了王瓘书信，大喜，急写回书，令来人回报。至八月十五日，邓艾引五万精兵径往壜山谷中来，远远使人凭高眺探，只见无数粮车，接连不断，从山凹中而行。艾勒马望之，果然皆是魏兵。左右曰："天已昏暮，可速接应王瓘出谷口。"艾曰："前面山势掩映，倘有伏兵，急难退步；只可在此等候。"正言间，忽两骑马骤至，报曰："王将军因将粮草过界，背后人马赶来，望早救应。"艾大惊，急催兵前进。时值初更，月明如昼。只听得山后呐喊，艾只道王瓘在山后厮杀。径奔过山后时，忽树林后一彪军撞出，为首蜀将傅佥，纵马大叫曰："邓艾匹夫！已中吾主将之计，何不早早下马受死！"艾大惊，勒回马便走。车上火尽着，——那火便是号火。——两势下蜀兵尽出，杀得魏兵七断八续，但闻四下山上只叫："拿住邓艾的，赏千金，封万户侯！"唬得邓艾弃甲丢盔，撇了坐下马，杂在步军之中，爬山越岭而逃。——姜维、夏侯霸只望马上为首的径来擒捉，不想邓艾步行走脱。维领得胜兵去接王瓘粮车。

却说王瓘密约邓艾，先期将粮草车仗，整备停当，专候举事。忽有心腹人报："事已泄漏，邓将军大败，不知性命如何。"瓘大惊，令人哨探，回报三路兵围杀将来，背后又见尘头大起，四下无路。瓘叱左右令放火，尽烧粮草车辆。一霎时，火光突起，烈火烧空。瓘大叫曰："事已急矣！汝等宜死战！"乃提兵望西杀出。背后姜维三路追赶。维只道王瓘舍命撞回魏国，不想反杀入汉中而去。瓘因兵少，只恐追兵赶上，遂将栈道并各关隘尽皆烧毁。姜维恐汉中有失，遂不追邓艾，提兵连夜抄小路来追杀王瓘。瓘被四面蜀兵攻击，投黑龙江而死。馀兵尽被姜维坑之。维虽然胜了邓艾，却折了许多粮车，又毁了栈道，乃引兵还汉中。

邓艾引部下败兵,逃回祁山寨内,上表请罪,自贬其职。司马昭见艾数有大功,不忍贬之,复加厚赐。艾将原赐财物,尽分给被害将士之家。昭恐蜀兵又出,遂添兵五万,与艾守御。姜维连夜修了栈道,又议出师。正是:连修栈道兵连出,不伐中原死不休。未知胜负如何,且看下文分解。

第一百十五回

诏班师后主信谗　托屯田姜维避祸

却说蜀汉景耀五年，冬十月，大将军姜维，差人连夜修了栈道，整顿军粮兵器，又于汉中水路调拨船只。俱已完备，上表奏后主曰："臣累出战，虽未成大功，已挫动魏人心胆。今养兵日久，不战则懒，懒则致病。况今军思效死，将思用命。臣如不胜，当受死罪。"后主览表，犹豫未决。谯周出班奏曰："臣夜观天文，见西蜀分野，将星暗而不明。今大将军又欲出师，此行甚是不利。陛下可降诏止之。"后主曰："且看此行若何。果然有失，却当阻之。"谯周再三苦谏不从，乃归家叹息不已，遂推病不出。

却说姜维临兴兵，乃问廖化曰："吾今出师，誓欲恢复中原，当先取何处？"化曰："连年征伐，军民不宁；兼魏有邓艾，足智多谋，非等闲之辈：将军强欲行难为之事，此化所以未敢专也。"维勃然大怒曰："昔丞相六出祁山，亦为国也。吾今八次伐魏，岂为一己之私哉？今当先取洮阳。如有逆吾者必斩！"遂留廖化守汉中，自同诸将提兵三十万，径取洮阳而来。早有川口人报入祁山寨中。时邓艾正与司马望谈兵，闻知此信，遂令人哨探。回报蜀兵尽从洮阳而出。司马望曰："姜维多计，莫非虚取洮阳而实来取祁山乎？"邓艾曰："今姜维实出洮阳也。"望曰："公何以知之？"艾曰："向者姜维累出吾有粮之地，今洮阳无粮，维必料吾只守祁山，不守洮阳，故径取洮阳；如得此城，屯粮积草，结连羌人，以图久计耳。”望曰：“若此，如之奈何？”艾曰：“可尽撤此处之兵，分为两路去救洮阳。离洮阳二十五里，有侯河小城，乃洮阳咽喉之地。公引一军伏于洮阳，偃旗息鼓，大开四门，如此如此而行；我却引一军伏侯河，必获大胜也。”筹画已定，各各依计而行。只留偏将师纂守祁山寨。

却说姜维令夏侯霸为前部，先引一军径取洮阳。霸提兵前进，将近洮阳，望见城上并无一杆旌旗，四门大开。霸心下疑惑，未敢入城，回顾诸将曰：“莫非诈乎？”诸将曰：“眼见得是空城，只有些小百姓，听知大将军兵到，尽弃城而走了。”霸未信，自纵马于城南视之，只见城后老小无数，皆望西北而逃。霸大喜曰：“果空城也。”遂当先杀入，馀众随后而进。方到甕城边，忽然一声炮响，城上鼓角齐鸣，旌旗遍竖，拽起吊桥。霸大惊曰：“误中计矣！”慌欲退时，城上矢石如雨。可怜夏侯霸同五百军，皆死于城下。后人有诗叹曰：

　　大胆姜维妙算长，谁知邓艾暗提防。可怜投汉夏侯霸，顷刻城边箭下亡。

司马望从城内杀出，蜀兵大败而逃。随后姜维引接应兵到，杀退司马望，就傍城下寨。维闻夏侯霸射死，嗟伤不已。是夜二更，邓艾自侯河城内，暗引一军潜地杀入蜀寨。蜀兵大乱，姜维禁止不住。城上鼓角喧天，司马望引兵杀出。两下夹攻，蜀兵大败。维左冲右突，死战得脱，退二十馀里下寨。蜀兵两番败走之后，心中摇动。维与众将曰：“胜败乃兵家之常，今虽损兵折将，不足为忧。成败之事，在此一举，汝等始终勿改。如有言退者立斩。”张翼进言曰：“魏兵皆在此处，祁山必然空虚。将军整兵与邓艾交锋，攻打洮阳、侯河；某引一军取祁山。取了祁山九寨，便驱兵向长安。此为上计。”

维从之,即令张翼引后军径取祁山。维自引兵到侯河搦邓艾交战。艾引军出迎。两军对圆,二人交锋数十馀合,不分胜负,各收兵回寨。次日,姜维又引兵挑战,邓艾按兵不出。姜维令军辱骂。邓艾寻思曰:“蜀人被吾大杀一阵,全然不退,连日反来搦战:必分兵去袭祁山寨也。守寨将师纂,兵少智寡,必然败矣。吾当亲往救之。”乃唤子邓忠分付曰:“汝用心守把此处,任他搦战,却勿轻出。吾今夜引兵去祁山救应。”是夜二更,姜维正在寨中设计,忽听得寨外喊声震地,鼓角喧天,人报邓艾引三千精兵夜战。诸将欲出,维止之曰:“勿得妄动。”原来邓艾引兵至蜀寨前哨探了一遍,乘势去救祁山,邓忠自入城去了。姜维唤诸将曰:“邓艾虚作夜战之势,必然去救祁山寨矣。”乃唤傅佥分付曰:“汝守此寨,勿轻与敌。”嘱毕,维自引三千兵来助张翼。

却说张翼正到祁山攻打,守寨将师纂兵少,支持不住。看看待破,忽然邓艾兵至,冲杀了一阵,蜀兵大败,把张翼隔在山后,绝了归路。正慌急之间,忽听的喊声大震,鼓角喧天,只见魏兵纷纷倒退。左右报曰:“大将军姜伯约杀到!”翼乘势驱兵相应。两下夹攻,邓艾折了一阵,急退上祁山寨不出。姜维令兵四面攻围。

话分两头。却说后主在成都,听信宦官黄皓之言,又溺于酒色,不理朝政。时有大臣刘琰妻胡氏,极有颜色;因入宫朝见皇后,后留在宫中,一月方出。琰疑其妻与后主私通,乃唤帐下军士五百人,列于前,将妻绑缚,令军以履挞其面数十,几死复苏。后主闻之大怒,令有司议刘琰罪。有司议得:“卒非挞妻之人,面非受刑之地：合当弃市。"遂斩刘琰。自此命妇[①] 不许入朝。然一时官僚以后主荒淫，多有疑怨者。于是贤人渐退，小人日进。时右将军阎宇，身无寸功，只因阿附黄皓，遂得重爵；闻姜维统兵在祁山，乃说皓奏后主曰："姜维屡战无功，可命阎宇代之。"后主从其言，遣使赍诏，召回姜维。维正在祁山攻打寨栅，忽一日三道诏至，宣维班师。维只得遵命，先令洮阳兵退，次后与张翼徐徐而退。邓艾在寨中，只听得一夜鼓角喧天，不知何意。至平明，人报蜀兵尽退，止留空寨。艾疑有计，不敢追袭。

姜维径到汉中，歇住人马，自与使命入成都见后主。后主一连十日不朝。维心中疑惑。是日至东华门，遇见秘书郎郤正。维问曰："天子召维班师，公知其故否？"正笑曰："大将军何尚不知？黄皓欲使阎宇立功，奏闻朝廷，发诏取回将军。——今闻邓艾善能用兵，因此寝[②] 其事矣。"维大怒曰："我必杀此宦竖！"郤正止之曰："大将军继武侯之事，任大职重，岂可造次？倘若天子不容，反为不美矣。"维谢曰："先生之言是也。"次日，后主与黄皓在后园宴饮，维引数人径入。早有人报知黄皓，皓急避于湖山之侧。维至亭下，拜了后主，泣奏曰："臣困邓艾于祁山，陛下连降三诏，召臣回朝，未审圣意为何？"后主默然不语。维又奏曰："黄皓奸巧专权，乃灵帝时十常侍也。陛下近则鉴于张让，远则鉴于赵高[③]。早杀此人，朝廷自然清平，中原方可恢复。"后主笑曰："黄皓乃趋走小臣，纵使专权，亦无能为。昔者董允每切齿恨皓，朕甚怪之。卿何必介意？"维叩头奏曰："陛下今日不杀黄皓，祸

---

① 命妇——受过皇帝的封号的妇人。

② 寝——这里是停止的意思。

③ 赵高——秦朝的宦官，秦二世时的权臣，先是蒙蔽二世，后又杀死二世。

不远也。”后主曰：“‘爱之欲其生，恶之欲其死。’卿何不容一宦官耶？”令近侍于湖山之侧，唤出黄皓至亭下，命拜姜维伏罪。皓哭拜维曰：“某早晚趋侍圣上而已，并不干与国政。将军休听外人之言，欲杀某也。某命系于将军，惟将军怜之！”言罢，叩头流涕。

维忿忿而出，即往见郤正，备将此事告之。正曰：“将军祸不远矣。——将军若危，国家随灭！”维曰：“先生幸教我以保国安身之策。”正曰：“陇西有一去处，名曰沓中；此地极其肥壮。将军何不效武侯屯田之事，奏知天子，前去沓中屯田？一者，得麦熟以助军实；二者，可以尽图陇右诸郡；三者，魏人不敢正视汉中；四者，将军在外掌握兵权，人不能图，可以避祸：此乃保国安身之策也，宜早行之。”维大喜，谢曰：“先生金玉之言也。”次日，姜维表奏后主，求沓中屯田，效武侯之事。后主从之。维遂还汉中，聚诸将曰：“某累出师，因粮不足，未能成功。今吾提兵八万，往沓中种麦屯田，徐图进取。汝等久战劳苦，今且敛兵聚谷，退守汉中；魏兵千里运粮，经涉山岭，自然疲乏；疲乏必退：那时乘虚追袭，无不胜矣。”遂令胡济守汉寿城，王含守乐城，蒋斌守汉城，蒋舒、傅佥同守关隘。分拨已毕，维自引兵八万，来沓中种麦，以为久计。

却说邓艾闻姜维在沓中屯田，于路下四十馀营，连络不绝，如长蛇之势。艾遂令细作相了地形，画成图本，具表申奏。晋公司马昭见之，大怒曰：“姜维屡犯中原，不能剿除，是吾心腹之患也。”贾充曰：“姜维深得孔明传授，急难退之。须得一智勇之将，往刺杀之，可免动兵之劳。”从事中郎荀勖曰：“不然。今蜀主刘禅溺于酒色，信用黄皓，大臣皆有避祸之心。姜维在沓中屯田，正避祸之计也。若令大将伐之，无有不胜，何必用刺客乎？”昭大笑曰："此言最善。吾欲伐蜀，谁可为将？"荀勖曰："邓艾乃世之良材，更得钟会为副将，大事成矣。"昭大喜曰："此言正合吾意。"乃召钟会入而问曰："吾欲令汝为大将，去伐东吴，可乎？"会曰："主公之意，本不欲伐吴，实欲伐蜀也。"昭大笑曰："子诚识吾心也。——但卿往伐蜀，当用何策？"会曰："某料主公欲伐蜀，已画图本在此。"昭展开视之，图中细载一路安营下寨屯粮积草之处，从何而进，从何而退，一一皆有法度。昭看了大喜曰："真良将也！卿与邓艾合兵取蜀，何如？"会曰："蜀川道广，非一路可进；当使邓艾分兵各进，可也。"昭遂拜钟会为镇西将军，假节钺，都督关中人马，调遣青、徐、兖、豫、荆、扬等处；一面差人持节令邓艾为征西将军，都督关外陇上，使约期伐蜀。次日，司马昭于朝中计议此事，前将军邓敦曰："姜维屡犯中原，我兵折伤甚多，只今守御，尚自未保；奈何深入山川危险之地，自取祸乱耶？"昭怒曰："吾欲兴仁义之师，伐无道之主，汝安敢逆吾意！"叱武士推出斩之。须臾，呈邓敦首级于阶下。众皆失色。昭曰："吾自征东以来，息歇六年，治兵缮甲，皆已完备，欲伐吴、蜀久矣。今先定西蜀，乘顺流之势，水陆并进，并吞东吴：此灭虢取虞之道也。吾料西蜀将士，守成都者八九万，守边境者不过四五万，姜维屯田者不过六七万。今吾已令邓艾引关外陇右之兵十馀万，绊住姜维于沓中，使不得东顾；遣钟会引关中精兵二三十万，直抵骆谷，三路以袭汉中。蜀主刘禅昏暗，边城外破，士女内震，其亡可必矣。"众皆拜服。

却说钟会受了镇西将军之印，起兵伐蜀。会恐机谋或泄，却以伐吴为名，令青、兖、豫、荆、扬等五处各造大船；又遣唐咨于登、莱等州傍海之处，拘集海船。司马昭不知其意，遂召钟会问之曰："子从旱路收川，何用造船耶？"会曰："蜀若闻我兵大进，必求救于东吴也。故先布声势,作伐吴之状,吴必不敢妄动。一年之内,蜀已破,船已成,而伐吴,岂不顺乎?”昭大喜,选日出师。时魏景元四年秋七月初三日,钟会出师。司马昭送之于城外十里方回。西曹掾邵悌密谓司马昭曰:“今主公遣钟会领十万兵伐蜀,愚料会志大心高,不可使独掌大权。”昭笑曰:“吾岂不知之?”悌曰:“主公既知,何不使人同领其职?”昭言无数语,使邵悌疑心顿释。正是:方当士马驱驰日,早识将军跋扈心。未知其言若何,且看下文分解。

第一百十六回

钟会分兵汉中道　武侯显圣定军山

却说司马昭谓西曹掾邵悌曰："朝臣皆言蜀未可伐，是其心怯；若使强战，必败之道也。今钟会独建伐蜀之策，是其心不怯；心不怯，则破蜀必矣。蜀既破，则蜀人心胆已裂；'败军之将，不可以言勇；亡国之大夫，不可以图存。'会即有异志，蜀人安能助之乎？至若魏人得胜思归，必不从会而反，更不足虑耳。——此言乃吾与汝知之，切不可泄漏。"邵悌拜服。

却说钟会下寨已毕，升帐大集诸将听令。时有监军卫瓘，护军胡烈，大将田续、庞会、田章、爰彭、丘建、夏侯咸、王买、皇甫闿、句安等八十馀员。会曰："必须一大将为先锋，逢山开路，遇水叠桥。谁敢当之？"一人应声曰："某愿往。"会视之，乃虎将许褚之子许仪也。众皆曰："非此人不可为先锋。"会唤许仪曰："汝乃虎体猿班[①] 之将，父子有名；今众将亦皆保汝。汝可挂先锋印，领五千马军、一千步军，径取汉中。兵分三路：汝领中路，出斜谷；左军出骆谷；右军出子午谷。此皆崎岖山险之地，当令军填平道路，修理桥梁，凿山破石，勿使阻碍。如违必按军法。"许

---

① 虎体猿班——疑当作"虎体鹓班"。鹓班，也作鹓行、鸳行，指朝会的行列。许褚为勇将得封侯爵，许仪袭爵，故云。王实甫《丽春堂》剧上场诗："虎体鹓班将相家。"可知为元明小说戏曲常语。

仪受命,领兵而进。钟会随后提十万馀众,星夜起程。

却说邓艾在陇西,既受伐蜀之诏,一面令司马望往遏羌人,又遣雍州刺史诸葛绪,天水太守王颀,陇西太守牵弘,金城太守杨欣,各调本部兵前来听令。比及军马云集,邓艾夜作一梦:梦见登高山,望汉中,忽于脚下迸出一泉,水势上涌。须臾惊觉,浑身汗流;遂坐而待旦,乃召护卫爰邵问之,邵素明《周易》。艾备言其梦,邵答曰:"《易》云:'山上有水曰《蹇》。'《蹇卦》者:'利西南,不利东北。'孔子云:'《蹇》利西南,往有功也;不利东北,其道穷也。'将军此行,必然克蜀;但可惜蹇滞不能还。"艾闻言,愀然不乐。忽钟会檄文至,约艾起兵,于汉中取齐。艾遂遣雍州刺史诸葛绪,引兵一万五千,先断姜维归路;次遣天水太守王颀,引兵一万五千,从左攻沓中;陇西太守牵弘,引一万五千人,从右攻沓中;又遣金城太守杨欣,引一万五千人,于甘松邀姜维之后。艾自引兵三万,往来接应。

却说钟会出师之时,有百官送出城外,旌旗蔽日,铠甲凝霜,人强马壮,威风凛然。人皆称羡,惟有相国参军刘寔,微笑不语。太尉王祥见寔冷笑,就马上握其手而问曰:"钟、邓二人,此去可平蜀乎?"寔曰:"破蜀必矣。——但恐皆不得还都耳。"王祥问其故,刘寔但笑而不答。祥遂不复问。

却说魏兵既发,早有细作入沓中报知姜维。维即具表申奏后主:"请降诏遣左车骑将军张翼领兵守护阳安关,右车骑将军廖化领兵守阴平桥:这二处最为要紧,若失二处,汉中不保矣。一面当遣使入吴求救。臣一面自起沓中之兵拒敌。"时后主改景耀六年为炎兴元年,日与宦官黄皓在宫中游乐。忽接姜维之表,即召黄皓问曰:"今魏国遣钟会、邓艾大起人马,分道而来,如之奈何?”皓奏曰:“此乃姜维欲立功名,故上此表。陛下宽心,勿生疑虑。臣闻城中有一师婆,供奉一神,能知吉凶,可召来问之。”后主从其言,于后殿陈设香花纸烛、享祭礼物,令黄皓用小车请入宫中,坐于龙床之上。后主焚香祝毕,师婆忽然披发跣足,就殿上跳跃数十遍,盘旋于案上。皓曰:“此神人降矣。陛下可退左右,亲祷之。”后主尽退侍臣,再拜祝之。师婆大叫曰:“吾乃西川土神也。陛下欣乐太平,何为求问他事?数年之后,魏国疆土亦归陛下矣。陛下切勿忧虑。”言讫,昏倒于地,半晌方苏。后主大喜,重加赏赐。自此深信师婆之说,遂不听姜维之言,每日只在宫中饮宴欢乐。姜维累申告急表文,皆被黄皓隐匿,因此误了大事。

却说钟会大军,迤逦望汉中进发。前军先锋许仪,要立头功,先领兵至南郑关。仪谓部将曰:“过此关即汉中矣。关上不多人马,我等便可奋力抢关。”众将领命,一齐并力向前。原来守关蜀将卢逊,早知魏兵将到,先于关前木桥左右,伏下军士,装起武侯所遗十矢连弩;比及许仪兵来抢关时,一声梆子响处,矢石如雨。仪急退时,早射倒数十骑。魏兵大败。仪回报钟会。会自提帐下甲士百馀骑来看,果然箭弩一齐射下。会拨马便回,关上卢逊引五百军杀下来。会拍马过桥,桥上土塌,陷住马蹄,争些儿掀下马来。马挣不起,会弃马步行;跑下桥时,卢逊赶上,一枪刺来,——却被魏兵中荀恺回身一箭,射卢逊落马。钟会麾众乘势抢关,关上军士因有蜀兵在关前,不敢放箭,被钟会杀散,夺了山关。即以荀恺为护军,以全副鞍马铠甲赐之。会唤许仪至帐下,责之曰:“汝为先锋,理合逢山开路,遇水叠桥,专一修理桥梁道路,以便行军。吾方才到桥上,陷住马蹄,几乎堕桥;若非荀恺，吾已被杀矣！汝既违军令，当按军法！”叱左右推出斩之。诸将告曰：“其父许褚有功于朝廷，望都督恕之。”会怒曰：“军法不明，何以令众？”遂令斩首示众。诸将无不骇然。

时蜀将王含守乐城，蒋斌守汉城，见魏兵势大，不敢出战，只闭门自守。钟会下令曰：“兵贵神速，不可少停。”乃令前军李辅围乐城，护军荀恺围汉城，自引大军取阳安关。守关蜀将傅佥与副将蒋舒商议战守之策。舒曰：“魏兵甚众，势不可当，不如坚守为上。”佥曰：“不然。魏兵远来，必然疲困，虽多不足惧。我等若不下关战时，汉、乐二城休矣。”蒋舒默然不答。忽报魏兵大队已至关前，蒋、傅二人至关上视之。钟会扬鞭大叫曰：“吾今统十万之众到此，如早早出降，各依品级升用；如执迷不降，打破关隘，玉石俱焚！”傅佥大怒，令蒋舒把关，自引三千兵杀下关来。钟会便走，魏兵尽退。佥乘势追之，魏兵复合。佥欲退入关时，关上已竖起魏家旗号，只见蒋舒叫曰：“吾已降了魏也！”佥大怒，厉声骂曰：“忘恩背义之贼，有何面目见天下人乎！”拨回马复与魏兵接战。魏兵四面合来，将傅佥围在垓心。佥左冲右突，往来死战，不能得脱；所领蜀兵，十伤八九。佥乃仰天叹曰：“吾生为蜀臣，死亦当为蜀鬼！”乃复拍马冲杀，身被数枪，血盈袍铠；坐下马倒，佥自刎而死。后人有诗叹曰：

一日抒忠愤，千秋仰义名。宁为傅佥死，不作蒋舒生。

钟会得了阳安关，关内所积粮草、军器极多，大喜，遂犒三军。是夜，魏兵宿于阳安城中，忽闻西南上喊声大震。钟会慌忙出帐视之，绝无动静。魏军一夜不敢睡。次夜三更，西南上喊声又起。钟会惊疑，向晓，使人探之。回报曰：“远哨十馀里，并无一人。”会惊疑不定，乃自引数百骑，俱全装惯带，望西南巡哨。前至一山，只见杀气四面突起，愁云布合，雾锁山头。会勒住马，问向导官曰:“此何山也?”答曰:“此乃定军山,昔日夏侯渊殁于此处。”会闻之,怅然不乐,遂勒马而回。转过山坡,忽然狂风大作,背后数千骑突出,随风杀来。会大惊,引众纵马而走。诸将坠马者,不计其数。及奔到阳安关时,不曾折一人一骑,只跌损面目,失了头盔。皆言曰:“但见阴云中人马杀来,比及近身,却不伤人,只是一阵旋风而已。”会问降将蒋舒曰:“定军山有神庙乎?”舒曰:“并无神庙,惟有诸葛武侯之墓。”会惊曰:“此必武侯显圣也。吾当亲往祭之。”次日,钟会备祭礼,宰太牢,自到武侯墓前再拜致祭。祭毕,狂风顿息,愁云四散。忽然清风习习,细雨纷纷。一阵过后,天色晴朗。魏兵大喜,皆拜谢回营。是夜,钟会在帐中伏几而寝,忽然一阵清风过处,只见一人,纶巾羽扇,身衣鹤氅,素履皂绦,面如冠玉,唇若抹朱,眉清目朗,身长八尺,飘飘然有神仙之概。其人步入帐中,会起身迎之曰:“公何人也?”其人曰:“今早重承见顾。吾有片言相告:虽汉祚已衰,天命难违,然两川生灵,横罹兵革,诚可怜悯。汝入境之后,万勿妄杀生灵。”言讫,拂袖而去。会欲挽留之,忽然惊醒,乃是一梦。会知是武侯之灵,不胜惊异。于是传令前军,立一白旗,上书“保国安民”四字;所到之处,如妄杀一人者偿命。于是汉中人民,尽皆出城拜迎。会一一抚慰,秋毫无犯。后人有诗赞曰:

数万阴兵绕定军,致令钟会拜灵神。生能决策扶刘氏,
死尚遗言保蜀民。

却说姜维在沓中,听知魏兵大至,传檄廖化、张翼、董厥提兵接应;一面自分兵列将以待之。忽报魏兵至,维引兵迎之。魏阵中为首大将乃天水太守王颀也。颀出马大呼曰:“吾今大兵百万,上将千员,分二十路而进,已到成都。汝不思早降,犹欲抗

拒，何不知天命耶！”维大怒，挺枪纵马，直取王颀。战不三合，颀大败而走。姜维驱兵追杀至二十里，只听得金鼓齐鸣，一枝兵摆开，旗上大书“陇西太守牵弘”字样。维笑曰：“此等鼠辈，非吾敌手！”遂催兵追之。又赶到十里，却遇邓艾领兵杀到。两军混战。维抖擞精神，与艾战有十馀合，不分胜负，后面锣鼓又鸣。维急退时，后军报说：“甘松诸寨，尽被金城太守杨欣烧毁了。”维大惊，急令副将虚立旗号，与邓艾相拒。维自撤后军，星夜来救甘松，正遇杨欣。欣不敢交战，望山路而走。维随后赶来。将至山岩下，岩上木石如雨，维不能前进。比及回到半路，蜀兵已被邓艾杀败。魏兵大队而来，将姜维围住。维引众骑杀出重围，奔入大寨坚守，以待救兵。忽然流星马到，报说：“钟会打破阳安关，守将蒋舒归降，傅佥战死，汉中已属魏矣。乐城守将王含，汉城守将蒋斌，知汉中已失，亦开门而降。胡济抵敌不住，逃回成都求援去了。”

维大惊，即传令拔寨。是夜兵至彊川口，前面一军摆开，为首魏将，乃是金城太守杨欣。维大怒，纵马交锋，只一合，杨欣败走，维拈弓射之，连射三箭皆不中。维转怒，自折其弓，挺枪赶来。战马前失，将维跌在地上。杨欣拨回马来杀姜维。维跃起身，一枪刺去，正中杨欣马脑。背后魏兵骤至，救欣去了。维骑上从马，欲待追时，忽报后面邓艾兵到。维首尾不能相顾，遂收兵要夺汉中。哨马报说：“雍州刺史诸葛绪已断了归路。”维乃据山险下寨。魏兵屯于阴平桥头。维进退无路，长叹曰：“天丧我也！”副将宁随曰：“魏兵虽断阴平桥头，雍州必然兵少，将军若从孔函谷，径取雍州，诸葛绪必撤阴平之兵救雍州，将军却引兵奔剑阁守之，则汉中可复矣。”维从之，即发兵入孔函谷，诈取雍州。细作报知诸葛绪。绪大惊曰：“雍州是吾合守之地，倘有疏失，朝廷必然问罪。”急撤大兵从南路去救雍州，只留一枝兵守桥头。姜维入北道，约行三十里，料知魏兵起行，乃勒回兵，后队作前队，径到桥头，果然魏兵大队已去，只有些小兵把桥；被维一阵杀散，尽烧其寨栅。诸葛绪听知桥头火起，复引兵回，姜维兵已过半日了，因此不敢追赶。

却说姜维引兵过了桥头，正行之间，前面一军来到，乃左将军张翼、右将军廖化也。维问之，翼曰：“黄皓听信师巫之言，不肯发兵。翼闻汉中已危，自起兵来时，阳安关已被钟会所取。今闻将军受困，特来接应。”遂合兵一处，前赴白水关。化曰：“今四面受敌，粮道不通，不如退守剑阁，再作良图。”维疑虑未决。忽报钟会、邓艾分兵十馀路杀来。维欲与翼、化分兵迎之。化曰：“白水地狭路多，非争战之所，不如且退去救剑阁可也；若剑阁一失，是绝路矣。”维从之，遂引兵来投剑阁。将近关前，忽然鼓角齐鸣，喊声大起，旌旗遍竖，一枝军把住关口。正是：汉中险峻已无有，剑阁风波又忽生。未知何处之兵，且看下文分解。

第一百十七回

邓士载偷度阴平　诸葛瞻战死绵竹

却说辅国大将军董厥，闻魏兵十馀路入境，乃引二万兵守住剑阁；当日望尘头大起，疑是魏兵，急引军把住关口。董厥自临军前视之，乃姜维、廖化、张翼也。厥大喜，接入关上，礼毕，哭诉后主黄皓之事。维曰："公勿忧虑。若有维在，必不容魏来吞蜀也。且守剑阁，徐图退敌之计。"厥曰："此关虽然可守，争奈成都无人；倘为敌人所袭，大势瓦解矣。"维曰："成都山险地峻，非可易取，不必忧也。"正言间，忽报诸葛绪领兵杀至关下，维大怒，急引五千兵杀下关来，直撞入魏阵中，左冲右突，杀得诸葛绪大败而走，退数十里下寨，魏军死者无数。蜀兵抢了许多马匹器械，维收兵回关。

却说钟会离剑阁二十里下寨，诸葛绪自来伏罪。会怒曰："吾令汝守把阴平桥头，以断姜维归路，如何失了！今又不得吾令，擅自进兵，以致此败！"绪曰："维诡计多端，诈取雍州；绪恐雍州有失，引兵去救，维乘机走脱；绪因赶至关下，不想又为所败。"会大怒，叱令斩之。监军卫瓘曰："绪虽有罪，乃邓征西所督之人；不争将军杀之，恐伤和气。"会曰："吾奉天子明诏、晋公钧命，特来伐蜀。便是邓艾有罪，亦当斩之！"众皆力劝。会乃将诸葛绪用槛车载赴洛阳，任晋公发落；随将绪所领之兵，收在部下调遣。有人报与邓艾。艾大怒曰："吾与汝官品一般，吾久镇边疆，于国多劳，汝安敢妄自尊大耶！”子邓忠劝曰：“‘小不忍则乱大谋’，父亲若与他不睦，必误国家大事。望且容忍之。”艾从其言。——然毕竟心中怀怒，乃引十数骑来见钟会。会闻艾至，便问左右：“艾引多少军来？”左右答曰：“只有十数骑。”会乃令帐上帐下列武士数百人。艾下马入见。会接入帐礼毕。艾见军容甚肃，心中不安，乃以言挑之曰：“将军得了汉中，乃朝廷之大幸也，可定策早取剑阁。”会曰：“将军明见若何？”艾再三推称无能。会固问之。艾答曰：“以愚意度之，可引一军从阴平小路出汉中德阳亭，用奇兵径取成都，姜维必撤兵来救，将军乘虚就取剑阁，可获成功。”会大喜曰：“将军此计甚妙！可即引兵去。吾在此专候捷音！”二人饮酒相别。会回本帐与诸将曰：“人皆谓邓艾有能。今日观之，乃庸才耳！”众问其故。会曰：“阴平小路，皆高山峻岭，若蜀以百馀人守其险要，断其归路，则邓艾之兵皆饿死矣。吾只以正道而行，何愁蜀地不破乎！”遂置云梯炮架，只打剑阁关。

却说邓艾出辕门上马，回顾从者曰：“钟会待吾若何？”从者曰：“观其辞色，甚不以将军之言为然，但以口强应而已。”艾笑曰：“彼料我不能取成都，我偏欲取之！”回到本寨，师纂、邓忠一班将士接问曰：“今日与钟镇西有何高论？”艾曰：“吾以实心告彼，彼以庸才视我。彼今得汉中，以为莫大之功；若非吾屯沓中绊住姜维，彼安能成功耶！吾今若取了成都，胜取汉中矣！”当夜下令，尽拔寨望阴平小路进兵，离剑阁七百里下寨。有人报钟会，说：“邓艾要去取成都了。”会笑艾不智。

却说邓艾一面修密书遣使驰报司马昭，一面聚诸将于帐下问曰：“吾今乘虚去取成都，与汝等立功名于不朽，汝等肯从乎？”

诸将应曰:“愿遵军令,万死不辞!”艾乃先令子邓忠引五千精兵,不穿衣甲,各执斧凿器具,凡遇峻危之处,凿山开路,搭造桥阁,以便军行。艾选兵三万,各带干粮绳索进发。约行百馀里,选下三千兵,就彼扎寨;又行百馀里,又选三千兵下寨。是年十月自阴平进兵,至于巅崖峻谷之中,凡二十馀日,行七百馀里,皆是无人之地。魏兵沿途下了数寨,只剩下二千人马。前至一岭,名摩天岭,马不堪行,艾步行上岭,正见邓忠与开路壮士尽皆哭泣。艾问其故。忠告曰:“此岭西皆是峻壁巅崖,不能开凿,虚废前劳,因此哭泣。”艾曰:“吾军到此,已行了七百馀里,过此便是江油,岂可复退?”乃唤诸军曰:“‘不入虎穴,焉得虎子?’吾与汝等来到此地,若得成功,富贵共之。”众皆应曰:“愿从将军之命。”艾令先将军器撺将下去。艾取毡自裹其身,先滚下去。副将有毡衫者裹身滚下,无毡衫者各用绳索束腰,攀木挂树,鱼贯[①]而进。邓艾、邓忠,并二千军,及开山壮士,皆度了摩天岭。方才整顿衣甲器械而行,忽见道傍有一石碣,上刻:“丞相诸葛武侯题”。其文云:“二火初兴,有人越此。二士争衡,不久自死。”艾观讫大惊,慌忙对碣再拜曰:“武侯真神人也!艾不能以师事之,惜哉!”后人有诗曰:

> 阴平峻岭与天齐,玄鹤徘徊尚怯飞。邓艾裹毡从此下,谁知诸葛有先几。

却说邓艾暗度阴平,引兵行时,又见一个大空寨。左右告曰:“闻武侯在日,曾拨一千兵守此险隘。今蜀主刘禅废之。”艾嗟呀不已,乃谓众人曰:“吾等有来路而无归路矣!前江油城中,粮食足备:汝等前进可活,后退即死,须并力攻之。”众皆应曰:

---

① 鱼贯——如水中游鱼结队而行,一个跟着一个。

"愿死战!"于是邓艾步行,引二千馀人,星夜倍道来抢江油城。

却说江油城守将马邈,闻东川已失,虽为准备,只是提防大路;又仗着姜维全师守住剑阁关,遂将军情不以为重。当日操练人马回家,与妻李氏拥炉饮酒。其妻问曰:"屡闻边情甚急,将军全无忧色,何也?"邈曰:"大事自有姜伯约掌握,干我甚事?"其妻曰:"虽然如此,将军所守城池,不为不重。"邈曰:"天子听信黄皓,溺于酒色,吾料祸不远矣。魏兵若到,降之为上,何必虑哉?"其妻大怒,唾邈面曰:"汝为男子,先怀不忠不义之心,枉受国家爵禄,吾有何面目与汝相见耶!"马邈羞惭无语。忽家人慌入报曰:"魏将邓艾不知从何而来,引二千馀人,一拥而入城矣!"邈大惊,慌出纳降,拜伏于公堂之下,泣告曰:"某有心归降久矣。今愿招城中居民,及本部人马,尽降将军。"艾准其降。遂收江油军马于部下调遣,即用马邈为向导官。忽报马邈夫人自缢身死。艾问其故,邈以实告。艾感其贤,令厚礼葬之,亲往致祭。魏人闻者,无不嗟叹。后人有诗赞曰:

　　后主昏迷汉祚颠,天差邓艾取西川。可怜巴蜀多名将,
　　不及江油李氏贤。

邓艾取了江油,遂接阴平小路诸军,皆到江油取齐,径来攻涪城。部将田续曰:"我军涉险而来,甚是劳顿,且当休养数日,然后进兵。"艾大怒曰:"兵贵神速,汝敢乱我军心耶!"喝令左右推出斩之。众将苦告方免。艾自驱兵至涪城。城内官吏军民疑从天降,尽皆投降。

蜀人飞报入成都。后主闻知,慌召黄皓问之。皓奏曰:"此诈传耳。神人必不肯误陛下也。"后主又宣师婆问时,却不知何处去了。此时远近告急表文,一似雪片,往来使者,联络不绝。后主设朝计议,多官面面相觑,并无一言。郤正出班奏曰:"事已

急矣！陛下可宣武侯之子商议退兵之策。”原来武侯之子诸葛瞻，字思远。其母黄氏，即黄承彦之女也。母貌甚陋，而有奇才：上通天文，下察地理；凡韬略遁甲诸书，无所不晓。武侯在南阳时，闻其贤，求以为室。武侯之学，夫人多所赞助焉。及武侯死后，夫人寻逝，临终遗教，惟以忠孝勉其子瞻。瞻自幼聪敏，尚[①]后主女，为驸马都尉。后袭父武乡侯之爵。景耀四年，迁行军护卫将军。时为黄皓用事，故托病不出。当下后主从郤正之言，即时连发三诏，召瞻至殿下。后主泣诉曰：“邓艾兵已屯涪城，成都危矣。卿看先君之面，救朕之命！”瞻亦泣奏曰：“臣父子蒙先帝厚恩、陛下殊遇，虽肝脑涂地，不能补报。愿陛下尽发成都之兵，与臣领去决一死战。”后主即拨成都兵将七万与瞻。瞻辞了后主，整顿军马，聚集诸将问曰：“谁敢为先锋？”言未讫，一少年将出曰：“父亲既掌大权，儿愿为先锋。”众视之，乃瞻长子诸葛尚也。尚时年一十九岁，博览兵书，多习武艺。瞻大喜，遂命尚为先锋。是日，大军离了成都，来迎魏兵。

却说邓艾得马邈献地理图一本，备写涪城至成都三百六十里山川道路，阔狭险峻，一一分明。艾看毕，大惊曰：“若只守涪城，倘被蜀人据住前山，何能成功耶？如迁延日久，姜维兵到，我军危矣。”速唤师纂并子邓忠，分付曰：“汝等可引一军，星夜径去绵竹，以拒蜀兵。吾随后便至。切不可怠缓。若纵他先据了险要，决斩汝首！”

师、邓二人引兵将至绵竹，早遇蜀兵。两军各布成阵。师、

① 尚——封建官僚或其子弟得与帝王之女婚配，不敢叫“娶”，叫做“尚”。尚是“高配”的意思。

邓二人勒马于门旗下，只见蜀兵列成八阵。三鼕鼓罢，门旗两分，数十员将簇拥一辆四轮车，车上端坐一人：纶巾羽扇，鹤氅方裾。车傍展开一面黄旗，上书："汉丞相诸葛武侯"。諕得师、邓二人汗流遍身，回顾军士曰："原来孔明尚在，我等休矣！"

急勒兵回时，蜀兵掩杀将来，魏兵大败而走。蜀兵掩杀二十馀里，遇见邓艾援兵接应。两家各自收兵。艾升帐而坐，唤师纂、邓忠责之曰："汝二人不战而退，何也？"忠曰："但见蜀阵中诸葛孔明领兵，因此奔还。"艾怒曰："纵使孔明更生，我何惧哉！汝等轻退，以致于败，宜速斩以正军法！"众皆苦劝，艾方息怒。令人哨探，回说孔明之子诸葛瞻为大将，瞻之子诸葛尚为先锋。——车上坐者乃木刻孔明遗像也。

艾闻之，谓师纂、邓忠曰："成败之机，在此一举。汝二人再不取胜，必当斩首！"师、邓二人又引一万兵来战。诸葛尚匹马单枪，抖擞精神，战退二人。诸葛瞻指挥两掖兵冲出，直撞入魏阵中，左冲右突，往来杀有数十番，魏兵大败，死者不计其数。师纂、邓忠中伤而逃。瞻驱士马随后掩杀二十馀里，扎营相拒。师纂、邓忠回见邓艾，艾见二人俱伤，未便加责，乃与众将商议曰："蜀有诸葛瞻善继父志，两番杀吾万馀人马，今若不速破，后必为祸。"监军丘本曰："何不作一书以诱之？"艾从其言，遂作书一封，遣使送入蜀寨。守门将引至帐下，呈上其书。瞻拆封视之。书曰：

> 征西将军邓艾，致书于行军护卫将军诸葛思远麾下：切观近代贤才，未有如公之尊父也。昔自出茅庐，一言已分三国，扫平荆、益，遂成霸业，古今鲜有及者；后六出祁山，非其智力不足，乃天数耳。今后主昏弱，王气已终，艾奉天子之命，以重兵伐蜀，已皆得其地矣。成都危在旦夕，公何不应

天顺人，仗义来归？艾当表公为琅琊王，以光耀祖宗，决不虚言。幸存照鉴。

瞻看毕，勃然大怒，扯碎其书，叱武士立斩来使，令从者持首级回魏营见邓艾。艾大怒，即欲出战。丘本谏曰："将军不可轻出，当用奇兵胜之。"艾从其言，遂令天水太守王颀、陇西太守牵弘，伏两军于后，艾自引兵而来。此时诸葛瞻正欲搦战，忽报邓艾自引兵到。瞻大怒，即引兵出，径杀入魏阵中。邓艾败走，瞻随后掩杀将来。忽然两下伏兵杀出。蜀兵大败，退入绵竹。艾令围之。于是魏兵一齐呐喊，将绵竹围的铁桶相似。

诸葛瞻在城中，见事势已迫，乃令彭和赍书杀出，往东吴求救。和至东吴，见了吴主孙休，呈上告急之书。吴主看罢，与群臣计议曰："既蜀中危急，孤岂可坐视不救。"即令老将丁奉为主帅，丁封、孙异为副将，率兵五万，前往救蜀。丁奉领旨出师，分拨丁封、孙异引兵二万向沔中而进，自率兵三万向寿春而进：分兵三路来援。

却说诸葛瞻见救兵不至，谓众将曰："久守非良图。"遂留子尚与尚书张遵守城，瞻自披挂上马，引三军大开三门杀出。邓艾见兵出，便撤兵退。瞻奋力追杀，忽然一声炮响，四面兵合，把瞻困在垓心。瞻引兵左冲右突，杀死数百人。艾令众军放箭射之，蜀兵四散。瞻中箭落马，乃大呼曰："吾力竭矣，当以一死报国！"遂拔剑自刎而死。其子诸葛尚在城上，见父死于军中，勃然大怒，遂披挂上马。张遵谏曰："小将军勿得轻出。"尚叹曰："吾父子祖孙，荷国厚恩，今父既死于敌，我何用生为！"遂策马杀出，死于阵中。后人有诗赞瞻、尚父子曰：

> 不是忠臣独少谋，苍天有意绝炎刘。当年诸葛留嘉胤，节义真堪继武侯。

邓艾怜其忠,将父子合葬。——乘虚攻打绵竹。张遵、黄崇、李球三人,各引一军杀出。蜀兵寡,魏兵众,三人亦皆战死。艾因此得了绵竹。劳军已毕,遂来取成都。正是:试观后主临危日,无异刘璋受逼时。未知成都如何守御,且看下文分解。

第一百十八回

哭祖庙一王死孝　入西川二士争功

却说后主在成都，闻邓艾取了绵竹，诸葛瞻父子已亡，大惊，急召文武商议。近臣奏曰："城外百姓，扶老携幼，哭声大震，各逃生命。"后主惊惶无措。忽哨马报到，说魏兵将近城下。多官议曰："兵微将寡，难以迎敌；不如早弃成都，奔南中七郡。其地险峻，可以自守，就借蛮兵，再来克复未迟。"光禄大夫谯周曰："不可。南蛮久反之人，平昔无惠；今若投之，必遭大祸。"多官又奏曰："蜀、吴既同盟，今事急矣，可以投之。"周又谏曰："自古以来，无寄他国为天子者。臣料魏能吞吴，吴不能吞魏。若称臣于吴，是一辱也；若吴被魏所吞，陛下再称臣于魏，是两番之辱矣。不如不投吴而降魏。魏必裂土以封陛下，则上能自守宗庙，下可以保安黎民。愿陛下思之。"后主未决，退入宫中。

次日，众议纷然。谯周见事急，复上疏诤之。后主从谯周之言，正欲出降；忽屏风后转出一人，厉声而骂周曰："偷生腐儒，岂可妄议社稷大事！自古安有降天子哉！"后主视之，乃第五子北地王刘谌也。后主生七子：长子刘璿，次子刘瑶，三子刘琮，四子刘瓒，五子即北地王刘谌，六子刘恂，七子刘璩。七子中惟谌自幼聪明，英敏过人，馀皆懦善。后主谓谌曰："今大臣皆议当降，汝独仗血气之勇，欲令满城流血耶？"谌曰："昔先帝在日，谯周未尝干预国政；今妄议大事，辄起乱言，甚非理也。臣切料成都之兵，尚有数万；姜维全师，皆在剑阁，若知魏兵犯阙，必来救应：内外攻击，可获大功。岂可听腐儒之言，轻废先帝之基业乎？”后主叱之曰：“汝小儿岂识天时！”谌叩头哭曰：“若势穷力极，祸败将及，便当父子君臣背城一战，同死社稷，以见先帝可也。奈何降乎！”后主不听。谌放声大哭曰：“先帝非容易创立基业，今一旦弃之，吾宁死不辱也！”后主令近臣推出宫门，遂令谯周作降书，遣私署侍中张绍、驸马都尉邓良同谯周赍玉玺来雒城请降。

时邓艾每日令数百铁骑来成都哨探。当日见立了降旗，艾大喜。不一时，张绍等至，艾令人迎入。三人拜伏于阶下，呈上降款玉玺。艾拆降书视之，大喜，受下玉玺，重待张绍、谯周、邓良等。艾作回书，付三人赍回成都，以安人心。三人拜辞邓艾，径还成都，入见后主，呈上回书，细言邓艾相待之善。后主拆封视之，大喜，即遣太仆蒋显赍敕令姜维早降；遣尚书郎李虎，送文簿与艾：共户二十八万，男女九十四万，带甲将士十万二千，官吏四万，仓粮四十馀万，金银各二千斤，锦绮彩绢各二十万匹。馀物在库，不及具数。择十二月初一日，君臣出降。

北地王刘谌闻知，怒气冲天，乃带剑入宫。其妻崔夫人问曰：“大王今日颜色异常，何也？”谌曰：“魏兵将近，父皇已纳降款，明日君臣出降，社稷从此殄灭。吾欲先死以见先帝于地下，不屈膝于他人也！”崔夫人曰：“贤哉！贤哉！得其死矣！妾请先死，王死未迟。”谌曰：“汝何死耶？”崔夫人曰：“王死父，妾死夫：其义同也。夫亡妻死，何必问焉！”言讫，触柱而死。谌乃自杀其三子，并割妻头，提至昭烈庙中，伏地哭曰：“臣羞见基业弃于他人，故先杀妻子，以绝挂念，后将一命报祖！祖如有灵，知孙之心！”大哭一场，眼中流血，自刎而死。蜀人闻知，无不哀痛。后人有诗赞曰：

君臣甘屈膝，一子独悲伤。去矣西川事，雄哉北地王！
捐身酬烈祖，搔首泣穹苍。凛凛人如在，谁云汉已亡？

后主听知北地王自刎，乃令人葬之。

次日，魏兵大至。后主率太子诸王，及群臣六十馀人，面缚舆榇[①]，出北门十里而降。邓艾扶起后主，亲解其缚，焚其舆榇，并车入城。后人有诗叹曰：

魏兵数万入川来，后主偷生失自裁。黄皓终存欺国意，
姜维空负济时才。全忠义士心何烈，守节王孙志可哀。
昭烈经营良不易，一朝功业顿成灰。

于是成都之人，皆具香花迎接。艾拜后主为骠骑将军，其馀文武，各随高下拜官；请后主还宫，出榜安民，交割仓库。又令太常张峻、益州别驾张绍，招安各郡军民。又令人说姜维归降。一面遣人赴洛阳报捷。艾闻黄皓奸险，欲斩之。皓用金宝赂其左右，因此得免。自是汉亡。后人因汉之亡，有追思武侯诗曰：

鱼鸟犹疑畏简书，风云长为护储胥。徒令上将挥神笔，
终见降王走传车。管乐有才真不忝；关张无命欲何如！
他年锦里经祠庙，《梁父》吟成恨有馀！

且说太仆蒋显到剑阁，入见姜维，传后主敕命，言归降之事。维大惊失语。帐下众将听知，一齐怨恨，咬牙怒目，须发倒竖，拔刀砍石大呼曰："吾等死战，何故先降耶！"号哭之声，闻数十里。维见人心思汉，乃以善言抚之曰："众将勿忧。吾有一计，可复汉室。"众皆求问。姜维与诸将附耳低言，说了计策。即于剑阁关

---

① 面缚舆榇——古时君主战败投降的仪式。面缚，双手捆在身背后，面朝着胜利者；舆榇，车上载着棺材：表示放弃抵抗，自请受刑。

遍竖降旗，先令人报入钟会寨中，说姜维引张翼、廖化、董厥等来降。会大喜，令人迎接维入帐。会曰："伯约来何迟也？"维正色流涕曰："国家全军在吾，今日至此，犹为速也。"会甚奇之，下座相拜，待为上宾。维说会曰："闻将军自淮南以来，算无遗策；司马氏之盛，皆将军之力，维故甘心俯首。如邓士载，当与决一死战，安肯降之乎？"会遂折箭为誓，与维结为兄弟，情爱甚密，仍令照旧领兵。维暗喜，遂令蒋显回成都去了。

却说邓艾封师纂为益州刺史，牵弘、王颀等各领州郡；又于绵竹筑台以彰战功，大会蜀中诸官饮宴。艾酒至半酣，乃指众官曰："汝等幸遇我，故有今日耳。若遇他将，必皆殄灭矣。"多官起身拜谢。忽蒋显至，说姜维自降钟镇西了。艾因此痛恨钟会。遂修书令人赍赴洛阳，致晋公司马昭。昭得书视之。书曰：

> 臣艾切谓兵有先声而后实者，今因平蜀之势以乘吴，此席卷之时也。然大举之后，将士疲劳，不可便用；宜留陇右兵二万、蜀兵二万，煮盐兴冶，并造舟船，预备顺流之计；然后发使，告以利害，吴可不征而定也。今宜厚待刘禅，以致孙休；若便送禅来京，吴人必疑，则于向化之心不劝。且权留之于蜀，须来年冬月抵京。今即可封禅为扶风王，锡以资财，供其左右，爵其子为公侯，以显归命之宠：则吴人畏威怀德，望风而从矣。

司马昭览毕，深疑邓艾有自专之心，乃先发手书与卫瓘，随后降封艾诏曰：

> 征西将军邓艾：耀威奋武，深入敌境，使僭号之主，系颈归降；兵不逾时，战不终日，云彻席卷，荡定巴、蜀；虽白起破强楚，韩信克劲赵，不足比勋也。其以艾为太尉，增邑二万户，封二子为亭侯，各食邑千户。

邓艾受诏毕，监军卫瓘取出司马昭手书与艾。书中说邓艾所言之事，须候奏报，不可辄行。艾曰："'将在外，君命有所不受。'吾既奉诏专征，如何阻当？"遂又作书，令来使赍赴洛阳。时朝中皆言邓艾必有反意，司马昭愈加疑忌。忽使命回，呈上邓艾之书。昭拆封视之。书曰：

艾衔命西征，元恶既服，当权宜行事，以安初附。若待国命，则往复道途，延引日月。《春秋》之义：大夫出疆，有可以安社稷、利国家，专之可也。今吴未宾，势与蜀连，不可拘常以失事机。兵法：进不求名，退不避罪。艾虽无古人之节，终不自嫌以损于国也。先此申状，见可施行。

司马昭看毕大惊，忙与贾充计议曰："邓艾恃功而骄，任意行事，反形露矣。——如之奈何？"贾充曰："主公何不封钟会以制之？"昭从其议，遣使赍诏封会为司徒，就令卫瓘监督两路军马，以手书付瓘，使与会伺察邓艾，以防其变。会接读诏书。诏曰：

镇西将军钟会：所向无敌，前无强梁，节制众城，网罗迸逸；蜀之豪帅，面缚归命；谋无遗策，举无废功。其以会为司徒，进封县侯，增邑万户，封子二人亭侯，邑各千户。

钟会既受封，即请姜维计议曰："邓艾功在吾之上，又封太尉之职；今司马公疑艾有反志，故令卫瓘为监军，诏吾制之。伯约有何高见？"维曰："愚闻邓艾出身微贱，幼为农家养犊，今侥幸自阴平斜径，攀木悬崖，成此大功；非出良谋，实赖国家洪福耳。若非将军与维相拒于剑阁，艾安能成此功耶？——今欲封蜀主为扶风王，乃大结蜀人之心，其反情不言可见矣。——晋公疑之是也。"会深喜其言。维又曰："请退左右，维有一事密告。"会令左右尽退。维袖中取一图与会，曰："昔日武侯出草庐时，以此图献先帝，且曰：'益州之地，沃野千里，民殷国富，可为霸业。'先帝因此遂创成都。今邓艾至此,安得不狂?"会大喜,指问山川形势。维一一言之。会又问曰:"当以何策除艾?"维曰:"乘晋公疑忌之际,当急上表,言艾反状;晋公必令将军讨之。——一举而可擒矣。"会依言,即遣人赍表进赴洛阳,言邓艾专权恣肆[1],结好蜀人,早晚必反矣。于是朝中文武皆惊。会又令人于中途截了邓艾表文,按艾笔法,改写傲慢之辞,以实己之语。

司马昭见了邓艾表章,大怒,即遣人到钟会军前,令会收艾;又遣贾充引三万兵入斜谷,昭乃同魏主曹奂御驾亲征。西曹掾邵悌谏曰:"钟会之兵,多艾六倍,当令会收艾足矣,何必明公自行耶?"昭笑曰:"汝忘了旧日之言耶?——汝曾道会后必反。吾今此行,非为艾,实为会耳。"悌笑曰:"某恐明公忘之,故以相问。今既有此意,切宜秘之,不可泄漏。"昭然其言,遂提大兵起程。时贾充亦疑钟会有变,密告司马昭。昭曰:"如遣汝,亦疑汝耶?吾到长安,自有明白。"早有细作报知钟会,说昭已至长安。会慌请姜维商议收艾之策。正是:才看西蜀收降将,又见长安动大兵。不知姜维以何策破艾,且看下文分解。

① 恣肆——恣心放肆,即任意胡作非为的意思。

第一百十九回

假投降巧计成虚话　再受禅依样画葫芦

却说钟会请姜维计议收邓艾之策。维曰:“可先令监军卫瓘收艾。艾若杀瓘,反情实矣。将军却起兵讨之,可也。”会大喜,遂令卫瓘引数十人入成都,收邓艾父子。瓘手下人止之曰:“此是钟司徒令邓征西杀将军,以正反情也。切不可行。”瓘曰:“吾自有计。”遂先发檄文二三十道。其檄曰:“奉诏收艾,其馀各无所问。若早来归,爵赏如先;敢有不出者,灭三族。”随备槛车两乘,星夜望成都而来。

比及鸡鸣,艾部将见檄文者,皆来投拜于卫瓘马前。时邓艾在府中未起。瓘引数十人突入大呼曰:“奉诏收邓艾父子!”艾大惊,滚下床来。瓘叱武士缚于车上。其子邓忠出问,亦被捉下,缚于车上。府中将吏大惊,欲待动手抢夺,早望见尘头大起,哨马报说钟司徒大兵到了。众各四散奔走。钟会与姜维下马入府,见邓艾父子已被缚。会以鞭挞邓艾之首而骂曰:“养犊小儿,何敢如此!”姜维亦骂曰:“匹夫行险徼幸,亦有今日耶!”艾亦大骂。会将艾父子送赴洛阳。会入成都,尽得邓艾军马,威声大震。乃谓姜维曰:“吾今日方趁平生之愿矣!”维曰:“昔韩信不听蒯通之说,而有未央宫之祸[①];

---

① 韩信不听蒯通之说,而有未央宫之祸——韩信是汉朝开国功臣。当他掌握兵权的时候,蒯通曾劝他起兵自立,背叛刘邦;韩信不听。后来刘邦用计把他逮住;刘邦的妻子吕后又把他骗到未央宫杀掉了。

大夫种不从范蠡于五湖,卒伏剑而死[①]:斯二子者,其功名岂不赫然哉,徒以利害未明,而见几[②]之不早也。今公大勋已就,威震其主,何不泛舟绝迹,登峨嵋之岭,而从赤松子游[③]乎?"会笑曰:"君言差矣。吾年未四旬,方思进取,岂能便效此退闲之事?"维曰:"若不退闲,当早图良策。此则明公智力所能,无烦老夫之言矣。"会抚掌大笑曰:"伯约知吾心也。"二人自此每日商议大事。维密与后主书曰:"望陛下忍数日之辱,维将使社稷危而复安,日月幽而复明。——必不使汉室终灭也。"

却说钟会正与姜维谋反,忽报司马昭有书到。会接书。书中言:"吾恐司徒收艾不下,自屯兵于长安;相见在近,以此先报。"会大惊曰:"吾兵多艾数倍,若但要我擒艾,晋公知吾独能办之。今日自引兵来,是疑我也!"遂与姜维计议。维曰:"君疑臣则臣必死,岂不见邓艾乎?"会曰:"吾意决矣!——事成则得天下,不成则退西蜀,亦不失作刘备也。"维曰:"近闻郭太后新亡,可诈称太后有遗诏,教讨司马昭,以正弑君之罪。据明公之才,中原可席卷而定。"会曰:"伯约当作先锋。成事之后,同享富贵。"维曰:"愿效犬马微劳。——但恐诸将不服耳。"会曰:"来日元宵佳节,于故宫大张灯火,请诸将饮宴。如不从者尽杀之。"维暗喜。次日,会、维二人请诸将饮宴。数巡后,会执杯大哭。诸

① 大夫种不从范蠡于五湖,卒伏剑而死——文种、范蠡,同是春秋时越王勾践的谋臣,帮助勾践灭掉吴国。范蠡在成功之后,认为勾践"不可与共乐",就悄悄走了。临行曾劝文种也离去,文种不听。后来,勾践果然迫使文种自杀。

② 见几——同见机。对于事势的预见。

③ 从赤松子游——张良是汉朝的开国功臣;成功之后,他为了免遭猜忌,保全自己,表示愿意放弃功名富贵,跟从赤松子"学道"。赤松子,传说中的一个仙人。

将惊问其故，会曰："郭太后临崩有遗诏在此，为司马昭南阙弑君，大逆无道，早晚将篡魏，命吾讨之。汝等各自佥名，共成此事。"众皆大惊，面面相觑。会拔剑出鞘曰："违令者斩！"众皆恐惧，只得相从。画字已毕，会乃困诸将于宫中，严兵禁守。维曰："我见诸将不服，请坑之。"会曰："吾已令宫中掘一坑，置大棒数千；如不从者，打死坑之。"

时有心腹将丘建在侧。——建乃护军胡烈部下旧人也，时胡烈亦被监在宫。——建乃密将钟会所言，报知胡烈。烈大惊，泣告曰："吾儿胡渊领兵在外，安知会怀此心耶？汝可念向日之情，透一消息，虽死无恨。"建曰："恩主勿忧，容某图之。"遂出告会曰："主公软监诸将在内，水食不便，可令一人往来传递。"会素听丘建之言，遂令丘建监临。会分付曰："吾以重事托汝，休得泄漏。"建曰："主公放心，某自有紧严之法。"建暗令胡烈亲信人入内，烈以密书付其人。其人持书火速至胡渊营内，细言其事，呈上密书。渊大惊，遂遍示诸营知之。众将大怒，急来渊营商议曰："我等虽死，岂肯从反臣耶？"渊曰："正月十八日中，可骤入内，如此行之。"监军卫瓘深喜胡渊之谋，即整顿了人马，令丘建传与胡烈。烈报知诸将。

却说钟会请姜维问曰："吾夜梦大蛇数千条咬吾，主何吉凶？"维曰："梦龙蛇者，皆吉庆之兆也。"会喜，信其言，乃谓维曰："器仗已备，放诸将出问之，若何？"维曰："此辈皆有不服之心，久必为害，不如乘早戮之。"会从之，即命姜维领武士往杀众魏将。维领命，方欲行动，忽然一阵心疼，昏倒在地；左右扶起，半晌方苏。忽报宫外人声沸腾。会方令人探时，喊声大震，四面八方，无限兵到。维曰："此必是诸将作恶，可先斩之。"忽报兵已入内。会令闭上殿门，使军士上殿屋以瓦击之，互相杀死数十人。宫外四面火起，外兵砍开殿门杀入。会自掣剑立杀数人，却被乱箭射倒。众将枭其首。维拔剑上殿，往来冲突，不幸心疼转加。维仰天大叫曰："吾计不成，乃天命也！"遂自刎而死。时年五十九岁。宫中死者数百人。卫瓘曰："众军各归营所，以待王命。"魏兵争欲报仇，共剖维腹，其胆大如鸡卵。众将又尽取姜维家属杀之。邓艾部下之人，见钟会、姜维已死，遂连夜去追劫邓艾。早有人报知卫瓘。瓘曰："是我捉艾；今若留他，我无葬身之地矣。"护军田续曰："昔邓艾取江油之时，欲杀续，得众官告免。今日当报此恨！"瓘大喜，遂遣田续引五百兵赶至绵竹，正遇邓艾父子放出槛车，欲还成都。艾只道是本部兵到，不作准备；欲待问时，被田续一刀斩之。邓忠亦死于乱军之中。后人有诗叹邓艾曰：

自幼能筹画，多谋善用兵。凝眸知地理，仰面识天文。

马到山根断，兵来石径分。功成身被害，魂绕汉江云。

又有诗叹钟会曰：

髫年称早慧，曾作秘书郎。妙计倾司马，当时号子房。

寿春多赞画，剑阁显鹰扬。不学陶朱隐，游魂悲故乡。

又有诗叹姜维曰：

天水夸英俊，凉州产异才。系从尚父出，术奉武侯来。

大胆应无惧，雄心誓不回。成都身死日，汉将有馀哀。

却说姜维、钟会、邓艾已死，张翼等亦死于乱军之中。太子刘璿、汉寿亭侯关彝，皆被魏兵所杀。军民大乱，互相践踏，死者不计其数。旬日后，贾充先至，出榜安民，方始宁靖。留卫瓘守成都，乃迁后主赴洛阳。止有尚书令樊建、侍中张绍、光禄大夫谯周、秘书郎郤正等数人跟随。廖化、董厥皆托病不起——后皆忧死。

时魏景元五年——改为咸熙元年,春三月,吴将丁奉见蜀已亡,遂收兵还吴。中书丞华覈奏吴主孙休曰:“吴、蜀乃唇齿也,‘唇亡则齿寒’:臣料司马昭伐吴在即,乞陛下深加防御。”休从其言,遂命陆逊子陆抗为镇东大将军,领荆州牧,守江口;左将军孙异守南徐诸处隘口;又沿江一带,屯兵数百营,老将丁奉总督之,以防魏兵。

建宁太守霍弋闻成都不守,素服望西大哭三日。诸将皆曰:“既汉主失位,何不速降?”弋泣谓曰:“道路隔绝,未知吾主安危若何。若魏主以礼待之,则举城而降,未为晚也;万一危辱吾主,则主辱臣死,何可降乎?”众然其言,乃使人到洛阳,探听后主消息去了。

且说后主至洛阳时,司马昭已自回朝。昭责后主曰:“公荒淫无道,废贤失政,理宜诛戮。”后主面如土色,不知所为。文武皆奏曰:“蜀主既失国纪,幸早归降,宜赦之。”昭乃封禅为安乐公,赐住宅,月给用度,赐绢万匹,僮婢百人。子刘瑶及群臣樊建、谯周、郤正等,皆封侯爵。后主谢恩出内。昭因黄皓蠹国[1]害民,令武士押出市曹,凌迟处死。时霍弋探听得后主受封,遂率部下军士来降。次日,后主亲诣司马昭府下拜谢。昭设宴款待,先以魏乐舞戏于前,蜀官感伤,独后主有喜色。昭令蜀人扮蜀乐于前,蜀官尽皆堕泪,后主嬉笑自若。酒至半酣,昭谓贾充曰:“人之无情,乃至于此!虽使诸葛孔明在,亦不能辅之久全,何况姜维乎?”乃问后主曰:“颇思蜀否?”后主曰:“此间乐,不思蜀也。”须臾,后主起身更衣,郤正跟至厢下曰:“陛下如何答应不思蜀也?倘彼再问,可泣而答曰:‘先人坟墓,远在蜀地,乃心西

---

① 蠹(dù)国——暗里损害国家,像蠹虫蛀蚀东西一样。

悲，无日不思。'晋公必放陛下归蜀矣。"后主牢记入席。酒将微醉，昭又问曰："颇思蜀否？"后主如郤正之言以对，欲哭无泪，遂闭其目。昭曰："何乃似郤正语耶？"后主开目惊视曰："诚如尊命。"昭及左右皆笑之。昭因此深喜后主诚实，并不疑虑。后人有诗叹曰：

追欢作乐笑颜开，不念危亡半点哀。快乐异乡忘故国，方知后主是庸才。

却说朝中大臣因昭收川有功，遂尊之为王，表奏魏主曹奂。时奂名为天子，实不能主张，政皆由司马氏，不敢不从，遂封晋公司马昭为晋王，谥父司马懿为宣王，兄司马师为景王。昭妻乃王肃之女，生二子：长曰司马炎，人物魁伟，立发垂地，两手过膝，聪明英武，胆量过人；次曰司马攸，情性温和，恭俭孝悌，昭甚爱之，因司马师无子，嗣攸以继其后。昭常曰："天下者，乃吾兄之天下也。"于是司马昭受封晋王，欲立攸为世子。山涛谏曰："废长立幼，违礼不祥。"贾充、何曾、裴秀亦谏曰："长子聪明神武，有超世之才；人望既茂，天表如此：非人臣之相也。"昭犹豫未决。太尉王祥、司空荀颤谏曰："前代立少，多致乱国。愿殿下思之。"昭遂立长子司马炎为世子。

大臣奏称："当年襄武县，天降一人，身长二丈馀，脚迹长三尺二寸，白发苍髯，着黄单衣，裹黄巾，拄藜头杖，自称曰：'吾乃民王也。今来报汝：天下换主，立见太平。'如此在市游行三日，忽然不见。——此乃殿下之瑞也。殿下可戴十二旒冠冕，建天子旌旗，出警入跸，乘金根车①，备六马，进王妃为王后，立世子

① 金根车——一种以金为饰、皇帝专用的车子。

为太子。”昭心中暗喜;回到宫中,正欲饮食,忽中风不语。次日,病危,太尉王祥、司徒何曾、司马荀顗及诸大臣入宫问安,昭不能言,以手指太子司马炎而死。时八月辛卯日也。何曾曰:“天下大事,皆在晋王;可立太子为晋王,然后祭葬。”是日,司马炎即晋王位,封何曾为晋丞相,司马望为司徒,石苞为骠骑将军,陈骞为车骑将军,谥父为文王。

安葬已毕,炎召贾充、裴秀入宫问曰:“曹操曾云:‘若天命在吾,吾其为周文王乎!’果有此事否?”充曰:“操世受汉禄,恐人议论篡逆之名,故出此言。——乃明教曹丕为天子也。”炎曰:“孤父王比曹操何如?”充曰:“操虽功盖华夏,下民畏其威而不怀其德。子丕继业,差役甚重,东西驱驰,未有宁岁。后我宣王、景王,累建大功,布恩施德,天下归心久矣。文王并吞西蜀,功盖寰宇,又岂操之可比乎?”炎曰:“曹丕尚绍汉统,孤岂不可绍魏统耶?”贾充、裴秀二人再拜而奏曰:“殿下正当法曹丕绍汉故事,复筑受禅坛,布告天下,以即大位。”

炎大喜,次日带剑入内。此时,魏主曹奂连日不曾设朝,心神恍惚,举止失措。炎直入后宫,奂慌下御榻而迎。炎坐毕,问曰:“魏之天下,谁之力也?”奂曰:“皆晋王父祖之赐耳。”炎笑曰:“吾观陛下,文不能论道,武不能经邦。何不让有才德者主之?”奂大惊,口噤不能言。傍有黄门侍郎张节大喝曰:“晋王之言差矣!昔日魏武祖皇帝,东荡西除,南征北讨,非容易得此天下;今天子有德无罪,何故让与人耶?”炎大怒曰:“此社稷乃大汉之社稷也。曹操挟天子以令诸侯,自立魏王,篡夺汉室。吾祖父三世辅魏,得天下者,非曹氏之能,实司马氏之力也:四海咸知。吾今日岂不堪绍魏之天下乎?”节又曰:“欲行此事,是篡国之贼也!”炎大怒曰:“吾与汉家报仇,有何不可!”叱武士将张节乱瓜[①]打死于殿下。奂泣泪跪告。炎起身下殿而去。奂谓贾充、裴秀曰:“事已急矣,如之奈何?”充曰:“天数尽矣,陛下不可逆天,当照汉献帝故事,重修受禅坛,具大礼,禅位与晋王:上合天心,下顺民情,陛下可保无虞矣。”

奂从之,遂令贾充筑受禅坛。以十二月甲子日,奂亲捧传国玺,立于坛上,大会文武。后人有诗叹曰:

魏吞汉室晋吞曹,天运循环不可逃。张节可怜忠国死,
一拳怎障泰山高。

请晋王司马炎登坛,授与大礼。奂下坛,具公服立于班首。炎端坐于坛上。贾充、裴秀列于左右,执剑,令曹奂再拜伏地听命。充曰:“自汉建安二十五年,魏受汉禅,已经四十五年矣;今天禄永终,天命在晋。司马氏功德弥隆,极天际地,可即皇帝正位,以绍魏统。——封汝为陈留王,出就金墉城居止;当时起程,非宣诏不许入京。”奂泣谢而去。太傅司马孚哭拜于奂前曰:“臣身为魏臣,终不背魏也。”炎见孚如此,封孚为安平王。孚不受而退。是日,文武百官,再拜于坛下,山呼万岁。炎绍魏统,国号大晋,改元为泰始元年,大赦天下。魏遂亡。后人有诗叹曰:

晋国规模如魏王,陈留踪迹似山阳。重行受禅台前事,
回首当年止自伤。

晋帝司马炎,追谥司马懿为宣帝,伯父司马师为景帝,父司马昭为文帝,立七庙以光祖宗。那七庙?汉征西将军司马钧,钧生豫章太守司马量,量生颍川太守司马隽,隽生京兆尹司马防,防生宣帝司马懿,懿生景帝司马师、文帝司马昭:是为七庙也。

---

① 瓜——即“金瓜”,亦名“骨朵”,一种充作仪仗的武器:长柄,上端作瓜形。

大事已定,每日设朝计议伐吴之策。正是:汉家城郭已非旧,吴国江山将复更。未知怎生伐吴,且看下文分解。

第一百二十回

荐杜预老将献新谋　降孙皓三分归一统

却说吴主孙休，闻司马炎已篡魏，知其必将伐吴，忧虑成疾，卧床不起，乃召丞相濮阳兴入宫中，令太子孙𩅦出拜。吴主把兴臂、手指𩅦而卒。兴出，与群臣商议，欲立太子孙𩅦为君。左典军万彧曰："𩅦幼不能专政，不若取乌程侯孙皓立之。"左将军张布亦曰："皓才识明断，堪为帝王。"丞相濮阳兴不能决，入奏朱太后。太后曰："吾寡妇人耳，安知社稷之事？卿等斟酌立之可也。"兴遂迎皓为君。

皓字元宗，大帝孙权太子孙和之子也。当年七月，即皇帝位，改元为元兴元年，封太子孙𩅦为豫章王，追谥父和为文皇帝，尊母何氏为太后，加丁奉为右大司马。次年改为甘露元年。皓凶暴日甚，酷溺酒色，宠幸中常侍岑昏。濮阳兴、张布谏之，皓怒，斩二人，灭其三族。由是廷臣缄口，不敢再谏。又改宝鼎元年，以陆凯、万彧为左右丞相。时皓居武昌，扬州百姓泝流供给，甚苦之；又奢侈无度，公私匮乏。陆凯上疏谏曰：

> 今无灾而民命尽，无为而国财空，臣窃痛之。昔汉室既衰，三家鼎立；今曹、刘失道，皆为晋有：此目前之明验也。臣愚但为陛下惜国家耳。武昌土地险瘠，非王者之都。且童谣云："宁饮建业水，不食武昌鱼；宁还建业死，不止武昌居！"此足明民心与天意也。今国无一年之蓄，有露根之渐；

官吏为苛扰，莫之或恤。大帝时，后宫女不满百；景帝以来，乃有千数：此耗财之甚者也。又左右皆非其人，群党相挟，害忠隐贤，此皆蠹政病民者也。愿陛下省百役，罢苛扰，简出宫女，清选百官，则天悦民附而国安矣。

疏奏，皓不悦。又大兴土木，作昭明宫，令文武各官入山采木；又召术士尚广，令筮蓍问取天下之事。尚对曰："陛下筮得吉兆：庚子岁，青盖当入洛阳。"皓大喜，谓中书丞华覈曰："先帝纳卿之言，分头命将，沿江一带，屯数百营，命老将丁奉总之。朕欲兼并汉土，以为蜀主复仇，当取何地为先？"覈谏曰："今成都不守，社稷倾崩，司马炎必有吞吴之心。陛下宜修德以安吴民，乃为上计。若强动兵甲，正犹披麻救火，必致自焚也。愿陛下察之。"皓大怒曰："朕欲乘时恢复旧业，汝出此不利之言！若不看汝旧臣之面，斩首号令！"叱武士推出殿门。华覈出朝叹曰："可惜锦绣江山，不久属于他人矣！"遂隐居不出。于是皓令镇东将军陆抗部兵屯江口，以图襄阳。

早有消息报入洛阳，近臣奏知晋主司马炎。晋主闻陆抗寇襄阳，与众官商议。贾充出班奏曰："臣闻吴国孙皓，不修德政，专行无道。陛下可诏都督羊祜率兵拒之，俟其国中有变，乘势攻取，东吴反掌可得也。"炎大喜，即降诏遣使到襄阳，宣谕羊祜。祜奉诏，整点军马，预备迎敌。自是羊祜镇守襄阳，甚得军民之心。吴人有降而欲去者，皆听之。减戍逻之卒，用以垦田八百馀顷。其初到时，军无百日之粮；及至末年，军中有十年之积。祜在军，尝着轻裘，系宽带，不披铠甲，帐前侍卫者不过十馀人。一日，部将入帐禀祜曰："哨马来报：吴兵皆懈怠。可乘其无备而袭之，必获大胜。"祜笑曰："汝众人小觑陆抗耶？此人足智多谋，日前吴主命之攻拔西陵，斩了步阐及其将士数十人，吾救之无及。

此人为将，我等只可自守；候其内有变，方可图取。若不审时势而轻进，此取败之道也。”众将服其论，只自守疆界而已。

一日，羊祜引诸将打猎，正值陆抗亦出猎。羊祜下令：“我军不许过界。”众将得令，止于晋地打围，不犯吴境。陆抗望见，叹曰：“羊将军有纪律，不可犯也。”日晚各退。祜归至军中，察问所得禽兽，被吴人先射伤者皆送还。吴人皆悦，来报陆抗。抗召来人入，问曰：“汝主帅能饮酒否？”来人答曰：“必得佳酿，则饮之。”抗笑曰：“吾有斗酒，藏之久矣。今付与汝持去，拜上都督：此酒陆某亲酿自饮者，特奉一勺，以表昨日出猎之情。”来人领诺，携酒而去。左右问抗曰：“将军以酒与彼，有何主意？”抗曰：“彼既施德于我，我岂得无以酬之？”众皆愕然。

却说来人回见羊祜，以抗所问并奉酒事，一一陈告。祜笑曰：“彼亦知吾能饮乎！”遂命开壶取饮。部将陈元曰：“其中恐有奸诈，都督且宜慢饮。”祜笑曰：“抗非毒人者也，不必疑虑。”竟倾壶饮之。自是使人通问，常相往来。一日，抗遣人候祜。祜问曰：“陆将军安否？”来人曰：“主帅卧病数日未出。”祜曰：“料彼之病，与我相同。吾已合成熟药在此，可送与服之。”来人持药回见抗。众将曰：“羊祜乃是吾敌也，此药必非良药。”抗曰：“岂有酖人羊叔子哉！汝众人勿疑。”遂服之。次日病愈，众将皆拜贺。抗曰：“彼专以德，我专以暴，是彼将不战而服我也。今宜各保疆界而已，无求细利。”众将领命。

忽报吴主遣使来到，抗接入问之。使曰：“天子传谕将军：作急进兵，勿使晋人先入。”抗曰：“汝先回，吾随有疏章上奏。”使人辞去，抗即草疏遣人赍到建业。近臣呈上，皓拆观其疏，疏中备言晋未可伐之状，且劝吴主修德慎罚，以安内为念，不当以黩武为事。吴主览毕，大怒曰：“朕闻抗在边境与敌人相通，今果然矣!"遂遣使罢其兵权,降为司马,却令左将军孙冀代领其军。群臣皆不敢谏。吴主皓自改元建衡,至凤凰元年,恣意妄为,穷兵屯戍,上下无不嗟怨。丞相万彧、将军留平、大司农楼玄三人见皓无道,直言苦谏,皆被所杀。前后十馀年,杀忠臣四十馀人。皓出入常带铁骑五万。群臣恐怖,莫敢奈何。

却说羊祜闻陆抗罢兵,孙皓失德,见吴有可乘之机,乃作表遣人往洛阳请伐吴。其略曰:

> 夫期运虽天所授,而功业必因人而成。今江淮之险,不如剑阁;孙皓之暴,过于刘禅;吴人之困,甚于巴蜀;而大晋兵力,盛于往时:不于此际平一四海,而更阻兵相守,使天下困于征戍,经历盛衰,不可长久也。

司马炎观表,大喜,便令兴师。——贾充、荀勖、冯紞三人,力言不可,炎因此不行。祜闻上不允其请,叹曰:"天下不如意事,十常八九。今天与不取,岂不大可惜哉!"至咸宁四年,羊祜入朝,奏辞归乡养病。炎问曰:"卿有何安邦之策,以教寡人?"祜曰:"孙皓暴虐已甚,于今可不战而克。若皓不幸而殁,更立贤君,则吴非陛下所能得也。"炎大悟曰:"卿今便提兵往伐,若何?"祜曰:"臣年老多病,不堪当此任。陛下另选智勇之士,可也。"遂辞炎而归。是年十一月,羊祜病危,司马炎车驾亲临其家问安。炎至卧榻前,祜下泪曰:"臣万死不能报陛下也!"炎亦泣曰:"朕深恨不能用卿伐吴之策。——今日谁可继卿之志?"祜含泪而言曰:"臣死矣,不敢不尽愚诚:右将军杜预可任;若伐吴,须当用之。"炎曰:"举善荐贤,乃美事也;卿何荐人于朝,即自焚奏稿,不令人知耶?"祜曰:"拜官公朝,谢恩私门,臣所不取也。"言讫而亡。炎大哭回宫,敕赠太傅、巨平侯。南州百姓闻羊祜死,罢市而哭。江南守边将士，亦皆哭泣。襄阳人思祜存日，常游于岘山，遂建庙立碑，四时祭之。往来人见其碑文者，无不流涕，故名为“堕泪碑”。后人有诗叹曰：

晓日登临感晋臣，古碑零落岘山春。松间残露频频滴，疑是当年堕泪人。

晋主以羊祜之言，拜杜预为镇南大将军都督荆州事。杜预为人，老成练达，好学不倦，最喜读左丘明《春秋传》，坐卧常自携，每出入必使人持《左传》于马前，时人谓之“左传癖”。及奉晋主之命，在襄阳抚民养兵，准备伐吴。

此时吴国丁奉、陆抗皆死，吴主皓每宴群臣，皆令沉醉；又置黄门郎十人为纠弹官。宴罢之后，各奏过失，有犯者或剥其面，或凿其眼。由是国人大惧。晋益州刺史王濬上疏请伐吴。其疏曰：

孙皓荒淫凶逆，宜速征伐。若一旦皓死，更立贤主，则强敌也；臣造船七年，日有朽败；臣年七十，死亡无日：三者一乖，则难图矣。愿陛下无失事机。

晋主览疏，遂与群臣议曰：“王公之论，与羊都督暗合。朕意决矣。”侍中王浑奏曰：“臣闻孙皓欲北上，军伍已皆整备，声势正盛，难与争锋。更迟一年以待其疲，方可成功。”晋主依其奏，乃降诏止兵莫动，退入后宫，与秘书丞张华围棋消遣。近臣奏边庭有表到。晋主开视之，乃杜预表也。表略云：

往者，羊祜不博谋于朝臣，而密与陛下计，故令朝臣多异同之议。凡事当以利害相校。度此举之利，十有八九，而其害止于无功耳。自秋以来，讨贼之形颇露；今若中止，孙皓恐怖，徙都武昌，完修江南诸城，迁其居民，城不可攻，野无所掠，则明年之计亦无及矣。

晋主览表才罢，张华突然而起，推却棋枰，敛手奏曰："陛下圣武，国富民强；吴主淫虐，民忧国敝。今若讨之，可不劳而定。愿勿以为疑。"晋主曰："卿言洞见利害，朕复何疑。"即出升殿，命镇南大将军杜预为大都督，引兵十万出江陵；镇东大将军琅琊王司马伷出涂中；安东大将军王浑出横江；建威将军王戎出武昌；平南将军胡奋出夏口：各引兵五万，皆听预调用。又遣龙骧将军王濬、广武将军唐彬，浮江东下：水陆兵二十馀万，战船数万艘。又令冠军将军杨济出屯襄阳，节制诸路人马。

早有消息报入东吴。吴主皓大惊，急召丞相张悌、司徒何植、司空滕循，计议退兵之策。悌奏曰："可令车骑将军伍延为都督，进兵江陵，迎敌杜预；骠骑将军孙歆进兵拒夏口等处军马。臣敢为军师，领左将军沈莹、右将军诸葛靓，引兵十万，出兵牛渚，接应诸路军马。"皓从之，遂令张悌引兵去了。皓退入后宫，不安忧色。幸臣中常侍岑昏问其故。皓曰："晋兵大至，诸路已有兵迎之；争奈王濬率兵数万，战船齐奋，顺流而下，其锋甚锐：朕因此忧也。"昏曰："臣有一计，令王濬之舟，皆为齑粉矣。"皓大喜，遂问其计。岑昏奏曰："江南多铁，可打连环索百馀条，长数百丈，每环重二三十斤，于沿江紧要去处横截之。再造铁锥数万，长丈馀，置于水中。若晋船乘风而来，逢锥则破，岂能渡江也？"皓大喜，传令拨匠工于江边连夜造成铁索、铁锥，设立停当。

却说晋都督杜预，兵出江陵，令牙将周旨：引水手八百人，乘小舟暗渡长江，夜袭乐乡，多立旌旗于山林之处，日则放炮擂鼓，夜则各处举火。旨领命，引众渡江，伏于巴山。次日，杜预领大军水陆并进。前哨报道："吴主遣伍延出陆路，陆景出水路，孙歆为先锋：三路来迎。"杜预引兵前进，孙歆船早到。两兵初交，杜预便退。歆引兵上岸，迤逦追时，不到二十里，一声炮响，四面晋兵大至。吴兵急回，杜预乘势掩杀，吴兵死者不计其数。孙歆奔到城边，周旨八百军混杂于中，就城上举火。歆大惊曰：“北来诸军乃飞渡江也?”急欲退时，被周旨大喝一声，斩于马下。陆景在船上，望见江南岸上一片火起，巴山上风飘出一面大旗，上书：“晋镇南大将军杜预”。陆景大惊，欲上岸逃命，被晋将张尚马到斩之。伍延见各军皆败，乃弃城走，被伏兵捉住，缚见杜预。预曰：“留之无用!”叱令武士斩之。——遂得江陵。于是沅、湘一带，直抵广州诸郡，守令皆望风赍印而降。预令人持节安抚，秋毫无犯。遂进兵攻武昌，武昌亦降。杜预军威大振，遂大会诸将，共议取建业之策。胡奋曰：“百年之寇，未可尽服。方今春水泛涨，难以久住。可俟来春，更为大举。”预曰：“昔乐毅济西一战而并强齐；今兵威大振，如破竹之势，数节之后，皆迎刃而解，无复有着手处也。”遂驰檄约会诸将，一齐进兵，攻取建业。

时龙骧将军王濬率水兵顺流而下。前哨报说：“吴人造铁索，沿江横截；又以铁锥置于水中为准备。”濬大笑，遂造大筏数十方，上缚草为人，披甲执杖，立于周围，顺水放下。吴兵见之，以为活人，望风先走。暗锥着筏，尽提而去。又于筏上作大炬，长十馀丈，大十馀围，以麻油灌之，但遇铁索，燃炬烧之，须臾皆断。两路从大江而来，所到之处，无不克胜。

却说东吴丞相张悌，令左将军沈莹、右将军诸葛靓，来迎晋兵。莹谓靓曰：“上流诸军不作提防，吾料晋军必至此，宜尽力以敌之。若幸得胜，江南自安。今渡江与战，不幸而败，则大事去矣。”靓曰：“公言是也。”言未毕，人报晋兵顺流而下，势不可当。二人大惊，慌来见张悌商议。靓谓悌曰：“东吴危矣，何不遁去?”悌垂泣曰：“吴之将亡，贤愚共知；今若君臣皆降，无一人死于国难,不亦辱乎!”诸葛靓亦垂泣而去。张悌与沈莹挥兵抵敌,晋兵一齐围之。周旨首先杀入吴营。张悌独奋力搏战,死于乱军之中。沈莹被周旨所杀。吴兵四散败走。后人有诗赞张悌曰:

“杜预”巴山见大旗,江东张悌死忠时。已拚王气南中尽,不忍偷生负所知。

却说晋兵克了牛渚,深入吴境。王濬遣人驰报捷音,晋主炎闻知大喜。贾充奏曰:“吾兵久劳于外,不服水土,必生疾病。宜召军还,再作后图。”张华曰:“今大兵已入其巢,吴人胆落,不出一月,孙皓必擒矣。若轻召还,前功尽废,诚可惜也。”晋主未及应,贾充叱华曰:“汝不省天时地利,欲妄邀功绩,困弊士卒,虽斩汝不足以谢天下!”炎曰:“此是朕意,华但与朕同耳,何必争辩!”忽报杜预驰表到。晋主视表,亦言宜急进兵之意。晋主遂不复疑,竟下征进之命。王濬等奉了晋主之命,水陆并进,风雷鼓动,吴人望旗而降。吴主皓闻之,大惊失色。诸臣告曰:“北兵日近,江南军民不战而降,将如之何?”皓曰:“何故不战?”众对曰:“今日之祸,皆岑昏之罪,请陛下诛之。臣等出城决一死战。”皓曰:“量一中贵,何能误国?”众大叫曰:“陛下岂不见蜀之黄皓乎!”遂不待吴主之命,一齐拥入宫中,碎割岑昏,生啖其肉。陶濬奏曰:“臣领战船皆小,愿得二万兵乘大船以战,自足破之。”皓从其言,遂拨御林诸军与陶濬上流迎敌。前将军张象,率水兵下江迎敌。二人部兵正行,不想西北风大起,吴兵旗帜,皆不能立,尽倒竖于舟中;兵卒不肯下船,四散奔走,只有张象数十军待敌。

却说晋将王濬,扬帆而行,过三山,舟师曰:“风波甚急,船不能行;且待风势少息行之。”濬大怒,拔剑叱之曰:“吾目下欲取石头城,何言住耶!”遂擂鼓大进。吴将张象引从军请降。濬曰:“若是真降,便为前部立功。”象回本船,直至石头城下,叫开城门，接入晋兵。孙皓闻晋兵已入城，欲自刎。中书令胡冲、光禄勋薛莹奏曰："陛下何不效安乐公刘禅乎？"皓从之，亦舆榇自缚，率诸文武，诣王濬军前归降。濬释其缚，焚其榇，以王礼待之。唐人有诗叹曰：

西晋楼船下益州，金陵王气黯然收。千寻铁锁沉江底，一片降旗出石头。人世几回伤往事，山形依旧枕寒流。今逢四海为家日，故垒萧萧芦荻秋。

于是东吴四州，四十三郡，三百一十三县，户口五十二万三千，官吏三万二千，兵二十三万，男女老幼二百三十万，米谷二百八十万斛，舟船五千馀艘，后宫五千馀人，皆归大晋。大事已定，出榜安民，尽封府库仓廪。次日，陶濬兵不战自溃。琅琊王司马伷并王戎大兵皆至，见王濬成了大功，心中忻喜。次日，杜预亦至，大犒三军，开仓赈济吴民。于是吴民安堵。惟有建平太守吾彦，拒城不下；——闻吴亡，乃降。王濬上表报捷。朝廷闻吴已平，君臣皆贺，上寿。晋主执杯流涕曰："此羊太傅之功也，惜其不亲见之耳！"骠骑将军孙秀退朝，向南而哭曰："昔讨逆壮年，以一校尉创立基业；今孙皓举江南而弃之！'悠悠苍天，此何人哉！'"

却说王濬班师，迁吴主皓赴洛阳面君。皓登殿稽首以见晋帝。帝赐坐曰："朕设此座以待卿久矣。"皓对曰："臣于南方，亦设此座以待陛下。"帝大笑。贾充问皓曰："闻君在南方，每凿人眼目，剥人面皮：此何等刑耶？"皓曰："人臣弑君及奸回不忠者，则加此刑耳。"充默然甚愧。帝封皓为归命侯，子孙封中郎，随降宰辅皆封列侯。丞相张悌阵亡，封其子孙。封王濬为辅国大将军。其馀各加封赏。

自此三国归于晋帝司马炎，为一统之基矣。此所谓"天下大势，合久必分，分久必合”者也。后来后汉皇帝刘禅亡于晋泰始七年，魏主曹奂亡于太安元年，吴主孙皓亡于太康四年，皆善终。后人有古风一篇，以叙其事曰：

高祖提剑入咸阳，炎炎红日升扶桑；光武龙兴成大统，金乌飞上天中央；哀哉献帝绍海宇，红轮西坠咸池傍！何进无谋中贵乱，凉州董卓居朝堂；王允定计诛逆党，李傕郭汜兴刀枪；四方盗贼如蚁聚，六合奸雄皆鹰扬；孙坚孙策起江左，袁绍袁术兴河梁；刘焉父子据巴蜀，刘表军旅屯荆襄；张燕张鲁霸南郑，马腾韩遂守西凉；陶谦张绣公孙瓒，各逞雄才占一方。曹操专权居相府，牢笼英俊用文武；威挟天子令诸侯，总领貔貅镇中土。楼桑玄德本皇孙，义结关张愿扶主；东西奔走恨无家，将寡兵微作羁旅；南阳三顾情何深，卧龙一见分寰宇；先取荆州后取川，霸业图王在天府；呜呼三载逝升遐，白帝托孤堪痛楚！孔明六出祁山前，愿以只手将天补；何期历数到此终，长星半夜落山坞！姜维独凭气力高，九伐中原空劬劳；钟会邓艾分兵进，汉室江山尽属曹。丕睿芳髦才及奂，司马又将天下交；受禅台前云雾起，石头城下无波涛；陈留归命与安乐，王侯公爵从根苗：纷纷世事无穷尽，天数茫茫不可逃；鼎足三分已成梦，后人凭吊空牢骚。